JN085296
発表
文
人
コーパス
研究
提供
画像
図書館
世界
史
現代
評価
歴史
europeana
テキスト
中心
情報
表示
文
学
結果
2014
文書
システム
xml
成果
著作
分野
電子
学会
ツール
公開
能
者
記述
史
中世
for
日本
近
用
校訂
成
同
間
機能

欧米圏デジタル・ヒューマニティーズの基礎知識

【監修】
一般財団法人人文情報学研究所

【編】
小風尚樹
小川　潤
纓田宗紀
長野壮一
山中美潮
宮川　創
大向一輝
永崎研宣

文学通信

[凡例・本書の読み方]

» 本書は2011年より一般財団法人人文情報学研究所から毎月刊行されている無料のメールマガジン『人文情報学月報』に掲載された記事のなかから、西洋世界のデジタル・ヒューマニティーズに関するものを選び、加筆・修正する形で編んだものである。
» 「初出一覧」のように、掲載時期はかなり長期間にわたることに加え、執筆者も多い。なので用語は、例えば「デジタルヒューマニティーズ」「DH」など混在している。
» 「本書のタグMap」は、編者が各論に適宜タグを付与し、それを一覧にしたものである。それぞれの興味関心から各論へと進めるようにしてある。
» 巻末に「DH Map」「用語解説」を付した。
» 「DH Map」は、各論に登場する主な大学や組織、プロジェクトを地図化したものである。こちらもそれぞれの興味関心から各論へと進めるようにしてある。
» 「用語解説」は、最低限の解説を加えたものである。

[メールマガジン『人文情報学月報』(無料)について]

人文情報学とは、人間文化を対象とするさまざまな研究分野を含む幅広い意味での人文学を対象とし、その研究活動においてデジタル技術が適用されることによって生じる理論的枠組みから実践的問題までの多様な課題を扱う研究領域です。そして、デジタル技術やそれによって作り出された研究データの活用を媒介として、人文学内の諸分野のみならず、情報学やその他のさまざまな分野も含めた横断的な議論と成果を目指すとともに、それを通じた方法論的内省にもとづく人文学諸分野の深化をも視野にいれています。

人文情報学の現状を少しでもつかみやすくするべく、人文情報学と位置づけることができるさまざまな研究について、各分野気鋭の専門家の皆さまにご紹介いただくと共に国内外のホットな情報を取り上げていきます。

過去の記事は以下のサイトで公開しております。

https://www.dhii.jp/DHM/

メールマガジンは月一回の配信で無料で読むことが出来ます。以下のサイトから購読の申し込みができます。ぜひこの機会にお申し込み下さい。

https://w.bme.jp/bm/p/f/tf.php?id=dhm&task=regist

目次

第2部　時代から知る

第3部　欧州・中東 デジタル・ヒューマニティーズ動向

[宮川　創]

付録

■本書のタグ Map

☞言語学

形態素解析 3-1、3-4、3-17
DH と言語研究 2-6、2-7
Universal Dependencies 3-19、3-20
ツリーバンク 3-17、3-19
言語類型論 3-19、3-20
Field Linguist's Toolbox 3-21
FieldWorks Language Explorer 3-21
Leipzig Glossing Rules 3-21
MaltParser 3-20
PROIEL 3-17
SETS 3-19
Thesaurus Linguae Graecae 3-7
UD Pipe 3-20
U-POS 3-19
インド・ヨーロッパ語族 3-17
ロシア語 2-26
依存文法 3-19
概念辞書 3-18
統語解析 3-19
統語論 3-20

☞研究データ基盤

デジタルアーカイブ 1-10、1-11、1-13、2-12、2-14、2-15、2-17、2-18、2-20、2-22、2-28、2-31、3-8、3-12、3-13
Perseus デジタル図書館 2-2、2-4、2-6、2-7、3-19
データベース 2-15、2-16、2-18、2-20、2-23
ヨーロピアナ 1-7、1-10、1-11、2-28
データインフラ 1-7、1-8、1-10
協働プラットフォーム 2-5、2-6、2-7
Biblissima 3-13
Bodmer Lab 3-8
DARIAH 3-2
DigiVatLib 3-12
DiJeSt 3-16
Gallica 3-13
GCDH 3-2
Trismegistos 3-11
データ・セット 2-14
研究基盤整備 2-26
検索ポータル 2-22
図書館横断検索 2-13

☞文献学

古書体学 2-8、2-9、2-10
READ 3-14、3-16
パピルス 3-8、3-10
引用探知 3-7、3-9
間テクスト性 3-7、3-9
書誌学 2-12、2-13
BerlPap 3-10
Marcion 3-18
Papyri.info 3-10
コレーション 3-7
パピルス学 3-11
西洋古典学 3-11
剽窃探知 3-9

☞テキストマイニング

TRACER 3-1、3-7、3-18
テキスト分析 2-26、2-29、2-30
テクスト・リユース 3-7、3-9
eTRAP 3-7
Tesserae 3-9
Voyant-Tools 3-4
WordNet 3-18
テキストマイニング 1-2
ワードクラウド 3-4
遠読と精読 1-5
計量分析 2-29

☞ コミュニティ

学界動向　1-5、1-6、1-12、1-14、2-16、2-21、2-22、2-23、2-24、2-27
ワークショップ　1-12、1-13、2-1
ADHO　3-14
DH 2019　3-14
DH の研究動向　2-1
イベントレポート　2-8
エジプト学　3-11
オンラインコミュニティ　2-27
研究動向　2-26
商用サービス　2-3

☞ DH のメタ理解

DH のグローカル化　1-1、1-2、1-3、1-5
DH のキャリア　1-1、1-14
DH の範疇　1-1、1-3
国際的協働　2-4、2-18
仕事環境　1-14、2-24
DH 以前　2-29
DH 批評　2-31
デジタル方法論　2-31
学界の包摂性　1-4
職業倫理　1-4

☞ 歴史学

歴史資料　1-8、1-13、2-1、2-8、2-9、2-14
デジタル・ヒストリー　1-6、1-9、1-15、2-1、2-32
歴史的記憶　2-28、2-32
Tokyo Digital History　2-14
デジタル史料批判　2-31
パブリック・ヒストリー　2-32
プロソポグラフィー　3-11
史料コーパス　2-11
系の歴史学　2-29
歴史叙述　1-9

☞ デジタル学術編集

Text Encoding Initiative (TEI)　2-1、2-2、2-5、2-8、2-10、2-11、2-14、3-6
デジタル学術編集　1-12、2-5、2-6、2-7、2-10、2-17、2-22
テキストの構造化　1-8、1-12、1-13、2-3
インキュナブラ　2-12、2-13
EpiDoc　3-6
TextGrid　3-2
Virtual Manuscript Room　3-6
批判校訂版　3-1
羊皮紙写本　3-12

☞ 聖書学

Accordance　3-5
BibleWorks　3-5
CrossWire Bible Society　3-6
Logos　3-5
Verbum　3-5
欧州聖書学会　3-5
聖書　3-5
聖書文学学会　3-5
聖書本文批評学　3-9

☞ 文字認識

OCR　3-1、3-15
デジタル翻刻　2-8、2-28
翻刻　3-1、3-6
Handwritten Text Recognition (HTR)　3-16
OCRopus　3-15
OCRopy　3-16
ScanTailor　3-16
Transkribus　3-16
セグメンテーション　3-16

☞ 教育

学部教育　1-12、1-13、1-14、2-19、2-24
大学院教育　1-3、1-12、1-13、1-15
DH のリテラシー　1-13、1-14、2-5
DH 教育　2-10、3-4
DH と人文教育　2-4、2-6
教育　2-28、2-31
学習ツール　2-11
大学院生への教育　1-5

☞ 情報の視覚化

データ・ビジュアライゼーション　1-6、2-14、2-20、2-21、2-23
視覚化　3-17、3-20
ANNIS　3-4
Arborator　3-20
TinyMCE　3-6
TRAViz　3-7
ユーザインタフェース　1-7

☞ コプト語

コプト語　3-1、3-12、3-13、3-15
Coptic Dictionary Online　3-18
Coptic NLP Service　3-3
Coptic SCRIPTORIUM　3-3
コプト語訳旧約聖書　3-6
コプト文字　3-16
ティト・オルランディ　3-14

☞ 情報の構造化

インターリニアーグロス　3-17、3-21
CoNNL-U　3-20
ID 付与　3-11
LaTeX　3-21
synset　3-18
セマンティックウェブ　1-6
情報構造　3-17

序――本書が目指すもの

小風尚樹・永崎研宣

■1．本書の背景

20世紀後半以降、我々を取り巻く情報通信技術の著しい進展に伴い、人文学研究にもその波が押し寄せている。この動きは、デジタル・ヒューマニティーズ（以下、DH）と呼ばれ、国内外の学界動向に少なからぬ影響を与えている。

日本文化を対象としたDHの多くが日本を拠点として展開されているのと同様に、西洋世界におけるDHの研究・教育の主流を形成しているのは欧米圏の組織やプロジェクトであり、西洋世界に目を向ける人文学研究者にとって、まず参照すべきはこのような欧米発の情報であることが多い。もちろん、このような欧米発のプロジェクトだけでDH研究の世界が完結しているわけではないし、そうあるべきでもない。欧米のDH研究者の間でも、DH研究の多くが「マジョリティ」の手になるものであってきたという状況認識から、研究対象とする文化・地域をはじめとする研究活動全般の偏りを是正し、多様性のある学問へと組みなおしていくべきとする自省的な取り組みが着実に進められつつある。たとえば、国際デジタル・ヒューマニティーズ学会連合（以下、ADHO）についてみてみると、多言語多文化問題を扱う委員会をADHO内に設置し、日本、メキシコ、台湾、南アフリカにおいてDH学会の設立を支援し、それぞれがADHOに加盟するに至った。また、毎年開催している国際学術大会を3年に一度は非欧米圏で開催することをルール化し、現地でのDHの普及を支援してきた。日本ではDHはすでに盛んであったものの、ADHOとの連携により国際化が大きく進展したことは特筆すべき点だろう。

■ 2．西洋世界の DH を知る困難の前に

しかしながら、日本で西洋世界の DH に関する情報を入手するための手だてはいまだ乏しいと言わざるを得ない。なぜなら、非日本語圏で展開しているために言語の壁が立ちはだかっていることに加え、情報技術の進歩の速さのために一部の情報の陳腐化がはやく、西洋世界を研究する日本の研究者が情報を入手するための勉強をすることがコスト的に見合わないように思えてしまう面があること、一方で、用いられている技術を理解するにあたって西洋研究の文脈での知識が必要であるため情報技術をよく理解している人であっても内容を理解して伝えることが難しいこと、この二つの困難さが情報の入手を難しいものにさせているのである。この状況が続けば、日本における西洋研究が現地のそれと大きく乖離(かいり)してしまい、若手研究者が現地で研究を深めようとしたときにハンディキャップを負うことになるだけでなく、日本において西洋世界についての新しい研究成果を理解するための土壌すら失われてしまう可能性があるのではないだろうか。

一方で、近年、我が国の学術研究においてもデジタルトランスフォーメーション（DX）の波が押し寄せつつあり、科学技術・イノベーション基本法に人文・社会科学が含まれることになったこともあわせ、デジタル技術と人文学との新たな関係が求められている。これまでの人文学者にとっては半ば傍観していられた科学技術基本計画の最新版、第 6 期科学技術・イノベーション基本計画［注 1］では、人文・社会科学が取り組むべき諸課題として、研究データの共有・利活用を促進するデータプラットフォームの整備や、人文・社会科学の知と自然科学の知の融合による人間や社会の総合的理解と課題解決に貢献する「総合知」等が挙げられており、こうした課題に本格的に取り組まなければならない状況が着々と形成されつつあるように思われる。なかでも、人文学向け研究データプラットフォームについては、欧州委員会（EC）が推進する研究インフラ協会（ERIC）の傘下にある人文学向け研究インフラ組織、CLARIN ERIC、DARIAH ERIC の動向やそこに至る欧州 DH の展開も参考にすべき点が大いにあるだろう。これらの組織そのものについては本書では十分に取り上げるには至らなかったが、そこに至る展開は、まさに本書のなかに遍在しており、それを読み取っていただくことができたなら幸いである。

■3．本書の構成

本書は、2011年より一般財団法人人文情報学研究所から毎月刊行されている無料のメールマガジン『人文情報学月報』に掲載された記事を加筆・修正する形で編んだものである。第1部・第2部は西洋研究とDHに関わる記事をテーマおよび時代別に分けたものであり、そして第3部は宮川創氏による連載記事「欧州・中東デジタル・ヒューマニティーズ動向」とそれについての注解から構成される。

まず第1部・第2部に関しては、『人文情報学月報』所収の記事を中心に収載し、それぞれのテーマや時代についてのDHの概要を把握できるようにすることを目指している。DHは利用可能な史資料の状況によって適用可能な技術が異なってくることが多く、テーマ・時代ごとに分けることで、その特徴を把握しやすくすることを試みた。各章の冒頭に、編者によるリード文が掲載されており、該当章を読み進めるためのガイドとして機能することを企図している。なお、すでに西洋研究におけるDHは非常に広範に広がっており、全体を網羅することは不可能であることから、ここで採り上げているのはあくまでもその一部にすぎないことをお含み置きいただきたい。また、各記事に紹介されているURLのなかにはリンク切れになってしまっているものも含まれている。本書では、『人文情報学月報』掲載時点のURLがリンク切れになっているという事態にも意味があるととらえ、多くのものはあえて残している。というのも、DHのプロジェクトの持続性は、研究助成金の有無に左右されることがしばしばであり、DH分野で「古典」的な研究プロジェクトとして残り続けることがいかに困難かという課題が端的に示されていると考えるからである。このような事情から、本書編集段階でリンクが確認できたものについては、最新のアクセス日を示す一方で、リンク切れのURLについては、ごく一部を除き、元原稿が『人文情報学月報』に掲載された時点でのアクセス日を示すこととした。

次に、第3部の宮川氏の連載記事は、西洋研究においてこの数年の間に起きているデジタル技術を用いた文化研究について、その本場の一つともいえるドイツ・ゲッティンゲン大学を中心とした欧州各地での事例を紹介するものであり、本書では、さらにそれをDHの専門家でない人にもわかりやすくなるように注解を施している。注解に用語集の役割を持たせることで第3部の各論考に対する理解を助けたいと考えたため、この注解は巻末索引に掲載して参照しやすくした。

■4．本書が目指すもの

本書が目指すのは、西洋世界を題材として扱うDHの研究動向を調査するための足がかりを提供することである。本来、最新の学界動向を追えることが理想的ではあるが、その情報のみをピンポイントで知ることは容易でない上に、それだけを知っても効果的にそれを活用することは難しい。本書はあくまでも点描にすぎないものの、それを通じて全体の雰囲気をつかむと同時に、類例を介して関心ある分野における状況を調査するための土台を築く手助けとなることを、編者としては願っている。

▶注

［1］第6期科学技術・イノベーション基本計画, https://www8.cao.go.jp/cstp/kihonkeikaku/index6.html（最終閲覧2021年4月15日）

第1部

テーマから知る

序──テーマから知る

小風尚樹

■1．デジタル・ヒューマニティーズ（DH）とは何か

「デジタル・ヒューマニティーズとは何か」という素朴な問いに答えるのは難しい。本書で扱われている内容をざっと眺めてみただけでもそれは自明であり、ここで厳密に定義しようとすることが生産的だとも思われない。ただし、ウェブサイト whatisdigitalhumanities.com のように、世界中のデジタル・ヒューマニティーズ研究者が自身の定義を披露し、結果としてひとところでその定義を比較検討できるような場も存在する。ここで閲覧できる定義を見ていくと、デジタル・ヒューマニティーズはさまざまな専門分野・職能・社会的立場の人々が参集する場であることがわかってくる。本章は、このようなデジタル・ヒューマニティーズの多様性を体現する空間として構成した。その構成要素として選んだ題材は、「デジタル・ヒューマニティーズの哲学」「社会との関わり」「学界動向」「メタデータ」「研究評価」「教育」である。

■2．「協働」の裏にある弱点

デジタル・ヒューマニティーズを表すキーワードの一つとして、「協働」を挙げることができる。専門分野・職能・社会的立場の違いを超えて、人々が手を取り合い、個々のデジタル・ヒューマニティーズ事業に集まることは、この分野の特長の一つであろう。しかし、このデジタル・ヒューマニティーズを担う人間集団を一つの社会と見なした場合に、その構成員のありようがどれだけ包摂的で多様性を保持できているのかを問うことも重要である。デジタル・ヒューマニティーズが示すユートピア的展望の裏には、構成員のジェンダー比・研究や教育拠点の地理的分布をはじめとする不均衡の現実がある。「デジタル・ヒューマニティーズの哲学」と「社会との関わり」の論点では、

このようなデジタル・ヒューマニティーズの弱点に光を当てる論考を掲載することにより、社会・文化批評を生業とする人文学者からの批判的考察を積極的に仰ぐための土壌を形成したい。西洋世界のデジタル・ヒューマニティーズを扱う本書の序盤にこのような論争的な主題を配置することで、非欧米圏からの研究発信の重要性を浮き彫りにし、結果としてデジタル・ヒューマニティーズがいまよりもいっそう包摂的で多様なコミュニティーへと変容していくきっかけを作ることができればと考えている。

■3．学界動向を読む

以上のような理論的論考の後には、より具体的な研究動向を紹介する論考を配置した。「学界動向」に分類された記事は国際学会の実際の様子を伝えるものとなっているが、前掲の理論的論考を読むことを通じて培われた批判的姿勢をぜひとも駆使して、学界の様子を眺めていただきたい。

この「学界動向」論考を読むだけでも、非常に多くの論点を DH が扱っていることがうかがわれるが、中でも、デジタル・ヒューマニティーズの利害関係者のうち、研究基盤を支える存在が不可欠であることはいうまでもない。有形無形の文化・学術資源をデジタルデータに変換すること、その資源を取り巻くさまざまな属性情報をデータとして記述すること、そのデータ記述方法の統一的規格を整備すること、これらはすべてデジタル・ヒューマニティーズの基底をなす重要な仕事である。「メタデータ」の論点は、これらデジタル・ヒューマニティーズの基盤を支える仕事に光を当てた論考をまとめあげるためのものである。

■4．分野の違う他者とのコミュニケーション

このような学術基盤の整備に目を向けるだけでも、デジタル・ヒューマニティーズが伝統的な人文学者によってのみ進められている分野ではないことがわかる。ただし、このような分野的多様性は、必然的に相互の意思疎通を難しいものにする。文化・慣習の違う他者とどのようにコミュニケーションを図り、畑違いの分野の知的成果をどのように評価すればよいのか。「研究評価」の論点は、まさにこのような疑問への応答可能性を示してくれる。同様に、「教育」に分類された論考は、欧米圏のデジタル・ヒューマニティーズ教育の具体例を紹介することを通じて、分野横断的コミュニケーションを

取ることのできる専門的人材を育てることの困難さと、確かな展望を示してくれる。

編者としては、読者諸氏が本章のテーマ別論考を読むことを通じて、DHの幅広さを実感するだけでなく、DH 研究・学界のさらなる改善の余地を見いだすことを願ってやまない。

デジタル・ヒューマニティーズの哲学
—デジタル人文学の将来—

2014-04-29

Neil Fraistat ／日本語訳：長野壮一

※本節は、2014年3月に開催されたオーストラリア圏デジタル・ヒューマニティーズ学会におけるニール・フライシュタットの基調講演の原稿の和訳である。

パーシー・ビッシュ・シェリー（19世紀初期に活躍したイングランド出身のロマン派詩人）のおそらくは最も洗練された詩である『ジュリアンとマッダロ』において、タイトルに現れた2人の登場人物は、シェリーとバイロン卿の間で実際に交わされた会話を再現している。ジュリアンはシェリーに対応する役だが、その主張の山場において、急進的な社会変革が起こりうる可能性について熱弁をふるう。いわく、「僕たちは別のものになれるかもしれない。僕たちはすべてになれるかもしれない。／僕たちが夢見るような、幸福で気高く偉大なものすべてになれるかもしれない」。これに対しマッダロは素っ気なく答える。「君が語っているのはユートピアだ。……君に似た男を僕は知っている。／……／僕は彼といまみたいなことを議論したんだ。そして彼は／いまや狂人さ」。

このやり取りは、ユートピア的な言説のよく知られたジレンマを見事に描写している。一方では、真に革新的な変化を想像し、それを実現するためには、「ユートピアを語る」必要がある。どこか別の場所を思い浮かべるためには、つまりジュリアンの言う「別のもの」であるためには、どこにもない場所について述べた言葉の力が必要なのである。要するに、ユートピア的な言説は未来の出来事に対して、いわば「住所と氏名」を与えるのだ。しかし他方では、マッダロが間髪入れず指摘したように、ユートピア的な言説は大きな代償を伴い、そして自壊の種を自らのうちに含んでいる。ユートピア的な言説には、実現がほぼ不可能であるということが影を落としており、守ることが難しい約束が伴っているのである。ユートピア的なるものは、ドナルド・デイヴィー（1922-1995。英米で活躍した英文学、とりわけ英語詩の研究者）やジョン・バレル（1943～。英国の 18、19 世紀英国文化研究者）が「信用貸の」言説と呼んでいるような形式で機能する。この言説は抽象化の段階ではたらき、最終的にそれを有意義だと評価するか、その事業をすべて退けるかのいずれかを我々に強いる。ユートピア主義者の希望を現金化することはできるかもしれないが、それはずっと先のこととなる。ユートピア主義者の希望とは、未来というものの約束手形なのである。

ロベルト・ブサ神父（1913-2011。1946 年にトマス・アクィナスの電子索引の作成を着想し、DH のパイオニアとされる）の手による『トマス著作索引』（Index Thomisticus）の事業で 1940 年代初頭に創始された「旧式のコンピュータを使った人文学」のバラ色の夜明け以来、今日の現代「デジタル人文学」の最高潮に至るまで、当該領域に付けられたこれら二つの名称を区別する決定的な要素は、ほかでもなくその将来性に、あるいはその将来がどのように思い描かれてきたかにあった。非常に長い間、人文学におけるコンピュータの使用は基本的に、人文学者がすでに行っている事業の延長と見なされてきた。そして人文学におけるコンピュータの使用は、言語学や統計学、書誌学や文献学などといった分野において幾分かの発展を遂げた。しかし今日では、コンピュータの使用は人文学のあらゆる分野に適用でき、人文学そのものを変革する力があると多くの人が考えている。本講演で注目したいのは、こうしたデジタル人文学のユートピア的な将来の見通しと、それに付随する諸々な将来の見通しである。

■1．デジタル人文学の領域

米国現代語学文学協会（Modern Language Association）の前会長マイケル・ベルーベ（Michael Berubé）が『高等教育年鑑』に記したように、人文学者は生まれつつあるデジタル人文学の領域へ「非常に多くの期待と不安を寄せて」きた。「どういうわけか我々は、デジタル人文学が学術コミュニケーションに革命をもたらし、大学出版局を救い、査読の手続きをクラウドソーシングし、人文学の博士号取得者に図書館や研究機関、NPO やイノベーティヴな新興企業における雇用を提供するだろうと期待し、そしてデジタル人文学がこれらすべてを来週かそこらまでに成し遂げるだろうと期待している」。リタ・ライリー（Rita Raley。カリフォルニア大学サンタ・バーバラ校の DH と映画・メディア研究者）は同じようなことを別の観点から指摘している。「誰もが知るように、デジタル人文学は文学研究の伝統的な研究手法に重要な貢献をした。とりわけ、規模についての刺激的な問題を提起したこと、マルチモーダルな学術、そして読み書きのやり方を変えたことに関してはそうだ。しかしながら、どうしてデジタル人文学が当該分野におけるあらゆる危機とあらゆる方法論の行き詰まりの解決策としての役割を担うようになったのか疑問に思う向きもあるかもしれない」。これら二つの意見が示唆するように、デジタル人文学のユートピア的な将来は、それに伴う将来の見通しを実現できる可能性との間に厳しい緊張関係をはらんでいる。

思い出してほしいが、いまからわずか4年前、デジタル人文学は学術の世界における「次の大物」であると宣言されていた。しかしながら実際には、デジタル人文学が正確には何であり何ではないのかという問題に固執している段階から、我々はいまもなお完全に抜け出してはいない。この問題に対する強い関心と熱い議論は、答えにかかっている懸賞金が高いと考えられていることを反映している。私は「デジタル人文学の歴史と将来」に関する米国現代語学文学協会の集会で、デジタル人文学の正確な定義に拘泥するフロア内の人たちに対して落ち着くよう言いたくなった。というのも、私が研究する「ロマン主義」という分野の定義については、用語の誕生から150年が経ったいまもなお大筋の合意には至っていないのだが、このことはどういうわけか、ロマン主義がいまなお躍動的かつ活発であり続けている要因となっている。だが同時に、このことは分野としてのロマン主義を、18・19世紀の長い歴史へと姿を消していく脆弱なものにした。つまり、マット・キルシェンバウム（Matt Kirschenbaum。メリーランド大学の英文学・DH研究者）やキャスリーン・フィッツパトリック（Kathleen Fitzpatrick。DHとメディア研究を専門とするミシガン州立大学の英文学研究者）らが主張するように、「分野をもつこと」はデジタル人文学にとって、物質的ないし制度的な一時性と成果をもたらすのである。

しかしながら、フィッツパトリックは「学問領域」の存在が代償を伴うのかについて、すなわち「領域を定める必要性によって私たちがどの程度束縛されるのか」について、はっきりと疑念を抱いている。彼女は問う。「我々の機構が公式に制度化された今日、行われることのない会話とはいかなるものだろうか」。デジタル人文学は人文学の歴史において熱狂的かつ比較的稀有な瞬間に立ちあっているように見える。この出現しつつあり、変革の力を持つ領域と思しきものの最先端においてこそ、デジタル人文学の用語と行動の意味は容易に確定されるのである。しかしながら、フィッツパトリックによる警告は、デジタル人文学の正確な意味とは何かを議論する際に必要とされる冷静さをもたらすはずだ。というのも、デジタル人文学の領域を定めようとする試みは常に、デジタル人文学において最も重要で実現性のあるものを失う危険をはらんでおり、特定の達成されるべき約束事を伴ったデジタル人文学の見通しを伝えるのである。

もちろん、目下最も大きな疑問の一つは、そもそもデジタル人文学は、実のところ一つの領域なのか否かという問題である。いまなお多くの人が、デジタル人文学はそれ自体で一つの領域であるというより、人文学分野を横断する一連の方法論であると考えているが、また他方で、デジタル人文学の専門家の多くは、自身がすでによく確立された制度的基盤に根ざした領域に携わっていると考えている。ではデジタル人文学にとって、その領域はどこにあるのだろうか。「どこにもない」と答える人に対しては、スティーヴ・ラムジ（Steve Ramsey。ネブラスカ・リンカーン大学の英文学とDHの技術における哲学的問題の研究者）なら次のように反論するだろう。「デジタル人文学は実体のない学校のようなものではなく、実体をもつ一連の場面の集合なのだ。そこに含まれるのは金銭や学生、資金提供機関、マンモス校や小規模校、プログラムやカリキュラム、守旧派や前衛派、管理人や名声である。デジタル人文学がこれらを超えることはあり得るが、これらでなくなることはない」。

しかしながら、領域とは線的な境界によってつくられるものであり、デジタル人文学の実際の領域を定めることはいまなお議論の的となっている課題の一つである。この課題は、デジタル人文学と新しいメディア研究との、ものづくりの作業と理論形成との、方法論と観念体系との、機能提供と研究との、そして「デジタル人文学という巨大なテント」より狭い領域との、挑発的かつ問題含みの対立を含んでいる。このような課題に関して、私が特に興味深いと思ったのは、マーク・サンプル（Mark Sample。デビッドソン・カレッジのデジタル文化・デジタル文学・ビデオゲーム研究者）が行った次のような挑発である。この発言は確かに挑発的だが、私がいましがた言及したような物質的現実に直面しているのではないかと思われる。

「定義や分類について気を揉むのをやめ、混ざり合っている状態を礼賛しよう。周縁が提供するものすべてを利用しよう。いま自分の行っていることを続けよう。部外者を巻き込み、協力体制を築き、共同戦線を張ろう。そして移動する時が来たらそうしよう。刷新し破壊すべき別の周縁を見つけよう」。

サンプルの戦略が立脚するのは説得力のある見通しだ。すなわち、当該領域を必ずしも、言ってみれば単一のものと見るのではなく、あるいはより正確に言えば単一の物事と見るのではなく、コンピュータの使用やアルゴリズム的方法が人文学の方法論にどれだけ問いかけや変革、革新をもたらすことができるかについての、動的な思考や製作、協業の過程と見るのである。このような動きはデジタル人文学の作業に関して、戦術的というよりむしろ戦略的な水準で、ユートピア的な可能性を提示する。私は戦略を称賛し戦術に反対するというデカルト的な二元論に共感はするが、戦術のために戦略を完全に拒否することは、より大きな機関がない状態にデジタル人文学を放り出す危険を冒し、後で簡潔に考察するような一種の新自由主義的なオプションへとデジタル人文学を解き放ってしまうものと確信している。デジタル人文学には戦略と戦術の両方ともが必要だと考えられる。

■2. デジタル人文学の戦略

おそらく、デジタル人文学に最も欠けていたものとは、学界の内外における自らのより大きな位置および価値に関する、広範で説得力のある戦略的な見通しである。ジョアナ・ドラッカー（Johanna Drucker。カリフォルニア大学ロサンゼルス校の視覚言語・DH研究者でありアーティストとしても知られる）が言うには、

「デジタル人文学に対する現実の課題は、いまなお知的なものであることに変わりはない。すなわち、この領域における仕事は人文学研究の理論や方法、コーパスに対してどれほど貢献するのかという課題である。この疑問は、私たちがツール製作、プロジェクトの進捗や運営、制度の構想やプログラムの価値を評価する様式の核心に迫る。人文学の領域はほかの分野と同様に、理論的アプローチ（思考の様式）および方法論（行動の様式）、そして研究対象（研究活動に先だって存在し、また研究活動によっ

て構成されるもの）によって構成される。もちろん私は、デジタル人文学のプロジェクトが遺したものの中にはこれらすべての事例が含まれていると考えるのだが、それを露骨な主張をすることなく明示的に表現することはいまなお完全にはできていない。さもなければ、我々がこの主張を行い続ける必要はなかっただろう」。

ドラッカーによるデジタル人文学への呼びかけは、より戦略的な自己反省を目的としており、本質的には当該領域のユートピア主義に賛同している。アラン・リュー（Alan Liu。カリフォルニア大学サンタバーバラ校の文学理論・ロマン主義文学・DH研究者。国際的な人文学アドボカシー運動4Humanitiesの共同創設者として知られる）も同様に、文化批評に関わるデジタル人文学に対する非常に影響力の大きい以下のような呼びかけを、より戦略的に行っている。

「デジタル人文学に携わる研究者は、単なる『食卓の召使い』でなく平等な立場の協力者となるために、例えば、メタデータに関する批判的な考察は、権力や金融などといった世の中における統治の規則の批判的考察へと拡張しうることを示す方法を見つける必要があるだろう。(…)しかしながら、今日の脱工業化的ないし新自由主義的で、企業的ないしグローバルな情報を伴った巨大な資本の流動を、デジタル人文学はいかに前進ないし主導することができるのか、あるいはそれに対していかに抵抗することができるのかという問題は、(…) デジタル人文学の学会やシンポジウム、学術雑誌やプロジェクトにおいて、管見の限りではほとんど見聞きすることがない」。

3年と少し前に「デジタル人文学における文化批評はどこにあるのか」が公開されて以来、リューによるこの領域の政治文化に関する問題提起への反響は大きく、「#transformdh」の運動の発展に活気を与えることになった。「#transformdh」とは、人種や階級、ジェンダーや性差、障碍に対するデジタル人文学の作用が相対的に不足していることを批判ないし強調することを目的とする運動である。同様にして「#pocodh」の運動も誕生した。「#pocodh」とは、デジタル人文学とポストコロニアリズムに関して同じようなことを行う運動である。こうした新しい運動がデジタル人文学の主流とは反対側か、あるいはデジタル人文学の本源的な部分に位置づけられるのかはまだ見通すことができない。しかしながら、いずれの成果もデジタル人文学のユートピア的な将来の約束に対して決定的な影響を及ぼすだろう。デジタル人文学の約束事は、包括的であることや批判に対して開かれていること、自己反省的であることや自ら変化可能であること、また同様に、変化を及ぼしうることを求めているのである。

■3．デジタル人文学のダークサイド

中には、今日のデジタル人文学を取り巻く状況のより悲観的でディストピア的な説明のやり方も存在する。デーヴィッド・ゴロンビア（David Golumbia。バージニア・コモンウェルス大学の現代米国文化・文学理論・デジタルスタディーズの研究者）による最近のブログ記事には次のような文章が掲載されている。

> 「1993年と2013年現在の英語研究を観察する者にとって、次の事実は決して『驚くべきこと』ではないかもしれない。すなわち『英文学科において』語られる新しい運動では、批評や政治、解釈や分析、精読などはせいぜい副次的な役割しか果たしておらず、そこでは、まるで漫然とした人文学にとっての標語であるかのように『口よりも手を動かせ』などと大真面目に言われている。そして『データベースの構築は理論的な性質をもつ』のであり、したがって追加の理論化や文脈に当てはめる作業は必要ではないと断言されている。さらに、ほかの主題を扱う学者は皆が考証学者であるにもかかわらず、英文学科において主にデジタルを扱う考証学者として就職することは実質的には不可能である」。

事実、もしもユートピア主義がその悲観的な側面を生み出すことを避けられないのなら、これらの問題は「デジタル人文学のダークサイド」と呼ばれるものの形で表れる。「デジタル人文学のダークサイド」とは2013年の米国現代語学文学協会の大会で物議を醸したシンポジウムの表題であり、ウィリアム・パナパッカー（William Pannapacker。ホープ大学の米国文学・DH研究者）による『高等教育年鑑』の以下の言葉によって劇的に締めくくられた。

「デジタル人文学は多様性に欠けている。デジタル人文学は（役職の多くが寄付金によって賄われているにもかかわらず）自らを大学機関への就職への近道と偽る。デジタル人文学は『技術ユートピア主義』に罹患（りかん）し、『あらゆる問題の特効薬を自任』する。デジタル人文学は『盲目的で低俗なデジタルの抱き込み』である。というのも、デジタル人文学はコード化やゲーム化を優先してより人間的な諸々の行動を阻害してしまうのである。デジタル人文学はほかの人文学と距離をとる。すなわち、単に「次の大物」であるだけでなく、「唯一の物事」であると自任する。デジタル人文学はデジタル人文学の研究者が浮上している限り、ほかのすべての人文学研究者が沈んだままでいることを可能にする。デジタル人文学は高等教育の新自由主義的改革と共謀する。というのも、デジタル人文学は『官僚やテクノクラートの論理に従』い、またデジタル人文学の最も強力な支援は、デジタル人文学の研究者を金のなる木と見なす行政官によってもたらされ、人文学教育の「創造的破壊」に加担するのである。そして最も容認できないことに、デジタル人文学の研究者は人文学を徘徊する妖怪、すなわちMOOC（Massive Open Online Course。インターネット上で誰もが無償で視聴できる講義を提供するサービス）という妖怪と結託している」。

これらの告発のうちいくつかは容易に反駁されうるし、「MOOCという妖怪」とは全くのミスリードにすぎない。ただし、これらの告発が組み合わせられたときの有害な重荷はパナパッカーによってうまく要約されている。いわく、「デジタル人文学とは要するに、経済危機に対する日和見主義的かつ実用主義的、機械的な応答である。デジタル人文学は『資本主義のダークサイド』を表しているのだ」。このディストピア的な構図において、デジタル人文学は事実上、あらゆる誤った動機に益を成してきた人文学に対する新自由主義の陰謀とされる。デジタル人文学に携わる研究者の多くは、この動機をまさに、人文学者と結果だけを気にする新自由主義による人文学の再構成とを『隔てる』ものと考えている。しかしながら私は、こうしたダークサイドの主張を、陰謀論的な要素は別として、真面目に受け取る必要があると考える。なぜかと言えば、デジタル人文学という領域の主要な言説には「革新」や「破壊」、「変革」や「企業家精神」などといったキーワードが含まれているためである。これらの用語は皆、いわばダークサイドへの抜け穴を含んでいるのだ。したがってデジタル人文学は、リューらの訴えている批判的な文化意識がなければ、常にダークサイドの住人が目指すものへと変わり、ユートピア的な潜在能力を失ってしまう危険にさらされている。

例えばゴロンビアの主張によると、当該領域の内部においてはデジタル人文学を単なるツールの作成と捉える「狭い」理解が広まっているが、この「狭い定義」が多くの人にとって好ましいものでないことをデジタル人文学の研究者は理解しているので、彼らは「デジタル人文学の巨大なテント」を堂々と張るのである。「デジタル人文学の巨大なテント」はすべてを包括するものとされており、「特に（…）部外者に対して（訴えかけるとき）はそうだ。しかしながら他方では、資金調達や雇用などといった重要な領域が定まった活動においては『狭い』定義を主張し続けている」。このような見解において、デジタル人文学は、まるで羊の皮をかぶった狼のように英文学研究の中に侵入していった。最初のうちは「我々は皆さんがすでに行っていることをするだけです。ですから皆さんはプロジェクトの一部分として我々を受け入れるべきです」と主張していた。しかし一たび扉をくぐれば、デジタル人文学に携わる研究者による効力をもつ「狭い定義は、これとはほぼ対極的な感情に保証を与える。すなわち、『我々の行うこと（ゴロンビアの言うところのツール作成）はお前たちとは全く異なっているから、我々と協働したいのなら自分の基準や手法を変えなければならない』と言うのである」。ゴロンビアは次のように結論づける。「デジタル人文学は、デジタル世界におけるほかの多くのものと同様に、結局のところ英文学研究のほかの形式と『全く新しいものと全く同じもの』の両方であると言い張ることになる」。私自身は、ゴロンビアが言うような系統的で領域全般にわたる悪意による実践の事例をほとんど見たことがないし、いわゆる「狭い定義」に関するいかなる合意を見たこともない。むしろ反対に、当該領域のそうした定義にいまなお見られる自己矛盾は領域そのものの系譜に関係しているというパトリック・スヴェンソン（Patrik Svenson。スウェーデン・ウメア大学の言語学・DH研究者）の評価に同意したい。スヴェンソンにとって、ゴロンビアの言う「狭義のデジタル人文学は、人文学におけるコンピュータの使用に端を発する。そして（…）いまなお数多くの支持者をもっている。（…）広義（のデジタル人文学）はより新しいもので、近年の活況や白書、指導層の対談と明確に関係をもっている。広義のデジタル人文学はまた、多くの『新参者』と関係を持っている」。

■4.『デジタル人文学宣言 2.0』

実際、これまで私がデジタル人文学のユートピア的な言説として説明してきたことの多くは「広い定義」の事業において現れ、「(多くは領域の外で起こっている) 近年の活況」、「白書」や「指導層の会話」、補助金獲得のための方便やマニフェストによって生み出されたものである。当該領域のユートピア的な潜在能力がこの上ない明確さでにじみ出た声明は、おそらく、『デジタル人文学宣言 2.0』(The Digital Humanities Manifesto 2.0, accessed December 23, 2020, https://www.humanitiesblast.com/manifesto/Manifesto_V2.pdf.) の事例である。この宣言は 2009 年に発表されたものだが、デジタル人文学のユートピアの核心を「1960 ～ 70 年代におけるカウンターカルチャーとサイバーカルチャー(の絡み合い) からの継承によって形作られた」ものとして位置づける。いわく、

> 「このことが理由となってデジタル人文学は、オープン、無限、拡張性、壁のない大学や博物館・文書館・図書館、文化や学術の民主化の価値を強調し、また同時に、人文学と社会科学および自然科学との壁を打ち破るような、大規模な統計に立脚した方法(例えば文化分析) の価値も強調する。また、このことが理由となってデジタル人文学は、著作権や知的財産権の基準が資本の束縛から解放されるべきだと信じるのである」。

ここで生成されるデジタル人文学の系譜は、歴史的ないし論理的には議論の余地がある。つまり、今日のデジタル人文学のユートピア的な価値観を 60 ～ 70 年代のサイバー・ユートピア的な興奮の単なる修正版として因果的に説明することはできない。『宣言』の主張は「このことが理由となってそれはXやYを強調する」とか「このことが理由となってそれはZだと信じる」と言って始まるのだが、両者に直接の連関をもたせたことは、おそらく『宣言』の筆者のイデオロギー的戦略である。だが、たとえそうであったとしても、私が考えるに、それはデジタル人文学をサイバー・ユートピア主義の無力な形態として片づけることにつながる。

この『宣言』に深く埋め込まれた論理とは、デジタル・マルチメディアのもつアフォーダンスは学術を根本から変革しうるというものである。学術研

究における実践は何世紀もわたって印刷物がアフォードするものによって形作られてきた。かくしてデジタル人文学は「世界について創設的な役割を演じようとする。この世界では知識や文化の単一の生産者ないし世話役、普及者はもはや存在せず、ここで大学に求められているのは、新しく出現した現代の公共圏（WWW、ブログ空間、デジタル図書館など）にとっての学術的言説のデジタルの範型を自然に形作ること、この領域における優れたものや新しいものの模範を示すこと、そして知識の生産・交換・普及のローカルかつグローバルなネットワークの形成を容易にすることである」。

他方でこうした取り組みは、量的かつ道具に依存するデジタル人文学だけでなく、「質的かつ解釈的、経験的かつ感情的で、生成的な性格をもつデジタル人文学」を求めている。このようなデジタル人文学は理論と制作との対立を破壊する。すなわち「知識というものは多様な形態をとり、言葉や音、におい、地図、図形、設備、環境、データ貯蔵庫、表、そして物体の隙間や交点に定着する。物理的な制作やデジタル上の設計、洗練された様式や印象的な散文、画像の並置、動画の合成、音声の編集、これらすべてを形作る」。こうしたデジタル人文学の見方は完成品より制作の過程を重視し、個人制作よりも共同制作を重視し、学際性やネットワーク化、多様性、キュレーションやシェア、手作りや再編集、挑発的で暫定的であることを重視する。また、こうした見方が注目するのはまさに批評の物質性である。これは文学研究において、読解や解釈、執筆といった言語学用語としてのみ用いられることが多い。そしてこのことが示唆するのは、デジタル人文学がほかの視覚芸術や舞台芸術そのほかの当該分野が着目する実践と同様に、英数字の外部で批評を行い、抵抗はいつも物質の水準で起こるという格言に新しい力を与えることができる。おそらくはこうした観点からトッド・プレスナー（Todd Presner。カリフォルニア大学ロサンゼルス校の比較文学・ドイツ-ユダヤ文化・DH研究者）が述べたように、「デジタル人文学という実践ないし制作のパフォーマンスは、人間・社会・物質の偶発性によって左右され、これらはすべて変革の実践に関与できる潜在的な能力をもっている」のである。

この『宣言』にとって「デジタル人文学」という領域名そのものは、一連の目的を共有する人々やプロジェクトが革新的な共同プロジェクトに加わることを可能にするための「戦略的な本質主義」である。しかしながら、『宣言』は砂の上にユートピア的な一線を書き込む。というのも、『宣言』はデジタル人文学を「デジタル的転回をもたらしながらも人文学を無垢なままに保つ」ものとして、すなわち「社会や、あるいは過去百年以上にわたって優勢であった社会科学と自然科学と同じような安定した分野の境界内で作用する」ものとして理解することを一切拒むのである。同時に『宣言』は、デジタル人文学が人文学の「内部の」位置からこの変化をもたらすものだと見なされており、「外部からデジタル人文学が指導し、人文学が従うのではない」と主張している。そうではなく、デジタル人文学はウィリアム・ブレイク（1757-1827。イングランドのロマン派詩人）による『天国と地獄の結婚』と同様に「融合と摩擦」によって特徴づけられる。そこでは「技術の進歩や展開と、芸術や人文学を特徴づけるような研究課題や要求、創造的な作品とが融合するのである」。

■5．デジタル人文学の可能性

かく言う私も、この問題に関しては悪魔の陣営に属することを告白しよう。というのも、私はこの『宣言』の威勢のいい空威張りと、最近出版された一冊分の補遺である『デジタル人文学』（アン・バーディック、ジョアナ・ドラッカー、ピーター・ルーネンフィールド、トッド・プレスナー、ジェフリー・シュナップによる共著。Cambridge, Mass.: MIT Press, 2012, accessed December 25, 2020, https://mitpress.mit.edu/books/digitalhumanities.）に魅力を感じたのである（この本の一部である『DH 入門』には邦訳されたものがあるので参照されたい：http://21dzk.l.u-tokyo.ac.jp/CEH/index.php?sg2dh, accessed December 23, 2020.）。本書の予期する新しい人文学を特徴づけるのは、いくつか例をあげると、学問分野の再編、環境データ、分厚い地図、動画を使ったアーカイブ、学生の学芸員、アマチュアの人文学者、デザインベースの思考、量的に計測可能な解釈学である。本書の共同執筆者にとって、デジタル人文学は「人文学の範囲が大きく拡がったことを表す。なぜならデジタル人文学は、価値観、表現および解釈の実践、意味を形成する戦略、人間であることの複雑さや曖昧さを、あらゆる経験の領域や世界の知識へともたらすことができるからである。デジタル人文学とはグローバルで歴史横断的かつメディア横断的な知識への接近方法であり」、「人間であることの中核となる創造的活動」が根底から変化し、「人文学の価値体系や知識が文化や社会の全分野の形成にとって重要なものと見なされる」文化的な時期における「意味形成」なのである。

この主張に見られる大胆さはおそらく、デジタル人文学をより大きな学術的かつ人文的な事業の内部へ戦略的に位置づけることを求めるドラッカーの声明に対する返答である。この説明においてデジタル人文学が参入する事業は、数多くの栄光の雲のような付随する将来を追い求める。共同執筆者たちが一連の誤った事例研究を含むことによって認識した通り、また Twitter 上におけるデジタル人文学コミュニティの一部や、キャスリーン・フィッツパトリックが最近の書評によって行った本書への懐疑的な応答によって示された通り、この種の「雲の上からの発言」は、いかにして地に足の着いたものとなるのか、また、いかにしてデジタル人文学の将来と実現可能な将来との隔たりを縮めるのかという疑念を呼ぶ。こうした考えから、私は今日のデジタル人文学の業績の根底となっている一つの重要なユートピア的主題について、一つの現場からの見方を提示したい。

■6．デジタル人文学の社会参加

手始めに 1935 年まで時計の針を戻そう。このとき『イェール大学紀要』に掲載された歴史学者ロバート・C・ビンクリーの論文は、次のように主張した。「マイクロコピーの技術は、過去 20 世紀にわたって印刷出版が成し遂げられなかったものをもたらすだろう。すなわち読者の望むものを正確に提供し、読者の使用したいものを何でも持ってくるのである」。ビンクリーはスミス・カレッジで教えていたが、より民主的な学風を生み出すプロジェクトに深く携わっており、そのための重要な手段としてマイクロフィルムや謄写版のような新しい複製技術を見出した。例えば、世界恐慌時のある官公庁による 50 万ページ分の文書が図書館に対して 5,000 ドルという事実上入手不可能な価格で提供されるのに対し、マイクロフィルムでは同じ文書がわずか 421 ドルしかかからないのである。こうした文書印刷および複製の莫大なコスト削減は、アマチュアの学術行為に対して見返りをもたらす可能性をもっていた。このプロジェクトは印刷費用によって、また結果として起こった出版産業による規制によって無力なものとなった。重要な一次資料へのアクセスが制限され、注釈や学術研究を出版するか否かの決定権が学者の手から奪われたのである。ビンクリーによれば、学者は「科学的事実の本体へ入るための出版という過程を通過して、はじめて知への貢献ができる」。ビンクリーのユートピア的な構想では、安価な出版と印刷技術が容易に手に入ることによって、さもなければ知の生産から排除されるであろう学者は、知の創造や普及に参与することが可能になる。かくしてビンクリーは「すべての家庭に浴室が、すべての車庫に車があるように、すべての校舎に学者が、すべての町に作家がいる」ことを求めて、「この目標に向けて、技術こそが新しい装置を提供し、方向性を指し示すのだ」と結論づける。

思うに、ここでビンクリーが概略を述べたのは「一般参加という虚像」とでも呼びうるものである。学術界がいまなお捕らわれているこの虚像は、誰がどのような条件および結果で、人文科学の仕事に参加することになるのかということに関係している。1935年における新技術が人文学への広範な参加の道筋を示したのだとすれば、第二次世界大戦後の大学における研究の巨大な変化は人文学の専門分化を積み重ね、その結果として、学界と公衆がさらに分割される時代の先駆けとなった。アマチュアの人文学者や作家は次第に見出すことが困難となり、今日の学術界で絶え間なく繰り返される「危機に瀕した人文学」という言辞は、ただ単に「彼ら」が「我々」を相手にしないという意味へと化している。しかしながら、ビンクリーと同様に、多くのデジタル人文学の研究者は、いまなおテクノロジーや新たなデバイスが方針を指し示すことができるものと信じている。

最近公開された「批判理論および大破したデジタル人文学」と題する小論において、トッド・プレスナーによって定められたデジタル人文学の中核となるユートピア的理念とは「条件なき参加」である。プレスナーにとってこの概念の出発点は、デジタル人文学がいかにして「基本的に関わりをもつ共同体の協力者や文化団体、民間企業やNPO、政府機関や一般大衆の一部がするような学問の理解」に対して学術界の壁を浸透的にしているか、また、いかにして「学問の概念と公共圏の両方」を拡大し、「社会参加や文書の活用、協働作業のための新しい場所や結節点」を創造しているかということである。そうすることによってデジタル人文学の研究者は、「例えば、社会正義や市民参加の問題を前面に押し出すことができるようになる。また、デジタル人文学に携わる研究者は、市民を学術事業に組み込み、学問をより広い公共圏に持ち込むことで、文化的な記録に再び生命を与えることができる」。しかしながら、プレスナーによる「条件なき参加」という方式は、「想像的な思弁と倫理的な社会参加」という翼の上でデジタル人文学に携わる研究者が目指さねばならない理念である。「その中の一部が約束するのは、デリダ的な意味の『到来者（arrivant）』という形で、それまでに形成された人文学によって組み立てられた限界や境界を超えることである。しかしながら、残りの多くは今日、さまざまな様式で深く排他的であったり、階層的になったままである」。我々はゴロンビアの言う自己閉鎖的で裏表のある領域から離れて、この地点へ行くことなどとてもできないだろう。

デジタル人文学における参加への転換に関するプレスナーの議論は、声なき者に声やアーカイブを与える社会正義のプロジェクトという観点と、「デジタル人文主義」と呼ばれることもある慣習の両方によって展開されている。後者に関してプレスナーが持ち出す一つの目立った事例は、カリフォルニア大学ロサンゼルス校の「HyperCities Now」というプロジェクトである。このプロジェクトは日本における壊滅的な地震と津波を受けて、「GISCorpsと CrisisCommons のボランティアチーム」と協働で「ソーシャルメディアからの 65 万以上のフィードを（津波が襲った地域や避難所、交通状況や公衆電話の位置を含む）GIS データにマッピングすることで、災害救助のために即時に決定を下すことができるようにした」。プレスナーが指摘するように、「既存の道具や技術のアフォーダンスを利用したり再度目的をもたせることで、デジタル人文学のチームは（…）断固たる介入主義者の役割を演じた。災害に対処し、災害を記録するという公共的な役割さえも演じた」。こうした画期的な公共事業は、デジタル人文学が大学という壁の外にまで到達するという素晴らしい未来を見せてくれる。

いかにして文学の教室という壁の外にまで到達するかというより具体的な課題は、デジタル人文学の参加の転換に対する私自身の参与に関係する。それを議論する前に、ここで背景となる三つの声明と三つの疑問、そして二つの文脈を提示したい。

三つの声明とは、（1）今日の学術界は 19 世紀の制度であり、そこでは 20 世紀の教育課程が 21 世紀の学生に対して教えられているとするデーヴィッド・マーシャル（David Marshall。ピッツバーグ大学のインテレクチュアル・ヒストリー研究者）の観察、（2）人文系の学部生の 90 パーセントが人文学の研究というものが存在すると知らなかったことを示す一つの研究の結果、（3）人文学者は「ビッグデータ」だけでは興味を示さず、「深いデータ」を求めるのだというマイクロソフトリサーチのドナルド・ブリンクマン（Donald Brinkman）による主張である。

三つの疑問とは、(1) どうすれば人文学者は我々のデータセットを最もよくキュレーションしたり検索することができるのか、(2) どうすれば我々は自分の研究を大学院生や学部生へ届けることができるのか、(3) どうすれば我々は公衆を、すなわち「アマチュアの人文学者」を人文学の研究と結びつけることができるのかである。

二つの文脈は、どちらもテクストそのものがもつ性質の変化に関するものである。(1) 第一の文脈は、ジェローム・マッガン (Jerome McGann。近現代アメリカ文化・文学・DH研究者。ヴァージニア大学名誉教授) が近年「『テクストの環境』から『デジタルの環境』へのグローバル規模の移行」として説明したものに関連する。この移行において、我々の受け継いできた文化的記録はすべてデジタル化され、「デジタルの保管や利用、普及のネットワークにあわせて」再編集を必要とすると考えられる。そして、この移行が最も顕著となるのは、テクストの出版や記録そのものの形が変化する場面においてである。マッガンが指摘するように、それはいつも「我々が知識を具体化してきた膨大かつ分散型のテクストのネットワーク」のモデル化ないし理論の例示として提供される。(2) 第二の文脈はフォルジャー図書館の専務理事マイケル・ウィットモア (Michael Witmore) が「テクストのアドレス可能性」と述べるものに関連する。ウィットモアは、テクストがテクストたりうるのは「異なった規模で絶対的なアドレスを指定することができるから」だと主張する。「ここで言うアドレス可能であるとは、ある特定の抽象化の水準において、テクスト内部の位置を問い合わせることが可能であるという意味である。(…) したがって、書籍や物理的な場とはアドレスの多様な階層のうちの一つであり、より大きな母集団に戻せば関連する階層のアドレスにある種類の作品を手に取ることもあるかもしれない。あるいは印刷の個々の行について、また、それぞれの行におけるすべての名詞について、あるいは3行ごとの3文字目について語ることもできるだろう」。それぞれの抽象化の水準は、書籍も含めて、「一時的なまとまりであり、アドレスの目的によって、あるいはアドレスの対象によって安定する」。したがって、ウィットモアにとって広大なアドレス可能性はテクストの存在条件にほかならず、それは個別のテクストを見るときもテクストの総体を見るときも同じである。そしてアドレス可能性の幅と可動域はデジタル化によって飛躍的に拡大される。このことが可能にするのは巨視的な水準における反復分析やデータ解析、視覚化における抽象化の水準のさらなる探査だけでなく、微視的な水準におけるキュレーションの対象としての語句や句読点の扱いの容易化である。

■7．デジタル人文学と公衆

この特殊文学的な文脈における「キュレーション」という用語によって私が意味するのは、例えば複写や蒐集、注釈やエンコーディング（テキストエンコーディング。テキストデータへのタグ付け〈マークアップ〉により、付随的な情報〈メタデータ〉を記載すること）などといった、ビッグデータを深いデータへと作り変える多様な活動である。悪名高きGoogle Ngram Viewerが示した通り、人文学者は「汚い」データや文脈に当てはまっていないデータを信用しない。例えば、何の補正もかかっていないOCRはある種の大規模なデータ解析にとっては「用をなす」かもしれないが、それはあくまでほかの多くの用途のためにテクストの仲介を行う長い道のりのほんの初歩にすぎない。このデータをキュレーションする作業は控えめに言ってもそれ自体膨大である。例えば宇宙飛行士は「Galaxy Zoo」のプロジェクトにおいて、デジタル技術を活用した市民参加による科学のもつ精力や熱意、知性を利用し、星図を作成することに成功している。人文学者も同様のことを始めており、ユニヴァーシティ・カレッジ・ロンドンの「Transcribe Bentham」プロジェクトやニューヨーク公共図書館の「What's on the Menu?」プロジェクトなどの成功例に結実している。後者では100万人を超える人々が参加して、ニューヨーク公共図書館の歴史的収蔵品である45,000を超すニューヨーク市内にあるレストランのメニューの文字起こしとマッピングを行った。このプロジェクトの成功を受けて、ニューヨーク公共図書館は近年「Ensemble」というプロジェクトを立ち上げた。このプロジェクトを通じて市民は、オープンな芸能データベースとして使用するための歴史的収蔵品である演劇のプログラムの文字起こしに携わることになる。ニューヨーク公共図書館はオープンソース・ソフトウエア「Scribe」の応用にも成功した。このソフトウエアを最初に作ったのはZooniverseという市民参加による科学事業のための組織である。このソフトウエアは自分でもネットワーク型の一般参加プロジェクトを立ち上げたいと願う人文学者にとって非常に励みとなった。私自身もネットワーク型の一般参加によるキュレーションという同じ目的をもつ三つのプロジェクトに携わってきた。以下ではそのうちの一つについて手短に説明しよう。

シェリー＝ゴドウィン・アーカイブ（Shelley-Godwin Archive）というプロジェクトにはメリーランド大学の人文学テクノロジー研究所（MITH）やボドリアン図書館、ブリティッシュ・ライブラリー、ホートン図書館、ニューヨーク公共図書館が参加した。このプロジェクトに含まれるのは、メアリー・ウルストンクラフト（1759-1797。イギリスの作家。フェミニズムの先駆者とされる）およびウィリアム・ゴドウィン、パーシー・ビッシュ・シェリー、そしてメアリー・ウルストンクラフト・シェリー（1797-1851。イギリスの小説家。代表作に『フランケンシュタイン』など）による作品と知られているすべての手稿文書であり、その目下の第1弾にはパーシー・シェリーによるすべての作業メモも含まれている。これはボドリアン図書館に23点、ハンチントン図書館に3点、ハーバード大学に2点、ニューヨーク公共図書館、米国議会図書館、ブリティッシュ・ライブラリーにそれぞれ1点が収蔵されている。現在は3年間にわたる第1弾の最終年度にあたるが、そこには『フランケンシュタイン』の手稿および決定版も含まれている。

シェリー＝ゴドウィン・アーカイブは多くの文学電子アーカイブと同様に、利用者が貴重で世界各地に散らばった一次資料へアクセスできるようにしたいという目標を下敷きにして始まったのだが、いまではこのアーカイブの多層からなる構造のもつ並外れた潜在能力を利用して、総体を作業場として概念化しなおしたり設計したり、あるいは「アーカイブの動画化」と呼ばれるようなものが行われている。その究極の目標は、シェリー＝ゴドウィン・アーカイブを物質面において大規模にアドレス可能なものとし、利用者のキュレーションや検索を助けるような形式にすることにある。そこには文字起こしの修正からメタデータの増大、タグ付けや共同作業による注釈、コミュニティの文献目録や解説、分析や可視化に際してのツールの使用、そしてその場で形成される出版や展示が含まれている。このようなアーカイブは究極的には共有物という形式をとり、それを通じて収録されたテクストに関連する多様な言説のネットワークが、学術界とアマチュア人文学者の間で、あるいは好奇心の強い人と遊び心に満ちた人の間で、錯綜（さくそう）ないし可視化される。そして、結果として生み出されたデータはそれ自体が分析や可視化の対象となる。例えば、利用者が生成した活動のヒートマップにより、『フランケンシュタイン』の中でどの章が最も多くの興味を集めたのかが正確に示されるとき、今度はその関心の源を明らかにするさらなる探求が可能になるのである。こうしたデータは、例えば、小説の新しい教育方法を生み出し、あるいは現代における小説の受容の新たな実例を提供することができるだろう。

去年の春、我々は簡単に取り組める手法を用意して実験を行い、私がメリーランド大学で行っている「テクノ＝ロマン主義」ゼミとアンドリュー・ストッファー（Andrew Stauffer）がヴァージニア大学で行っているデジタル19世紀ゼミとが協働して、100ページの『フランケンシュタイン』手稿の分散キュレーションを行うことに成功した。このキュレーション作業に含まれているのは、ページ画像を文字起こししたもの同士の比較と修正、メアリーとパーシーの手による、非常に似通っているためしばしば混同されている手稿文書の識別、改訂の順序の解明、全体をTEIの生成的編集の語彙に基づくXMLへとコード化することである。したがって学生は、『フランケンシュタイン』は実のところどの程度までパーシー・シェリーによって書かれたのかという、いまなお熱く議論されている問題についてオリジナルな成果を得、本作の該当する部分をより深く解釈的に理解することができ、さらには手稿文書をデジタル形式へと転換することで得られた新しいアフォーダンスを通じて、幅広い問題や方法の紹介を物質面で受けることができる。シェリー＝ゴドウィン・アーカイブは去年のハロウィンの日に公式にサービスを開始し、あわせて『フランケンシュタイン』の知られているすべての手稿が公開され、開始後24時間で世界中から6万の訪問者を数えた。我々は現在、パーシー・シェリーの『鎖を解かれたプロメテウス』清書版手稿の分散キュレーションについて同様の実験を行っている最中である。

シェリー＝ゴドウィン・アーカイブのようなプロジェクトを通じて、我々の目標は人文学の研究を教室や一般公衆に委託し、学生やアマチュア人文学者を、現在進行しているテクストの環境からデジタルの環境への大いなる文化的移行についての活動的かつ博識で、批判的な参加者にすることにある。そうすることで我々は、急激に拡張された公共圏の一つの部門、すなわちデジタル人文学における一般参加の転換についてのユートピア的な希望を築く手助けをすることになるだろう。しかしながら、ここでさえも特筆に値するのは、いくつかの成功の見込みがあるにもかかわらず、インフラや道具、方法や訓練、カリキュラムや文書作成、そしてこれらの目標が要求する補助物を作成する際、行うべき難儀な作業が残されていることである。これらすべては我々をたじろがせてしまうだろう。

シェリー＝ゴドウィン・アーカイブが取り上げる４人の作家は、いずれも急進的な社会批判で知られる人物である。我々は当然のことながら、彼らの作品のキュレーションに参加することで、彼らの思想の質や力と結びつくことを望んでいる。メアリー・ウルストンクラフトと娘のメアリー・ウルストンクラフト・シェリーによるフェミニズム作品はいまなお色褪（あ）せていないように思われる。ウィリアム・ゴドウィンとパーシー・シェリー本人はいずれも、根深いユートピア的言説に関与していた。彼らはそれを、人生を通して容赦なく自己反省的に問い続けた。それは本節の冒頭における『ジュリアンとマッダロ』からの引用に見られた通りである。もしも我々がアーカイブ構築の際に継続して自らの行動を問い続けないなら、またシェリー＝ゴドウィン・アーカイブが発明した一般参加型の作業が単なる道具と化してしまうなら、それはこの作家たちを裏切ってしまうことになるだろう。途中で失敗するという確証はないが、絶対に成功するという保証もない。この文脈において、ロバート・ビンクリーによる展望を思い出す必要があるだろう。マイクロフィルムと謄写版がこのような公共圏を現出するだろうというビンクリーのユートピア的な希望は、現実とは程遠いものになってしまったのである。

■８．デジタル人文学の未来

このように、デジタル人文学の現場からの見方は、雲の上からの見方がどの程度実現可能なのかという問題を提起する。だがそうだとしても、現場からの見方は自らの活動に市民権を与えて導くため、不可避的に雲の上からの未来志向の見方に依存している。実際、カリ・クラウス（Kari Kraus。メリーランド大学のニューメディア・DH研究者）とトッド・プレスナーの両者が指摘したように、デジタル人文学の未来志向は伝統的な人文学の分野の多くと異なり、投機や可能性、事実に反するものや憶測、反実仮想やユートピアを積極的に追求している。プレスナーいわく、「今日、ユートピア思想は不当な非難を受けている。なぜならユートピア思想はどうしようもないほど素朴で、かつプログラム的に規定されているように見えるからだ。しかしながら、よりよい方向に変化しようという思想がなければ、建設的な社会批判は存在しえない」。デジタル人文学は肥沃（ひよく）な土地を開拓してきた。そこでは人文学が「違ったふうに」考えられる。批判され、再考され、同時に人文学自身も批判を展開する。

「『である』だけでなく『かもしれない』や『べきだ』とも関係をもつ」ようなデジタル人文学。人文学の分野の境界線を引き直し、人文学と社会科学や自然科学との関係を変化させ、また人文学と一般社会との関係を変化させるようなデジタル人文学。教室を共同分析の場として活性化するようなデジタル人文学。「技術の発展や展開を、芸術や人文学を特徴づける研究課題や要求、想像的な作業」と混合するようなデジタル人文学。「学術コミュニケーションに革命をもたらし、大学出版局を救い、査読の手続きをクラウドソーシングし、人文学の博士号取得者に図書館や研究機関、NPOやイノベーティブな新興企業における雇用を提供する」ようなデジタル人文学。そんなデジタル人文学は無理な注文だ。デジタル人文学はこうした目標を来週だか来年だかそこらで達成するような代物ではなく、この重圧の積み重ねはほとんど耐え難いものである。テッド・アンダーウッド（Ted Underwood。イリノイ大学アーバナ・シャンペーン校の英文学・DH研究者）が観察した通り、「長い目で見れば学問分野は変化が可能であり、実際に変化する。（…）ただここで示唆したいのは『デジタル人文学』の支持者も批判者も『いますぐに』その分野が変化するという見通し（および危険性）を過大評価してきたのかもしれないということである」。デジタル人文学は現在、学問分野において空想的な位置づけにある。そこでデジタル人文学のユートピア的な将来の約束は、究極的には可能だが潜在的には不可能であるという揺らぎの中にある。そこでデジタル人文学は、付随する将来の約束が実現不可能であることによる束縛から解放され、また同時に、その約束によって犠牲となっているように思われる。おそらく、これは「ユートピアを語ること」に付随する究極の代償なのだろう。

人文学の危機に組織的に抵抗するDH
—研究者による人文学アドヴォカシープロジェクト 4Humanities —

2015-06-30
菊池信彦

■1．人文学の危機は日本だけではない

［2013年、編者註］6月上旬、文科省による国立大学への通知を新聞各紙は一斉に報じた。その内容は、「文系学部・大学院の積極的な再編を求める」というもので、いわく、「主に文学部や社会学部など人文社会系の学部と大学院について、社会に必要とされる人材を育てられていなければ、廃止や分野の転換の検討を求めた」［注1］とのことである。筆者がSNSやネットメディアを見ていたところでは、人文系の研究者の多くが批判的なコメントを発信しており［注2］、読者諸兄姉の中にもこの通知内容に強い憤りを覚えた方もおられると思う。

だが、このような人文学の「危機」は何も日本に限った話ではない。アメリカ等の欧米各国でも、人文学の研究助成や教員ポストの削減、はては人文系学部自体の解体が現実に進行中と聞く。だが、前段の文科省の通知では研究者らが個人レベルで声を上げているものが多い印象がある一方、欧米では同様の事態に対して個人としてだけでなく、組織的な抵抗も行っている点に違いがあるように思う。本節では、その組織的な抵抗の一つの事例として、特にデジタルヒューマニティーズ（以下DH）の研究者らが行っているプロジェクト“4Humanities”［注3］を紹介したい。

■2．「危機」への組織的な抵抗―― 4Humanities

4Humanitiesは、Alan Liu（カリフォルニア大学サンタバーバラ校）やGeoffrey Rockwell（アルバータ大学）らを中心に、アメリカ、カナダ、イギリス、オーストラリアのDH研究者らによって、2010年11月に結成された人文学アドヴォカシープロジェクトである。アドヴォカシーとは、「支持や擁護をすること」という意味の言葉だが、より具体的に政策提言に関わるものも含ま

れる。そしてこの活動は、ADHO（Alliance of Digital Humanities Organizations）や centerNet、HASTAC、そして CSDH/SCHN といった、DH の各団体の支援を受けて進められている。

4Humanities は、人文学アドヴォカシーのためのプラットフォームとして、また、リソースサイトとしての役割を自らに任じている。プラットフォームとしての 4Humanities は、人文学の擁護・支持を行っている人々の成果を広く一般市民に届けるべく、人文学アドヴォカシーに関わるさまざまなキャンペーンの実施を呼びかけ、また、自身のサイトでも発信している。リソースサイトとしては、人文学アドヴォカシーに役立つツールやリソースの提供、ベストプラクティス等の共有の場として機能し、また、場合によってはDH の専門家がそれらリソース類の利用にあたり支援も行うという。

■3．その情報発信方法

では、具体的に 4Humanities は何をどのように発信しているのだろうか。4Humanities のウェブサイトには大きく四つのカテゴリがあるので、それをもとに話を進めたい。その四つとは、(1) Voices for the Humanities、(2) 4Humanities Advocaty Projects、(3) 4Humanities Local Chapters、(4) Resources である。(1) は、さまざまな媒体で発表された、人文学の重要性に関する意見を集約したプラットフォームとなっている。ここでは、英語圏の現役の研究者の意見だけでなく、学生や非英語圏の国々からの意見も収録されている。(2) では、人文学アドヴォカシー活動の立ち上げや活動支援に役立つような情報提供等を行っている。具体的には、人文学がなぜ重要なのかをシンプルな言葉で表現した “Humanities, Plain & Simple” や、人文学の重要性を示したインフォグラフィック “The Humanities Matter!” の作成と提供、人文学の成果がなぜ社会に役立っているのかをさまざまなサイト事例をもとに示す Humanities Showcase、そして 21 世紀の労働環境における芸術・人文学の役割を考察する Arts & Humanities in the 21st Century Workplace 等がある[注4]。(3)は、国際的に展開している 4Humanities のローカルレベルでの活動拠点（機関）の紹介である。各拠点では、人文学アドヴォカシーのコミュニティーを結成したり、プロジェクト・イベント等をそれぞれで実施したりしている。現在のところ、アメリカのカリフォルニア州立大学ノースリッジ校やカナダのマギル大学等の 5 大学と、ニューヨークのリベラルアーツスクールコンソーシアムであるNY6等が参加している。最後の（4）では、人文学について考えるうえで、また、人文学アドヴォカシーを進めていくうえで役に立つ研究成果や統計、ツール等のリソースが公開されている。ここでは特に、人文学アドヴォカシーを論ずるうえで参考になる議論を集めた“Guide to Issues in Humanities Advocacy”が充実しているので、一読をお勧めしたい。

4Humanities が DH 研究者ならではのものと言えるのが、現在推進中のプロジェクト“What Everyone Says About the Humanities”**[注5]**である。これは、新聞や雑誌、ブログ等において人文学がどのように語られているか、その言説を集めたコーパスを作成し、そのデータをテキスト分析の手法を用いて解析しようというものである。このように、DH の手法をもとに人文学の意義を組織的に発信するにはどのような方法があり得るのか、4Humanities はそのモデルを提供していると評価できよう。人文学が重要だと思うならば、その活動から学ぶところは大きいであろうし、また、日本における 4Humanities の拠点設置も視野に入れてもよいのかもしれない。

▶注

［1］「その学部、本当に必要？　全国立大に見直し通知、文科省」, 朝日新聞デジタル, 2015 年 6 月 8 日, 最終閲覧日 2015 年 6 月 17 日, http://www.asahi.com/articles/ASH685CJLH68UTIL01W.html. ほかには、「国立大文系 「知」を再興する改革急げ」, 産経ニュース, 2015 年 6 月 12 日, 最終閲覧日 2020 年 7 月 19 日, http://www.sankei.com/column/news/150612/clm1506120002-n1.html; 榎木英介,「国立大学の文系見直しとは何なのか」, Yahoo! ニュース, 2015 年 6 月 17 日, 最終閲覧日 2020 年 7 月 19 日, http://bylines.news.yahoo.co.jp/enokieisuke/20150617-00046754/ などがある。

［2］例えば以下など。
内田樹,「国立大学改革亡国論「文系学部廃止」は天下の愚策」, President Online, 最終閲覧日 2020 年 7 月 19 日, http://president.jp/articles/-/15406.
「大学の役割とは何か？　国立大学改革の行方」, 朝日新聞デジタル, 2015 年 6 月 8 日, 最終閲覧日 2015 年 6 月 17 日, http://www.asahi.com/articles/ASH653VNRH65UPQJ001.html.

［3］4Humanities, accessed July 19, 2020, http://4humanities.org/.

［4］Humanities Showcase と Arts & Humanities in the 21st Century Workplace は 4Humanities とは別サイトとなっている。
Humanities Showcase, accessed July 19, 2020.
http://humanitiesshowcase.wix.com/4humanities-showcase; Arts & Humanities in the 21st Century Workplace, accessed July 19, 2020, http://www.ah21cw.com/.

［5］Alan Liu, Announcement: “What Everyone Says About the Humanities” Research Project. 4Humanities, 2013-04-25, accessed July 19, 2020, https://4humanities.org/2013/04/what-everyone-says-about-the-humanities-research-project.

デジタル時代における人文学者の社会的責任
―前編―

2016-01-31
横山説子

■1．はじめに

私がこの夏から在籍しているメリーランド大学では、“Digital Studies in the Arts and Humanities”という資格課程を2016年秋に立ち上げる準備が着々と進められている。米国におけるデジタル人文学の中心的研究機関の一つであるMaryland Institute for Technology in the Humanities（MITH）が1999年という早い段階に立ち上げられたことを考えると、いままで学生のための正式なデジタル人文学プログラムが存在しなかったことの方が不思議に思われるくらいだ。もちろん、デジタル人文学を人文学各分野の研究手法の一環ととらえるか、人文学研究全域の改新運動の一環ととらえるかによって、デジタル人文学の大学カリキュラム内での位置づけは異なる（例えば後者は学部生の関心とは相いれない）。大学院教育に特化して考えると、メリーランド大学は「分野特有の貢献」と「人文学研究再考」の両方の観点を重視し、研究者兼教育者の育成に力を入れているように思われる。また、私がこれまで在籍していたミシガン大学と比較すると、メリーランド大学は立地が首都ワシントンD.C.に近いからか特に政治的関心が強く、デジタル人文学に関する講演会でも常に社会正義と人文学研究の関連性が話題にあがる。今回は、特に「人文学研究再考」の観点に注目し、メリーランド大学でデジタル人文学がいかに教授されているかをご紹介したい。最後まで読まれた際に、人文学改新運動の一環としてのデジタル人文学像が、少しでも垣間見られれば幸いだ。参考とする文献は、今年度から開講されたMatthew Kirschenbaum教授によるDigital Studies講座で扱われたものが主である。

■2．McPhersonの仮説と警鐘

新しい資格課程を見据えて開講されたDigital Studies講座は、Tara

McPherson の論文 “Why Are the Digital Humanities So White? or Thinking the Histories of Race and Computation”（デジタル人文学はなぜそんなに“白い”のか？　人種とコンピュータの歴史に関する考察）の中で提示された問題意識から出発した。主題は、「社会文化とデジタル技術間に相互作用があり得るか、それとも技術は不偏不党になり得るか」というものだ。論文中 McPherson は、自身の異なる学会への出席経験から、アメリカ研究者の懸念事項とデジタル人文学者の関心事項に乖離（かいり）が存在することに注目した。その上で、今日の学問界で技術と文化の対話が相いれない原因を追究すべく、McPherson は時代を 1960 年代までさかのぼる。人種にまつわるアメリカ社会情勢と、時を同じくして開発されたオペレーションシステム開発理念との関連性に、コミュニケーション断絶の原因を追究しようというのだ。このようにして McPherson は、アメリカにおける人種分離の風潮、ポストフォーディズム生産思想、学問界のサイロ化には相互作用があり、いまこそアメリカ研究とデジタル人文学研究の両分野が、デジタル時代の批評に取り組む必要があると提唱する。McPherson の論点は大胆で、因果関係の提示が困難なために論争の的となるが、彼女が懸念する学問界のサイロ化は、デジタル人文学が重視する学際的研究の課題とも関連しており、考慮の価値があると私は考える。

■ 3．デジタル人文学のサイロ化

それでは果たして学問界は本当にサイロ化し、各分野間のコミュニケーションは断絶されているのだろうか。まずは小規模な例から分析するために、デジタル人文学者間のやり取りを見てみたい。例として、元バージニア大学デジタル人文学研究所 Scholars’ Lab のディレクターで、現デジタル図書館連盟ディレクターの Bethany Nowviskie のブログを見てみたい。2011 年 4 月のブログ “What Do Girls Dig?”（女子は何を好き好む？）は、電子工学技術学会 IEEE 主催の Digging into Data Challenge の、講演者男女比率に言及した Twitter でのやり取りをまとめたものである。短いブログでありながら、Nowviskie の Tweet に続くデジタル人文学界の反応は、サイロ化に関連する二つの現象を浮き彫りにするようにもとらえられる。一つ目は、歴史的に男性中心主義とも言えるデータ分析にまつわるレトリックに関連している。後援団体の一つである全米人文科学基金 NEH に配慮しながらも、Nowviskie

はDigging into Data Challenge講演者33人中、女性研究者がたった二人であることを取り上げ、女性研究者のデータ分析研究手法への関心度の低さに思いをめぐらせる。“2 of 33 speakers at the (very cool!) Digging into Data event are women. Casting no aspersions on NEH here! But I wonder: what do girls dig?” (235)（33人中の2人だけが〈とてもクールな〉Digging into Dataイベントでの女性発表者だ。NEH〈全米人文科学基金〉を中傷しているわけではない！　でも疑問が。女子は何を好き好む？）続くMiriam PosnerとNowviskieのTwitter上の対話は、データ分析から女性研究者を遠ざけている原因の一つとして考えられるものとして、データ処理を取り巻くレトリックが性別役割分業の歴史を彷彿させるという点があることをおもしろおかしく浮き彫りにする。例えばデータ処理を「データ採掘（Data Mining）」と呼ぶことで、連鎖的に鉱業に関連する隠喩表現が多く使われ、“dig”という動詞をあたかも自然なものとして扱う土壌を提供する（“dig”は「掘り出す」のほかにも、「突き刺す」「食い込ませる」「貪(むさぼ)り食う」などのニュアンスも含む）。些細な点であるようにも思えるが、Nowviskieはレトリックがデジタル人文学内の障壁となる可能性を示唆し、データ処理が多様な研究者にとって有益であり開かれた分野であることを、レトリックをも通して推奨しようとデジタル人文学界へ呼びかける。“Improved outreach to particular underrepresented groups is never a bad idea, but I'd prefer to see NEH and its funding partners (and individual DH centers and the Alliance of Digital Humanities Organizations and our publications, etc.) start by becoming more thoughtful about the language we all use to describe and to signal data mining to a very broad community of researchers” (240)（少数派コミュニティーへの意識的な働きかけは 決して悪くないが、全米人文科学基金と協賛団体、各デジタル人文学研究所とデジタル人文学連合、そして私たちの出版物が、データマイニングが多様な研究者に開かれた分野であることを、その言語表現を通して示唆されるよう配慮することから始められたい）。この提案には、特定のデジタル研究手法が排他的になることを防ごうとするNowviskieの意識が見て取られる。

McPhersonの主張の証明が難しいのと同様に、言語が職場に与える影響を論じるのは困難である。しかし、デジタル人文学者の間で「排他的な論」そのものが議論の対象になることは多々ある。例えばStephen Ramsayの2011年のMLAでの発言は、よく「プログラミングができなければデジタル人文学者でない」の旨を含むとされ波紋を呼んだし、デジタル人文学がどこまで包括的であるべきかの議論はこれまでに多くなされてきた。定義を論じ続けることは決して建設的ではないが、何をデジタル人文学と呼ぶかは、デジタル人文学の裾野の広がりと大きく関係する。そしてデジタル人文学の普及が重視されるのには、それが議論に多様な観点を反映させることにつながるからである。そのような理想的な学際的研究土壌を目指すことはまた、常にデジタル人文学者自身が意識的に異なる分野との交流を求め続けることを意味する。Twitter は理論上誰にでも開かれた公の議論の場で、かつ従来の出版手法よりも迅速に学問界内での意見交換をできるという点で、デジタル人文学者の間で中心的なコミュニケーション手段である。しかし、Nowviskie の Twitter のやり取りが浮き彫りにするように、実際にはごく限られたデジタル人文学者たちが中心となって意見を構成していることは明らかである。この動向は、結果的に一様な意見しか生まれてこない状況を作り出す。先に言及した Twitter 上でのやり取りも、デジタル人文学がすでにサイロ化しつつある現状を浮き彫りにする。例えば、NEH 職員が男女比改善のための提案を促すや否や、建設的とは言えないフィードバックが重なった。いくつもの Tweets が“Ask by their name”（該当する人たちの名前を挙げるべき）と応答し、中には命令口調の“GO FIND THEM”（該当する人たちを探しにいけ）という Tweet もあった。残念ながら誰も即時にデータ処理に携わる女性研究者の名前を挙げられなかったのだ。Nowviskie はデジタル人文学者間での研究手法や内容の表現方法の隔たりが、このような状況を作り出す原因であると推測する。

> I have a hunch that it's not just me――that the disconnect from certain brands of digital methods felt by many researchers of my ilk (note that ilk is not gender) has more to do with the language being used for methodological and research-findings descriptions, and the intellectual orientation of the people doing the describing, than with the nature of, say, data mining itself. (239)（これを感じているのは私だけではないという直感があるのだが、ある種のデジタル研究手法から私の同類〈同類というのはジェンダーではないことに注意〉の多くの研究者が切り離されていると感じている原因は、データマイニング自体の本質によるものというよりは、研究方法論や研究結果の記述のために用いられる言語と、その記述をする人々の知的志向により関連があるだろう）。

Nowviskieはまた、図書館学や社会学を含む人文学各分野の研究者間で柔軟なやり取りが行われないことは、デジタル人文学にとってその可能性を最大限に活かせていないことを示唆する。なぜなら、デジタル人文学は広大な人文学のごく一部であり、これからの人文学とより広域な学問界の行く末を考える上で、格好の実験的土壌となりうるからだ。Nowviskieがより有益な学術的議論を奨励しようとレトリックにまで言及するのには、デジタル人文学が学問界を改新しうるというビジョンがあるからだ。"After all, digital humanities nerds, we are still the minority in most of our departments, are we not?" (240)(結局、デジタル人文学のマニアである私たちは、自らの専攻分野のほとんどで、まだ少数派でしょう)。

■4. 学問界のサイロ化と盲点

Nowviskieのレトリックに関する懸念は、決して些細な観点ではない。実際に、学際的な議論の場で、専門用語や議論の手法がコミュニケーションの妨げになることはまれではない。例えば、同じ単語でも分野によってその解釈や思い入れの程度は大きく異なる(記憶に新しいのは、2013年に立ち上げられたハーバード大学出版によるEmily Dickinson Archiveが「新版」であるか否かをめぐる、図書館員と英文学者との対立である。これについては機会を改めてご紹介したい)。先に挙げたMcPhersonの論文も、学際的な場面において、分野間の専門意識から派生する縄張り意識によって、その特有な観点に耳を傾けられることが少ないように思われる。McPherson自身も認めるように、彼女の論は類推解釈を手法としており、因果関係の証明は議論の的ではない。McPhersonはそれよりも、「デジタル技術も特定の価値観を反映しうる社会的産物である」点に議論の焦点を移す必要性を説く。残念ながら、このような論文が学際的なメーリングリストの議題に上がるや否や、技術者と称する研究者、歴史学者、科学技術社会学者から、McPhersonの論が一斉に非難される様子を目の当たりにする。白熱と野次とが混乱するこのような状況が生まれると、論点はもっぱらMcPhersonのデジタル技術に関する知識を疑問視する意見や、英文学やメディア学の論争方法を自身の属する分野と比較して揶揄する意見などが飛び交う。実際にこのような非建設的な意見はごく一部であれ、学際的ネットワークの確立の必要性は必ずしも 研究者の間で共有されているわけではないことを再認識させられる。もちろん McPherson の批評は完璧ではない。しかし McPherson が提案する類いの社会批評は人文学が得意とする点であり、デジタル技術の文化批評を欠いている今日の社会にとっても有益なものであることが伺える。なぜなら、このような議論に耳が傾けられず学問界内での確執を深めている間にも、学外ではこれから述べる FrankPasquale が彼の書籍で指摘するような、デジタル技術に基づいたブラックボックス社会が確立されているからだ。

デジタル時代における人文学者の社会的責任
—後編—

2016-01-31
横山説子

■1．デジタル技術とブラックボックス社会

Frank Pasquale は *The Black Box Society: The Secret Algorithms That Control Money and Information*（ブラックボックス社会—富と情報を支配する内密アルゴリズム）において、いかにデジタル技術を介した日常の活動を通して、私たちが個人情報搾取の連鎖に取り込まれているかを指摘する。Pasquale によれば、個人情報は市場で売買され、時に不透明なアルゴリズムによって個人に不利益を生じさせるという（アメリカの大手小売業 Target 社の消費動向データ分析に基づいて送られたダイレクトメールが、妊娠を隠していた十代の女性の両親を驚かせた話や、クレジットヒストリーと呼ばれる個人の支払い履歴が、就職や住宅探しに影響を与える話は有名である）。Pasquale はさらに、企業秘密主義に基づいた経済活動が、デジタル技術全般の不透明さに拍車をかけると論じる。Pasquale はデジタル技術の作用に関心を払い、不当な搾取を注視することを打開策の一つとして提唱する。“[S]top being so careless about how technology creates reputations, and start to rein in arbitrary, discriminatory, and unfair algorithms.” (57)（技術がどのようにして評判を形成するか、ということについてあまりに不注意であることを止め、恣意(しい)的、差別的、そして不公平なアルゴリズムの抑制を始めよう）。また、Lori Emerson は彼女の書籍 *Reading Writing Interfaces: From the Digital to the Bookbound*（文書の媒体を読み解く—デジタル媒体と紙媒体）の中で、今日のデジタル技術はそのデザインが媒体の「不可視性」を重視する点を危惧する。なぜなら、デジタル技術が日常生活に溶け込むことで、私たちが技術を疑問視する機会が低減するからだと Emerson は指摘する。また Emerson は、宣伝文句がデジタル技術をまるで魔法の様に扱うことで、私たちが一歩踏み込んでその仕組みを探求するきっかけを隠す言語構造ができあがっていると論じる。最新技術の魅力ばかりが消費主義によって後押しされ、実際にデジタル

技術の負の側面が考慮される機会が見えづらいと言うのだ。果たして、初期のパーソナルコンピューター（例えばApple IIe）がハードディスクを開けて家庭で修理が可能であったり、そのプログラミング機能が比較的安易であったことに対して、最新のMacデザインはそのようなやり取りを拒むデザインへと以降したことを、いったいどれほどの人が気にかけているであろうか。ものづくり文化から消費文化への移行によって、どのような負の産物が生まれているだろうか。iPhoneが頻繁にソフトウエアと機械のアップデートを強要する仕組みに対して、消費者は自らの判断で状況をコントロールできるであろうか。何のために技術がつくられているか、そしてそれが私たちにどのような影響を与えているのか、健全な批評が日常に求められているように思われる。

■2．デジタル時代における人文学者の社会的責任

もちろんPasqualeやEmersonが指摘する問題点に、「学問界のサイロ化を打開し学外との対話図ること」に解決策を見いだそうとする意見は、McPhersonに限ったものではない。Alan Liuもまた、彼の論文“Where Is Cultural Criticism in the Digital Humanities?”（デジタル人文学にはどこに文化批評があるのか？）の中で、デジタル人文学をより広域な人文学ネットワークの中に位置づける必要性を説いている。なぜなら、Liuいわく人文学は現代社会が抱える道具主義に関わる「問題山積鉱山」での、カナリアの役割を担っているからだ。“[Humanities at large] are just the canary in the mine for the problem that modern society has with instrumentalism generally” (500).（人文学は全体として、道具主義が普及した現代社会の問題に関する鉱山のカナリヤなのである）。「人文学を専攻して何の役に立つのか」という問いは大学経費削減の後押しによく使われるし、科学技術能力の取得に力を注ぐSTEM（Science, Technology, Engineering, and Mathematics 科学・技術・工学・数学）教育に人文学（Art）を加えてSTEAMにしようというキャンペーンは、なかなか説得力を欠くように思える。それは、人文学の価値の尺度が（例えば）工学や科学のそれと異なるからである。NowviskieとLiuが鉱山のレトリックを共有していることは偶然であるが、デジタル技術を人文学者が取り扱う意義が、その社会文化批評にあることは明白である。Liuは人文学者こそデジタル技術の考察を通してさらに権力、経済、政治の動向を批評するべきだと説く。また、人

文学者が率先して道具主義を再考することで、科学と人文学の領域双方から狭義なサービス主義を上回る、社会貢献の精神を養う土壌を造れるとLiuは説く。つまり時代の風潮に流されデジタル技術をうのみにするのではなく、人文学者こそ経済的利益だけではない価値観に従事し推奨することを提案しているのだ。

> My conclusion——or, perhaps, just a hopeful guess——is that the appropriate, unique contribution that the digital humanities can make to cultural criticism at the present time is to use the tools, paradigms, and concepts of digital technologies to help rethink the idea of instrumentality. The goals, as I put it earlier, is to think "critically about metadata" (and everything else related to digital technologies) in a way that "scales into thinking critically about the power, finance, and other governance protocols of the world." Phrased even more expansively, the goals is to rethink instrumentality so that it includes both humanistic and STEM fields in a culturally broad, and not just narrowly purposive, ideal of service. (501)（私の結論、あるいはただの希望的観測、は以下の通りである。デジタル人文学が現代の文化批評になし得る特有の貢献は、デジタル技術、そしてそのパラダイムと概念を用いて、道具主義の概念の再考を後押しすることである。その目的は先述のように、「世界の権力、財政、その他の国家統治法について批判的な考えが及ぶように、メタデータ〈そして他のデジタル技術すべてについて〉をとらえることである」。より広い言い方をすれば、ゴールは、道具主義を再考することで、科学と人文学の領域双方から、狭義なサービス主義を上回る社会貢献の精神を養うことにある。）

Nowviskieもまた、Liuと意見を同じくする。2015年度のNEHでの基調講演にて、Nowviskieは「より包容力のある人文学」の必要性を説いている。Nowviskieいわく、それは歴史を理解した上で未来の可能性を見いだし、分野をまたいだ効率的な連携と理解に基づき、ローカルからグローバルまでの異なる尺度で事象を理解できる人文学だという。Nowviskieの提言は、決して理想的なマニフェストではなく、産業社会の台頭と時を同じくして形成されたフェミニスト倫理を参考に、今日必要な人文学を想像しているのだ。

Nowviskie は、経済利益至上主義が女性と社会的弱者をないがしろにしたことで成立した歴史を踏まえ、これからは互恵主義、思いやり、寛大の精神、改善、関心を重視することを提案する。

> It's worth knowing that those theories of rational moral understanding [such as that of Kant and utilitarianism in contrast to feminist ethics of social networks] grew in concert with economic systems that valorized a private profit motive and circumscribed the participation of women and the servile under-classes. A competitive capitalist marketplace depends upon but does not assign much value to things we create through networks of reciprocity, compassion, generosity, mending, and care.（社会的ネットワークに基づくフェミニスト倫理ではなく、カントや功利主義に見られる合理的な倫理観は、個人的な利益の動機を値踏みし、女性と盲従的な下層階級の参画を制限する経済システムと共に発展したことを知っておくことには価値がある。競争的な資本主義の市場は、互恵主義、思いやり、寛大の精神、改善、関心のネットワークを通じて私たちが作り出すものに依存しておきながら、そこに価値を見いだすことはない。）

デジタル人文学者たちがレトリックや理論にこだわるのには、デジタル技術と有用主義を取り巻く支配的な意識に流されることなく批評をすることが、人文学者の社会的責任だととらえているからだと言えるだろう。研究手法と職業倫理を強く意識したデジタル人文学の動向をこれからも注視したい。

▶参考文献

- Lori Emerson, *Reading Writing Interfaces: From the Digital to the Bookbound* (Minneapolis: University of Minnesota Press, 2014).
- Alan Liu, "Where is Cultural Criticism in the Digital Humanities?" in *Debates in the Digital Humanities*, ed. Matthew K. Gold (Minneapolis: University of Minnesota Press, 2012), accessed July 19, 2020, https://dhdebates.gc.cuny.edu/read/untitled-88c11800-9446-469b-a3be-3fdb36bfbd1e/section/896742e7-5218-42c5-89b0-0c3c75682a2f#ch29.
- Tara McPherson, "Why Are the Digital Humanities So White? or Thinking the Histories of Race and Computation." in *Debates in the Digital Humanities*, ed. Matthew K. Gold (Minneapolis: University of Minnesota Press, 2012), accessed July 19, 2020, https://dhdebates.gc.cuny.edu/read/untitled-88c11800-9446-469b-a3be-3fdb36bfbd1e/section/20df8acd-9ab9-4f35-8a5d-

e91aa5f4a0ea#ch09.

- Bethany Nowviskie, "On Capacity and Care." *Bethany Nowviskie*. 4 October 2015. Web. Last Retrieved on 18 December 2015, accessed July 19, 2020, http://nowviskie.org/2015/on-capacity-and-care/.
- ---, "What Do Girls Dig?" *Debates in the Digital Humanities*, ed. Matthew K. Gold. (Minneapolis: University of Minnesota Press, 2012), accessed July 19, 2020, https://dhdebates.gc.cuny.edu/read/untitled-88c11800-9446-469b-a3be-3fdb36bfbd1e/section/76729465-02aa-4abb-8f14-90af33e5c340#p3b2.
- Frank Pasquale, *The Black Box Society: The Secret Algorithms That Control Money and Information* (Cambridge, Massachusetts: Harvard University Press, 2015).

イベントレポート
MLA 2014 覚え書き

2014-03-27
Alex Gil／日本語訳：北村紗衣

■1．到着

極風がアメリカ合衆国まで吹き下ろす中、2014年のMLA（Modern Language Association）年次大会が開かれた［注1］。学生、教員、図書館員、販売分野の関係者が多数、発表論文と期待を携えて凍（い）てついたシカゴのダウンタウンまでやって来ていた。学会が始まる前から熱い議論が取り交わされ、大変な盛り上がりを見せていた。どうやったら最もうまく北米における臨時雇用条件の問題やイスラエルの学術機関ボイコットの問題に取り組めるかということがこうした議論の中の最重要事項だった。デジタル人文学の世界についても論争がなかったというわけではなく、批評理論の役割やその分野の広がりについての議論も激しく続いていた。

私は1日遅れで到着した。というのも、ベイルートのCASAR（Center for American Studies and Research）学会で論文を発表し、ベイルート・アメリカン大学英文学科の教授であるデイヴィッド・リズリーと、中東でのデジタル人文学の可能性を育む戦略を発展させるべく協働していたからである。MLAサブカンファレンス［注2］に出られなかったのは残念だった。これは「自らと仲間たちのため、現状に替わる職業的、社会的、政治的な将来の可能性の提案に向けて、新しい学会の環境を作り出すことに関心を抱いている人文学の大学院生による、独立的かつ発展的なグループ」によって組織される、本プログラム前の研究会である。これには出られなかったが、自分の最初のパネルである「新しい読み方：表層的読みとデジタル手法」（"New Ways of Reading: Surface Reading and Digital Methods"［注3］）の前夜に到着した。

■2．1月10日（金）：表層的読み：デジタルのかなたに

「表層的な読み」（"Surface Reading"）に関するパネルは大変出席者が多かっ

た。学会でも一番大きい部屋だったが、壇上から見ると満員のようだった。理由は明らかだった。デジタル人文学と表層的読みについて聴きたい人がどちらもいたからだ [注4]。パネルの目的はこの二つの動きをできる限り調和させることであった。手始めとして、シャロン・マーカスとヘザー・ラヴが、デジタル人文学の方式を秋学期の授業に組み込んだ経験を詳述した。学期中、学生たちは「ベニト・セレーノ」(“Benito Cereno”) を含むハーマン・メルヴィルのテキストを解釈するために幅広くデジタル手法を利用したとのことだ。発表の間、マーカスとラヴはTEIマークアップでテキストをエンコーディングすることによって生み出される異化効果を強調した。この発表に続いて、テッド・アンダーウッドがコンピュータサイエンスにもその分野特有の表層的読みと深い読みがあり、後者は確率的潜在モデルに近いことを指摘した。次が私の番で、ジェローム・マッガンのテキスト性のトポロジー理論を引き合いに出し、またレーヴェンシュタイン距離によって組織化される完全な図書館の例を用いて、テキストは「端から端まで表層」であると主張した。

質問と応答はとても活気があるもので、壇上からも客席からも幅広い質問が出た。読みの実践との関連において政治的なものを考察するという問いが浮上してきたが、これは表層的な読みとデジタル人文学がどちらも学問を非政治化していると批判されていることからすると予想通りのものだった。パネリストは全員、この誤解について自分なりのやり方で応答し、解釈に使える蓄積を広げ続けることによってのみ、より堅固な批評活動が導かれるということを明確にした。

金曜日の午後の早い時間に、もう一つ、デジタル人文学の重要なパネルが開かれた。人文学コンピュータ協会 (Association for Computers in the Humanities、略称ACH [注5]) が組織したパネル「デジタルを越えて」(“Beyond the Digital” [注6]) は、デジタル手法というよりは研究課題の内容のほうに注目することを目的としていた。これを実現するため、手法に関する議論についてはイベントの前にオンライン [注7] で回覧されていた。このパネルは、リサーチが副次的な意味しか持っていないと考えてデジタル人文学を退けている人文学徒に接触しようとACHが試みたものであった。

「デジタル人文学の議論においては、時としてデジタル分析の結果は目的ではなく、むしろ目的を達成するための手段であるということが忘れられてしまっている。この目的とはテキストの解釈だ」

ジェフリー・バインダー、ライアン・コーデル、セドリック・メイ、ジェイムズ・オサリヴァン、リサ・マリー・ローディ、ショーナ・ロスがパネリストであった。パネルは好評で、議長のブライアン・クロックソールは巧みな司会ぶりで討議の中心を研究課題からそらさないように保っていた。パネリストたちが、デジタル人文学の文脈においてリサーチを第一に置くとはどういう感じかを尋ねられたことがあったが、ライアン・コーデルは雄弁に応答し研究課題が常に第一にあるのだということに気づかせてくれた。パネルがうまくいったのは、例示されたプロジェクトが「パターン認識と解釈」へコンピュータを用いてアプローチすることに焦点をあてていたからということもある。これはデジタル人文学のジャンルにおける伝統的人文学研究としておそらく最もわかりやすいものだからだ。

■3. 1月11日（土）：DHを評価する

土曜の13時45分から15時までは出席しなければいけない会合だらけだった。学会は新情報に追いつくため同僚や協働者と実際に会って話題を交換する機会なので、MLAとしてはとてもふつうのことだ。午後の早い時間に私は自分の二つ目のイベントである「デジタルの学問を評価する：志して成功した者たちの物語」（Evaluating Digital Scholarship: Candidate Success Stories **[注8]**）に参加した。このイベントの目的は、現在、学術機関で専門的なよい地位についているデジタル人文学者の一団に、学位論文や、終身在職権獲得・昇進の過程におけるデジタル人文学分野の業績評価がどういうものなのか話してもらうというものであった。セッション前半では部屋は展示ホールのようにセッティングされ、それぞれのパネリストが自身の仕事について個別テーブルで紹介するということをした。私のテーブルでは、スタジオ@バトラー（Studio@Butler **[注9]**）と図書館員発展プロジェクト（The Developing Librarian Project **[注10]**）の活動を紹介した。

イベント後半では、パネリストが全員、一つのテーブルの前に再集結し、企画者のヴィクトリア・E・サボーの質問に答えた。シェリル・E・ボール、マシュー・K・ゴールド、アデリーン・コー、カリ・M・クラウスが私と同じテーブルについた。パネルは図書館員と教員が入り交じったもので、英語圏におけるデジタル人文学を幾分かは典型化できるような話ができた。この分野で活動する者は図書館と学部のどちらかか、あるいは両方で職を得る可能性があるからだ。質問は、登壇者たちの研究実践の中ではどういうものが一番よい紹介例としてあげられるか、またいままでどういう体験をしたのかについてのものが主だった［注 11］。どうやっていまいるところまでたどり着いたのか？　という質問には、人文学とデジタル二つの仕事をこなすことだと答えた人が多かった。どうやって発展させようか？　という質問には、学位論文や終身在職権、昇進のガイドラインを改正する必要があると答えた人が多かった。サボーからの質問セッションの終わりに、回答者のキャサリン・ヘイルズが、デジタル手法への理解の欠如を克服するため現時点でもどの程度のことをせねばならないのかについて簡単なコメントをした。全体として討議は含蓄に富んだものだったので、要約するのは難しい。パネル自体が、MLA デジタル業績評価ガイドライン（MLAGuidelines for Evaluating Digital Work ［注 12］）を周知するための MLA の努力に結びつけられている。

自分のパネルに続き、機会をとらえて「プラクシス・ネットワーク：公の場でともに人文学教育を再考する」（The Praxis Network: Rethinking Humanities Education, Together and in Public ［注 13］）に寄った。これはカティーナ・ロジャーズが組織したパネルであった。私にとってはプラクシス・プログラム（PraxisProgram ［注 14］）との再会の機会のようなもので、このプログラムのおかげで私は人文学のためのソフトウエア開発を始められたのだ。もともとのプログラムはヴァージニア大学の人文学および社会科学の違う領域から 6 人の大学院生を集め、スカラーズ・ラブ・チーム（Scholars' Lab team ［注 15］）からソフトウエア開発を学ぶというものだった。プログラムは 1 年続き、一種類の共通プロジェクトを中心にしていた。この場合は「クラウドソース解釈」のツールである「プリズム」（Prism ［注 16］）だった。

いまではプラクシス・ネットワーク（Praxis Network ［注 17］）はたくさんのいろいろな大学からなる集団を代表しており、ほとんどの大学がパネリストを出してきていた。デューク大学がデイヴィッド・F・ベル、ニューヨーク市立大学工科カレッジがマシュー・K・ゴールド、ブロック大学がケヴィン・キー、ユニヴァーシティ・カレッジ・ロンドンがケリ・マッサ、ヴァージニア大学がセシリア・マルケス、ホープ・カレッジがウィリアム・アルバート・パナパッカー、ウェイン州立大学がドニー・サッキー、という具合であった。

討議はこうしたいろいろなチームが、大学院生を訓練するモデルをどういったさまざまな方法でそれぞれの独自の環境の必要性や特徴にあわせたのか、に集中していた。

■4. 1月12日（日）：DHポストコロニアリズム；批判的モノ作り

私の最後のパネルは「DHを脱植民地化する：ポストコロニアルなデジタル人文学の理論と実践」（Decolonizing DH: Theories and Practices of PostcolonialDigital Humanities **[注18]**）というパネルだった。非常に期待されているパネルで、#dhpocoと呼ばれていた。パネルは日曜の午前8時30分という「死界」に割り振られていたが、それでもかなりの人を集めることができた。アデリーン・コー、ポーター・オルセン、アミット・レイ、ルピカ・リサムと一緒にパネルを実施し、アンナ・エヴェレットの司会者ぶりも素晴らしかった。アマーディープ・シンがブログに簡潔だがよい議事要約 **[注19]** をあげてくれているので、そこから引用する **[注20]**。

> アデリーン・コーが、一般的にポストコロニアルなデジタル人文学はどんなものになるのか概略を述べた。コーとルピカ・リサムはこれについてウェブサイト **[注21]** を作っており、この主題に関する著作のプロジェクトも立ち上げて活動している。ポーター・オルセンも『シヴィライゼーション』、『エイジ・オブ・エンパイア』、『エンパイア』などの「文明系」ゲームにおける帝国主義言説について大変興味深い発表をした。オルセンはこういったゲームをハックしたりModを追加したりした挑発的ヴァージョンも数例出してきていた。ゲームの通常設定よりももっとたくさん奴隷に反乱の力を与えてみたらどうなるだろう？
>
> アレグザンダー・ギルは合衆国やヨーロッパの外からデジタル人文学のプロジェクトを見て自分の仕事を描写し、「80日間DH一周」（Around DH in 80 Days **[注22]**）という興味深いプロジェクトに言及した。アミット・レイはしばしば現代のコンピューティングを支えている経済や企業に関わる基盤について論じ、主流のデジタル人文学（特に新しく台頭してきた「メイカー」文化）が国境を越えた資本主義と共謀していることをそれほどしっかり認識していないと主張した。

発表の後に聴衆からの質問があったが、大抵は褒め言葉だった。マーサ・ネル・スミスが出席していたのは注目すべきことで、パネルに出た学者たちや #dhpoco の関係者を褒めてくれた。スミスは少なくとも 20 年の間、周縁性と支配についての問いかけを唱道しており、こうした人々はそれに関心を高める役割を果たしたからだ。最後に言うべきなのは、パネルはアデリーン・コーとルピカ・リサムの勤勉な大業を立証するものだったということだ。二人は #dhpoco を盛り上げるためソーシャルメディアに多大なエネルギーを注いでくれたし、二人がうまく活動してくれたおかげで、こうした問いに取り組んでいる多数の若き学者やアクティヴィストたちが発奮してデジタル人文学に関わるようになってくれた。同時に聴衆は、古参のデジタル人文学者が自らの分野に多様性と平等を持ち込もうと努力しており、自分たちの声はそれを手助けする役割を果たしているのだと認識することもできた。

#dhpoco パネルの直後に、「デジタル人文学の批判的モノ作り」(Critical Making in the Digital Humanities **[注 23]**)のパネルがあり、デジタル人文学のメイカー文化により、強力な形で批判的探求を行えるようになるということが明確に示された。ロジャー・ホイットソンが組織したこのパネルには二つの協働プロジェクトをあわせたものだ。アマランス・ボースクとディーニー・グリガーの「協働のモノ作りを理論化する:書くこと、プログラミング、開発の間で」("Theorizing Collaborative Making: Between Writing, Programming, and Development")と、カリ・M・クラウスとジェントリ・セイヤーズの「人文学における批判的モノ作りの歴史に向けて」("Toward a History of Critical Making in the Humanities")である。パネル中にボースクは「ページとスクリーンの間で」("Between Page and Screen" **[注 24]**)という発表をしたが、これは本と読者の間にヴァーチャルスペースを作るというものだ。まだやってみていない方には挑戦するのをおすすめする。カリ・クラウスは人文学における批判的モノ作りを少なくとも三つの伝統に位置づけることで発表を始めた。この伝統とは実験考古学、形態書誌学、それと GLAM(美術館、図書館、文書館、博物館)分野の専門職である。こうすることで、クラウスはアミット・レイとはまた違った人文学におけるメイカー文化の系譜を示してくれた。セイヤーズがヴィクトリア大学のメイカーラボ(Maker Lab **[注 25]**)における素晴らしいプロジェクトの成果を強調し、その全部を批判的実践に結びつけて議事は終了した。空港に急がねばならず、質疑応答セッションまで残る時間が

なかったのは残念だ。

■5. 遠くからの考察

この覚え書きはMLAが終わった1カ月後に書いている。重要なことで書けなかったことがあるのは残念だ。読んでいる人にはこのメモにないたくさんの空隙(くうげき)をさらに探求してほしい。マーク・サンプルが作った、いまや公認と言っていいMLAデジタルパネルリスト **[注26]** をオンラインでなぞって追うのはよい出発点になる。また、エルネスト・プリエゴによる、議事日程の「遠読 **[注27]**」も学会内容をさらに探求するにはよいところだ。

全体として、学会は仕事の緊張や問題に満ち満ちた年に来てよかったと思える強烈な経験だった。アマンダ・フレンチが自分のMLA体験 **[注28]** の後で言ったように、今年は「デジタル人文学がもう次の新しい目玉ではなく、普通のものになり始めている」年でもあるのだ。

▶注

[1] http://elotroalex.webfactional.com/mla-2014-notes/, accessed March 27, 2014（リンク切れ）.
[2] http://mlasubconference.org/who-we-are/, accessed July 19, 2020.
[3] http://www.mla.org/conv_listings_detail?prog_id=339&year=2014, accessed July 19, 2020（リンク切れ）.
[4]「表層的な読み」（surface reading）への導入としては、Stephen Best and Sharon Marcus, “Surface Reading: An Introduction,” Representations 108, no. 1 (Fall 2009), 1-21, accessed July 19, 2020, http://www.jstor.org/stable/10.1525/rep.2009.108.1.1 を参照。
[5] http://ach.org/, accessed July 19, 2020.
[6] http://www.mla.org/conv_listings_detail?prog_id=402&year=2014, accessed July 19, 2020（リンク切れ）.
[7] http://ach.org/2013/12/30/methods-and-more-for-beyond-the-digital-at-mla-2014/, accessed July 19, 2020.
[8] http://www.mla.org/conv_listings_detail?prog_id=577&year=2014, accessed July 19, 2020（リンク切れ）.
[9] https://studio.cul.columbia.edu/, accessed July 19, 2020.
[10] http://www.developinglibrarian.org/, accessed July 19, 2020.
[11] この質疑応答セッションについては、ミシェル・カッソーラが編んだStorify［11-1］でかなりのことがよくわかるだろう。
[11-1] http://storify.com/drkassorla/mla14-dh-session-on-evaluating-digital-scholarshi, accessed March 27, 2014（リンク切れ）.
[12] http://evaluatingdigitalscholarship.commons.mla.org/, accessed July 19, 2020（リンク切れ）.
[13] http://www.mla.org/conv_listings_detail?prog_id=599&year=2014, accessed July 19, 2020.
[14] http://praxis.scholarslab.org/, accessed July 19, 2020.
[15] scholarslab.lib.virginia.edu, accessed 14 February, 2021.

［16］http://prism.scholarslab.org/, accessed July 19, 2020.
［17］http://praxis-network.org/, accessed July 19, 2020.
［18］http://www.mla.org/conv_listings_detail?prog_id=679&year=2014, accessed July 19, 2020（リンク切れ）.
［19］http://www.electrostani.com/2014/01/mla-2014-notes-and-comments.html, accessed July 19, 2020.
［20］ルピカ・リサムが #dhpoco の過去から現在までを追ったスライドもここ［20-1］で見ることができるし、アデリーン・コーの論文「印刷からデジタルへ：ポストコロニアルな知識を再構成する」（"From Print to Digital: Reconfiguring Postcolonial Knowledge"［20-2］）もオンラインで読める
［20-1］http://fr.slideshare.net/roopsi1/theories-and-practices-of-postcolonial-digital-humanities-roopika-risam-and-adeline-koh#btnNext, accessed July 19, 2020.
［20-2］http://www.adelinekoh.org/blog/2013/12/05/from-print-to-digital-reconfiguring-postcolonial-knowledge/, accessed March 27, 2014（リンク切れ）.
［21］http://dhpoco.org/, accessed July 19, 2020.
［22］http://www.globaloutlookdh.org/around-dh-in-80-days/, accessed July 19, 2020.
［23］http://www.mla.org/conv_listings_detail?prog_id=708&year=2014, accessed July 19, 2020（リンク切れ）.
［24］http://screen.com/epistles, accessed March 27, 2014（リンク切れ）.
［25］http://maker.uvic.ca/, accessed July 19, 2020.
［26］http://www.samplereality.com/2013/09/19/digital-humanities-at-mla-2014/, accessed July 19, 2020.
［27］http://remoteparticipation.commons.mla.org/2014/01/22/mla-14-a-first-look-iv/, accessed July 19, 2020（リンク切れ）.
［28］http://amandafrench.net/2014/01/14/the-7-best-links-to-digital-poetry-projects-from-mla/, accessed July 19, 2020.

イベントレポート
第132回アメリカ歴史学協会年次国際大会

2018-02-28

小風尚樹

2018年1月4日から8日にかけて、氷点下10℃前後のアメリカのワシントンDCにて、第132回アメリカ歴史学協会（American Historical Association. 以下AHAと略）の年次国際大会が開催された。筆者は、1月5日の午前中に、国立歴史民俗博物館の「古代の百科全書『延喜式（えんぎしき）』の多分野協働研究」プロジェクトおよびMEDEAワークショップ（財務記録史料構造化のための国際的取り組み）の成果報告の一部として、同大会のパネルセッションの一つで研究発表を行った。

学会全体のプログラム詳細については大会ホームページをご覧いただきたいが［注1］、非常に多岐にわたるテーマ別セッションが310にのぼったことは指摘しておきたい。本レポートではこれらすべてについては紹介できないので、筆者が触れることができた範囲で、特にデジタル・ヒストリーに関する研究発表の内容について紹介したい。なお、デジタル・ヒストリーに関するセッションだけで5日間の学会スケジュールを組むことも可能であるほどの充実ぶりであった。

■1. [Getting Started in Digital History Workshop]

まず筆者が参加したのは、初日に開催されたデジタル・ヒストリーの入門ワークショップのうち、Gephiを用いたネットワーク分析を扱った3時間のハンズオン・ワークショップである。Jason Heppler氏による講演の補助資料がWEB上に公開されているので、ご関心の向きはご確認いただきたい［注2］。セミナーなどで参考にされる場合は、Jason Heppler氏の貢献に対して彼の氏名をクレジットしていただきたい。ほかのセッションに比べて、紹介の分量が多くなることを断っておく。

このワークショップではまず、ネットワーク分析に入る前に、データ・ビジュアライゼーションの概要について、その手法上の目的や認知心理学などの観点から語られた。そもそもよいデータ・ビジュアライゼーションとは、「データについての真実を語るのは当然として、膨大なアイデアや知見を圧倒的に短い時間で、かつ必要最低限のスペースで表現すること」と定義された［注3］。

議論の材料となるデータというのは、スプレッドシートを眺めているだけではその本質をつかむことは難しいため、まずは自らの理解のためにデータを探索し、そして他者に表現するためにデータ・ビジュアライゼーションが有効である［注4］。また、可視化されたデータは、色や形に代表される要素同士の類似性、要素同士の近接性やグループ化などの認知心理学的な原則によって、意図しない結果をもたらすことも指摘された。その意味で、本当にデータ・ビジュアライゼーションが必要なのかどうか、強く問い続けなくてはならない。

データ・ビジュアライゼーションの概要が述べられた後は、歴史研究におけるネットワーク分析に関する事例がいくつか紹介され［注5］、参加者の間でも実践例の共有が行われた。ネットワーク分析の利点は、例えばコミュニケーションの履歴に関する基本的事実が明らかになること、そしてその基本的事実をもとに議論を組み立てることである。

こうした理論面での導入が行われた後、後半のハンズオン・ワークショップでは、ネットワーク分析のためのアプリケーション Gephi の実習を行った［注6］。Gephi は表形式のデータを読み込んで、ネットワークを構成する主体（ノード）とそれらをつなぐ線（リンク）の情報を作成してくれる特徴がある。

ワークショップの中で印象的だったのは、ネットワーク生成に必要な表形式のデータを作成する際に、参加者で Google スプレッドシートを共有し、自分の名前と研究キーワードを入力することによって、ネットワーク生成のデモンストレーションにつなげたことである。ハンズオン・ワークショップの進め方として新鮮であり、その場でしか生まれないネットワークが可視化されることに知的興奮を覚えた。もちろん、ネットワーク分析のためのツールや技術は Gephi だけに限らないため、ご関心の向きは関連リンクをたどっていただきたい［注7］。

筆者も自らの研究でネットワーク分析を組み込んだ経験があったため［注

8]、新たな気づきや共感できるポイントを含めて、非常に実りの多いワークショップであった。

■2．[Facilitating Global Historical Research on the Semantic Web: MEDEA]

1月5日には、筆者がパネラーとして登壇としたセッションが開催された。セマンティックWebの議論を財務記録史料構造化に応用するとともに、国際的に共同研究を促進するためのMEDEA（Modeling semantically Enriched Digital Edition of Accounts）ワークショップの報告である。

MEDEAは、アメリカNEH（the National Endowment for the Humanities）とドイツDFG（the Deutsche Forschungsgemeinschaft）の支援により開催されており、筆者もこれまでアメリカのWheaton Collegeで開催された国際ワークショップで発表した経験があり[注9]、今回のAHAもMEDEAの活動の一環である。

パネルでは三つの報告が行われ、すべて共通して財務記録史料の構造化に関するポーランド、日本、ドイツの研究プロジェクトが紹介された。特にドイツ語圏の研究プロジェクトを主導するグラーツ大学のGeorg Vogeler氏は、MEDEAワークショップの主要メンバーの一人であり、欧米圏で中世後期に確立された複式簿記の理論をTEIで表現するためのセマンティックWebの枠組みについて研究している[注10]。

筆者の報告は、律令（りつりょう）制下の日本における施行細則を定めた『延喜式』のテクストをTEI[注11]でマークアップする国立歴史民俗博物館との共同研究プロジェクトの一環であった。『延喜式』は行政マニュアルとしての性質を持ち、散文形式ではあるものの、貢納品の規定など財務記録として解釈できる記述も多いため、MEDEAワークショップの趣旨に沿うものである。発表の中では、各国の財政規模を比較するための正税（しょうぜい）・公廨稲（くがいとう）の額に基づく地図上でのデータ・ビジュアライゼーションや、当時社会に広く流通していたアワビの呼称を一覧できる円グラフ、そしてアワビの生産・消費状況を検証するための原文対照インターフェースの構築について主に発表した。今後も、MEDEAワークショップの成果発信によって、財務記録史料の構造化プロジェクトが普及し、統計情報の裏付けが欠かせない社会経済史などの領域で新しい知見が生まれることを、ワークショップの一員としても期待したい。

■3.［Primary Sources and the Historical Profession in the Age of Text Search Part 3: Digital Texts and the Future of Digital History: Challenges, Opportunities, and Experimentation in Digital Documentary Editing］

AHA では、テクストサーチの時代における一次史料の扱いと歴史家としての在り方を議論する DH セッションが五つ開かれた。本レポートでは、筆者が触れることができ、また聴衆の議論も盛り上がったパート 3 について紹介したい。

このセッションでは、史料テクストの電子版を提供することに主眼を置いた実際のプロジェクトやすでに公開されている Web サービスを事例に、デジタル・ヒストリーの可能性を検討するものであった。ここで特に驚かされたのは、セッションで紹介されたほぼすべてのプロジェクトが TEI マークアップを基本としていることであり、そもそも TEI のメリットについて時間を割いて説明をしていないことであった。XSLT その他の各種変換プログラムによって、検索利便性の高いデータベースが構築されるという認識は、すでに AHA の参加者にとっては前提知識となっているという印象を受けた次第である。

具体的に紹介されたプロジェクトの例としては、ヴァージニア大学による Papers of George Washington［注 12］、アメリカ国務省関連史料を扱う Office of the Historian のプロジェクト［注 13］、19 世紀初頭における「テキサス入植の父」として知られるスティーブン・オースティンの書簡を扱った Digital Austin Papers プロジェクトなどがある［注 14］。筆者は、特に Digital Austin Papers プロジェクトが印象に残った。というのも、このプロジェクトが公開するインターフェースでは、TEI マークアップに基づく基本的な検索（書簡の差出人・宛名、年月日、地名）はもちろんのこと、書簡の中での頻出語や頻出人名・地名についてのワードカウント、書簡の送受に関する地理情報の Google Map 上での可視化、書簡が出された年代別の推移が提示される。そして最も目新しい機能として提示されたのは、書簡の文章における感情表現を表す語彙から感情のスコアを算出し、それぞれの書簡がどういった感情を表しているかの目安も表示することであった。スコアの算出基準や、算出後の感情分類については議論の余地もあろうが、感情史の取り組みとしても注目に値すると感じた［注 15］。

同セッションの最後では、FromThePageのBen Brumfield氏が[注16]、電子版の史料テクストをいかに持続可能なものにしていくかについて、アメリカにおける人文科学への助成金削減問題と絡めて論じた[注17]。ここで提案されたのは、第一に、データの再利用を促進するためのデータ公開（GitHubや各機関のリポジトリ[注18]）、第二に、技術的な複雑さを極力減らすこと（ミニマル・コンピューティングの実践[注19]）、そして第三に、データ互換性の担保、である。基本的なガイドラインではあるものの、具体的なプロジェクトがいくつも紹介されたセッションのまとめに位置づけられるにふさわしい内容であったように感じた。

■4. [History from below in 3D: Digital Approaches to the History of Carceral Institutions]

最後に紹介するのは、歴史研究における3D分析のセッションである。

まず聴衆の関心を引いたのは、功利主義者ベンサムの考案した刑務所デザインであるパノプティコンの3D可視化のプロジェクトである[注20]。円形に配置された独房の特徴から[注21]、3Dモデリングのプロセスでは、ピザを描くのと同じ要領で、パターンの繰り返しにより円柱を生成したというエピソードに聴衆が沸いた。重要な指摘としては、3Dモデリングはあくまでモデル構築に過ぎず、完成形の提示というよりは分析の過程における可視化という意味合いが強い、というものであった。本レポート冒頭で紹介したJason Heppler氏によるデータ・ビジュアライゼーションの概要ともリンクする指摘として、重要だと感じた。

そして、大変完成度の高いプロジェクトと感じたものに、History of Crime in 3Dがある。これは、Old Bailey Onlineという近世イングランドにおける裁判記録集成として著名なデータベース構築を主導したTim Hitchcock氏の監修によるプロジェクトで、法廷における被告人や裁判員の位置関係の3D表示、裁判記録に見る裁判参加者それぞれの発言時間の年代別推移のカラーコーディングなど、多角的な統計情報を提示するもので、興味深く感じた。

このようなデータベースの活用あるいは構築は、これからの歴史研究者にとって決して他人事と片づけられる問題ではないと思いを強くした次第である。

AHAのセッションとは別に、1月5日の午後にはスミソニアン博物館の自然史博物館に赴くことができた。少しの時間ではあったが、躍動感ある剝製の展示など、記憶に鮮明に残る体験であった。末筆ながら、ワシントン滞在中にお世話になった国立歴史民俗博物館の後藤真先生、渋谷綾子先生に改めてお礼申し上げたい。

▶注

[1] https://www.historians.org/annual-meeting/2018-program, accessed July 19, 2020.

[2] https://jasonheppler.org/courses/aha-workshop-2018/, accessed July 19, 2020.

[3] Edward R. Tufte, *The Visual Display of Quantitative Information* (Cheshire, CT: Graphics Press, 2001).

[4] 日本でも、データ・ビジュアライゼーションに関する書籍は多く出版され、セミナーなども多く開催されている。ほんの一例として、鈴木雅彦・鈴村嘉右『データビジュアライゼーションのデザインパターン20：混沌(こんとん)から意味を見つける可視化の理論と導入』(技術評論社, 2015)、Data Visualization Japan（https://data-visualization-japan.connpass.com/, 最終閲覧日2020年7月19日）などを挙げておきたい。

[5] 例えば、Ryan Cordel, David Smith, "Network of 'Viral Text' Sharing, 1836-1860" (http://viraltexts.org/, accessed July 19, 2020); Lincoln Mullen, "America's Public Bible" (http://americaspublicbible.org/, accessed July 19, 2020); Mapping the Republic of Letters (http://republicofletters.stanford.edu/, accessed July 19, 2020); PRBIS the Stanford Geospatial Network Model of the Roman World (http://orbis.stanford.edu/, accessed July 19, 2020); "Everything on Paper Will Be Used Against Me:" Quantifying Kissinger (http://blog.quantifyingkissinger.com/, accessed July 19, 2020) が挙げられた。

[6] Gephiについては以下を参照。 http://oss.infoscience.co.jp/gephi/gephi.org/index.html, 最終閲覧日2020年7月19日. また、Gephiの使い方などについては、以下も参照。東京大学グローバル消費インテリジェンス寄付講座「データ可視化」, 最終閲覧日2020年7月19日 ,http://gci.t.u-tokyo.ac.jp/tutorial/visualization/.

[7] D3.js (https://d3js.org/, accessed July 19, 2020); Palladio (http://hdlab.stanford.edu/palladio/, accessed July 19, 2020) ; cytoscape (http://www.cytoscape.org/, accessed July 19, 2020) などが挙げられた。

[8] ネットワーク分析手法については、筆者のブログ記事に掲載した。atelier DH：デジタル・ヒストリーの作業場「天津条約改正交渉をめぐる情報ネットワークの可視化過程(1)～(5)」, 最終閲覧日2020年7月19日, https://naokicocaze.wordpress.com/2017/05/28/.

[9] 拙稿「『財務記録史料デジタル化の方法論をめぐる国際ワークショップ』参加報告」『人文情報学月報』59【後編】, 2016, 最終閲覧日2020年7月19日, https://www.dhii.jp/DHM/dhm59-2.

[10] Web上で閲覧できる比較的新しい成果としては、以下を参照。George Vogeler, "The Content of Accounts and Registers in their Digital Edition," hcommons.org, (2017), accessed July 19, 2020, https://hcommons.org/deposits/objects/hc:13208/datastreams/CONTENT/content?download=true.

[11] Text Encoding Initiativeの略。人文学史資料のテクストを構造化するための国際的な枠組み。2018年9月には、非欧米圏で初めて東京でTEI年次国際大会が開かれる。

[12] http://gwpapers.virginia.edu/, accessed July 19, 2020.

［13］https://history.state.gov/, accessed July 19, 2020.

［14］http://digitalaustinpapers.org/, accessed July 19, 2020.

［15］感情史については、例えば以下を参照のこと。森田直子「感情史を考える」『史学雑誌』125, no. 3, (2016), 375-393；伊藤剛史・後藤はる美編『痛みと感情のイギリス史』（東京外国語大学出版会 , 2017）.

［16］https://fromthepage.com/, accessed July 19, 2020.

［17］発表スライドについては、Web 上で公開されている。 http://content.fromthepage.com/preservable-digital-editions-at-aha2018/, accessed July 19, 2020.

［18］TEI ファイルのリポジトリとしては、TEI コンソーシアムが公式に管理・運営している TAPAS プロジェクトが紹介された。 http://tapasproject.org/, accessed July 19, 2020.

［19］http://go-dh.github.io/mincomp/, accessed July 19, 2020.

［20］https://blog.digitalpanopticon.org/, accessed July 19, 2020.

［21］パノプティコンの構想図面は、以下を参照。https://en.wikipedia.org/wiki/Panopticon, accessed July 19, 2020.

膨大な芸術作品を探索するための オープンなメタデータの活用
—OMNIAというWebサイト—

2016-04-29

Niall O'Leary／日本語訳：永﨑研宣

（注：本節は、実際にヨーロピアナを活用して新たなサービスを生み出し提供している事例を情報共有すべくかつて、アイルランドのDigital Humanities Observatoryで活躍し、現在もデジタル・ヒューマニティーズや文化遺産デジタル化といった分野で活動している開発者Niall O'Leary氏に寄稿していただいたものです。）

■1．ヨーロピアナという膨大な資源のデータ価値

本節執筆時点では、ヨーロピアナ［注1］は、ギャラリー、ミュージアム等の文化関連機関からの5,200万以上の文化資料に関する情報を保持している。写真、絵画、本、映像、音楽、3Dモデルなど、それはまさにすべてのものにわたっている。個々の参加機関は、彼らのWebサイトを通じて検索と利用のために公開しているメタデータを、ある標準化された形式でヨーロピアナに提供している。

ヨーロピアナのWebサイトは標準的な検索を提供しており、検索結果を絞り込むためにユーザが利用できるいくつかのファセット（＝絞り込み検索機能）でこれを拡張している。これらのファセットにはメディア形式、国、言語など（の絞り込み機能）がある。さらに、いくつかのテーマ性を持ったコレクションに焦点を当てた選り抜きの展示もある。しかし、ユーザが何か個別のオブジェクトを探し求めようとした時、それは、あまりにも多くの資料の中に埋もれてしまっているかもしれない。一連のファセットはこれを支援してくれるが、しかし時々それらはユーザのニーズにはあわないこともある。例えば、「国」と「言語」が、返してくれるものは幾分か忠実だが、「権利」（あるいは「自分はそれを使うことができるか？」）というのはコンテンツの開発者に主に関連するものであるように見える。一般的なユーザは、ヨーロピアナではちょっと迷うかもしれない。

幸運なことに、開発者の場合、この膨大な資源へのアクセスは、API（Application Programming Interface）、Linked Open Data、OpenSearch 等の技術を通じて利用することもできる。ヨーロピアナを用いた私の仕事は、ヨーロピアナに関するコンテンツのハーヴェスティング（メタデータの自動収集）を行うアイルランドの国立のアグリゲータ（ヨーロピアーナ参加機関からのメタデータ収集担当者）の一人と仕事をした時に始まった。私は、ヨーロピアナのデータモデルに詳しくなり、利用可能なデータの価値に気がついた。

■ 2. OpenSearch API を使った OMNIA の開発

私は、アイルランドの文化財を同様にしてとりまとめることを試みた Discovery [注 2] と呼ばれる、似たような小規模のプロジェクトにも従事していた。この最初の経験により、私は私自身の Web サイト、OMNIA [注 3] を開発することにした。これは私自身の試行錯誤とスキルセットの向上のために OpenSearch API を用いたものである。私は現在、独立した開発者としてさまざまな教育・文化機関と仕事をしている [注 4]。そして OMNIA は、私にとっては、自分が何をできるのかを潜在的な顧客に提示するための理想的な機会となっている。しかし、より大局的に言えば、私は、ヨーロピアナ自身の Web サイトで公開されているデータを探したり提示したりするための別の選択肢があると確信している。

ヨーロピアナのデータセットと API は開発者にとっては強力な資源だ。API はさまざまな多くの機関に由来する膨大なデータを表面的には一貫した形式で利用できるようにしてくれる。特に OpenSearch API は、標準的な形式（JSON のような）で検索結果を返してくれるものであり、リモートサーバで作業をする手法として開発者には親しみやすいものである。API が意味するところは、数百万のオブジェクトを扱うツールが開発可能だということであり、もし個別の機関のために開発されたなら、それは不可能だろう。多様な資料を結合することによって、一つの組織で個別に取り組んでいては不可能な、関連するオブジェクトの偶然の発見が可能となる。

■ 3. ヨーロピアナのデータを簡単にナビゲートできるようにする

メタデータに関する比較的オープンな権利は、コンテンツを活用し得る事柄に対してほとんど制限がないということを意味しており、ヨーロピアナの限定的なデータモデルは開発者に対してメタデータを最小限にさせようとしている。簡単に言えば、OMNIA はヨーロピアナのこの大量のデータを簡単にナビゲートできるようにすることを試みている。そのアプローチのいくつかでは、フィルターを用いてヨーロピアナのサイト上でも再現可能だが、しかし、私の思うところでは、ユーザは時々、あまりにオプションが多いことに恐れをなすことがあるだろう。OMNIA はさまざまなシンプルなツールを提示することによってそういった混乱を切り抜けようとしている。もし一つがだめでも、別のものがおそらく有効だろう。

オプションの範囲としては、OMNIA は、1. 年による検索、2. 画像一覧、3. 地図による検索、4. 機関の地図、5. 国と提供者による検索、を用意している。個々のケースにおいて、インターフェースはユーザの検索内容を把握するのに用いられる。例えば、組織名やオブジェクトのサムネイル画像をクリックすることによって、その名前やオブジェクトの識別番号を用いた問い合わせ式が OMNIA により作られ、ヨーロピアナに送信される。そして、ヨーロピアナはその問い合わせ式に対する結果のデータ一式を OMNIA が理解できる形式で返してくれる。そして、OMNIA はユーザに対してデータを表示するのに必要な部分へとデータをパースする。

時として、パースされたデータは、同様にして追加コンテンツとしてユーザに返されパースされ表示されるさらなる情報を得るために、別のシステムでの別な呼び出しを創り出すのに用いられることもある。いずれの場合にも、ソフトウエアは、ユーザやユーザが利用しているデバイスにあわせて動的に HTML と Javascript を生成する。

■ 4. 視覚的なアプローチ

実際のところ、多くのユーザは、それぞれに特定の時代に興味を持っているかもしれない。個々の文化的資料には作成日時があり、それはオブジェクトの検索に利用可能である。ヨーロピアナが理解できる検索問い合わせ式の一部に変換された日付の範囲を作り出すために、簡単なスライダーが用いられている。もちろん、オブジェクトは、このフィールドが実際に追加されているなら、このやり方で検索されるだけではない。ユーザはしばしば視覚的にデータを分析することがより簡単であると気づく。この点を考慮して、イメージウォールはサムネイル画像の「壁」として結果を返してくれる。これは、ヨーロピアナの中でもヴィジュアルな要素を持つ多くのオブジェクトに関しては特に有効である。

メタデータは一つのサムネイル画像に対して一つのフィールドを持っており、この場合には、イメージウォールはそのフィールドを持っている一群のオブジェクトのサムネイル画像を表示する。この視覚的なアプローチは地図の利用でも取り入れられている。地名に関するフィールドはデータモデルに存在しており、オブジェクトが地名を持っていて、それが地理空間座標で表現できるなら、それらの座標はそのオブジェクトを地図上にマッピングするのに用いられる。それらはそのオブジェクトを見つけ出すのにも利用可能である。ユーザが地図サーチをクリックした時、クリックされた場所の座標に基づいて検索問い合わせ式が構築される。この問い合わせ式はヨーロピアナAPIに送信され、その範囲にあるオブジェクトが返されてきて、検索結果が地図上にプロットされる。

■5. さらなる情報をユーザに提供するために

文化的なオブジェクトと同様に、多くの参加組織についての情報や場所もヨーロピアナから検索することができる。そしてその場所も地図上にプロット可能である。これは、ナビゲーションのためのもう一つのアプローチを表しており、ある機関の所蔵品を閲覧して一つのオブジェクトを発見する最も簡単な方法の一つである。すべての提供者のコレクションはその国や組織名によって探索することが可能である。

オープンソース技術が至るところで活用されている。例えば、このサイトはサーバ側ではPHP、クライアント側ではJavascriptを用いて構築されている。JavascriptライブラリのjQueryはスライダーや自動的なページ読み込みなど、クライアント側のさまざまな面で用いられている。

MITが開発したライブラリExhibitは、検索問い合わせ式による検索結果を、タイムラインやタブ表示、地図等を用いてきれいに磨き上げられた小さなサイトに作り替えてしまうという、さらに便利な機能を提供している。しかし、ナビゲーションの体験を向上させるのと同様に、このサイトは返ってくる結果をも豊かにしている。個々のオブジェクトは、タイトル、地名、作者、主題、作成年など、関連するたくさんのフィールドを持っている。これらのおのおのはほかのシステムやツールに問い合わせる際にも用いられる。

例えば、タイトル、作者、作成年は、WikipediaのLinked Open Data版であるDBPediaへのSPARQLによる問い合わせの基として用いられている。返されるデータは、実際に、さらなる情報をユーザに提供するために、そのオブジェクトのページに付け加えられる。主題は米国デジタル公共図書館（以下、DPLA）への問い合わせに用いられ、関連するオブジェクト（の情報）が返ってくる。地理空間座標が利用可能なところでは、オブジェクトはそれを用いて自動的に地図上にプロットされる。オープンソースのツール、Leafletは、マッピングのために用いられている。このライブラリの多くの長所の中には、ヒット数の数に応じた制限がない、ということもある（一定数以上のアクセスに対して後から課金するGoogle Mapsとは異なっている）。

■6．開発で明らかになった三つの問題点

OMNIAの開発において、ヨーロピアナのデータセットとアプローチにおける多くの問題が明らかになった。まず、三つの根本的な問題があった。すなわち、フィールドがない、名前の付け方が標準に沿っていない、結果が限定的である、という点である。フィールドがないことはいかんともしがたい。いくつかのオブジェクトは、単に、よく知られた地名や作者を持っていない。これを調整するために、OMNIAは単純に、値がフィールドにあるかどうか、もしあれば、それを使っているかどうかをチェックする。しかし、それは、地図や作者の経歴のようないくつかの機能がすべてのオブジェクトのページに出てくるとは限らないということを意味している。

さらにやっかいなことに、データが存在するとしても、名前の付け方や用いられているオントロジー（対象の概念化と概念同士の関係の明示的な記述を意味するIT用語）に一貫性がない。ヨーロピアナは、例えば作者名に関して、特殊なフォーマットのメタデータを送信してくる貢献者たちに依存している。作者名のフィールドは、それ自身では、「姓、名」というフォーマットやそのほかのルールに従っていることを要求してはいない。一部のギャラリーでは、「作者」のフィールドに芸術家の生年と没年を、あるいは、その個々の役割までも含んでいることがある。例えば、「彫刻家：オーギュスト・ロダン（1840-1917）」のように。このことは、レコード同士の比較を非常に困難にする。それは、DBPedia向けの効果的な問い合わせ式を作ることも困難にする。

常に実現できているわけではないが、OMNIA は、作者のようなフィールドを、問い合わせ式を作る前に正規化することを試みている。しかし、主題の場合には、一貫したオントロジーがないことは、「PHOTO」と「PHOTOGRAPH」というキーワードを持つオブジェクトが DPLA から異なる関連オブジェクトを返されるかもしれないということを意味している。

三つ目の問題は、コレクションの大きさに関わる実用上の問題である。API でのすべての問い合わせは、数千の結果を生成することができる。これは、元になっているサーバに大きな負荷となってしまう。これを調整するために、ヨーロピアナは、一つの問い合わせが生成できるオブジェクトを 100 件までに制限している。この数を増やすためのプログラミング手法は存在するが、しかし、基本的には、それでは不格好な開発になってしまう。実際、外部サーバに対する REST-ful（Rest-ful API とは、「REST」〈レスト〉と呼ばれる原則に従って設計された、Web システムを外部から利用するための API の一種）な問い合わせ式に頼ることは、開発者に対して常に、インターネット接続の慈悲とサードパーティの強靱（きょうじん）さという限界を与えることになるだろう。

DBPedia の場合には、例えば、その非常によく利用されているサービスが落ちてしまったなら、オブジェクトのページに関連するデータが見つからなくなるかもしれない。こういったもろもろの問題にもかかわらず、このサイトには、利用するに十分な一貫性と強靱さがある。私が開発者としてベストを尽くすことができる間は、このサイトの検索機能のためにヨーロピアナ API を用いる場合、その強力な検索エンジンの機能を活用する。

2016 年 3 月の中旬までは、この OMNIA サイトは「Let's Go Europeana」として知られていたものだった。この改名は、サイトの性格に関する曖昧さをなくすため（このサイトはヨーロピアナによって開発されたことも支援されたこともなかった）だけでなく、その情報資源の拡張をするためでもあった。DPLA はヨーロピアナとともに、オンラインリポジトリを発展させ、API の利用を通じてデータを利用可能にするために活動してきた。結果として、そのデータセットに問い合わせをすることは、OMNIA がヨーロピアナに問い合わせをする方法と極めて似たものになっているはずである。私の希望としては、そのデータをより完全に OMNIA サイトに統合し、そして、徐々に、デジタル NZ **[注 6]** 等のほかの情報資源も組み込んでいきたいと考えている。OMNIA とは、「すべてのもの」を意味しており、その名にふさわしい形で存続していくことだろう。

▶注

[1] http://www.europeana.eu/portal/, accessed July 19, 2020.
[2] http://discovery.dho.ie/, accessed July 19, 2020.
[3] http://www.omnia.ie/, accessed July 19, 2020.
[4] http://nialloleary.eu/, accessed July 19, 2020.
[5] http://www.digitalnz.org/, accessed July 19, 2020.

書簡資料のデータ構造化と共有に関する国際的な研究動向
—TEI2018 書簡資料 WS を通じて—

2018-11-30
小風尚樹

本節は、2018年9月中旬に東京で開催された第18回 Text Encoding Initiative（以下、TEI）年次国際大会のイベントレポートとして、書簡資料のデータ構造化と共有に向けた Correspondence Description の取り組みに焦点を絞って、国際的な研究動向を紹介したい。近年、歴史研究において「書簡」は、コミュニケーションの媒体としての意味や効力、文化・社会的背景や様式論など、幅広い議論の射程を持つ研究対象として注目されている［注1］。人文情報学の観点からは、本論で紹介するように、書簡にまつわる人物・日付・地理情報などのデータを構造的に管理し、コミュニケーションの履歴を視覚的に把握できるような取り組みが行われてきた。本節は、書簡資料にまつわるデータ構築に焦点を絞るが、ここでの記述が歴史学および人文情報学研究者の間の分野横断的な研究プロジェクトを進める際の参考になれば幸いである。

本論の構成は、(1) タグセット開発の経緯とタグの解説、(2) 書簡メタデータをめぐるデジタル・エコシステム、(3) 書簡資料の相互運用可能なメタデータファイルの機械的生成のためのツール、である。

■1．タグセット開発の経緯とタグの解説［注2］

■1-1．先行事例

書簡および書簡群を TEI で構造化するプロジェクトは長きにわたって存在してきたが、プロジェクトごとに異なる独自スキーマやガイドラインが提供されていた。例えば、1990年代にサウス・カロライナ大学で始まった先駆的なプロジェクト The Model Editions Partnership［注3］、2000年代におけるプロジェクトとして Digital Archive of Letters in Flanders［注4］や Carl Maria von Weber — Collected Works［注5］、フィンセント・ファン・ゴッホの書簡について原文と翻訳文の対照が可能な Van Gogh The Letters [注 6] などがある。進行中のプロジェクトもいくつか存在しており [注 7]、マークアップの対象としての書簡資料への関心の高さがうかがえる。

書簡資料を TEI マークアップなどにより構造化することで、キーワード検索に加え、人名・地名の索引などを提供するようなインターフェースを開発することが可能である。このようなインターフェースの例としては、オクスフォード大学ボドリアン図書館の Early Modern Letters Online（EMLO）[注 8] や、ヴィクトリア大学図書館の Colonial Despatches [注 9] のほか、書簡資料のマークアップに関するオンラインフォーラムとしても機能する correspSearch [注 10] が挙げられる。発展的なデータ活用事例として、書簡資料のやり取りを通して人的結合関係などを把握するためにデータを可視化することもよく見られる。例えば、啓蒙期ヨーロッパにおける学者の交流を描くスタンフォード大学 Humanities + Design ラボの Mapping the Republic of Letters [注 11]、イースター蜂起期における書簡のクラウドソーシング翻刻プロジェクトから発展してきたメイヌース大学（アイルランド）の Letters of 1916 [注 12]、テキサス入植で知られる Stephen Austin の書簡を中心的に扱った Digital Austin Papers [注 13] をはじめ、さまざまなプロジェクトがある [注 14]。

■ 1-2．<correspDesc> の開発に向けて

これまで挙げたような先行事例に基づいて、「TEI でどのように書簡をマークアップするべきか」、「校訂した書簡がどのようにリンクし合えるか」というリサーチ・クエスチョンを掲げ、2008 年に TEI コンソーシアム内に Correspondence SIG（Special Interest Group）が設置された [注 15]。彼らは、書簡資料の TEI マークアップの方法論を開発するにあたって、書簡を構成する要素として「物質性」と「イベント性」を重視した。このうち物質性に関しては、TEI P5 ガイドラインの 10 章「手稿資料の記述（Manuscript Description）[注 16] のタグセットを用いて書簡資料のマークアップを行うことが可能だとしている。

次にイベント性に関しては、コミュニケーションの形態という側面に注目し、人・組織／日付／場所／前後のやり取りを表現できるようなタグセットの開発が必要だと考えられた。彼らの活動の成果として結実し

たものが、2015年4月にTEI P5ガイドラインVer 2.8.0にて実装された<correspDesc>タグセットである［注17］。このタグセットは、書簡コミュニケーションにおける「イベント性」を記述することが目的である。従って、書簡に関する「物質性」と「イベント性」に関する情報を包括的に記述するなら、<msDesc>と<correspDesc>の組み合わせが必要だということになる。

■1-3．タグセットの解説

本節では、【図1】に示すように、簡単に<correspDesc>タグセットの解説をしたい。まず<correspDesc>は、<teiHeader>内におけるメタデータ記述の一部として記述され、親要素として<profileDesc>［注18］を持つ。子要素として、<correspAction>［注19］と<correspContext>［注20］を持つ。前者の<correspAction>は、@type属性の値（sent; received; transmitted; redirected; forwarded）によって、人物が書簡のやり取りにどのように関わったのかを記述できる。後者の<correspContext>では、<ref>エレメント内の@type属性の値（prev, next）と、（【図1】には示されていないが）@target属性の値にURIを記述することによるID参照を通じて、当該書簡の前後の文脈を記述することができる。

```
<teiHeader>
  <fileDesc>
    <titleStmt/>
    <publicationStmt/>
    <sourceDesc>
      <msDesc>
        <physDesc/>
        <history/>
      </msDesc>
    </sourceDesc>
  </fileDesc>
  <profileDesc>
    <correspDesc>
      <correspAction type="sent">
        <persName>Richard Quiney</persName>
        <placeName>London</placeName>
        <date when="1598-10-25">October 25, 1598</date>
      </correspAction>
      <correspAction type="received">
        <persName>William Shakespeare</persName>
        <placeName>Stratford-upon-Avon</placeName>
        <date>unknown</date>
      </correspAction>
      <correspContext>
        <ref type="prev">unknown</ref>
        <ref type="next">unknown</ref>
      </correspContext>
    </correspDesc>
  </profileDesc>
  <encodingDesc/>
  <revisionDesc/>
</teiHeader>
```

図1　<correspDesc>タグセットの基本構成

■2．書簡メタデータをめぐるデジタル・エコシステム

前項で述べたように、書簡資料のメタデータを記述するためのタグセットが開発されるに至ったが、書簡資料に関するデータを相互運用可能な形で記述することによって、どのような利点が得られるのだろうか。この

問い自体は、書簡資料に限らず、人文学資料のデジタル校訂版を作成するにあたって、マークアップ規則が厳しいと指摘されることのある TEI を採用することの妥当性を問うことにつながるだろう。

書簡資料のメタデータを <correspDesc> タグセットを用いて記述することの利点は、端的に言えばデジタル・エコシステムを生み出すことである。すなわち、独自の基準ではなく学術コミュニティ内で共有された形式でデータを構造化記述することにより、コンピュータによる処理プログラム作成のコストを減らしたり、プロジェクトの垣根を越えてデータの指し示す内容を理解しやすくしたり、ほかのプロジェクトでの二次利用を促しやすくすることができる **[注 21]**。書簡メタデータをめぐるデジタル・エコシステムを生み出すためのプラットフォームとして機能しているのは、冒頭でも紹介したウェブサイト correspSearch である。

correspSearch は、オープン・プラットフォーム上で共有できる書簡のメタデータを提供することを目指したシステムである。すなわち、書簡資料のデジタル校訂版からデータを集約すること、集約した書簡メタデータに基づいてプロジェクトや組織の垣根を越えてユーザが書簡データを検索できるようにすること、特定の研究関心や時空間的制約あるいはテーマ的制約に依存しないこと、基礎データを修正したり更新したりすることを容易にする標準的でオープンなシステムであること、各種自動化処理や二次利用のために、集約したデータをオープンな技術インターフェースを通して提供すること、を目指している **【図 2】**。

ここで言及される標準的な書簡メタデータというのは、前項で紹介した <correspDesc> の記述に基づいた CMIF（Correspondence Metadata Interchange Format）のことである。CMIF の記述対象は、書簡の本文ではなく、書簡資料のメタデータのみである。すなわち、書簡の送り手・受け手、書簡が書かれた（あるいは受け取られた）場所、あるいは書誌情報である。correspSearch では、この CMIF データを自動で生成する GUI ツール「CMIF Creator（**【図 3】**参照）」を提供しているため、<correspDesc> の記法に習熟していなくとも、簡単な操作によって <correspDesc> にのっとって構造化された書簡資料のメタデータを取得することができる。

ここで重要なのは、correspSearch が自動生成する CMIF ファイルは、人物名・地名に関しては、各国の国立図書館などが提供する典拠ファイルに

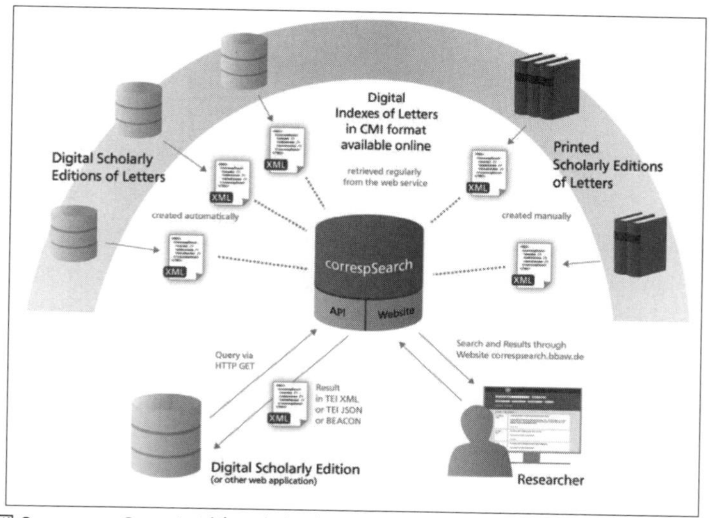

図2 correspSearch が生み出すデジタル・エコシステムのイメージ［注22］

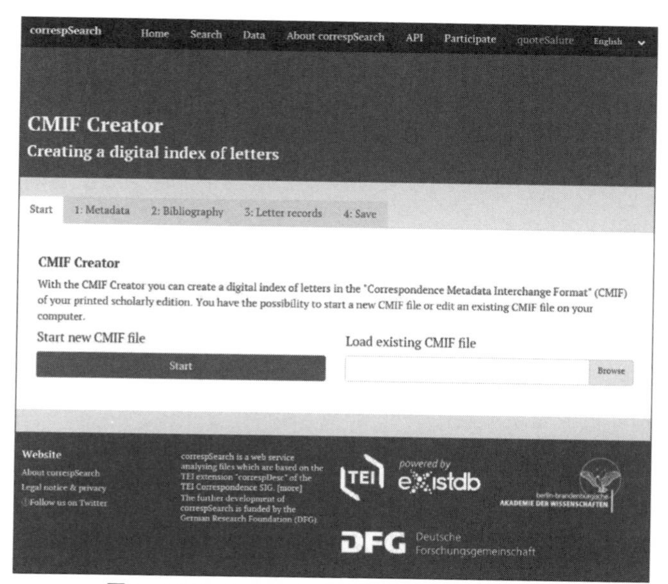

図3 CMIF Creator のトップ画面［注23］

準拠するということである。現状において correspSearch は、人名については次の典拠ファイルへの外部参照データを付与することをサポートしている。すなわち、ドイツ国立図書館の GND（Gemeinsame Normdatei）［注24］、フランス国立図書館の Autorités der Bibliothèque nationale de France［注

25]、アメリカ議会図書館の Library of Congress Authorities [注 26]、日本の国立国会図書館の Web NDL Authorities [注 27]、そして OCLC（Online Computer Library Center）が提供するバーチャル国際典拠ファイル VIAF（Virtual International Authority File）である [注 28]。地名については、GeoNames をサポートしている [注 29]。このように、マークアップテクストから離れて、外部の典拠情報の URI へのリンクを参照するということは、セマンティック・ウェブの観点からも重要であり [注 30]、TEI コミュニティでも長きにわたって建設的な議論が蓄積されてきた実践である [注 31]。correspSearch で生成され、API で提供された CMIF サンプルも公開されているので、ご関心の向きは参照されたい [注 32]。

■３．CMIF の機械的生成のためのツール

correspSearch では、GUI 操作による CMIF データの生成機能を提供しているのみだが、すでに表形式のプレーンテキストから CMIF データを自動生成してくれるツールが開発されている。この CSV2CMI ツールは、プログラミング言語 Python で開発されたオープンソースツールであり、ドイツの Saxon Academy of Sciences in Leipzig の Klaus Rettinghaus 氏によるものである [注 33]。CSV ファイルに書簡メタデータを記述しておくと、人名や地名に関しては correspSearch がサポートしている前述の典拠ファイルの情報と照合した上で、外部参照 URI を含めて CMIF データを出力してくれる [注 34]。もちろん、典拠ファイルとのリンク付けの信頼性について検討する必要はあるが、このようにいまでは書簡資料のメタデータを簡単に生成できるようになっているため、生成された CMIF に基づいて書簡のやり取りに基づく人的結合関係の把握なども可能だろう。

■４．おわりに

本節は、TEI 2018 で行われた発表の中でも、特に書簡資料のマークアップに焦点を絞ったイベントレポートとなった。<correspDesc> タグセットの開発に至る経緯、書簡資料のメタデータをめぐるデジタル・エコシステムを生み出すプラットフォームとしての correspSearch、相互運用可能な書簡資料のメタデータファイル CMIF とその自動生成ツールについて紹介してきた。

関連事例として、個人的な研究実践で恐縮だが、書簡ネットワークの把握を試みたことがある。すなわち、筆者は2017年の第67回日本西洋史学会大会において、1860年代におけるイギリスと清朝中国との間の天津条約改正交渉にまつわるイギリス外務省内の政策決定過程について、イギリス外務省機密史料FO 881を基に公信の送受信に基づく情報ネットワーク図を可視化したことがある **[注35]**。データ可視化方法などについては自身のブログで公開しているが **[注36]**、このような研究実践においてもCMIFでデータ管理をしておくことが有効だったであろうと感じた。

冒頭で述べたように、書簡資料は歴史学および人文情報学の双方の分野で注目されている研究対象である。本節が、日本でも書簡資料を対象としたTEIマークアッププロジェクトを分野横断的に進める際の参考になれば幸いである。

▶注

[1] 例えば、岡崎敦「西欧中世における「書簡」資料をめぐる諸問題」新井由紀夫（編）『「中・近世西欧における書簡とコミュニケーション」キックオフ・シンポジウム報告書』(2018), 5-22など。

[2] 基本的に本節の内容は、Peter Stadler, Sabine Seifert, Stefan Dumont, Anne Baillot, "Introduction to TEI Encoding of Correspondence Meta Data," The 18th Annual Conference and Members Meeting of the Text Encoding Initiative Consortium, Tokyo, 9th September 2018によるものである。

[3] The University of South Carolina Board of Trustees, "The Model Editions Partnership: Historical Editions in the Digital Age," 2000, accessed July 19, 2020, http://modeleditions.blackmesatech.com/mep/.

[4] The Centre for Scholarly Editing and Document Studies of the Royal Academy of Dutch Language and Literature, "Digital Archive of Letters in Flanders," accessed July 19, 2020, http://ctb.kantl.be/project/dalf/index.htm; https://eadh.org/news/2011/05/20/digital-archive-letters-flanders-dalf.

[5] Carl-Maria-von-Weber-Gesamtausgabe (Version 3.3.1 of August 24, 2018), accessed July 19, 2020, https://www.weber-gesamtausgabe.de/de/Index.

[6] Leo Jansen, Hans Luijten and Nienke Bakker, eds., "Vincent van Gogh The Letters," accessed July 19, 2020, http://vangoghletters.org/vg/.

[7] Jung Joseph, hrsg., "Digitale Briefedition Alfred Escher," Launch Juli 2015 (laufend aktualisiert), Zürich: Alfred Escher-Stiftung, accessed July 19, 2020, https://briefedition.alfred-escher.ch/; Letters and Texts:Intellectual Berlin around 1800, accessed July 19, 2020, http://www.berliner-intellektuelle.eu/?en; Maurizio Ghelardi, "Burckhardt Source," accessed July 19, 2020, http://burckhardtsource.org/; University of Cambridge, "Darwin Correspondence Project," accessed July 19, 2020, https://www.darwinproject.ac.uk/; August Wilhelm Schlegel's Correspondence, accessed July 19, 2020, http://august-wilhelm-schlegel.de/briefedigital/.

[8] Cultures of Knowledge Projects, Bodleian Libraries, University of Oxford, "Early Modern

Letters Online," accessed July 19, 2020, http://emlo.bodleian.ox.ac.uk/.
[9] Humanities Computing and Media Centre and UVic Libraries, University of Victoria, "The Colonial Despatches," accessed July 19, 2020, https://bcgenesis.uvic.ca/.
[10] TELOTA, Berlin Brandenburg Academy of Sciences and Humanities, "correspSearch," accessed July 19, 2020, http://correspsearch.net.
[11] Stanford University, "Mapping the Republic of Letters," accessed July 19, 2020, http://republicofletters.stanford.edu/.
[12] Maynooth University, "Letters of 1916," accessed July 19, 2020, http://letters1916.maynoothuniversity.ie/.
[13] University of North Texas, "Digital Austin Papers," accessed July 19, 2020, http://digitalaustinpapers.org/.
[14] Niall O'Leary Services, "Visual Correspondence: Analysing Letters through Data Visualisation," accessed July 19, 2020, http://letters.nialloleary.ie/; LAB1100, "nodegoat," accessed July 19, 2020, http://nodegoat.net/.
[15] TEI: Correspondence SIG, accessed July 19, 2020, http://www.tei-c.org/Activities/SIG/Correspondence/.
[16] TEI Consortium, eds. "10 Manuscript Description," *TEI P5: Guidelines for Electronic Text Encoding and Interchange. Version 3.4.0* (last updated on July 23, 2018), TEI Consortium, accessed July 19, 2020, http://www.tei-c.org/release/doc/tei-p5-doc/ja/html/MS.html.
[17] TEI Consortium, eds. "2.4.6 Correspondence Description," *TEI P5: Guidelines for Electronic Text Encoding and Interchange. version 3.4.0* (last updated on July 23, 2018), TEI Consortium, accessed July 19, 2020, http://www.tei-c.org/release/doc/tei-p5-doc/ja/html/HD.html#HD44CD.
[18] TEI Consortium, eds. "<profileDesc>," *TEI P5: Guidelines for Electronic Text Encoding and Interchange, Version 3.4.0* (last updated on July 23, 2018), TEI Consortium, accessed July 19, 2020, http://www.tei-c.org/release/doc/tei-p5-doc/en/html/ref-profileDesc.html.
[19] TEI Consortium, eds. "<correspAction>," *TEI P5: Guidelines for Electronic Text Encoding and Interchange, version 3.4.0* (last updated on July 23, 2018), TEI Consortium, accessed July 19, 2020, http://www.tei-c.org/release/doc/tei-p5-doc/en/html/ref-correspAction.html.
[20] TEI Consortium, eds. "<correspContext>," *TEI P5: Guidelines for Electronic Text Encoding and Interchange, Version 3.4.0* (last updated on July 23, 2018), TEI Consortium, accessed July 19, 2020, http://www.tei-c.org/release/doc/tei-p5-doc/en/html/ref-correspContext.html.
[21] デジタル・エコシステムについては、例えば次を参照のこと。Tobias Blanke, *Digital Asset Ecosystems: Rethinking Crowds and Clouds* (Kidlington: Chandos Publishing, 2014).
[22] https://correspsearch.net/index.xql?id=about&l=en, accessed July 19, 2020.
[23] CMIF Creator, accessed July 19, 2020, https://correspsearch.net/creator/index.xql?l=en.
[24] Deutsche National Bibliothek, "Gemeinsame Normadatei (GND)," accessed November 30, 2018, http://www.dnb.de/DE/Standardisierung/GND/gnd_node.html.
[25] Bibliothèque Nationale de France, "Authorités," accessed July 19, 2020, http://www.bnf.fr/fr/professionnels/donnees_autorites.html.
[26] The Library of Congress, "Library of Congress Authorities," accessed July 19, 2020, https://authorities.loc.gov/.
[27] National Diet Library, "Web NDL Authorities," accessed July 19, 2020, http://www.ndl.go.jp/en/data/ndla.html.
[28] Online Computer Library Center, "Virtual International Authority File," accessed July 19, 2020, https://www.oclc.org/en/viaf.html.

[29] GeoNames, accessed July 19, 2020, https://www.geonames.org/.
[30] Arianna Ciula, Paul Spence and José Miguel Vieira, "Expressing Complex Associations in Medieval Historical Documents: The Henry III Fine Rolls Project," *Literary and Linguistic Computing* 23, no. 3 (2008):313. doi:10.1093/llc/fqn018, p. 313.
[31] 特に TEI: Ontologies SIG の活動を参照（http://www.tei-c.org/activities/sig/ontologies/, accessed July 19, 2020）のこと。近年の論文としては、Øyvind Eide, "Ontologies, Data Modeling, and TEI," *Journal of the Text Encoding Initiative* 8 (December 2014-December 2015), accessed July 19, 2020, http://journals.openedition.org/jtei/1191.
[32] https://correspsearch.net/api/v1/tei-xml.xql?correspondent=http://viaf.org/viaf/24602065&startdate=1794-05-05&enddate=1800-04-01, accessed July 19, 2020.
[33] CSV2CMI, accessed July 19, 2020, https://github.com/saw-leipzig/csv2cmi.
[34] Klaus Rettinghaus, "CSV2CMI: A Tool for Creating a Correspondence Metadata Interchange Format File," in *Book of Abstracts: The 18th Annual TEI Conference and Members' Meeting, Tokyo, 2018*, accessed July 19, 2020, https://tei2018.dhii.asia/AbstractsBook_TEI_0907.pdf, p. 218.
[35] 小風尚樹「1860 年代のヨーロッパおよび東アジアにおけるイギリス外交の比較：クラレンドン外相の国際観とその外交的成果を中心に」第 67 回日本西洋史学会大会、一橋大学、2017 年 5 月。
[36] 小風尚樹「天津条約改正交渉をめぐる情報ネットワークの可視化過程（1）」atelier DH：デジタル・ヒストリーの作業場 , (2017), 最終閲覧日 2020 年 7 月 19 日 , https://naokicocaze.wordpress.com/2017/05/28/.

デジタル博士論文のガイドライン
—ジョージ・メイソン大学歴史学・美術史学研究科が発表—

2015-12-28
菊池信彦

■1.「デジタル歴史叙述」が想定された博士論文ガイドライン

アメリカのジョージ・メイソン大学の歴史学・美術史学研究科（Department ofHistory and Art History at George Mason University）が、デジタル博士論文の執筆・提出ガイドラインを採択し、これを発表した［注1］。日本では博士論文のインターネット公開が原則行われるようになったものの、その形式はもっぱら印刷版を想定したPDFだろう。だが、このガイドラインはPDFだけにとどまらない、いわば「デジタル歴史叙述」が想定されている点が重要である。

ガイドラインは、同研究科准教授であり、かつ同大学ロイ・ローゼンツヴァイク歴史とニューメディアセンター（RRCHNM）のパブリックプロジェクト長であるSharon M. Leonの案をもとに、大学院委員会が採択した。この背景には、大学院生によるデジタル技術を活用した研究が増加しており、それらデジタルな学術成果に基づく博士論文の執筆および評価指針が求められていることがある。一方で研究科としては、歴史学としての学術成果の水準を維持する必要があり、そのため満たすべき要件を内外に示すべくガイドラインが作成されたという。

■2.ガイドラインの概略

ガイドラインの概略は次の通りである［注2］。まず、デジタル博士論文に限らず、歴史学の博士論文として備えるべき質的要件が定められている［注3］。これは、例えば、「学術諸領域に対し、実質的な分析を通じてオリジナルな貢献を果たすこと」「学術成果の意義を明確に示すこと」「適切な形式で成果を発表すること」等である。次にこれらを踏まえたうえで、特にデジタル博士論文に求められる要件が示されている。まず、デジタル博士論文は、採用した技術とフォーマットに関し、なぜそれを採用したのかを明確に示す必要があるとしている。また、方法論のバックグラウンドがある研究者が理解しやすいように、ナビゲーションや情報アーキテクチャ、デザイン・色・レイアウト等に配慮せねばならないこと、プラットフォームやデータ形式を選ぶ際は相互運用性やデータ移行を考慮に入れること、そのほか、アクセシビリティへの配慮や、コンテンツとインターフェースの両方について同大学図書館の機関リポジトリでの長期保存を考慮しておくこと等と定められている。

以上挙げたのは基底的なものであり、デジタル博士論文を提出しようという学生は、さらに以下の項目も論文に含まねばならないとされる。

(1) 歴史学の先行研究上における自身の研究の位置づけの明確化と研究の意義、および、史料選択と方法採用の根拠の明示
(2) 従来のナラティブな博士論文の「章」にあたるものを「モジュール」あるいは「ユニット」とし、その「モジュール」や「ユニット」には次の内容を含めること。すなわち、引用可能な形式で適切なメタデータを付与し、また、史料の出典を示すとともに、著作権やフェアユースのガイドラインに配慮した一次史料やデータセットのリポジトリへの直接的なアクセスを可能とすること。また、もう一つがデータビジュアライゼーションや地理情報分析などの研究手法のアプリケーションである。
(3) デジタル・紙媒体に限らず、研究で利用した先行研究の文献リスト
(4) 研究プロセスに関する省察

ガイドラインでは最後に、研究手法としてデジタルを採用しつつも、従来のナラティブな形態を選択した、いわばハイブリッドな博士論文についても言及している。とはいえ、いままで紹介してきた内容から大きく変わるものではなく、なぜそのデジタルな研究方法とアナログな成果のまとめ方を採用したのかを明確に述べること、そして仮にナラティブな形態の博士論文を補完するようなデジタル資料を作成しても、その資料はこれまでに述べたガイドラインを踏まえるべきこと、とされている。

以上、簡単に紹介してきたガイドラインは、ご覧の通り特に奇抜なもので

もなく、むしろ自然なものと評すべきであろう。章立ての構成を採りえないデジタル博士論文であればこそ、メタデータやフォーマットなどデジタルならではの要件が求められる点が新しいといえるだろうが、研究の意義や問題の所在、研究手法の明示などは、ナラティブな博士論文でも必須要件といえる。

■3．ガイドラインの意義

だが、ガイドラインの意義は、デジタル博士論文を歴史学の研究成果物として認めたことにある。そしてそれが意味することは、歴史学の発信が、ナラティブな「歴史叙述」というこれまで続けてきた——そして歴史叙述とは何かという論争を生み出してきた——行為から解き放たれ、「デジタル歴史叙述」ともいうべき新たなスタイルを獲得しつつあるということである。デジタル時代における歴史学の研究手法の変化を受けて策定された同ガイドラインは、これまで慣習的に続けられてきた学術成果の公表の在り方を大きく変える可能性を含んでいるといえる。「歴史とは何か」——歴史学が抱えるこの根源的な問いを、いままた問い直す必要があるだろう。

▶注

［1］George Mason University, "GMU Pioneers Digital Dissertation Guidelines," December 04, 2015, accessed July 19, 2020, http://historyarthistory.gmu.edu/articles/8997.

［2］"George Mason History Department Adopts Digital Dissertation Guidelines," accessed July 19, 2020, http://historians.org/publications-and-directories/perspectives-on-history/december-2015/george-mason-history-department-adopts-digital-dissertation-guidelines.

［3］George Mason University, "Digital Dissertation Guidelines," accessed July 19, 2020, http://historyarthistory.gmu.edu/graduate/phd-history/digital-dissertation-guidelines.

Europeanaの変革

2017-08-30
西川　開

2008年のベータ版公開以来、Europeanaは順調な発展を遂げてきたと言える。公開当初のコンテンツ数はおよそ200万点であったが、2017年7月現在で提供資料数は約5,300万点、参加機関数は3,500を超える。わが国においてもその名を耳にする機会は年々増えつつあるように思われる。しかしながら、その発展の背後で予算の大幅な減額とそれに伴う大規模な戦略計画の転換が行われ、2014年を境にさまざまな変革が進められていることはあまり知られていないのではないだろうか。

以下、本節では財政構造の変動を起点として、2014年以降のEuropeanaの取り組みを概説していく。

■1．公的助成の減額

2011年の正式版公開から2013年にかけて、Europeanaの主要な収入源はEUの予算プログラムICT-PSP（ICT Policy Support Programme）であり、同プログラムからは年間約3,000万ユーロを受け取っていた。2013年をもってICT-PSP自体は終了し、2014年より後継プログラムであるCEF（Connecting Europe Facility）が開始された。CEFはEU圏内のインフラストラクチャーを対象とする予算プログラムであり、エネルギー・交通・情報通信という三つのカテゴリーから成る。Europeanaは情報通信部門から2014-2020年の7年間にわたって助成を受けることとなる。

しかしながら、EU内での交渉を経て、CEF全体の拠出額が当初想定されていた約90億ユーロから約10億ユーロへと9分の1に減額されることが決定し、これを受けてEuropeanaの予算計画も大幅に見直されることとなった［注1］。Europeanaは、自らの財政戦略を構築するに当たり、収入源をEU Core Funding、EU Project Funding、Member States Service Fee、

Europeana Inc. の四つに分けている。このうち、CEF からの助成は EU Core Funding に相当し、同カテゴリーが Europeana の収入全体に占める割合は 90% を超える。2014 年に策定された予算計画草案 [注 2] によると、CEF 減額の影響が見え始めるのは 2019 年度以降であり、2016-2018 年度における EU Core Funding からの収入は年間約 1,000 万ユーロであるのに対し、2019 年度は約 750 万ユーロ、2020 年度は約 500 万ユーロ、そして 2021 年度には約 250 万ユーロにまで減少すると予想されている。

同計画では、EU Core Funding の減額分については他費目の増額および運営コストの低減により補てんするとされている。他費目のうち、EU Project Funding は文字通りプロジェクト単位での助成であり、Horizon2020 や Creative Europe あるいは EU 以外のファンド機関からの助成が該当する。Member States Service Fee とは Europeana への参加各国からの助成を指す。Europeana Inc. とは Europeana による商業的活動からの収益を指す。以下では、こうした危機的状況を前に Europeana がどのような対応を行っているかについて論じていく。

■ 2. ビジネスモデルの転換：ポータルからプラットフォームへ

Europeana は 2011 年度より 5 カ年の戦略計画を策定し、そこで定められるミッションの達成のために活動している。最初の戦略計画である 2011-2015 年戦略計画 [注 3] では欧州の文化資源への統合的なアクセスを提供する「ポータル」としてエンドユーザー向けのインターフェースである europeana.eu（現在の名称は Europeana Collections）を充実させていくことを目指していた。そして、上述の公的助成の減額等を背景として策定した 2015-2020 年戦略計画 [注 4] において、EU からの助成を前提とする「ポータル」期のビジネスモデルから、公的助成への依存度を減らしたよりサービス志向のモデルである「プラットフォーム」への転換を進めることとなる。

ここでいうプラットフォームとは、例えば Airbnb などの民間サービスと同様のメカニズムである、いわゆる Multi Sided Platform と呼ばれるビジネスモデルを指す [注 5]。特に Europeana の場合は、自らの構造をコア層・アクセス層・サービス層の 3 層から成ると規定したうえで、さらにサービス層においてサービスの対象たるユーザーを 3 グループに区分している。サービス層におけるユーザーの区分は、MLA 等のデータ提供機関（Professional）・

研究者やアプリ開発者等の高度利用者（Creatives）・エンドユーザーであり、現在Europeanaは各ユーザーに向けた3種類のインターフェースを擁している。2015-2020年戦略計画では上記3層に対応する形で、(1) データの質の向上（コア層）、(2) データのオープン化（アクセス層）、(3) パートナーのための価値創造（サービス層）、を優先課題として設定した。同計画は2017年2月に改訂 **[注6]** されており、そこでは上記優先課題の再定義がなされ、サービス層における各ユーザーへのサービスの向上をより重視するものとなっている。同改訂からも伺えるように、プラットフォーム期のEuropeanaの特徴は徹底したユーザー志向であると言えよう。

それでは、以上の戦略計画のもと、プラットフォームへの転換を目指して実際にどのような取り組みが進められているのだろうか。以下では多岐にわたるプロジェクトの中からより根本的である新アグリゲータモデルへの移行および組織としてのEuropeanaの統治構造の変革を取り上げる。

■3. ピラミッドからネットワークへ

まずアグリゲータモデルの変革について述べる。2015年までのアグリゲータモデルでは、収集過程においてデータが重複・消失したり、アグリゲータの持続可能性に不安があるといった問題点が指摘されていた。また、データ提供機関からすると、（アグリゲータを介するため）Europeanaとの間に必ずしも直接的なやり取りがないこともあって、データの収集・フィードバックが遅くなり、Europeanaにデータを提供するメリットが見えづらいといった意見も寄せられていた。そこで2015-2020年戦略計画の策定を契機とし、Europeanaを頂点とするピラミッド型のモデルからよりフラットなネットワーク型への移行が進められている **[注7]**。

新モデルの核となるのはクラウド技術である。Europeanaでは2013年よりEUからの助成を受けてEuropeana Cloud（eCloud）というプロジェクトを進めてきた。eCloudでは主に各種アグリゲータやデータ提供機関を対象にメタデータやコンテンツの管理・保存・公開をサポートする諸サービスを提供している（例えばストレージ機能や各データの利用条件の管理機能、第三者によるデータの追記・アノテーションの付与の可能化など）。新モデルではeCloudを中心に据えてEuropeana全体のデータ管理の効率化およびデータの質の向上を目指しており、そのために管理コストの低減などのメリットを打ち出してデータ提供機関へ参加を呼びかけている。

eCloudと並行して進められているのがアグリゲータの「ハブ」化である。従来の階層構造型ないしピラミッド型のアグリゲータモデルにおいてEuropeanaは「アグリゲータのアグリゲータ」であると位置づけられており、各アグリゲータはデータ提供機関からデータを集約し頂点のEuropeanaへと橋渡しを行うことを主目的として機能してきた。しかし、前述のようにプラットフォーム期のEuropeanaではおのおののデータ提供機関もサービスを提供すべきユーザーの一つであると考えられる。そこで、現行のアグリゲータを「ハブ（expert hubs）」として再定義し、データ提供機関におけるより高品質なデータの作成・管理・公開等の支援に注力する組織へと変革させるという。この変革は2016年度より始められ、2017年度内に完了するとのことである。

さらに、eCloudと「ハブ」に加えて、Statistics DashboardとMetisという、データ収集をより円滑に行うための新しいツールも導入されている。Statistics Dashboardは、データ提供機関に提供データの利用状況を公開するツールであり、Europeanaへデータを提供するメリットを可視化することを目的としている。さらに、Europeana上での利用状況にとどまらず、Europeanaを介してFacebookやPinterestなど外部サービス上で使われたデータの利用状況も収集・公開できるようになるとされている。Metisはデータ投入の際のワークフローを標準化・統合するためのツールである。

■4．プラットフォーム期の統治構造

次いで組織としてのEuropeanaの統治構造の変革について述べる。この変革は、正確には2015年より進められていたプロジェクトであり、従来の階層型の統治構造を、プラットフォームに適した、よりフラットな意思決定・利害調整の可能なネットワーク型へと変革することを目指している［注8］。具体的には、Euroepanaの直接の運営主体であるEuropeana Foundationに加えて、3,500超のデータ提供機関のうち1,300機関から成るEuropeana Network Associationというコミュニティーが組織され、両者が連携してEuropeanaを運営していくこととなる。Europeana Network Associationは投票により30名の委員（Members Council）を選出し、さらにそこから6名を管理委員（Management Board）として任命する。この6名はEuropeana

Foundation の理事も兼任する。また、現在 Europeana 関連のオフィスはオランダ、ハーグにあるオランダ王立図書館内にのみ設置されているが、将来的には徐々に欧州中にサテライトオフィスを増やしていくことを計画しており、候補地として英国図書館、フランス国立図書館、そしてアテネ市が挙げられている。

同プロジェクトの成果として、本節執筆時点ですでに Europeana Network Association は組織されているが、形式面だけでなく内実の伴ったフラットな統治構造を実現するために順次取り組みが続けられているという。また、2016 年度には前述の通り、Europeana Foundation と Europeana Network Association が共同して 2015-2020 年戦略計画の改訂も行っている。

■5. コモンズ原則

実は、プラットフォームへの転換と、それを実現するための上記二つの変革の背景には、一つの理論的根拠が存在する。これが Europeana Commons Principles（以下、コモンズ原則）**[注 9]** である。ここでいう「コモンズ」とは、「資源と、それを管理するために策定した一定のプロトコル・価値・規範を備えた（限定的な）コミュニティー」を意味する。この定義は、アメリカの政治経済学者 Elinor Ostrom を中心として進められてきた資源の管理制度に関する研究に基づくものである。やや乱暴な説明になるが、Ostrom の研究業績は、従来は政府等公的権力の介入（規制）かあるいは財産権の設定等による市場メカニズムへの委任という制度・方法によってしか維持され得ないと考えられていた共同利用資源（Common Pool Resource）に対して、コミュニティーが主体となる共同的な管理制度（Common Property Regime）が成立しうることを例証し、かつ同制度が成立・存立しうる条件（Design Principles、以下デザイン原則）を抽出した点にあると言える **[注 10]**。もともと Ostrom の研究対象は地下水資源や牧草地などの自然資源が対象であったが、2000 年ごろよりシラキュース大学の図書館情報学者 Charlotte Hess と共同で、従来のコモンズ研究を「知識（我々が言うところの「文化情報資源」に相当する概念）」へ適用しようという試みが始められた **[注 11]**。Ostrom 自身は 2012 年に没するが、Hess 等後継の手により現在に至るまで同分野の研究は続けられている。

2011 年ごろから Europeana はこの「コモンズ」に着目するようになり、その知見を自身の活動に適用するために専門の委員会（Cultural Commons

Board）を組織し、独自に同分野の調査を進めてきた。そして、Ostromの著作をはじめとする文献調査や、同分野を専門とするHessおよびスミソニアン協会のMichael Edsonへのヒアリング調査等を経て、2012年には早くもOstromのデザイン原則をEuropeanaに焦点を当てて改訂したコモンズ原則を策定している。同委員会はEuropeanaとそのステークホルダー全体を「コモンズ」としてとらえたうえで、コモンズとして持続可能な発展を達成するために同原則を策定・採択したという。コモンズ原則ならびに委員会の諸調査によりもたらされた知見は理論的なものであるが、その後実践レベルでも、上述の2015-2020年戦略計画やアグリゲータモデル・統治構造の変革などさまざまな活動に影響を及ぼしている。

■6．持続可能性を目指して

Europeanaは5カ年の戦略計画に加えて、当該年度の具体的な活動内容を規定するビジネスプランを毎年策定している。そして2016年度のビジネスプラン［注12］では、2015-2020年戦略計画における三つの優先課題に加えて「エコシステムの強化」という新たな課題が設けられた。実は先に述べた統治構造の変革も本課題のもとで設定された目標であるが、それのみならず、ここでは長期的ファンドの獲得も目標とされている。長期的ファンドは組織の安定した運営には不可欠であるため、Europeanaは各種キャンペーンや提供サービスの向上を通して、ECや参加国等出資者まで含めた広義のステークホルダーに対して自身の存在理由をアピールし続けている。

このアピールという点について、ポータル期よりEuropeanaはさまざまな評価方法で自身の成果・意義を測定してきた。よく知られているのは2013年にオランダの調査機関により行われた、Europeanaの社会経済的価値の評価レポート［注13］である。しかし、これまで述べてきたような変化の下ではより広い観点から自身の活動の成果を示す必要があるとして、Europeanaは2015-2020年戦略計画策定と同時期から「インパクト評価」の文脈による新しい評価方法の開発を行ってきた。そして2016年には、キングスカレッジ・ロンドンの研究者Simon Tannerが開発した、デジタル化された文化情報資源を対象としてインパクト評価を行うための概念的枠組みであるBalanced Value Impact Model（BVIM）［注14］に依拠する形で、新評価方法であるEuropeana Impact Frameworkを策定している。これまでに同評価方法が適用されたのは、提供サービスの一つであるEuropeana 1914-1918であり、その結果をまとめたレポート［注15］が公表されている。

2016年11月、筆者はオランダ王立図書館内のオフィスを訪問し、Europeanaの副長（Deputy Director）であり戦略計画やビジネスプランを担当しているHarry Verwayen氏と面会する機会を得た。面会当時、同氏はまさにEuropeana Impact Frameworkを手掛けている最中であり、将来的にこの新しい評価方法を標準化・システム化し、Europeanaだけでなくそこに参加する個々の文化機関がそれぞれ独自に利用できる形で公開することを目指しているとのことであった。また、筆者の関心はコモンズ研究にあり、話題もそちらが中心であったのだが、同氏によるとEuropeanaの活動とOstromやHessらの研究との関係は非常に深いものであるという。

わが国においてEuropeanaが論じられる際、特に取り上げられることが多いのは、従来のアグリゲータモデルの仕組みやさまざまなレベルでの権利処理制度に関する話題であるように思う。もちろん、これらの重要性については論を過たないが、一方で、本節で扱ったトピックもまたEuropeanaの根幹に関わるものであり、わが国のデジタルアーカイブを考える際にも資するところは大きいと考えられる。面会の中でVerwayen氏は、Europeanaの真の強みは「変化の媒介者」である点にあり、変化——文化機関が保有する文化資源のデジタル化・オープン化——が達成される時にはもはやEuropeanaは必要でなくなる、と語っていたが、このような考え方は一つの指針となるのではないだろうか。本節が、今後デジタルアーカイブの在り様について議論を重ねていくうえでわずかでも参考となれば幸いである。

▶注

［1］［2］“Europeana Strategy 2020: Network & Sustainability (draft),” accessed July 19, 2020, http://pro.europeana.eu/files/Europeana_Professional/Publications/Europeana%20Strategy%20Network%20Sustainability.pdf.

［3］“Europeana Strategic Plan 2011-2015,” accessed August 30, 2017, http://pro.europeana.eu/files/Europeana_Professional/Publications/Strategic%20Plan%202011-2015%20 (colour).pdf

［4］“Europeana Startegy 2015-2020,” accessed July 19, 2020, http://pro.europeana.eu/files/Europeana_Professional/Publications/Europeana%20Strategy%202020.pdf.

［5］Multi-Sided Platformの詳細については、例えば次の文献を参照されたし。

Andrei Hagiu, “Multi-Sided Platforms: From Microfoundations to Design and Expansion Strategies,” Harvard Business School Working Paper, No. 07-094, 2006, accessed July 19, 2020, http://www.hbs.edu/faculty/Publication%20Files/07-094.pdf.

[6] "Europeana 2020 Strategic update, " accessed July 19, 2020,
http://strategy2020.europeana.eu/update/.

[7] [8] [12] "Europeana Business Plan 2016," accessed July 19, 2020, http://pro.europeana.eu/files/Europeana_Professional/Publications/europeana-bp-2016.pdf.

[9] "European Cultural Commons: Supporting the New Europeana Strategy 2015-2020," accessed July 19, 2020, http://pro.europeana.eu/files/Europeana_Professional/Projects/Project_list/Europeana_Version3/Milestones/Ev3%20MS20%20Cultural%20Commons%20White%20Paper.pdf.

[10] 詳細については次の 2 文献を参照されたし。Elinor Ostrom, *Governing the Commons: The Evolution of Institutions for Collective Action* (Cambridge: Cambridge University Press, 1990); Elinor Ostrom, *Understanding Institutional Diversity* (Princeton: Princeton University Press, 2005).

[11] 詳細については、例えば次の文献を参照されたし。Charlotte Hess and Elinor Ostrom, eds., *Understanding Knowledge as a Commons* (Cambridge, MA: MIT Press, 2007).

[13] "The Value of Europeana," 2013, accessed July 19, 2020,
http://www.seo.nl/uploads/media/2013-56_The_value_of_Europeana.pdf.

[14] Simon Tanner, "Measuring the impact of digital resources: the balanced value impact model," (2012), accessed July 19, 2020, https://www.kdl.kcl.ac.uk/fileadmin/documents/pubs/BalancedValueImpactModel_SimonTanner_October2012.pdf.

[15] "Workers Underground: An Impact Assessment Case Study - Europeana 1914-1918," 2016, accessed July 19, 2020, http://pro.europeana.eu/files/Europeana_Professional/Publications/workers-underground-an-impact-assessment-case-study-europeana-1914-1918.pdf.

「デジタルアーカイブ」の価値を測る
―Europeanaにおける「インパクト評価」の現状―

2017-10-31
西川 開

■1．はじめに

本書1-10「Europeanaの変革」において、Europeanaが進めている評価方法の新規開発プロジェクトについて簡単に触れた。この評価方法はいわゆる「インパクト評価（Impact Assessment）」と呼ばれるものであり、成果としてインパクト評価実施のための「フレームワーク」であるEuropeana Impact Framework（以下、EIF）が策定され、その有効性を検証するためのケーススタディも公開されており、さらには将来的に個々の文化機関が独自に自身の評価を行うことができるように種々のツールの開発が進められているとした。

この度（2017年10月18日）上記プロジェクトが進展し、成果物としてインパクト評価を行うための手引書であるEuropeana Impact Assessment Playbook（以下、プレイブック）と、実際にインパクト評価を実施する際に使用するツール群が公開された **[注1]**。プレイブックはEIFを発展させたものであり、文化機関がインパクト評価を実施する助けとなるよう実務レベルにおける評価の実施手順を詳細に解説している。四部構成で、本節執筆時点で公開されているのは第一部のみであり、残りの部については来春公開の予定であるという **[注2]**。ツール群はプレイブックで示される評価プロセスを円滑に進行するための図やモデルであり、こちらについてもプレイブック同様、順次追加されていくものと思われる。ほかにプロジェクトのサイトではプレイブック（当時はEIF）の有効性を検証するために実施されたケーススタディも公開されている。現在は一事例のみだが、プレイブックは発展途上のものであるとされるため、今後も件数は増加していくと予想される **[注3]**。

本節では、これら成果物の詳細とその理解のために必要となる理論的背景について説明する。

■2. インパクト評価とフレームワーク

そもそも「インパクト評価」や「フレームワーク」とは何であるのか。「インパクト評価」は非営利組織等の価値（インパクト）を評価するための方法論として、Europeanaのみならず学術・環境・医療などの諸分野で近年注目を集めている。「フレームワーク」は、インパクト評価をどのような考え方・手順で行うかを定める枠組みである。利益という明確な指標がある営利組織と比べ、非営利組織には非常にさまざまな価値・評価の目的が存在する。また、誰が誰に知らせることを想定して評価を行うかによって評価の方法も大きく異なってくる。そこで恣意（しい）的な評価となることを避けて有効性のある評価結果を得るためには、まず概念を整理し、それを共有できるようまとめたフレームワークを構築し、これに準拠して評価を実施することが重要となる。個々のデータ収集・分析手法などもフレームワークのもとで決定される。ただし、「インパクト評価」と「フレームワーク」、そして評価の対象となる「インパクト」については分野・論者によってさまざまな定義・方法論が存在することに留意されたい。

Europeanaは評価の対象となる「インパクト」を、「（当該組織が責任を負う）活動の結果としてステークホルダーや社会に生じる変化」と定義している。この定義は、あるプログラム（事業活動、プロジェクト、etc）がその最終目標（インパクト）に到達するまでの経路を表す「変化の理論（Theory of Change）」（または「ロジック・モデル（Logic Model）」、「経路（Pathway）」とも）という評価学の知見に基づくものであるが、詳細については後で述べることとする。

Europeanaが「インパクト」に着目するようになった経緯は、前稿で説明した2015-2020年度戦略計画の策定背景と同一のものである。それゆえ評価の目的も、自身の諸活動の価値を適切に把握することで取るべき戦略を定めることと、究極的にはステークホルダーに対して自身の正当性を訴え資金を調達することにあったと考えられる。

2013年ごろからEuropeanaは自身の「インパクト」を測るためにさまざまな取り組みを行ってきた。当初は連携機関へのインタビュー調査を行ったり、外部機関への委託により費用便益分析を実施したりしている。こうした取り組みを通して、定性・定量両手法を統合するとともに、諸概念を整理し、実施手順を定めるなど評価の全体を体系づける手段（フレームワーク）が必要であると自覚するに至った **[注4]**。そして、フレームワーク策定のためにEuropeanaが参考としたのが、本書1-10「Europeanaの変革」でも触れたBalanced Value Impact Model（以下、BVIM）である。

■3. BVIMの重要概念

キングスカレッジ・ロンドンの研究者Simon Tannerにより開発されたBVIM [注5] は、文化的資源のデジタル化事業およびそのデジタル化された資源（以下、本節では両者を合わせて「デジタルアーカイブ」と表現する）がもたらす価値（インパクト）を評価するためのフレームワークであり、主に文化機関とそのステークホルダーを利用者として想定している。

本節ではまずBVIMの中核的なアイデアでありプレイブックのベースともなった「バランシング・パースペクティブ（Balancing Perspectives）」「バリュー・ドライバー（Value Driver）」の2点を説明し、次いでBVIMの下での評価手順を概説する。

「バランシング・パースペクティブ（Balancing Perspectives）」とは、一言で言うと価値の見方・解釈の仕方である。デジタルアーカイブが持つ価値とは何かと問われたならば、答えは人によって大きく異なるであろう。ユーザーの立場から見るとそれは興味関心の充足であるかもしれず、一方で運営側から見るとそれは自組織における業務プロセスの円滑化であるかもしれない。こうしたさまざまな立場・視点を集約したのが「バランシング・パースペクティブ」であり、BVIMでは「社会的・観客的インパクト（Social and Audience Impacts）」「経済的インパクト（Economic Impacts）」「イノベーションインパクト（Innovation Impacts）」「業務プロセスインパクト（Internal process Impacts）」という4点を提案している。

この考え方はBVIMのオリジナルではなく、「バランスト・スコアカード（Balanced Scorecard、以下BSC）」の影響を受けて生み出されたものである。BSCとは企業における財務指標中心の業績評価を補完するため、従来の財務の視点（Financial perspective）だけでなく、顧客の視点（Customer perspective）、業務プロセスの視点（Internal Business perspective）、学習と成長の視点（Learning and Growth perspective）から当該業務活動を評価する方法論である [注6]。「バランシング・パースペクティブ」はBSCを文化機関とデジタルアーカイブという文脈に落とし込むことで策定された。

「バリュー・ドライバー（Value Driver）」とは、「バランシング・パースペクティブ」の一つ下のレベルに位置する概念であり、それぞれの視点からどのような価値（バリュー）を評価対象とするかを定めるものである。例えば、あるデジタルアーカイブがそのユーザーにもたらす価値は何かという視点（「社会的・観客的インパクト」）を取るとしても、その価値というのはユーザーの目的・利用方法やコンテンツの性質等によって異なるであろう。

こうした個々の具体的な価値を類型化したのが「バリュー・ドライバー」であり、BVIMでは「有用性の価値（Utility Value）」「存在ないし名声の価値（Existence and/or Prestige Value）」「教育の価値（Education Value）」「コミュニティーの価値（Community Value）」「相続ないし遺産の価値（Inheritance/Bequest Value）」の五つを設定している。なお、「バランシング・パースペクティブ」と同様、「バリュー・ドライバー」もBVIMが独自に作り上げたものではなく、スイス人経済学者Bruno S Freyとドイツ人経済学者Werner W Pommerehneが提唱した「文化的価値の5様式（5 Modes of Cultural Value）」[注7]に依拠するものである。

BVIMで策定される評価手順は、1.「文脈（context）」、2.「分析とデザイン（analysis & design）」、3.「実行（implement）」、4.「アウトカムと結果（outcomes & results）」、5.「レビューと反応（review & respond）」の5段階から成り、さらにそれぞれの段階の下で必要となるタスクが提示されている。特に、BVIMの特色とも言えるのが「文脈」の重視であり、この段階ではまず当該デジタルアーカイブが位置する「エコシステム」を明らかにすることから始めることになる。

「エコシステム」が含意するのは、デジタルアーカイブのコンテンツの性質やそこに用いられる技術、権利情報、作成者、ユーザー、およびこれらの要素の関係性等である。「エコシステム」を明確化したら、これを踏まえてステークホルダーをリスト化し、それぞれの関係性やデジタルアーカイブに対してもつ期待等を検討していく。以上の作業を踏まえたうえで評価の実施にかかるコストも考慮しつつ、任意の「バランシング・パースペクティブ」を選択し、これにやはり任意の「バリュー・ドライバー」を組み合わせる手順となる。BVIMでは組み合わせの例として、地域密着型のミュージアムにおけるデジタルアーカイブを評価する場合、「社会的インパクト」の下で「コミュニティーの価値」「存在の価値」「教育の価値」を選ぶことが提案されている。個々のデータ収集・分析方法（例えば質問紙調査や費用便益分析など）はこの組み合わせに応じて決定することとなる。

■4. プレイブックの重要概念

Europeana は Simon Tanner を委員として招聘(しょうへい)し、自身に適したインパクト評価の方法論を策定すべく試行錯誤を重ねてきた。この成果として策定されたのが EIF であり、Europeana だけでなく個々の文化機関が自分たちの必要に応じて独自で評価を行うことができるよう EIF を発展させたものがプレイブックである。プレイブックでは評価手順を、1.「デザイン（Design）」、2.「査定（Assess）」、3.「物語（Narrate）」、4.「価値評価（Evaluate）」の4段階に区分している。先にも少し触れたが、本節執筆時点でプレイブックは「デザイン」に対応する第一部しか公開されていないため、本節でも主にこれについて説明を行う。

「デザイン」は BVIM で言う「文脈」に相当すると考えられ、評価実施のための準備段階として位置づけられる。言い方を変えると、評価実施のための「フレームワーク」の導入段階である。「デザイン」はさらに6ステップから成り、実務レベルで具体的にどういう手順で評価を進めていくかについて極めて詳細かつ具体的な解説がなされている（同時に、必ずしもすべての指示に従う必要はなく、あくまで参考材料として利用する旨が強調されている）が、本節では個々のステップについて詳述することはせず、「デザイン」全体における重要概念である「変化の経路（The Change Pathway）」「戦略的視点（The Strategic Perspective）」「バリュー・レンズ（The Value Lenses）」を中心的に扱うこととする。

「変化の経路」は、当該活動がその最終目標に到達するまでの理論的な経路を検討するためのツールであり、2項で触れた「変化の理論」を発展させたものである。「変化の経路」では「ステークホルダー」→「資源」→「活動」→「アウトプット」→「（短期的・長期的）アウトカム」→「インパクト」という経路を想定する。このうち「アウトプット」〜「インパクト」までがいわゆる成果に相当する。「アウトプット」は当該活動の直接的な結果であり、例えばデジタル化された資料点数やアクセス数など定量化・測定が容易なものとして定義される。「アウトカム」は、ステークホルダーに生じた変化のうち当該活動に直接的に起因するものであるとされ、知識の獲得やモチベーションの向上、技能の習得などが例として挙げられている。当該活動の責任の範疇にあるのは「アウトカム」までであるとされ、「インパクト」は、例えば社会的結合や経済成長など、ステークホルダーに生じた変化のうち当該活動が何らかの寄与を行ったものであるととらえられる。この「インパクト」こそが当該活動の最終目標であり、評価の対象とすべきものとなる。

「戦略的視点」は当該活動のインパクトは何であるかを考えるためのツールであり、BVIMの「バランシング・パースペクティブ」を参照している **[注8]**。「戦略的視点」では、「社会的インパクト（Social impact）」「経済的インパクト（Economic impact）」「イノベーションインパクト（Innovation impact）」「業務的インパクト（Operational impact）」の4点を設定している。「社会的インパクト」は、人々（ステークホルダー）やその所属コミュニティーないし社会の行動や態度、信念に変化がもたらされた時に生じるインパクトであるとされ、例として、デジタルアーカイブへアクセスすることによりEU市民としてのアイデンティティーを強く意識するようになることが挙げられている。「経済的インパクト」は、当該活動がステークホルダーや当該組織に経済的利益をもたらす時に生じるインパクトであるという。「イノベーションインパクト」は、当該デジタルアーカイブによりステークホルダーに経済的利益や業務の効率化などをもたらすイノベーションが起きる際に生じるインパクトであるとされ、例として、デジタルアーカイブが新規製品やサービスのデザインに重要な影響を与えたと創造産業従事者に見なされることが挙げられている。「業務的インパクト」は、デジタルアーカイブの公開により運営組織の業務プロセスが発展・改良する際に生じるインパクトであるとされ、例として、コレクションのデジタル化を通して当該ミュージアムが豊富なメタデータを得ることが挙げられている。

「バリュー・レンズ」は、特定の「戦略的視点」の下、さらに価値を具体化して考えるためのツールであり、BVIMの「バリュー・ドライバー」に依拠するものである。「バリュー・レンズ」では、「有用性レンズ（Utility Lens）」「存在レンズ（Existence Lens）」「遺産レンズ（Legacy Lens）」「学習レンズ（Learning）」「コミュニティーレンズ（Community Lens）」の5種類が設定されており、一つの「戦略的視点」のもと異なるレンズを使い分けることでより効率的にデータを収集・解釈する助けとなるという。「有用性レンズ」は当該サービスを利用することにより人々が享受する価値ないし利益に焦点を当てる。「存在レンズ」は、実際の利用経験の有無にかかわらず、当該デジタルアーカイブが存在しかつ大切に扱われていることを知ることでもたらされる価値に焦点を当てる。「存在レンズ」を使うことで、当該デジタルアーカイブが存在していることで得られる理念・概念的価値や威信を人々がどの程度重要と考えているかを証拠づけることができるという。「遺産レンズ」は、世代やコミュニティーを超えて資源を受け渡したり受け取ったりすることから得られる価値に焦点を当てる。「学習レンズ」は、当該デジタルアーカイブを通した公式・非公式の学習により人々にもたらされる知識や文化的センスの向上などといった価値に焦点を当てる。「コミュニティーレンズ」は、当該デジタルアーカイブが関係する、コミュニティーの一員であるという体験から生まれる価値に焦点を当てる。

大まかな「デザイン」の実施手順は、評価遂行のためのチームを形成するところから始め、以上の様なツールを用いて評価の目的を確定するとともにそれを達成するために必要となる要素を検討していく、という流れとなっている。BVIMと同様に、評価実施者の文脈に応じて任意の「戦略的視点」を選択し、これに「バリュー・レンズ」を組み合わせたうえで、個々のデータの収集・分析手法を決定する。現在はプレイブックと合わせて「変化の経路」「戦略的視点」「バリュー・レンズ」策定時に使用する図と、「ステークホルダー」をより深く分析するためのツールである「共感マップ(The Empathy Map)」、そして「変化の経路」を再検討・整理するためのスプレッドシート(Pathway Builder)が公開されている。

なお、次の「査定」段階はデータの収集・分析方法に関するものであり、「物語」は評価結果の公開方法、「価値評価」は前段階までのレビューに関するものであるという。

■5. 有効性の検証

本節では、プレイブック(「デザイン」)の前身であるEIFの有効性を検証するために2016年度に実施・公開されたケーススタディ“Workers Underground”(以下、WU)**[注9]** について解説する。WUにおいてEIFが適用されたのはEuropeanaの一プログラムEuropeana1914-1918であった。同プログラムは、欧州各域の図書館および一般市民とともにWWIに関するエピソードや品々の収集・組織化・デジタル化を行う双方向型のプログラムであり、WWIの記憶の共有を目的としていた。同プログラムを対象事例として選んだ理由は、5 年以上も続いてきた成熟したプログラムであったため、関係者 5,000 名のメーリングリストが構築されており、かつプログラムのサイトにも毎年多数のアクセスがあるなど、より高品質なデータを収集できる見込みが高い点にあったという。

EIF ではプレイブックと違い「変化の経路」は明確に定義されていなかったが、「戦略的視点」および「バリュー・レンズ」はすでに策定されていた。WU で採用されたのは「社会的インパクト」という視点と、5 種類すべてのレンズである。データ収集方法としては大別すると質問紙調査とインタビュー調査の 2 種類が用いられており、分析方法としては、インパクトを貨幣価値に換算して評価する SROI や、主にインタビュー調査を通して収集された定性的データを分析するための「物語（ナラティブ分析）」等が採用された。WU が興味深いのは、評価結果の公開方法にも意識的である点である。定性・定量手法の併用、特に「物語」の使用は評価プロセスに主観性やバイアスを持ち込むこととなるが、WU ではこれをさらに推し進め、評価結果を WU というレポート形式に加えて、ストーリーテリングの技法を駆使した「フィルム」**［注 10］**としても公開している。

WU の結果として、例えば「学習レンズ」の分析によりユーザーの期待と実際のサービスの間にギャップがあるというプログラムの弱点や、反対に「コミュニティーレンズ」の分析により同プログラムがユーザーの帰属意識の向上に大きく貢献したことなど、プログラム自体への理解が深まったという。また、EIF の課題点として、「レンズ」によっては質問があまりに抽象的になるため回答率が下がり、それゆえ有効性に疑義のある結果が出てしまうことが明らかとなった。

以上を受けて、大枠の方法論の有効性が確かめられたほか、適用事例の蓄積を通した手法の見直しやインパクト評価プロジェクトにかかるコミュニティーの強化など具体的なタスクが設定されるに至り、その中間成果としてプレイブックが公開されることとなった次第である。

■6．ミュージアムから見た「デジタルアーカイブ」の価値

Euroepana ではプレイブックおよび EIF が開発される以前にもミュージアムにおける「デジタルアーカイブ」の「インパクト」を検討したケーススタディを 2 件実施している（〈2017 年 10 月 18 日の〉サイト更新以前には、同プロジェクト

の成果物としてこちらも公開されていた）。対象館はオランダのRijksmuseum（アムステルダム国立美術館）とスウェーデンのLivrustkammaren och Skoklosters slott med Stiftelsen Hallwylska museet（以下、LSH）である。Rijksmuseumの総コレクション数は約100万点であり、LSHは約9万点。両館ともに全コレクションのデジタル化と、可能な限りオープンなライセンスによる公開を目指している。オランダひいては欧州を代表するミュージアムの一つであるRijksmuseumのレポート［注11］はいわばモデルケースとしての性質を持ち、一方のLSHに関するレポート［注12］は中小規模館を事例とすることで前者を補完するものとして位置づけられる。筆者は2016年11月に、Rijksmuseumのデジタル事業の責任者であり、同館のデジタルアーカイブであるRijksstudio［注13］の企画発案・運営責任者でもあるPeter Gorgels氏にインタビューを行っている。以下では、「インパクト評価」という論点からは少し外れるものの、「デジタルアーカイブ」の価値を考えるに当たって重要な知見を提供していると思われるRijksmuseumとRijksstudioについて、ケーススタディほか各資料とインタビュー調査の成果を踏まえて解説を行う。

Rijksstudioはある意味で大変ラディカルな試みであると言える。Gorgels氏いわく、Rijksmuseumの総コレクション約100万点のうちパブリックドメインに属するものは約95％であるといい、これらについては基本的にすべてCC0 1.0を付与することでオープン化を行っているという（参考までに、2017年10月現在でのRijksstudioの提供コンテンツ数は60万点を超えており、このうち相当数がパブリックドメインとして公開されていると考えられる）。

この取り組みは必然的に同館が従来行ってきた画像販売に致命的な打撃を与えることとなり、Rijksstudioから提供画像の無償ダウンロードが可能となった2013年を境に販売額は激減、2014年度の販売額は前年から90％近く減少している［注14］。また、Rijksstudioの企画時には主にキュレーターからの反発があったというが、その際彼らは高精細画像の無償公開により実際の来館者数が減るのではということを懸念していたという。

それではなぜ、反発にもかかわらずRijksstudioは妥協することなく当初の構想通りに実現することとなったのだろうか。組織論レベルでの答えは同館の意思決定者（Board of Directors）が企画に賛同しトップダウンで館内調整が進められたからであり、経営的には外部から潤沢な予算を獲得することができたためであるが、ここではそもそもの企画の推進力となった、Rijksstudio によってもたらされる価値への期待――価値観――について取り上げたい。

まずはコストの削減が挙げられる。可能な限りオープン化を進めることで画像の販売・利用申請の受付に発生していたコストを削減することが可能となり、その分の予算を新規サービスの開発に回すことができるようになると判断されたことが、Rijksstudio 開設のきっかけの一つとなった。

次いで挙げられるのはミッションの達成という側面である。Gorgels 氏によると、Rijksstudio は同館のミッションである「コレクションの民主化」と「人と芸術と歴史をつなぐ」を達成するために最も効率的な手段であるという。同館ではコレクションを公衆のものであると位置づけているが、そのすべてを常に公開することは物理的に不可能である。しかし、Rijksstudio ではそれが可能となり、かつ可能な限りオープンな形式で公開することで、文字通りコレクションを公衆のものとすることができる。CC-BY ではなく CC0 が適用されているのもこの点に理由があるという。

また、Rijksmuseum が Rijksstudio の開設に踏み切った主要な要因とされるのが「クオリティ・コントロール」という考え方である。ウェブ上には芸術作品の非公式な（つまり当該作品の所蔵機関を出自とするのではない）画像が氾濫しており、それらは往々にして低品質である。これを問題視し、公式から高品質な画像を公開することで、非公式画像の駆逐を目指すというのが「クオリティ・コントロール」の要旨である。これを説明する象徴的なエピソードとして同館は "Yellow Milkmaid" を取り上げている **[注 15]**。Rijksstudio が始動する以前、Google で同館の所蔵するフェルメール『牛乳を注ぐ女（The Milkmaid）』を画像検索すると、検索結果には非公式かつ低品質で「黄色く」変色した The Milkmaid が一面に表示されたという。そしてユーザーの中にはこの低品質な画像こそが本物であり、Rijksmuseum のショップで販売しているポストカードには真の The Milkmaid が使われていないと信じる者も存在した。また、ただ公開するだけでなく、Wikipedia や Facebook など多くのユーザーが集まる外部サイトとも積極的に連携することで、公式（つまり出自が明らかなもの）かつ高品質な画像の普及をよりいっそう推し進めてもいる。この背景には、Yellow Milkmaid の様な改変された低品質な画像を排することは、原作品の真正性の確保につながるという、職業倫理的側面を見ることもできる。

最後に、可視性の向上という観点も存在する。Gorgels 氏は Rijksstudio を一種のマーケティングツールとして企画したという。Rijksstudio を介して多数のユーザーの目に触れる場所で提供データが使われることにより、従来同館が対象としていなかった人々、あるいは同館に関心のなかった人々にもその存在をアピールすることができる。これはアウトリーチサービスの一環ととらえることもできるが、多くのユーザーに対して画像を提供し、その利活用を促進するということは、実際に当該画像のオリジナルを鑑賞したいという要望を喚起することにもつながる。Gorgels 氏いわくこの発想の背後には、ベンヤミンの「アウラ」を基にした「バーチャル・アウラ（Virtual Aura）」という概念が存在するという。同概念を提唱した Hazan によると、「複製技術時代」に時空間的・文化的コンテクストから切り離されることでオリジナルの作品だけが持つとされる「アウラ」は消尽したが、WWW を基底とする現代社会において、よりオリジナルに忠実なコピーが流通しかつ人々が自身の手元で自由にそれにアクセスし利用することが可能となることで、新たに「バーチャル・アウラ」と言うべき事象が生じているという **[注16]**。そして Gorgels 氏ひいては Rijksmuseum は、この「バーチャル・アウラ」は人々を原作品から遠ざけるのではなく、逆に原作品へのアクセスを喚起するものととらえているという。

■7．おわりに

「デジタルアーカイブ」の持つ価値とは何であろうか。Rijksmuseum の価値観はおそらくどの組織でも共有され得るわけではないだろうし、同じ Rijksstudio を対象とするのであっても例えばユーザーから見た場合の価値はまた異なるものとなろう。価値というのは誰がどのように見るかによって全く異なるものとなりうる。

プレイブック（および EIF）は、このような多様な価値をさまざまな組織がおのおのの見方で評価し、かつその評価結果を他者と共有できる様にするための「共通言語」であるという **[注17]**。画一的な指標を強いるのではなく、それぞれの「視点」からいくつもの「レンズ」を通して価値を評価し、「共通言語」によりその意味を理解することができるようになるとされる。

プレイブックに示される方法論はどの地域・どの組織でも機能するという

わけではないだろう（実際、EUという枠組みを離れた場合にこれがどれだけ有効であるかは興味深い点である）。しかしながら、北米、欧州、そして日本［注18］においても「インパクト評価」に対する注目が高まっているという状況を鑑みるに、文化機関における「デジタルアーカイブ」事業の評価方法としてこれを検討する価値はあるのではないだろうか。

プレイブックの冒頭にもあるように「インパクト評価」は困難かつ複雑な領域であると言われるが、本節がその理解のために幾ばくかでも貢献することができれば幸いである。

▶注

［1］https://pro.europeana.eu/page/impact-resources, accessed July 19, 2020.

［2］2021年2月現在、第二部の「査定（Assess）」まで公開されている。https://pro.europeana.eu/post/europeana-impact-assessment-playbook, accessed February 18, 2021.

［3］2021年2月現在、インパクト評価を適用した事例は増加しつつあり、その成果は下記にまとめられている。https://pro.europeana.eu/page/impact-case-studies?&page_posts=1, accessed February 18, 2021.

［4］https://pro.europeana.eu/post/europeana-strategy-2015-2020-impact, accessed July 19, 2020.

［5］Simon Tanner, "Measuring the impact of digital resources: the balanced value impact model," (2012), accessed July 19, 2020, https://www.kdl.kcl.ac.uk/fileadmin/documents/pubs/BalancedValueImpactModel_SimonTanner_October2012.pdf.

［6］詳細については例えば次を参照されたし。Robert S. Kaplan and David P. Norton, The Balanced Scorecard: Translating Strategy into Action (Boston: Harvard Business School Press, 1996).

［7］Bruno. S. Frey and Waner W. Pommerehne, Muses and Market: Explorations in the Economics of the Arts (Oxford: Blackwell Pub, 1989).

［8］プレイブックの開発者の一人であるHarry Verwayen氏いわく、「戦略的視点」はBVIMひいてはBSCのほかに、組織の持続可能的発展のために「社会」「環境」「経済」の3点から評価を行うという"Triple Bottom Line（またはPeople, Planet Profit）"からも強い影響を受けているという。こちらについての詳細は、例えば次を参照されたし。John Elkington, *Cannibals with Forks: The Triple Bottom Line of 21st Century Business* (Mankato, Minnesota: Capstone Publishing Ltd., 1997).

［9］https://pro.europeana.eu/post/impact-assessment-case-study, accessed July 19, 2020.

［10］https://vimeo.com/183833345/0397e5e578, accessed July 19, 2020.

［11］https://pro.europeana.eu/post/democratising-the-rijksmuseum, accessed July 19, 2020.

［12］https://pro.europeana.eu/post/making-impact-on-a-small-budget, accessed July 19, 2020.

［13］https://www.rijksmuseum.nl/en/rijksstudio, accessed July 19, 2020.

［14］同館の年次報告書（Jaarverslagen Rijksmuseum）を元に算出

［15］https://pro.europeana.eu/post/the-problem-of-the-yellow-milkmaid, accessed July 19, 2020.

［16］http://www.museumsandtheweb.com/mw2001/papers/hazan/hazan.html, accessed July 19, 2020.

［17］https://medium.com/impkt/the-impact-of-cultural-heritage-creating-a-common-language-

28cba0e1af0b, accessed July 19, 2020.

[18] 内閣府のもとで「社会的インパクト評価検討ワーキング・グループ」が発足し、国内におけるインパクト評価の普及に向けた取り組みが計画されている。例えば次を参照されたし。https://www.npo-homepage.go.jp/uploads/social-impact-hyouka-houkoku.pdf, accessed July 19, 2020.

イベントレポート

TEIの教育

―訓練からアカデミックなカリキュラムへ―

2012-11-28

James Cummings／日本語訳：永崎研宣

■1．TEIの授業として成功とは何か

筆者は、Text Encoding Initiative（TEI）協会の年次大会においてElenaPierazzoが企画したパネル「TEIの教育：訓練からアカデミックなカリキュラムへ」に参加した[注1]。Florence ClavaudとSusan Schreibmanが参加できなかったが、直前になって、［会場に来ていた］ブラウン大学のJulia Flandersがパネルへの参加を快諾してくれた。そこで、パネルの登壇者はElena Pierazzo、Marjorie Burghart、James CummingsとJulia Flandersということになった。

Elena Pierazzoは、パネルの議論が何を対象としようとしているかを導入としてこのパネルを開始した。このパネルは、ある一定の文脈の中で、TEIの授業における相違点や類似点を考察の対象としていた。すなわち、専門家を対象としたひたすらに熱心なワークショップから、関連するアカデミックなコースの一部としてのTEIの授業まで、である。これらは目的や方法論、そして対象範囲が異なっており、これらの授業のシラバスはそれぞれにTEIガイドラインの異なる章を対象としているようだった。

このパネルでは、どのアプローチが最も成功したと考えられるか、そして、TEIの授業に際して成功とは何を意味するのかが議論された。研究者が現在直面している問題（例えば、写本のデジタル版、辞書、コーパス等）を解決するためのツールなのか、あるいは、概念をモデル化するためのツールや分析のための手法としてよりよく機能しているのか？　パネル全体を通してこれらの二種類のTEIの教育が対比されていたのは、互いの教育のやり方に役立つどのような方法が習得され得るかを確認するためであった。

■2．学部レベルと修士レベル

Marjorie Burghart は、Elena［が対比したのとは］異なる仕方で、リヨンで提供されている学部レベルと修士レベルのトレーニングのレベルの類似と差異を対比してみせた。彼女は、古文書学や文献学の歴史的展開からそれらのデジタル化までの全体としての学術的編集の技術を教える授業の一つを例に挙げて、ほかの分野において TEI の教育を取り入れることの重要性を主張した。その提言では、TEI の教育は、「TEI コース」やデジタル技術に特化されたものの中で TEI の教育が行われるとは限らず、TEI に関する内容を含んだアカデミックな関連分野のコースにおいても行われているとのことであった。

■3．入門的な TEI ワークショップ

James Cummings は、長年にわたって開催されてきた TEI サマースクールから発展し、現在では 1 週間にわたる TEI ワークショップを取り入れている Digital.Humanities@Oxford SummerSchool［注 2］を取り上げつつ、オックスフォード大学での TEI 教育を概観してみせた。そういった文脈での入門的な TEI ワークショップは TEI ガイドラインの多くに対応しようとする傾向があり、広いが浅く、ひたすら概説的である。一方で彼らは、個々のプロジェクトにあわせたトレーニングをも準備していた。そこでは、TEI の全体が扱われるのではなく、プロジェクトが利用しようとする側面に特化されたトレーニングと簡潔な概要が扱われていた。

■4．ツールと概念

Julia Flanders はブラウン大学で開催しているワークショップと DHSI で提供されているワークショップについて説明した。そして、これらをオックスフォードのものと対比し、より大きなアカデミックなコースの一部を形成するものとどのように異なるかを示した。彼女が議論したのは、基本的な概念を教えるためのさまざまなアプローチと、Roma 等の既存のツールがこれらを容易にするのにどう改良されるべきかということであった。そして、「意味論のフィンガーペインティング」を可能にする入門的なツールが、ユーザに使いやすい方法でデータのモデル化の概念を扱えるような形で作られるべきであると提言した。

■5．教育の基礎を共同で生み出す

参加者との間で多くの興味深い指摘がなされ、質問が投げかけられ、幅広い議論が行われた。数人の参加者は、テキストエンコーディングを広く扱い、特に TEI を異なる事柄を教えるのに用いていると語っていた。つまり、TEI を学ぶプロセスは、ほかのトピック、例えばテキストの性質をよりよく理解するのに役立つというのである。Michael Gavin は TEI のコースと高等教育において TEI を含むコースの両方を調査しておくのがよいだろうとコメントした。Marjorie は、Florence Clavaud がフランスとヨーロッパに関してそのような調査を始めており、彼女に連絡をするのがよいだろうと指摘した。

TEI は多種多様な方法で教えられており、多くを教えるにこしたことはないのだが、提供者がきちんと検証すべきことは、ある特定のコースが用意されている理由である。多くの人々に TEI ガイドラインの対象とする範囲と狙いについての基本的な理解を受け入れてもらうためなのか？　あるいは、TEI が一つの実践的で具体的な例となるような、より素晴らしいほかのいくつかの概念を教えるためなのか？　このパネルに参加した講師たちは皆、このようなさまざまな文脈において、そして、異なるアプローチと範囲において教育を行ってきており興味深い対比をなしていた。TEI が成長し、デジタルテキストのエンコーディングの標準規格（特にアカデミックな文脈で）としてより普及していくのに伴って、このコミュニティーは、その教育と教育組織の改良を続けていく必要があるだろう。一つの前途有望なしるしは、DigitalHumanities のトレーニング組織のネットワークである **[注 3]**。そこでは、それぞれの固有の性質や経験を保ちつつ、ゆっくりと着実な教育の基礎を生み出すことが共同で進められているところである。

▶注

[1] アブストラクトは http://idhmc.tamu.edu/teiconference/program/papers/#teach (accessed November 28, 2012) にて参照されたい。

[2] http://digital.humanities.ox.ac.uk/dhoxss/, accessed November 28, 2012.

[3] これについては http://digital.humanities.ox.ac.uk/dhoxss/ (accessed November 28, 2012) を参照されたい。

フランスのDH
—スタンダール大学における教育と研究—

2015-11-28 ~ 2015-12-28
長野壮一

アルプスの山間に囲まれたフランス南東部の都市、グルノーブル。世界最高水準の放射光施設や、エリート養成校・グルノーブル政治学院を擁する学術都市であり、私たち日本人にとっては文豪スタンダールの生地としても知られた街である。

ここグルノーブルには、ほかでもないスタンダールの名を冠した教育機関「スタンダール大学」が所在する。スタンダール大学、別名グルノーブル第3大学は、中世以来の伝統をもつグルノーブル大学が「68年5月」以後の大学改革により再編され、3校に分かれたうちの一つである。数学者の名を冠したジョゼフ・フーリエ大学（グルノーブル第1大学）が自然科学系、政治家の名にちなんだピエール・マンデス＝フランス大学（グルノーブル第2大学）が社会科学系の学部を擁するのに対し、スタンダール大学（グルノーブル第3大学）は人文科学系の学部によって構成されている **[注1]**。本節では、そうしたグルノーブル第3大学を中心としたデジタル・ヒューマニティーズ（以下DH）の取り組みを紹介する **[注2]**。

■1. グルノーブルにおけるDH教育

グルノーブル第3大学でDHの教育を担当しているのはElena Pierazzo教授とThomas Lebarbé教授。専門はそれぞれイタリア文学とフランス文学である。本大学では近年、DH教育の比重が拡大する傾向にあり、外国語学とフランス文学を専攻する学部生および修士課程の学生に対して、情報技術の教育課程が必修となった。DHの教育プログラムは次年度からさらに拡大され、人文科学を学ぶすべての学部生・修士課程学生にDHの講義が必修となるという。

DH教育の具体的な内容としては、理論と技術の双方がバランスよく教えられているという。例えば、TEI/XML のトレーニングやデジタル倫理などといった DH に関する基本的・入門的な事項を学ぶ講義、データベース処理や言語分析を目的として、HTML の技術を習得する講義などが開講されている。また、TEI の実践として、イタリア文学のテクストを使って、与えられた CSS を作り替えるなどのトレーニングを計 8 時間行う演習も開講されている。

なお、これらのプログラムは大学における通常の教育課程の枠内で行われているため、フランス政府から補助が出ていることを別としては、民間財団などから特別に助成金を獲得することは行っていないという。

■2. グルノーブルにおける DH 研究（1）:「グルノーブル第2・第3大学デジタル図書館」

グルノーブル第 3 大学は、社会科学を担うグルノーブル第 2 大学と共同で、「アルプ人間科学館」(Maison des Sciences de l'Homme-Alpes) を運営している。アルプ人間科学館はカンファレンスの主催やリサーチプロジェクトの組織などを通じて、グルノーブルにおける DH 研究を促進する役割を担っている。

では具体的に、どのような研究が実施されているのだろうか。グルノーブルで行われている DH のリサーチプロジェクトのうち最初に紹介するのは、「グルノーブル第 2・第 3 大学デジタル図書館」(La bibliothèque numérique des universités Grenoble 2 et 3) である **[注 3]**。

グルノーブル第 2・第 3 大学デジタル図書館は、同大学の法文科大学図書館が提供するデジタルアーカイブである **[注 4]**。700 年の歴史をもつ大学コレクションのうち、著作権の消滅した文書が電子化されている。

本アーカイブの中心をなすのは、「イタリア研究」(Etudes italiennes) および「ドフィネ地方の法律」(Droit dauphinois) に関連するコレクションである。「イタリア研究」は法文科大学図書館に上級司書として勤務する Claire Mouraby の責任で行われており、ボッカチオ『デカメロン』やジュゼッペ・マッツィーニの書簡集をはじめとした、16 世紀から 20 世紀にかけてのテクストが収録されている。「ドフィネ地方の法律」は、グルノーブル高等法院によって発された 17 ～ 18 世紀の法令集を中心としたコレクションである。これらの主要コレクションに加えて、本アーカイブは、利用者からのリクエストを受けてオンデマンドで電子化された資料の公開も行っている。

グルノーブル第2・第3大学デジタル図書館はオープンアクセスを掲げており、大学関係者以外でも、電子テクストをパブリックドメインの下で自由に利用することができる。また、インターフェースのデザインはレスポンシブになっており、スマートフォンやタブレット等の携帯デバイスによる閲覧も想定されていることがわかる。

しかしながら、問題がないわけではない。Pierazzo教授によると、本アーカイブに収録されたテクストは、まだ単にデジタル画像の閲覧しかできず、アノテーションを行うまでには至っていないという。今後は編集によりリッチテキストを作成したり、読者がアンダーラインを引ける仕様へと改善されるだろう。これにより中高等教育の授業における活用や、読者によるリーディングノートのシェアなど、インタラクティブな活動ができるようにする方向に発展してゆく見通しである。

■3. グルノーブルにおけるDH研究（2）：「スタンダール手稿」

グルノーブルはフランス南東部という立地のゆえ、歴史的にフランス＝イタリア間の文化交流の要衝となってきた。現在、グルノーブル住民のおよそ3割がイタリアにルーツを持っており、その背景にはルネサンス期から啓蒙期にかけて、イタリアからの移住者により地中海規模での交流が行われた歴史的経緯がある。彼らは仕事を得るためにリヨンなどに赴き、その過程で多くの手稿文書を残した。

一方、フランス知識人界におけるイタリア趣味の潮流も無視できない。イタリアは良家の子弟によるヨーロッパ周遊「グランド・ツアー」の定番コースだったこともあり、中世以来フランス人の旅情をかきたててきた。例えばバルザックは『サラジーヌ』や『ファチーノ・カーネ』などイタリアを舞台とした異国情緒あふれる作品を残したし、反ドレフュス派知識人のモーリス・バレスにおいても、イタリア経験は彼の思想形成に陰影を残した。

そうした中でも特に著名な人物が、グルノーブル出身の文豪スタンダールであることは言を待たない。「ミラノの人」を称したスタンダールは生涯にわたってイタリアを愛し、『パルムの僧院』をはじめとするイタリアに取材した作品を多く残した。

グルノーブル第3大学では現在、DHのリサーチプロジェクト「スタンダール手稿」（Manuscrits de Stendhal）が進められている［注5］。Thomas Lebarbé

教授とCécile Meynard准教授のイニシアティブによる本プロジェクトは、グルノーブル市立図書館（Bibliothèques municipales de Grenoble）に所蔵されたスタンダールの手によるほぼすべての手稿文書を電子化するものである。通常、19世紀の作家は脱稿後に草稿を破棄してしまう場合が多いのだが、スタンダールの場合は文学的自伝『アンリ・ブリュラールの生涯』が生前未完だったこともあり、比較的豊富なコーパスが現存している。2015年12月現在、「スタンダール手稿」のウェブサイトには計3,000ページ弱の資料がアップロードされており、それらはページごとに各種メタデータが付与されている。

プロジェクト「スタンダール手稿」の閲覧画面は三つのディスプレイから構成されている。一つは高解像度のデジタル画像であり、残りの二つはXMLによってコード化された翻刻（トランスクリプション）である。翻刻のうち一つは可読性を重視したものであり、次のような規則により行われている。

- スタンダールが行った段落分けに伴う改行はそのまま保持されるが、紙幅の都合による改行は無視する。
- 取り消し線の引かれた単語や行、段落は表示しない。ただし文末を表す「完」（final）などは残す。
- スタンダールによる略記は、代わりにその完全な単語を表示する。
- スタンダールが意図してテクストに行った改変はそのまま表示される。例えば単語をすべて大文字にする、ある単語を他に比べて大きく、あるいは小さく記す、単語に下線を引くなど。

もう一つの翻刻は研究に使用することを目的としたものであり、スタンダールによる元のテクストの形式を可能な限り再現することを主眼に置く。また同時に可読性も重視している。ただし、逆向きや斜めに傾いた余白の書き込みなどを正確に表現することは困難なので、やむなく注釈の形で情報を反映させる場合もある。

プロジェクト「スタンダール手稿」の成果の利用としては、文学や言語学の分野における通常の研究のほかに、中等教育で使用した事例があるという。高校の授業内でテクストを用いて作品の生成・改訂の過程をたどったり、スタンダールとほかの作家の文体の特徴を比較したりしたのである。また、手稿中に見られる白紙のページは作者が後で書き加えようとしたものか否か、生徒と議論したという。「スタンダール手稿」は一人の著者による40年間にわたる言語コーパスの集成であるため、教育・研究のさまざまな場面における利用が期待できるのである。

■4．グルノーブルにおけるDH研究（3）：「Fonte Gaia」

フランスの大学図書館にはCADIST（Centre d'acquisition et de diffusion de l'information scientifique et technique）と呼ばれる研究制度がある。CADISTは特定分野の専門図書館として、当該分野の文献を網羅的に購入するために政府の補助金が投入される。CADISTの「イタリア語学・文学・文明」拠点に指定されているのがグルノーブル第2・第3大学の法文科大学図書館である。同図書館が19世紀以来、イタリアに関する文献を収集してきた経緯を鑑みての措置であった。

CADISTに指定されたことにより、グルノーブルの法文科大学図書館は、仏伊におけるイタリア研究者ネットワークの中心拠点としての地位を得た。これを利用してローンチされたDHのリサーチプロジェクトが「Fonte Gaia」である［注6］。Fonte Gaiaとはイタリア語で「喜びの泉」という意味であり、シエナ中心部のカンポ広場にある同名の噴水にちなんで名付けられたプロジェクトである。市民に上水を供給する噴水のように、研究者に資料やレファレンスを供給する情報源となることを志向して付けられた名称だという。また、この名称は同時に、トルバドゥールの「悦ばしき知識」（Le Gai Savoir）をも連想させる。ここには後期中世に仏伊の国境を超えて活動したトルバドゥールのように、ヨーロッパ規模の学術交流を促進しようという意図が込められている。

Fonte Gaiaのプロジェクトにはグルノーブル第2・第3大学のほかに、パリ第3大学ソルボンヌ・ヌーヴェル校、またイタリアからローマ大学、パドヴァ大学、ボローニャ大学が参加し、一大コンソーシアムを形成している。のみならず、Fonte Gaiaは文化的なハブ拠点として、図書館や劇場など、多様な機関に所属するイタリア研究の関係者を集合させることを志向しているという。

Fonte GaiaのプロジェクトはFonte Gaia BibおよびFonte Gaia Blogの二本立てで構成されている。Fonte Gaia Bibはイタリア研究のデジタル図書館。コレクションの中心をなすのは、フランス国立図書館（Bibliothèque nationale de France）やグルノーブル市立図書館（Bibliothèques municipales de Grenoble）に所蔵されたイタリア語の手稿文書である。コレクションには、グラン・トロワ・メディアテーク（La Médiathèque du Grand Troyes）に所蔵された民族誌家ジョルジュ・エレル（Georges Hérelle, 1848-1935）の手によるイタリア文学の翻訳なども含まれている。このほかにも、プロジェクトではリヨンやモンペリエなど、フランス中の図書館に所蔵されたイタリア語手稿文書の電子化を中長期的な目標としている。これによりフランスにおけるイタリア研究の全貌をたどることがプロジェクトの狙いである。

Fonte Gaia Bib のテクストにはメタデータが付与され、閲覧者も翻刻やコメントの追加などができる仕様となっている。またアーカイブの方針として、オープンアクセス、オープンデータ、オープンソースを掲げている。なお、Fonte Gaia Bib のプラットフォームは現在工事中であり、近日中に Web 上で公開される予定となっている。

一方、Fonte Gaia Blog は、イタリア研究に関する情報発信や意見交換のためのブログである。この媒体は研究者同士の交流の場としての役割のほか、ヨーロッパ各国の若手研究者が参加するオンラインジャーナルとしての役割も担っている。研究成果を発表する機会が比較的少ないフランス語圏における博論執筆中の学生、若手研究者が論考や書評を掲載する場を提供しているのである **[注 7]**。

■ 5．おわりに

本節では、グルノーブル第 3 大学を中心に進められている DH の教育・研究プロジェクトを概観した。そこではイタリア研究を軸として「グルノーブル第 2・第 3 大学デジタル図書館」「スタンダール手稿」「Fonte Gaia」の三つのリサーチプロジェクトが進行中であることが確認できた。イタリア研究という共通項を持つこれらのプロジェクトは、グルノーブルという地方都市の強みを活かす一方で、ヨーロッパ規模での学術交流のハブ拠点となることをも志向している。こうした二面性がグルノーブル第 3 大学における DH 研究の特色であり、その実践は私たちにも示唆を与えてくれるだろう。

▶注

[1] なお、歴史学は人文科学系のグルノーブル第3大学ではなく、社会科学系のグルノーブル第2大学に属している。これは、「あらゆる人文科学に歴史学的発想は必須であるため、独立したディシプリンとしての歴史学は社会科学に属する」とする考えに基づいているのだという。

[2] 本節が『人文情報学月報』誌上に掲載された翌2016年、スタンダール大学はジョゼフ・フーリエ大学およびピエール・マンデス＝フランス大学と合併して「グルノーブル＝アルプ大学」に再編された。

[3] http://bibnum-stendhal.upmf-grenoble.fr, accessed November 28, 2015.

[4] http://bibliotheques.upmf-grenoble.fr, accessed July 19, 2020.

[5] http://manuscrits-de-stendhal.org, accessed July 19, 2020.

[6] http://fontegaia.hypotheses.org, accessed July 19, 2020.

[7] Fonte Gaia Blog の基盤となった Hypothèses (http://hypotheses.org, accessed July 19, 2020) の詳細については以下の文献を参照。拙稿「デジタル歴史学の最新動向：フランス語圏におけるアーカイブ構築およびコミュニティ形成の事例紹介」『現代史研究』61 (2015).

イベントレポート
Digital Humanities 2018

2018-08-31
鈴木親彦

2018年6月24～29日、メキシコシティの独立記念塔の前に位置するMaria Isabel Sheraton Hotelにおいて、2018 Digital Humanities Conferenceが開催された。世界各国から人文情報学の研究者が集まる国際学会であり、南米および南半球で開催された初のDigital Humanities Conferenceである。最大で8セッションが並行して行われ、発表も多岐にわたる会議の全体像を伝えることは難しい。そこで今回は報告者が特に注目した二つの切り口について紹介を行いたい。詳細な発表内容とおよび全体像については、アブストラクトおよびセッション構成がサイト上で公開されているので、参照いただければと思う **[注1・2]**。

■1．人材とキャリア

一つ目の切り口は、人文情報学をめぐる人材とキャリアの問題である。日本においても、第117回人文科学とコンピュータ研究会発表会でのアイディアソン、Japan Open Science Summit 2018（JOSS2018）でのセッション「人文学研究のデジタル化とオープン化」などで重要な議論となったことは記憶に新しい。"Precarious Labor in the Digital Humanities" というインパクトの強いタイトルが付けられたセッションでは、実際に人文情報学のプロジェクトに関わる人材が登壇し議論が行われた。ここで中心となったキーワードは "Miracle Worker" である。 なんと6名の登壇者のうち実に4名がこのキーワードを軸に発表を行っている。"Miracle Worker"（優れた人材を示す一方で、状況に若干の皮肉を込めた呼び方である）は、その名の通り奇跡のように人文情報学のプロジェクトを支える人材である。有能な研究者であるばかりか、頼れる技術面でのサポーターであり、辛抱強いプロジェクトマネジャーであり、さらに他にもさまざまな役割を果たすことを期待される。 人文情報学の仕事に就くことによって"Miracle Worker"であることを期待され、その結果としてキャンパス全体に関わるあらゆる問題に関係することとなり、さまざまな時間とのトレードオフが発生し、場合によっては本人のバーンアウトにつながってしまう可能性もある。また、プロジェクトそのものが一時的なもので学部組織などから切り離されている場合は、奇跡的な仕事を果たしても、仕事の環境そのものが不安定であるという問題が常に付きまとう。また多くの場合図書館がこういったプロジェクトのハブとなることが多いが、その結果として人文学そのものの部門とのつながりが希薄になるという問題もある。具体的な解決策が提示される種類の問題ではないが、人的支援や資金的な支援、人文情報学を勧めるプロジェクトセンターや図書館と従来型の人文系学部組織とのコミュニケーション、実態的なコラボレーションなどが提案されていた。

なお、セッション内でもしきりと引用されていたAlexander Gilによって企画され、さまざまな人々が人文情報学の"Miracle Worker"の名前・所属を記入したGoogle Spread Sheet "Open Directory of Miracle Workers"は現在も閲覧可能である。個人情報が掲載されているのでURLなどは掲載しないが、興味のある方はご覧になっていただきたい。

執筆者はこのセッションを聞いていて、何とも形容しがたい感情にとらわれた。議論されている内容は深刻であり、人文情報学に関わる研究者の仕事環境を安定したものとする努力はもちろん必要である。しかし、人文学関係の資料のデータ公開などのプロジェクトを行う際には、ライブラリアンの背景を保つ場合が多いにせよ人文情報学に関わる人材が参入する、またはその仕事に関わる人材が人文情報学に関わっているという感覚を持つという前提が、すでに共有されているように感じたからだ。日本においても、東大・京大の図書館や、国文学研究資料館を始めとして人文情報学に関わる人材が活躍している。しかし、共通の仕事環境に関する問題意識を持って議論を行うほどに一般的に定着した状況なのかと問われると、"Precarious Labor"の前段階なのかもしれないと個人的に感じてしまった。

■2. 人文情報学は基礎教育にどう関わるか

もう一つの切り口は人文情報学と「教育」の関係である。"Pedagogy"を題するセッションは全体の中で2回組まれており、9時から17時までという終日のワークショップ“Innovations in Digital Humanities Pedagogy: Local, National, and International Training”も行われた。特に注目すべきと思われる点は、専門的な人文学の基礎を身につけた後に行われる大学院教育のみにとどまらず、学部教育などより早期の基礎的な教育に人文情報学が関わっていくという姿勢がはっきりと見られた点である。実際に高校において人文情報学教育を実施している教員と人文情報学研究者が報告を行う“Digital Humanities in Middle and High School: Case Studies and Pedagogical Approaches”というセッションも行われている。

“Pedagogy”セッションで発表されたTaylor Elyse Millsによる“Next Generation Digital Humanities”が、早期教育への姿勢を示す最もよい例であったといえる。彼女は学部において人文情報学教育を行う際の障壁を認めながらも、次世代の人文情報学を担うであろう学生に対する投資（Invest）としての重要性を主張している。学部教育は、学際的なコラボレーションの経験を得るだけでなく、コラボレーションにおける自身の役割の明確化や、個人研究の重要性への理解へとつながるという。さらに、“Digital Humanities in Middle and High School”セッションで、より基礎的な教育においても同様の可能性が拓かれていた。 人文情報学教育によって、個別の技術や知識の習得以上に、知識と技術両方との付き合い方を身につけられることが述べられていた。（前述した“Open Directory of Miracle Workers”の）Alexander Gilもこのセッションで発表を行ったのだが、彼の“Designing Digital Humanities Pedagogy Infrastructures for Teachers”によれば、生徒のみならず教師にとっても大きな効果を持つものになる可能性も持っている。

■3．未来の研究者を育てるという観点

人文情報学は何かしらの専門分野を持った上で、その専門分野にどのようなプラスを与えるかを考えて学ぶべきだという考えを持っていた執筆者にとって、DH2018の教育をめぐる議論は大きな衝撃であった。専門知識習得と並行して、またはそれに先立って知識や技術へのアプローチを学ぶ段階で人文情報学を学ぶことは確かに有用である。何よりも学生への投資として教育を行い未来の研究者を育てるという観点は、人文情報学の発展のために欠くべからざる視点である。

最後に、すでにTwitterなどで情報が流れているが、この会議中に

DH2021の東京開催が決定した。未来に対する投資も含め、3年後に向けてさらに日本の人文情報学を盛り上げて行きたい。

さらに余談ながら、この夏開催のJADH2018［注3］は執筆者の所属機関がCo-organizerを務める。ぜひご参加いただきたい。

▶注

［1］https://dh2018.adho.org/en/abstracts/, accessed July 19, 2020.
［2］https://www.conftool.pro/dh2018/sessions.php, accessed July 19, 2020.
［3］https://conf2018.jadh.org/, accessed July 19, 2020.

カロライナ・デジタル・ヒューマニティーズ・イニシアティブ・大学院生フェローの経験を通じて

2018-12-30 ~ 2019-01-31

山中美潮

■1. はじめに

筆者はノースカロライナ大学チャペルヒル校（以下 UNC）博士課程在籍時にデジタル・ヒューマニティーズと出会った。当時 UNC ではデジタル・ヒューマニティーズ研究発展のため学内でさまざまな計画が遂行されており、カロライナ・デジタル・ヒューマニティーズ・イニシアティブ（以下 CDHI）・大学院生フェローはそのプログラムの一つであった。2013 年度、幸運なことに筆者は当プログラムの第一期生に選ばれた。19 世紀アメリカ南部史を専攻するために留学した筆者にとって、デジタル・ヒューマニティーズとの出会いは方法論や研究の対象を考える上で大きな転換点となった。ここでは UNC でのデジタル・ヒューマニティーズ研究と、フェローとしての経験を記す。

■2. Digital Innovation Lab (DIL)

■2-1. 概要

UNC におけるデジタル・ヒューマニティーズ研究の始まりは、2011 年のデジタル・イノベーション・ラボ（以下 DIL）設立にさかのぼる。このラボは学部の壁を超え、「プロジェクトベースのデジタル方法論と人文学研究を統合させ、デジタル革新によって公共人文学を促進する」ことを目的として設立された [注 1]。

DIL はアメリカン・スタディーズ学部・研究科内にある。これは初代ディレクターであったロバート・アレンがアメリカ映画研究者であったことが大きい。DIL 設立前にアレンは「ゴーイング・トゥ・ザ・ショウ」というプロジェクトを発表しており、2010 年にアメリカ歴史学協会から優れたデジタル・ヒストリー・プロジェクトに送られるロイ・ローゼンツヴァイク賞を受

賞している [注2]。このプロジェクトはサンボーン社火災保険地図をデジタル・スキャンし、経度・緯度情報を付与、20世紀初頭のノースカロライナ州におけるサイレント・フィルム劇場の位置情報と共にグーグルマップ上に表示させたものである。さらにUNC所蔵の絵はがき・新聞・パンフレットなどの史料を使いウェブ上で公開することで、州民によるサイレント・フィルムの鑑賞経験をオンライン上で追体験できるようにした。UNCは20世紀初頭からアメリカ南部諸州の史料を継続的に収集しており、21世紀初頭には史料のデジタル化や関連プロジェクトを進めてきた [注3]。こうした経緯もあり、UNCではデジタル・ヒューマニティーズ研究基盤がアメリカン・スタディーズ学部・研究科にあるという特色を持つことになった。2012年度後期にはDILが中心となり、初めてアメリカン・スタディーズ研究科で「デジタル・ヒューマニティーズ／デジタル・アメリカン・スタディーズ」という大学院生向けの講義が開講された。

■2-2. マッピング

DILの活動は多岐にわたるが、初期にはマッピング・プロジェクトに注力していた。特に、「DHプレス」と名付けられたワードプレスのプラグイン開発は注目に値する [注4]。これは地理空間分析ツールではなく、あくまでデジタル化された史料とそれらの位置情報などとの関連を表示・表現することを目的とするもので、「ゴーイング・トゥ・ザ・ショウ」などの経験が基礎になったことは明らかである。プラグインを使用するために必要なものは、基本的に緯度・経度などのデータを入力したスプレッドシートのみである。データをワードプレスにアップロードするだけで、表示方法などはすべてワードプレス上で操作可能であった。プラグインを開発することによって、デジタル・プロジェクトが新しく発足するごとに一からすべてを構築する必要もなく、一般の人でも利用できる操作性に主眼が置かれた。これはDILが当初から博物館展示や現地コミュニティーとの共同企画などデジタル・ヒューマニティーズの公共性を意識した運営をしていたことが背景にある。

また講義もマッピングが大きなウェイトを占めていた。「デジタル・ヒューマニティーズ／デジタル・アメリカン・スタディーズ」の講義では、基礎文献やオメカなどのツールを学ぶ一方、学内外で行われるプロジェクトへの参加が義務付けられたが、マッピング関係のものが多かったと記憶している。筆者はノースカロライナ州立大学レバノン人ディアスポラ研究所によって行われた、20世紀初頭のレバノン系移民居住地マッピング・プロジェクトに加わり、ノースカロライナ州内主要都市の移民の特定や統計作業を担当した[注5]。こうした講義内容の特徴はDILがDHプレスの実用化を目標としていたことと関連しているが、当時のDHプレスは実際にマッピングに使用するには不安定さが目立ち、プロジェクトが計画通りに進まないことの方が多かった。初めての院生向けデジタル・ヒューマニティーズ講義ともあり、DIL、院生双方が試行錯誤を重ねながら講義を作り上げていったと言える。

■3. CDHIとは

■3-1. 概要

CDHIは2012年、5年間という期限付きでアンドリュー・メロン財団の支援のもと、DILによって立ち上げられた、デジタル・ヒューマニティーズ研究基盤構築のためのプログラムである。主な事業は、2013年度から本格的に始まった教員への研究支援、ポスドク研究員の雇用、および人文学系大学院生へのフェロー・プログラムである。筆者がフェローに選ばれたのはこの大学院生向けのプログラムであった。ここからは大学院生フェロー・プログラムへの参加経験を述べたい。

■3-2. 大学院生フェロー・プログラム

大学院生フェローは、1年という期間にデジタル・ヒューマニティーズ科目の受講および個人プロジェクトの研究・遂行が義務付けられたプログラムである。採用数は毎年二人で、基礎的な知識・議論を押さえ、かつプロジェクトを実行するための経験を積むことに重点が置かれたため、博士論文をすでに書き進めているいわゆる「All But Dissertation」の学生よりは、これから博士論文執筆資格を獲得する学生を採用することを主眼としていた。筆者が採用されたのは、論文執筆前の留学3年目であったから、幸いなことに彼らの望む学生像に合致したと言える。各大学院生にはDIL/CDHIから選ばれたメンターが付き、プロジェクトの計画およびサポート体制が整えられた。筆者の場合、アメリカ史が専門分野であることやマッピングを志望していたためロバート・アレンに師事する形となった。またプログラム遂行のために年間4,000ドルの研究費が支給された。必要なソフトウエアやデータベースへのアクセス権はほぼ図書館や情報センター経由で無償・もしくは安価で手に入れることができた。こうした手厚い支援は研究大学ならではであった。

■3-3. 講義

プログラム期間中はCDHIによって認定されたデジタル・ヒューマニティーズないし関連科目のうち、最低3科目を受講することが定められた。特に個人の専門以外の分野を受講することが奨励されており、分野横断性重視の姿勢を体感した。さまざまな選択肢があったが、2013年度前期にはアメリカン・スタディーズ研究科で開講された「デジタル・ヒューマニティーズ・プラクティカム」、また後述の個人プロジェクトのために地理学の講義を取りArcGISの使い方を集中して学んだ。2013年度後期には史学研究科で「デジタル・ヒストリー」および個人プロジェクト遂行のためアドバイザーとマンツーマンで行う「インディペンデント・リサーチ」を受講した。最低3科目というとあまり負担がないように感じるかもしれないが、所属研究科では各学期3コマ受講が基本であったので、規定を守りながらデジタル科目を受講するのはなかなか骨の折れる交渉や調整が必要であった。

・デジタル・ヒューマニティーズ・プラクティカム

本講義は、2012年度開講の「デジタル・ヒューマニティーズ／デジタル・アメリカン・スタディーズ」の発展版であった。講義はディスカッション、他大学とのコラボレーションセミナー、クラス全体によるプロジェクトの三つで構成された。ディスカッションはデジタル・ヒューマニティーズの基礎文献や最新のブログ記事などを教材としたが、コラボレーションセミナーはこれに加えて近隣にあるデューク大学、ノースカロライナ州立大学の学生・教員を交えて行われた。UNCがマッピングに偏重しがちであった中で、このコラボレーションではデジタルゲームと教育、古代都市の3Dモデリングなどさまざまなプロジェクトに触れることができ、また専門分野の異なる学生と交流を持つことができた。クラス・プロジェクトは学期の後半に最終課題として行われ、「ゴーイング・トゥ・ザ・ショウ」の発展版である「ゴーイング・トゥ・ザ・グローバル・ショウ」プロジェクトを受講生全員参加で計画し作り上げた。これはDHプレスを使ったマッピング・プロジェクトであるが、ウェブデザイン・データ収集・データベース作成などを院生同士分担して行ったもので、技術的な革新性は乏しいが、共同作業になじみのなかった筆者のような人文系大学院生には自身の計画を立てるのに有用な経験であった。

・プラクティカルGISおよびデジタル・ヒストリー

「プラクティカム」がいわゆる入門クラスで幅広いテーマをカバーするのが目的であったのに対し、「プラクティカルGIS」および「デジタル・ヒストリー」は個人プロジェクト用の技術習得を目指して受講した。後に詳しく述べるが筆者は当時博士論文研究にマッピング技術を導入したいと考えており、DHプレスのように史料をただ視覚化するだけでなく、地理空間分析に挑戦したかった。そこで当時歴史GIS専門家が担当していた「プラクティカルGIS」講義を受講しArcGISを学ぶことにした。「デジタル・ヒストリー」はフェロー期間中、社会ネットワーク分析研究者がDILに迎え入れられたことから受講を決めた。どちらも基本的には各分野の重要文献を中心としたディスカッションとツールの使い方指導が主たる内容であったが、個人プロジェクトの基礎となる課題を設定し提出するよう教員と事前打ち合わせをしたので、「プラクティカム」に欠けていたツールの実践的学びの機会を補うことができた。

■4．個人プロジェクト：“The Fillmore Boys School in 1877” [注6]

■4-1．プロジェクトの背景

CDHI大学院生フェロー・プログラムではデジタル・ヒューマニティーズの講義受講が義務となるだけでなく、自らデジタル・プロジェクトを計画・遂行することが求められた。そこで講義を受けながら、年間を通じて個人プロジェクトを進めることとなった。

筆者の博士論文研究はアメリカ南北戦争（1861-1865年）と再建期（1863-1877年）の自由黒人による市民権論争と公共施設の脱人種隔離運動を論ずるもので、特にルイジアナ州ニューオーリンズ市の有色クレオールと呼ばれたフランス語話者でアフリカ系の血を引くが自由身分であった人々による草の根市民運動を扱った [注7]。フェロー当時は特に公立学校の人種隔離問題に注目していた。ニューオーリンズは1871年から77年という短期間ではあるが、一部公立学校の人種統合が試みられていたからである。ただ教育・有色クレオールに関連する史料は乏しく、一般市民の反隔離運動をどう明らかにするか、課題を抱えていた。また全米でもまれに見る再建期の人種統合例が、現代のニューオーリンズで忘れ去られていることにも問題を感じていた。

前置きが長くなってしまったが、そこで筆者はデジタルツール、特に地理空間分析を通して史料を読み解くことで、いかに上記の問題を克服できるか挑戦することにした。人種隔離問題は生活空間と切っても切り離せないからである。当初の計画では、1871年から77年の公立学校分布図と、学校ごとの人種政策や変化のデータを作成、人種統合が試みられた時期や位置情報の特性を調べようと計画していた。しかし、当時の市教育委員会関連史料の制約からこの計画は最終的に断念することとなった。

そこで学校隔離問題を俯瞰（ふかん）的に見ようとするよりも、一つの学校に焦点を絞ることにした。具体的には、1877年に作成されたフィルモア・ボーイズ・スクールの学籍簿を使用することにした。この学籍簿には658人分の生徒の氏名、住所や入学日などの情報のほか、保護者名や職業などが記録されていた。フィルモア・スクールは有色クレオールが当時多く住んだ地域に位置し、1871年から人種統合が進んだ学校であるが、1877年に白人専用と定められた。そのため当初1877年の学籍簿データはすべて白人のものと推定され、名簿には人種欄すら存在しなかったが、よく見ると「黒人学校へ転校」との付記のある生徒が存在した。そこで、掲載されている生徒の個人情報とセンサスの人種情報を合わせて地図上に表記することで、この学校における人種パターンや生徒の居住地の特徴を明らかにしようと試みたのである。

こうして始まったプロジェクトであるが、ここまで計画を立てるのにかなりの時間を使ってしまい、いざ実行となった時、残された期間は8カ月ほどになっていた。プロジェクト実行期間は、1) データ作成、2) ArcGISによる地図作成、3) ウェブサイト作成、に大きく分類できる。データ起こしには3カ月、ArcGISによる地図作成に4カ月、ウェブサイト作成に1カ月ほど使い、期日に間に合うよう時に同時並行で作業を進めた。

■ 4-2．データ作成

データ作成には学籍簿のデジタル化、また生徒のセンサス情報を特定する必要があった。この細かな作業にはDILを通じて研究費で学部生を雇用することができた。学部生が学籍簿をデータ化し、修正・確認作業やセンサス情報収集は主に筆者が行った。またArcGISはデータをcsvファイルで取り込めるため、収集データはグーグル・スプレッドシートにまとめて共有することにした。そのほか細かな業務のフローチャートや文字起こしのルール作成などはメンターであったロバート・アレンやDILマネージャーの監督・指導のもと行った。日常業務はグーグル・ドライブとトレロで管理し、定期的にDILで今後のタスクに関するミーティングを持った。

■ 4-3．ArcGISによる地図作成

データ作成に終わりが見えてくると、ArcGISを使い、ニューオーリンズの古地図に緯度・経度情報を付与していく作業に取り掛かった。当市には「ロビンソン・アトラス」という1883年に作られた火災保険地図が存在しており、jpegでスキャン、保存されたものがオーリンズ郡民事地方裁判所書記室のウェブサイトで公開されている [注8]。この地図をArcGISに取り込み位置情報を付与、そして各生徒の居住地を示すシェープファイルを作成、最終的に年齢・人種などの個人情報を結合させ、地図を完成させた。結果、658人分の学籍簿データのうち、正確性にはばらつきがあるものの、合計567人分の居住地情報および288人分の人種情報を地図に反映できた。

■ 4-4．ウェブサイト作成

こうして分析に使えるデータが完成した後、筆者は地図および生徒の居住地データの公開準備をした。データ公開には大学から無償で提供されるツールやサーバーなどを利用した。例えば、地図データはArcGISオンラインにアップロードしたが、それは大学図書館を通じて行っている。地図公開準備が整うと、プロジェクト紹介のためのウェブサイトを立ち上げた [注9]。これには大学が提供する学生用無料ワードプレスサービスを利用した。機能やデザイン制限はあったがプロジェクト概要やニューオーリンズの歴史を紹介するには十分であった。ウェブサイトを立ち上げたのは、DHプレスに影響を受けていたこともあり、研究成果を視覚化することで現地の教育史に貢献したい、また、フィルモア・スクールに通った生徒の子孫や歴史家と情報共有したいという思いがあってのことである【図1】。

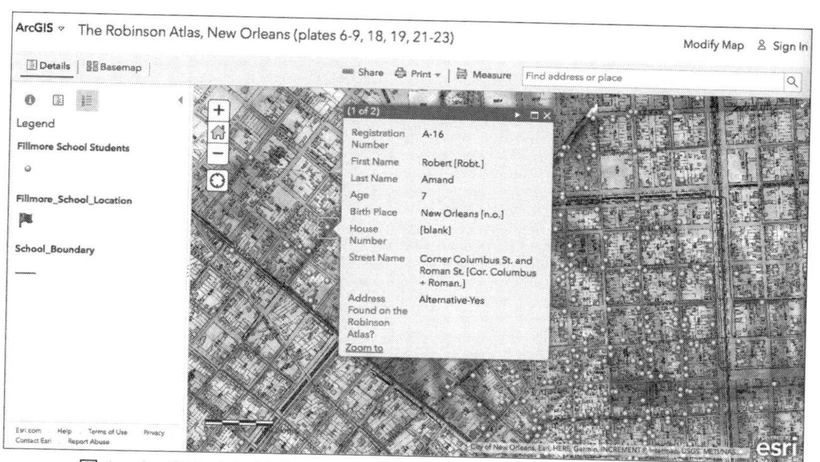

図1　ArcGIS オンラインにアップロードしたロビンソン・アトラスとフィルモア・スクールの学校・生徒情報のスクリーンショット［注10］

■ 4-5．成果と反省

こうして2013年度の終わりになんとか完成に間に合った個人プロジェクトであったが、さまざまな成果があった。まず、学籍簿・センサスをかけ合わせてデータを構築したことで、1877年には白人専用学校であったはずのフィルモア・スクールに有色クレオールが多数入学を求めていたことが判明した。これだけでも、隔離への抵抗運動が従来考えられてきたものよりも大規模であったことがわかった。そして居住地を分析することで、当校の学区には、アメリカ都市に特徴的な人種別居住区分が見られないことが判明した。これはニューオーリンズが再建期に一時的・部分的にでも脱隔離を果たしたことに貢献しているだろう。こうした結果は博士論文の主要な議論の一つとなった。さらにデータを公開することで、実際に系図学者などと交流を持つことができ、生徒のその後や縁戚関係などを明らかにすることができた。

またプログラムを通じて学内外でのコミュニティーを広げることができた。CDHI に選ばれた教員、ポスドク、大学院生の専門は文学・美術・地理学・考古学など多様であり、立場を超えて自由にミーティングをもち議論をすることができた。こうした交流は研究の方向性を考える上で大いに役に立った。このプログラム終了後には「Carolina Digital Humanities Graduate Certificate」を取得、2017年度には歴史学部・研究科のデジタル・ヒューマニティーズ院生メンターとして、ワークショップなどを開催した。フェローとしての活動が終わった後も、CDHIでの経験を役立てることができたのは幸いであった。

しかし、反省点もある。まずはプロジェクトの将来性である。例えばArcGISはUNCに所属している限り実質ライセンス料を支払う必要がなかったのだが、卒業した現在はソフトウエアの継続利用が難しく試行錯誤している。またArcGISオンラインはUNCがデータ保管をしているものの、更新作業はできないのでプロジェクトは現在一時凍結状態にある。計画時に卒業後のプロジェクトの在り方も見据えておくべきであった。

また筆者の所属研究科とCDHIの履修義務が制度上必ずしもシームレスにつながらない場合があり、ただでさえ言語の壁があるというのに、やるべき課題の多さに途方に暮れる毎日であった。さらに博士論文審査ではデジタル研究よりも記述が重視されたので、やはりバランスを取るのが難しかったと言える。近年DILは、こうした事態に対してデジタル博士論文奨学金などの制度を設け対処している。

■5. UNCにおけるデジタル・ヒューマニティーズの現在

こうして2013年度、一期生としてCDHIおよびDILに関わったが、UNCでのデジタル・ヒューマニティーズ研究はめまぐるしい勢いで変化・進化を遂げている。余談ではあるが、個人プロジェクトがひと段落ついた2013年度末には、筆者のプロジェクトを手助けしてくれた研究者たちはロバート・アレンを除きすべて他大学や研究所に異動になることが決まっていた。テニュア取得前の若手研究者が多かったということもあるが、北米でのデジタル・ヒューマニティーズの勢いを実感した出来事であった。

CDHIは2017年まで教員・ポスドク・大学院生へのフェローシップ事業を行った。その間デジタル・ヒューマニティーズへの参入者も増え、フェローの専攻もさらに多岐にわたるようになった。アンドリュー・メロン財団によるファンディング期間の終了後、CDHIはカロライナ・デジタル・ヒューマニティーズという形に進化を遂げ、さらに多様なフェローシップ事業を展開している。そのうちの一つが（先ほど言及した）2016年から募集が始まったデジタル博士論文奨学金制度である。大学院生フェローは個人のデジタル・プロジェクトに従事する傍ら、DILからの指導やサポートが受けられる。また、将来的には博士論文の代替物としてデジタル・プロジェクトに取り組むことも可能である。もちろんこの制度を活用するには指導教員のほか、博士論文審査委員会の了承を得るなど所属研究科との調整が必要不可欠となる。しかしすでに2019年度には、UNCの人文学研究で初めて、デジタル博士論文で学位を取得する学生が現れている **[注11]**。

また、DILでは技術の向上も見られた。前号で紹介したDHプレスはプロスペクトというワードプレスのプラグインに発展した。プロスペクトは「ユーザー・フレンドリー、オープンソースで柔軟な」ビジュアリゼーション・ツールとして、マッピングのほか、タイムラインやギャラリーなど多様な機能を備えている **[注12]**。プロスペクトを使った具体的なプロジェクトとしては、『ネイムズ・イン・ブリック・アンド・ストーン』があげられる **[注13]**。これは2015年、UNCのパブリック・ヒストリーを受講した学部生・大学院生によって作成された大学史プロジェクトである。UNCはアメリカの公立大学でも最古の部類に入り、キャンパスに関連する豊富な史料を保持している。くしくも2010年代は、アメリカ各地、特に南部で大学における奴隷制や人種隔離の歴史をどう扱うべきか議論が再燃しており、デジタル・プロジェクトが大学の公共性や歴史認識論争に貢献した例の一つである。

DILは現在でもマッピング技術に一番の特色があるものの、3Dモデリングやオーラルヒストリーなど多様なプロジェクトの支援も行っている。また、毎週水曜日にはさまざまなツールのワークショップをインフォーマルな形で開催している。ノースカロライナ州内のさまざまなコミュニティー、大学とのコラボレーションも進んでおり、UNCでのデジタル・ヒューマニティーズ研究はこれからも多角的に発展すると思われる。

■6. おわりに

2013年度のCDHI大学院生フェロー・プログラムは研究のスコープや可能性を考える上で転換点であった。筆者の博士論文は結局のところ、デジタル博士論文とはいかず、叙述形式が中心となったが、それでも地図作成や地理空間分析などは議論や論証に欠かせないものになった。

当時はDILもCDHIも始動したばかりで、続々と機材の運び込まれるラボ内で運営側も学生側も双方が試行錯誤していた。余裕のないことも多かったが、いま振り返ればデジタル・ヒューマニティーズ教育・研究基盤作りに何が必要なのかを知る上で貴重な経験であった。

▶注

[1] "Our History," Carolina Digital Humanities | Digital Innovation Lab, accessed July 14, 2020, https://cdh.unc.edu/history/.

[2] "Going to the Show: Mapping Moviegoing in North Carolina," Documenting the American South, accessed July, 2020, http://gtts.oasis.unc.edu/.

[3] UNC ではウィルソン図書館が南部史料コレクションなどさまざまな貴重資料を保管している。21 世紀転換期にはこれら史料のデジタル化が「ドキュメンティング・ジ・アメリカン・サウス」(通称:DocSouth)などのプロジェクトにより進められた。「ゴーイング・トゥ・ザ・ショウ」も DocSouth の支援を受けて行われたものである。Documenting the American South, accessed July 14, 2020, https://docsouth.unc.edu/.

[4] "DH Press," Digital Innovation Lab, accessed July 14, 2020, http://digitalinnovation.web.unc.edu/projects/dhpress/.

[5] このプロジェクトは最終的に、2014 年 2 月ノースカロライナ州歴史博物館で "Cedars in the Pines: The Lebanese in North Carolina, 130 Years of History" 展の一部として公開された。

[6] The Fillmore Boys School in 1877: Racial Integration, Creoles of color and the End of Reconstruction in New Orleans, accessed January 31, 2019, https://fillmoreschool.web.unc.edu. プロジェクト・ウェブサイトは卒業後、下記のアドレスへ移管している。"The Fillmore Boys School in 1877," Mishio Yamanaka, accessed July 14, 2020, https://mishioyamanaka.com/fillmore-boys-school-project/. 本プロジェクトに関しては、山中美潮「アメリカ史研究とデジタル・ヒストリー」『立教アメリカン・スタディーズ』40 (March 2018): 21-25、も参照のこと。

[7] 自由黒人は奴隷制廃止以前より自由の身分にあったアフリカ系アメリカ人の総称である。彼らは白人層と黒人奴隷層の中間的存在であった。自由黒人に関する議論に関しては Ira Berlin, *Slaves without Masters: The Free Negro in the Antebellum South* (New York: Pantheon Books, 1974); Warren E. Milteer, Jr., *North Carolina's Free People of Color, 1715-1885* (Baton Rouge: Louisiana State University Press, 2020) を参照。

[8] "The Robinson Atlas," Clerk of Civil District Court for the Parish of Orleans, accessed July 14, 2020, http://www.orleanscivilclerk.com/robinson/.

[9] "The Fillmore Boys School in 1877," Mishio Yamanaka, accessed July 14, 2020, https://mishioyamanaka.com/fillmore-boys-school-project/.

[10] Mishio Yamanaka, "The Robinson Atlas, New Orleans (plates 6-9, 18, 19, 21-23)," ArcGIS Online, accessed July 14, 2020, https://www.arcgis.com/home/webmap/viewer.html?webmap=c73d9706934148a287f52693f4fec4b2&extent=-90.0804,29.9612,-90.0378,29.9818.

[11] 詳しくは "Programs," Carolina Digital Humanities | Digital Innovation Lab, accessed July 14, 2020, https://cdh.unc.edu/programs/ を参照。UNC における最初の人文系デジタル博士論文は、Charlotte Fryar, Reclaiming the University of the People, accessed July 14, 2020, https://uncofthepeople.com/.

[12] "Prospect: Data Visualization," Carolina Digital Humanities | Digital Innovation Lab, accessed July 14, 2020, https://cdh.unc.edu/spotlights/prospect/.

[13] Names in Brick and Stone: Histories from UNC's Built Landscape, accessed July 14, 2020, http://unchistory.web.unc.edu/.

第2部
時代から知る

序——古代

小川　潤

■1．デジタル技術を活用した古代研究への関心と評価

本章の対象は古代である。欧米におけるデジタル・ヒューマニティーズの発展に伴って、古代研究においても数多のデジタル・プロジェクトや研究が蓄積されてきた。それらの中には、本章でも登場するPerseus Digital Library（☞本章2、4）やDigital Loeb Classical Library（☞本章3）をはじめとするギリシア・ラテン語テクストコーパス、碑文やパピルスのデータベースといった学術基盤の構築、EpiDoc（https://sourceforge.net/p/epidoc/wiki/About/）のようなデータ構造化のための規格設計、Perseids Project（https://www.perseids.org/）やRecogito（https://recogito.pelagios.org/）、Papyri.info（http://papyri.info/）といった協働プラットフォームの構築など、実にさまざまな事例が含まれる。また近年では、言語学や歴史学、文学の分野において、デジタル技術を用いた言語・テクスト分析や社会ネットワーク分析などの個別具体的な研究が盛んに行われ、各分野のトップジャーナルにも掲載されるようになってきている。こうした事実は、デジタル技術を活用した古代研究への関心と評価が高まっていることを示している。

このように、デジタル・ヒューマニティーズの手法や成果は、古代研究のあらゆる領域に幅広く浸透しつつあるが、このことは、何ら意外な現象ではない。そもそも、デジタル・ヒューマニティーズという営みは、大まかにまとめてみても、データの構築・収集・分析・表現・公開・共有といったプロセスを包摂するものであり、そこに教育や研究評価などの問題も絡んでくることを考えれば、多分に複雑性と多様性を持つ分野であると言える。このことは、対象を古代研究に限ったとしても例外ではなく、今後も、さらにさまざまな領域で新たな試みがなされることになるだろう。

■2.「データの構築・整備」「データの共有・公開」の二つの論点

こうした複雑性と多様性を前提としつつ、本章では、「データの構築・整備」「データの共有・公開」の二つを主要な論点として提示したい。なぜこの二点かと言えば、古代研究におけるデジタル・ヒューマニティーズは、これらの点で特筆すべき成果をあげているように思われるからである。「データの構築・整備」の側面では、古代研究において中心的な役割を担うギリシア・ラテン語テクストのデジタル化が非常に早い時期から行われた。その理由としては、ギリシア・ラテン語文献に関する研究が19世紀以来大いに発展し、デジタル化のための豊富な材料を提供しえた点があげられる。また古代研究においては、古典文献はもちろん、碑文、パピルス、考古学遺物に至るまで幅広い資料が研究対象となるがゆえに、それぞれの資料に適した形でのデータ構築が求められるという点も、この分野における成果を豊かなものにしたと言えよう。そして、「データの共有・公開」に目を転じれば、Gregory Crane氏を中心として始まったライプツィヒ大学のOpen Philology Projectや、パピルス研究者間の協働プラットフォームであるPapyri.infoは特筆すべきものであるし、近年では、Linked Open Dataの構築・公開も進むなど、注目すべき点が多い。

■3. 具体化できる四つの要素

さて、上の二つの論点をさらに具体化すれば、＜テクストのデジタル化＞＜データの構造化＞＜オープン利用の実現＞＜幅広い協働＞という四つの要素を見いだすことができると考えている。そして、＜テクストのデジタル化＞＜データの構造化＞は「データの構築・整備」に、＜オープン利用の実現＞は「データの共有・公開」に関連し、＜幅広い協働＞は全体に関わる要素であると言えよう。これら四つの要素それぞれにおいて問題となるのは、以下のような点である。

＜テクストのデジタル化＞	デジタル化する資料の選択
＜データの構造化＞	個々の資料に即した構造化の必要性と、その際に用いる規格（共通/固有）の設定
＜オープン利用の実現＞	データ公開の範囲と対象者
＜幅広い協働＞	協働を可能にするプラットフォームやツールの構築

本章に収めた個々の論考において、これらの要素は必ずしも明確に区別されているわけではなく、むしろ複数の要素が絡まり合って記述されている。しかしながら、これらの要素を意識しながら各論考を読むことで、古代研究におけるデジタル・ヒューマニティーズが何を問題とし、それに対してどのような試みがなされてきたのか、その一端を知ることができるはずである。とはいえ、ここに収めた論考は、上の諸問題に対して明確な答えを提示するものでは必ずしもない。あくまで、これまでの試行錯誤とその成果を紹介するものであり、新たな試みはいまなお現在進行形で行われている。

■4．幅広い情報共有や教育活動

ここまで、研究活動そのものに関わる「データの構築・整備」「データの共有・公開」を軸にいくつかの論点を示してきた。加えて、これらの実践が研究活動のみならず、幅広い情報共有や教育活動にも焦点を当てている点に触れておきたい。まず、情報共有の場として特筆すべきは、Digital Classicist 主宰のセミナーであろう。このセミナーについては髙橋のレポート（☞本章 1）を一読していただきたいが、最近のコロナ禍にあっても、セミナーの様子を YouTube ライブで配信するなど活発な活動を行い、最先端の情報を発信している。他方、教育活動に目を向ければ、幅広く一般に向けても学びの機会を提供する試みとして、やはり Perseus Digital Library があげられよう。そこでは、古典語の知識がない、あるいは資史料へのアクセスが限られる状況にあっても、古典文献に触れ、学ぶことのできる環境を構築することが大きな目標とされている。この、徹底的なまでの「オープン」理念に支えられた試みの具体的な内容、そして何より、その壮大さについては吉川および小川によるペルセウスに関する記事（☞本章 2､4）を読めばつかめるはずである。また、研究活動に資する目的で開発されたツールの中には、古代研究に携わる若手研究者や学生の言語理解の促進、あるいは史料校訂・読解の訓練に役立ちうるものが存在する。これについては、Leiden+ や Arethusa についての論考（☞本章 5、6）が参考になるだろう。

■5．未来に向けての手掛かりに

このように、古代研究におけるデジタル・ヒューマニティーズの実践はいまや、研究活動の最前線から教育に至るまでさまざまな側面に浸透しつつあり、その多様性ゆえに全貌を把握することは決して容易ではない。また国内においては、古代研究に関わる欧米のデジタル・ヒューマニティーズ動向が十分に紹介されておらず、この点でも情報収集と実践における困難が付きまとう。こうした課題に対しては今後、海外における研究成果の翻訳や動向紹介という形で国内研究者がより積極的に携わっていく必要があり、筆者も可能な限りこれに貢献したいと考えている。そうした試みの第一歩として本章が、古代研究におけるデジタル・ヒューマニティーズの過去と現在を知り、そしてこれから未来に向けてどのように発展していくべきかを考える手掛かりになれば幸いである。

イベントレポート
Digital Classicist / ICS Work-in-progress seminar

2012-07-28
髙橋亮介

■1．古代ギリシア・ローマ研究のデジタル・ヒューマニティーズのセミナー

ロンドン大学古典学研究所（Institute of Classical Studies）では、夏期休暇中の6月から8月にかけての金曜日に、古代ギリシア・ローマ研究（西洋古典学）におけるデジタル・ヒューマニティーズのセミナーが開かれている。学期中に開かれる博士課程の院生による研究報告セミナー Work-in-progress seminar に対応して、Digital Classicist / ICS Work-in-progress seminar と呼ばれるこのセミナーは、進行中の研究、あるいは研究の端緒についたばかりのプロジェクトについての報告が行われ、活発な議論が交わされている。

古典学研究所の後援を受け、セミナーを組織するのは Gabriel Bodard 氏（King's College London【当時】）と Simon Mahony 氏（University College London【当時】）の二人を中心メンバーとする Digital Classicist［注1］であり、セミナーの始まった2006年以降の報告者とタイトルはウェブサイト［注2］で確認できる。さらに2008年以降の報告については、要旨と映写資料のみならず、報告と質疑応答の音声ファイル（MP3形式）にもアクセスが可能である。最近は Twitter 上でもハッシュタグ #digiclass を付してセミナーの状況が伝えられることがある。このように特徴的な記録の残し方をしている本セミナーであるが、成果の一部は紙媒体の論文集として書籍化される。刊行済みのものに、G. Bodard and S. Mahony (eds.), Digital Research in the Study of Classical Antiquity, Furham, 2010 があり、本セミナーでの報告をもとにした論文が含まれている。

■2．方法論や研究システムの構築

セミナーの内容は多岐にわたるが、地名や人名に関するデータベースの構築と運用、遺物・写本の画像処理やテキストの文字情報の処理の方法といっ

たように、個別研究よりは方法論や研究システムの構築に関わる報告が多いように思える。古代ギリシア・ローマ研究に限ったことではないが、(文字情報を伴う写本・金石文を含む) 物理的な遺物を扱い、その研究成果を紙媒体で蓄積してきた学問分野が、学術情報のデジタル化とコンピュータでの処理の可能性を模索している現状であれば、上述した内容の報告が多いこともうなずける。また研究の初期段階にあるテーマについて話されるので、質疑の内容は学術的あるいは技術的なものにとどまらず、プロジェクトの組織化や資金獲得の方法にまで及ぶことがあり、英国での研究事情の裏側をのぞくこともできる。

筆者は恒常的なセミナーの出席者ではないため、今年 (2012年) のセミナーの各回の内容を網羅的に紹介することはできない。そこで以下では、筆者がとりわけ興味深く拝聴した、7月6日の Charlotte Tupman 氏 (King's College London【当時】) の報告「Digital epigraphy beyond the Classical: creating (inter?) national standards for recording modern and early modern gravestones」(古典古代以降のデジタル碑文学：近現代の墓碑を記録するための国家 (国際的？) 規格化にむけて [注3]) を紹介したい。

■3. 墓碑の情報を EpiDoc でマークアップする

ギリシア・ラテン語碑文学とそのデジタル処理を専門とする報告者が今回取り上げたのは、英国における近現代 (16世紀以降) の墓碑である。現在英国に現存する墓碑の総数は不明であるが、10,000にも及ばんとする墓地の数からして相当数にのぼることは間違いない。墓地は行政の監督下にあるが、一つ一つの墓碑にまでは管理が行き届いているわけではなく保存状態が悪いものもある。そして古代の墓碑がそうであったように、今後墓碑は滅失していくであろう。膨大な点数を誇り、そして貴重な史料となりうる墓碑の情報は、どのように集められ、管理され、公開されるべきなのか。そして学術データベースとしてどのような活用の方法があるのか。このような課題に対して、古代ギリシア語・ラテン語碑文の情報をデジタル・データとして記録するために作られた EpiDoc [注4] というマークアップの方法を普及させることが有効ではないのかとの提案がなされた。

報告の中で指摘されたように、墓地が個別に記録を取っているケースがあり、個々の墓碑の写真や位置情報を記録したオンライン・データベース (例えば、http://billiongraves.com/）もすでに存在している。こうした団体・組織との協力関係の構築、データ化の際の煩雑さやコストを極力抑える必要性、誰がどのように実際の作業を行い、内容の質をどう保証するのか。このような問題が報告と質疑応答を通じて指摘された。さらに質疑応答の中では、祖先探しに関心を寄せる一般の人々の参加や、学校教育の一環（地域の歴史）に組み込むことによって、データの蒐集・入力者と利用者を同時に獲得できるのではないかとの指摘があり、また点数としては少ない戦争記念碑の記録の在り方を参考にできるのではないかとの提案もあった。このプロジェクトがどのような形で実現に向かうかはわからないというのが筆者の偽らざる印象であるが、古代ギリシア・ローマ研究が発展させた技術が、本来の領域を超えて活用される可能性を見いだせたことは大きな収穫であった。

▶注

[1] “The Digital Classicist,” The Digital Classicist, accessed July 15, 2020, http://www.digitalclassicist.org/.

[2] “Digital Classicist Seminars,” The Digital Classicist, accessed July 15, 2020, http://www.digitalclassicist.org/wip/.

[3] Charlotte Tupman, “Digital epigraphy beyond the Classical: creating (inter?)national standards for recording modern and early modern gravestones,” The Digital Classicist, accessed July 15, 2020, http://www.digitalclassicist.org/wip/wip2012-06ct.html.

[4] EpiDoc: Epigraphic Documents in TEI/XML, SourceForge, accessed July 15, 2020, http://epidoc.sourceforge.net/.

Perseus Digital Library

2014-03-27 ~ 2014-05-28

吉川　斉

Perseus Digital Library（https://www.perseus.tufts.edu/hopper/）は、米タフツ大学を拠点として運営・公開されている非営利の電子図書館である。現在は、古代ギリシア・ローマのギリシア語・ラテン語文献や図像資料、それらに関連する参考文献や辞書をはじめ、アラビア語文献、ルネサンス期の文献など、多種多様な資料が電子化され、ウェブベースで公開されている。本節は、Perseus Digital Library について、紹介する **[注 1]**。

■ 1．Perseus プロジェクトの歴史

まず、ウェブサイト上に掲載される略歴 **[注 2]** や更新履歴 **[注 3]** をもとに、それに多少肉付けする形で Perseus Digital Library の歴史を概観する。

現在のウェブサイトでは Perseus Digital Library と銘打たれるが、それを運営公開しているプロジェクトは、Perseus プロジェクトである。もともと Perseus プロジェクトは、古代ギリシア（主にアルカイック期から古典期）の文献および図像資料のデータベースを構築する計画として 1985 年秋から構想され、1987 年に始動した。当初、プロジェクトの拠点はハーバード大学だったが、1993 年の秋からタフツ大学へと移動し、種々の支援に支えられて現在に至る。プロジェクトの主幹は、構想当時からプロジェクトに関わる Gregory Crane 博士である（86 ～ 88 年は Co-Director 、88 年～ Editor in Chief)。プロジェクトの常勤スタッフは博士を含めて 9 名 **[注 4]**。なお、博士の経歴によると、1985 年から 1993 年まではハーバード大学所属（助教 85 ～ 89 年・准教授 89 ～ 93 年)、1992 年からはタフツ大学所属（助教 92 ～ 95 年・准教授 95 ～ 98 年・教授 98 年～）となっているため、プロジェクト拠点の移動もそれに関わるものと思われる。

現在の Perseus はウェブベースとなっているが、当初のプロジェクトの成

果は、Perseus 1.0（1992年）およびPerseus 2.0（1996年）として、CD-ROM媒体のMacintosh用ソフトウエアによって発表されている（イェール大学出版刊行）。Perseus 2.0を確認したところ、副題には“Interactive Sources and Studies on Ancient Greece”と付けられ、多くの図像資料や地図、参考資料とともに、28名の古代ギリシア作家の作品が英訳付で収録されており、また、Intermediate版のLiddell & Scott, *Greek-English Lexicon*（LSJ）が電子化されて収録された。電子化の利点を活かし、語彙の形態分析や用例検索、辞書検索、資料の検索や相互参照なども容易にできる点が特徴である。あるいは、むしろ、電子化資料の活用法の一例をPerseusプロジェクトが提示した、ともいえる（実行環境が手元にないため実際の動作確認まではできていないが、当時としては少々ぜいたくな環境が求められるソフトウエアである）。

Perseusの沿革を見ると、ウェブでの公開は、1995年に開始したようだ。1995年といえば、Windows 95の登場とも相まって、インターネットが一般に普及し始めたころである。まだ利用者の少ない世界だったが、Perseusプロジェクトは時代を先取りしてウェブ公開を始めたことになる。CD-ROM版Perseus 2.0の完成までは、ウェブサイトがPerseus 1.0以後のプロジェクトの公開の場となり、その後も、Windowsユーザーにとっては、Perseusの利用手段は基本的にはウェブサイトだった（後述する通り、Windowsでも利用可能となる、クロスプラットフォームなCD-ROM版Perseus 2.0は2000年3月にイェール大学出版から発売される）。

公開開始時のPerseusのウェブサイトは残念ながら未見だが、1997年以降の様子は部分的にInternet Archiveで確認することができる **[注5]**（冒頭で述べた通り、更新履歴は現在のPerseusのウェブサイトに残っている）。1997年1月の様子を確認してみると、当時多数あったウェブ評価サイトから各種の賞をもらっており（受賞報告ページもあり）、すでに評判のサイトであったことをうかがえる。1997年ごろには、例えばProject Gutenberg **[注6]**（発祥は1971年、ウェブ公開開始は1994年であり、Perseusよりも古い）や日本の青空文庫 **[注7]** といった、現在も続く電子図書館プロジェクトがすでにインターネット上でウェブサイトを運営し始めていたが、Perseusの特異性は、ただ文献を電子化して公開するだけにとどまらず、語彙データベースの構築や用例、辞書検索を含め、情報技術を用いた電子化データの活用法を自ら模索して、利用者に提示している点に見いだせる。

ところで、この時期のウェブサイトの表題はPerseus Project Home Pageであり、ページ下部にAn Evolving Digital Library on Ancient Greece and Romeとある。ページによってはウェブサイトをWeb Perseusと説明し、まだCD-ROM版Perseus 2.0と二本立ての状態だった。1997年1月時点では、CD-ROM版の方がウェブサイトの二倍近い図像資料を収録している一方、ウェブサイトでは1996年以降のプロジェクトの進展が反映されている。ギリシア語辞書ではFull版のLSJが利用可能になり、ギリシア語文献も複数追加されたほか、パピルス文献なども追加された（なお、パピルス文献は、現在はPerseusのコレクションから外れ、外部サイトに掲載されている **[注8]**）。

1997年前後の特筆すべき点としては、ギリシア語文献だけでなく、ラテン語文献やルネサンス期の文献についても電子化する計画が進んだことだろう。プロジェクトの射程が、古代ギリシアから古代ローマ世界、さらに先へと広がっていく。そして、1997年10月以降、電子化されたラテン語文献がウェブ上で公開され始めた。また、ウェブサイトのトップページが更新され、The Perseus Projectの副題としてAn Evolving Digital Libraryが強調されるようになる。なお、1999年ごろになると、ページ内部にPerseus Digital Libraryの表記も見られるようになっている。2000年ごろには、いくつかミラーサーバが立てられており、ウェブサイト利用者増大への対策が図られている。

また、同じ時期に、Perseus 2.0のクロスプラットフォームなソフトウエアの開発版が、ウェブサイト上で公開されている点も興味を惹く。開発版の仕様では、ソフトウエア開発にTcl/Tk（GUIツールを簡単に作成するためのスクリプティング環境）を使用し（そのため開発版はPerseus Tkと呼ばれている）、各種文献データや図像データ、検索結果などをインターネット上のPerseusサーバから取得する方式になっている。つまり、サーバのデータ利用のためのフロントエンドとして機能し、各OS向けに共通のインターフェースを提供するソフトウエアを目指していたようだ。この方式の場合、サーバのデータが充実したときに、CD-ROM版は過去のものとなる。1998年9月にベータ版のテストに入っているが、その時点ですでにCD-ROM版を超えるデータがサーバ上にあり、インターネット接続さえできれば、それらを利用可能な状態になっていた。2000年3月にイェール大学出版からクロスプラットフォームなCD-ROM版Perseus 2.0が発売されたころには（収録データには1996年以降の更新も反映される)、ネット環境の充実とともに、オフラインで利用可能という点を除いて、CD-ROM版の意義は相対的に低くなった。さらにいえば、ソフトウエアで扱うデータはギリシア語関連文献のみであり、すでにラテン語文献を公開し始めていたウェブサイトとの差も大きくなっていた。

2000年11月、Perseusプロジェクトはウェブサイトの大規模更新を実施し、いくつかのコレクションを追加して、Perseus 3.0へとバージョンアップした。幅広い原典資料を可能な限り広範な人々に参照可能な状態にすること(accessibilityの向上など)を目標に掲げ、情報技術を用いて人文学研究の新しい地平を開くことを目指す試行の場となる。サイトのタイトルはPerseus Digital Libraryへと変更され、専用のソフトウエアを必要としない、完全にウェブベースなオンラインデジタル図書館へと姿を変えた。Perseus 3.0のころから、各種原典資料だけでなく、注釈書や参考文献、文法書なども次々と追加されていく(一方、当時は、サーバの性能や回線速度の問題か、データ表示に時間がかかることが多々あり、あるいはサーバメンテナンスのためにPerseusがしばしば使用不能になっていた。これはオンラインの弱点ともいえそうだ)。

2005年5月末、現行のバージョンである、Perseus 4.0(通称"Perseus Hopper")が公開された。バックエンドにJavaを採用(それまでは主にPerlを用いていた)、また、W3C勧告のウェブ標準仕様に準拠したウェブサイトへと更新される。バックエンド変更による処理速度およびシステムの汎用性の向上が要点だが、当時広まりつつあったウェブ標準仕様に準拠して、OSやブラウザを選ばないウェブサイト構築を意識した点も注目すべき点といえる。また、各文献データについて、TEIに準拠したXML化も進行し、データの可搬性や利便性向上が図られている。以降も、サーバプログラムの更新や改良、各種文献の追加や整理、データのXML化が随時進められていくが、目新しいものとしては、2008年3月にPerseus 4.0に対応したルネサンス期文献コレクションが、2008年9月にはアラビア語文献コレクションが公開されている。

一方、2006年5月に、それまで作成されたXMLデータがCreative Commons Attribution-NonCommercial-ShareAlike(著作権者表示、非営利、ライセンス継承)の下でダウンロード可能になる。さらに、翌年2007年11月には、Hopperプログラム本体のソースコードが同ライセンスの下に公開され、ウェブサイトからダウンロード可能になる。これによって、Peuseusの利用者は、自身の環境にPerseus 4.0を構築できるようになり、状況に応じて利用者自身の手でプログラムを改良することもできるようになった。なお、2008年5月にプログラムのソースコードはSourceforge（ソースコードを共有するためのサイトの一つ）上に移されている[注9]。また、2012年12月には、XMLデータのライセンスがCreative Commons Attribution-ShareAlike（著作権者表示、ライセンス継承）に変更され、適切な扱いの下での商用利用も可能となっている。

近年のPerseusの展開について、筆者は「オープン」Openが一つのキーワードであると考えるが、それはさておき、特にここ数年のPerseusは、ギリシア・ローマの古典作品の枠にとどまらず、それまで培った経験をもとに、より積極的に情報技術と人文学の連携の在り方を探求しているように見える。2014年3月にタフツ大学のウェブサイトに掲載された大学紹介の記事にCrane教授が登場し、情報技術と人文学の連携の先にあるものについて、それは"the digital humanities"ではなく"the humanities in a digital age"であると述べるが[注10]、これは現在のPerseus Digital Libraryが展望する世界を示すものと言ってもよいかもしれない。

■2．Perseusでホメロス『イリアス』を読む

前節で述べた通り、Perseus Digital Libraryは、古代ギリシア・ローマの文献を収めた電子図書館である。本節は、西洋文学の古典中の古典、ホメロス『イリアス』を例にとって、Perseus Digital Libraryの機能を簡単に紹介する。

■2-1．準備

まずは、ギリシア語のホメロス『イリアス』のページまでたどってみよう。はじめにPerseus Digital Library（https://www.perseus.tufts.edu/hopper/）にアクセスする。Digital Libraryの文字列は目に付くが、「電子図書館」とはわかりにくい見た目である。各種文献を読む場合、ページ上部のメニューにある「Collections/Texts」をクリックする【図1】。

古代ギリシア・ローマの文献を読む場合は、「Collections/Texts」ページに進み、さらにページ上部の「Greek and Roman Materials」をたどる【図2】。

右側のコラムには、各コレクションに含まれる語彙数が表示されている。

近代の英語文献を除けば、Classicsが圧倒的に多いことがわかる。また、以前Perseusに含まれていたコレクションで、現在は外部に移されているものは、「External Collections」としてページ下部に記載されている。

各コレクションのページでは、基本的に著者別に作品がまとめられている。作品が複数ある著者については、初めは作品リストが閉じられていることがある。その場合、著者名左の▶をクリックして、リストを展開する。ホメロスの場合、作品リストを展開すると**【図3】**のようになる。

『イリアス』の場合、「Iliad. (Greek)」からギリシア語版、「Iliad. (English)」から英語版を読むことができる（現在、英語版は2種含まれている）。なお、トップページ（に限らないが、ページ）右上の検索欄で「Homer」と入力して検索すると、ホメロス関係の所蔵作品リストを得られる。目的がはっきりしている場合は、検索の方が早いかもしれない**【図4】**。

ともかくも、これで『イリアス』を読む準備が整った（URLは以下の通り）
https://www.perseus.tufts.edu/hopper/text?doc=Perseus:text:1999.01.0133

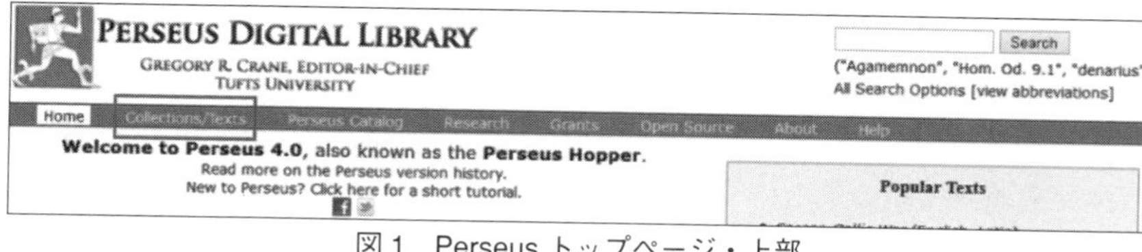

図1　Perseusトップページ・上部

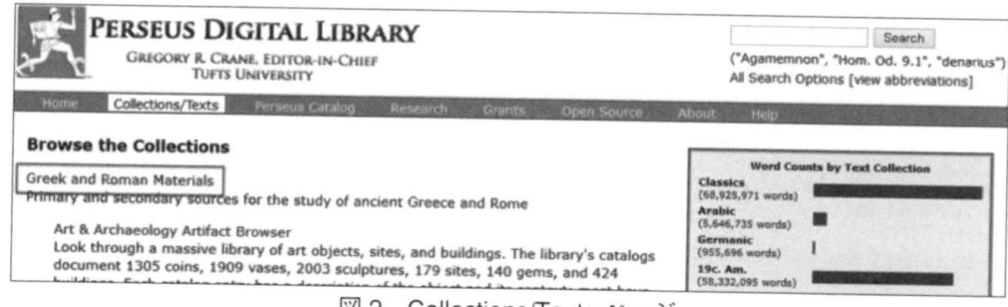

図2　Collections/Textsページ

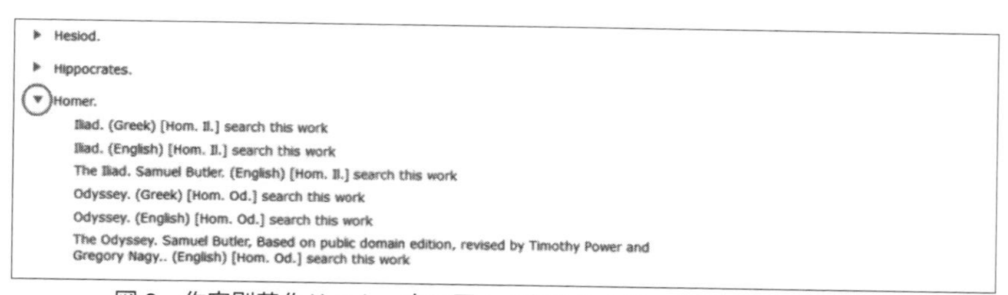

図3　作家別著作リスト。丸で囲んだ部分をクリックしてリストを展開

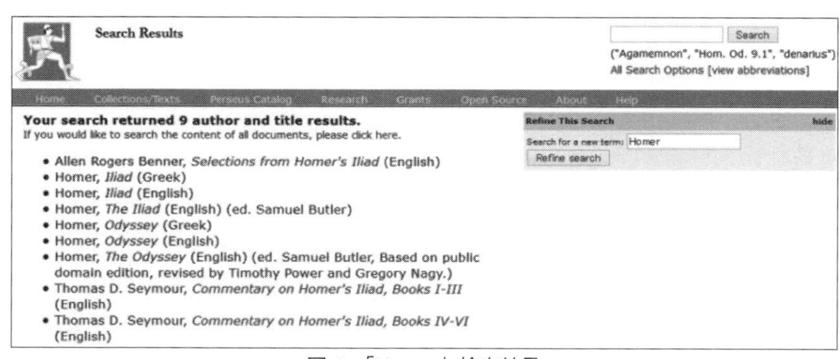

図４ 「Homer」検索結果

■2-2．本文を読む

さて、それでは実際に『イリアス』冒頭の画面を見てみよう【図５】。

ページのメインコラムにギリシア語の本文が表示され、右コラムに、各種関連文献やツールが表示される。ページ上部には「browse bar」が表示されており、「book」から『イリアス』全24巻の各巻へ跳ぶことができる。また、「card」は、1ページで表示される本文のブロックである（ここでは第一巻内部の区分）。「card」の番号は、そのブロックの開始行番号に対応する。現在自分が参照している箇所は青色で表示され、作品全体の中での位置を視覚的に把握できるようになっている（「hide」で「browse bar」を隠すこともできる）。

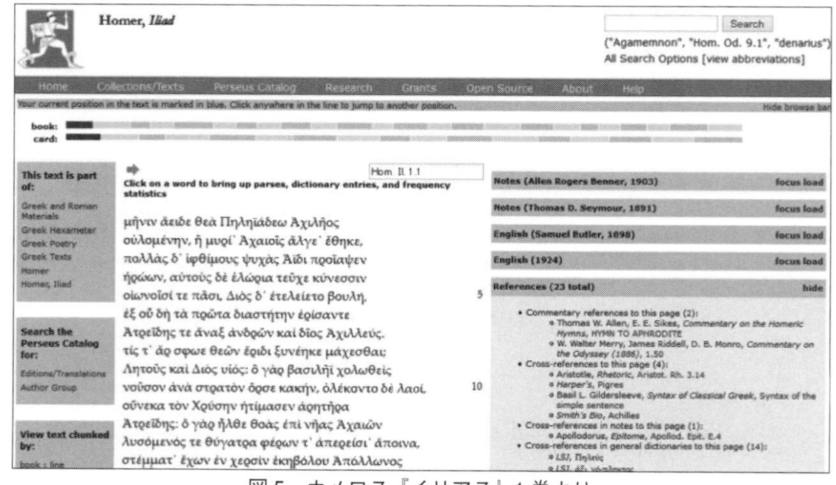

図５ ホメロス『イリアス』１巻より

■2-2-1．右コラム

右コラムについては、例えば「English (1924)」の部分で、「load」をクリックすると、【図6】のようにギリシア語表示部に対応する部分の英訳が読み込まれる。同一画面に表示されるため、対訳本を眺めるような読み方も可能である。「hide」をクリックすると再び隠れる（一度読み込んだ後は「load」が「show」に変わる。「show」で再表示）。「focus」をクリックした場合は、ギリシア語ページから移動して英訳ページを表示する。また、「Notes (Allen Rogers Benner, 1903)」や「Notes (Thomas D. Symour, 1891)」は、ギリシア語本文に対する注釈である。「load」すると、英訳同様に読み込まれる【図7】。

Perseusの特徴の一つとして、内部の文献との相互参照が容易である点を挙げられる。図7の注釈中でウェルギリウス『アエネイス』1.4への言及があるが、その部分のリンクからPerseusに所蔵される『アエネイス』原文の該当箇所を参照することができる。そのほか、右コラム本文で青色になっている部分はそれぞれ各種文献の該当箇所や語彙分析ツールへのリンクである。本文と関係する箇所としては、「References」欄も参考になる。

以前のPerseusにおいても、ウェブ上で『イリアス』原文を読むことはできた。しかし、例えばそこから英訳や注釈を読もうとした場合、ページ遷移（あるいは新しいウィンドウ）が必要だった。現在は関連文献を右コラムで動的に読み込み可能になったため、一画面で複数の文献を参照できるようになり、以前に比べて利便性が格段に上がっている。そして また、そうした利便性

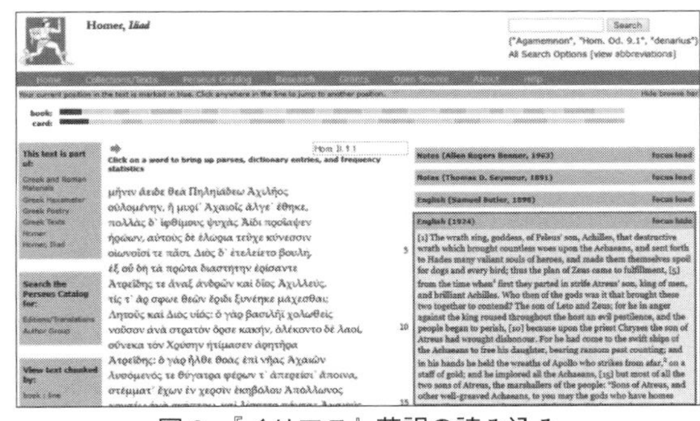

図6　『イリアス』英訳の読み込み

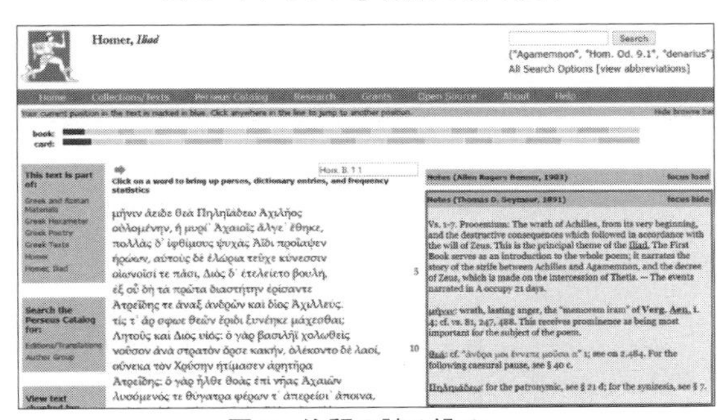

図7　注釈の読み込み

の向上が、ウェブ技術の向上と相まって、ユーザー側に特別な負担を強いることなく実現されている点も評価すべきだろう（Perseusプロジェクトが、積極的に新しい技術を導入してきた結果ともいえる）。

■2-2-2．語彙分析ツール

次は、ギリシア語本文部分に注目する【図8】。参考までに、冒頭2行の日本語訳を示しておく。

> 怒りを歌え、女神よ、ペーレウスの子アキレウスの、
> おぞましいその怒りこそ　数限りない苦しみを　アカイア人らにかつは与え、（呉茂一訳）

見た目ではわからないが、本文部分の単語一つ一つがリンクになっている。一番冒頭のμῆνινをクリックすると、【図9】の画面が開く（新ウィンドウまたは新タブ）。

Perseusの要として、強力な語彙分析ツールの存在があり、ギリシア語・ラテン語・アラビア語など、Perseusに含まれる文献の各言語について、語彙の形態分析、見出し語や文献内での該当語彙の使用率、辞書的語義の確認等を容易に行える。本文部分の単語一つ一つのリンクは、この語彙分析ツールへのリンクである。

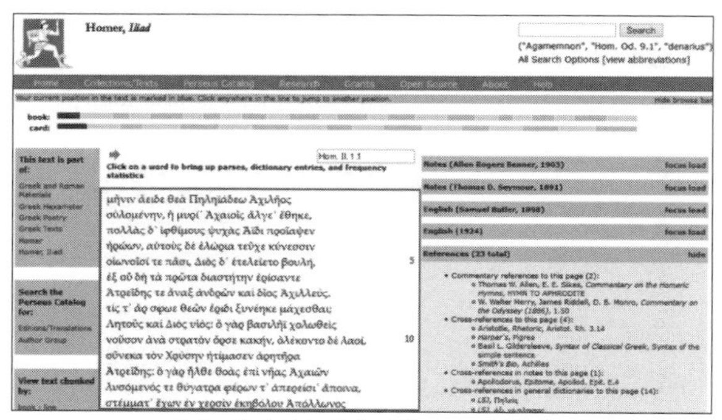

図8　『イリアス』ギリシア語本文

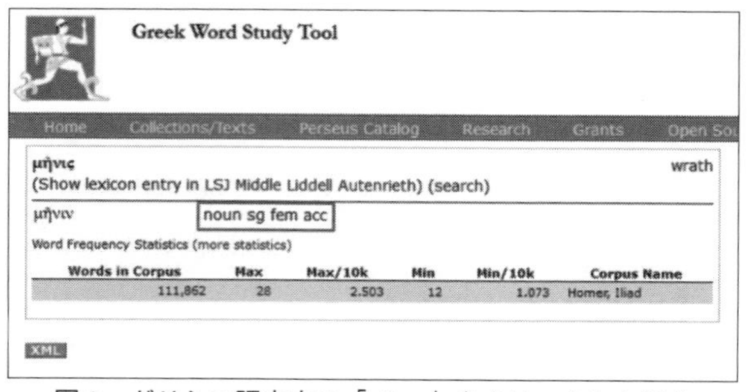

図9　ギリシア語本文の「μῆνιν」をクリックした場合

「μῆνιν」の場合、女性名詞「μῆνις」の「単数・対格」であることが示される（枠で示した箇所）。また、代表的な語義は右上に「wrath」と示されている。従って、「μῆνιν」は日本語訳の「怒りを」に相当する語彙であることがわかる。ギリシア語やラテン語を学習する際、語彙の形態変化を把握することは非常に重要であるが、この語彙分析ツールはそのための手掛かりとなる（が、後述する通り、完全なものではない）。

「Show lexicon entry」の欄で辞書名をクリックすると、各辞書における語義が表示される。ホメロス作品の場合は、3種のギリシア語辞書が利用可能となっている。

例えば、**【図10】**の枠で囲んだ箇所の「LSJ」をクリックすると、Liddell & Scott, *A Greek-English Lexicon* における「μῆνις」の語義が下部に表示される。さらに、その語義の中でも相互参照が有効になっており、机に本を積まずとも、文献同士が容易につながっていく。

また、「Word Frequency statistics」の「Max」の部分の数字をクリックすると、作品内での

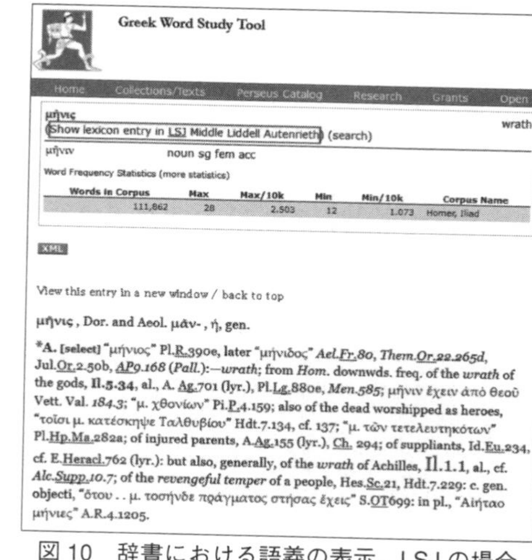

図10　辞書における語義の表示。LSJの場合

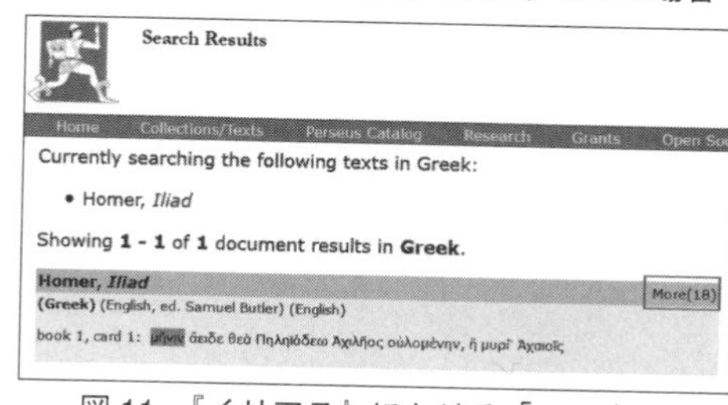

図11　『イリアス』における「μῆνις」の用例リスト

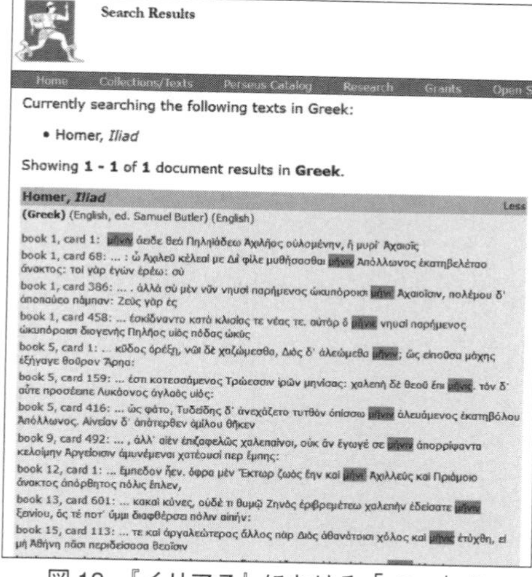

図12　『イリアス』における「μῆνις」の用例リスト・展開後

該当語彙（ここでは『イリアス』における「μῆνις」）の用例一覧が得られる**【図11】**。枠で示した「More（18）」の部分をクリックするとリストが展開され**【図12】**、『イリアス』における「μῆνις」の用例として、全部で18例が表示される。その一方で、この例では、「μῆνις」の変化形ではない、似た綴りの別の語彙もリストに含まれてしまっているため、最終的な判断は利用者が行う必要がある。（ちなみに、ほかの用例検索ツールを用いたところ、『イリアス』における「μῆνις」の使用例は15例程度のようである）。

次に、ギリシア語本文の「Πηληϊάδεω」を調べてみる。日本語訳でいう「ペーレウスの子」にあたる語彙である。結果は**【図13】**の通り。「μῆνιν」の例と異なり、語彙分析ツールで該当する情報が見つからない（ただし、「Πηληϊάδεω」に関しては、右コラムで読み込み可能な注釈の中に説明が見られる）。

Perseusの語彙分析ツールでは、コンピュータによる自動的・機械的な語彙の形態判定機能の実現に取り組んでいる。語彙が使用される文脈などを統計的に評価し、語彙の形態の候補を表示するだけでなく、語彙の形態の判定までを機械的に可能にしようとする興味深い試みである。最初に挙げた「μῆνιν」はほかに候補がなく、判定が容易なものだったが、もっと複雑な用例もある。以下、ギリシア語本文2行目の「μυρί'」「ἄλγε'」を例に、その実態を確認する**【図14】**。

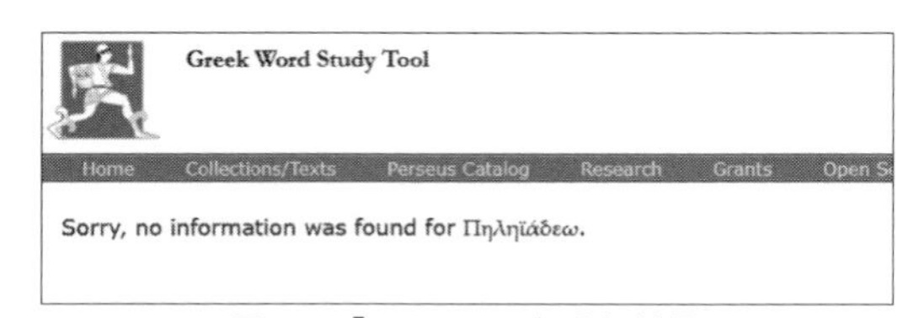

図13 「Πηληϊάδεω」分析結果

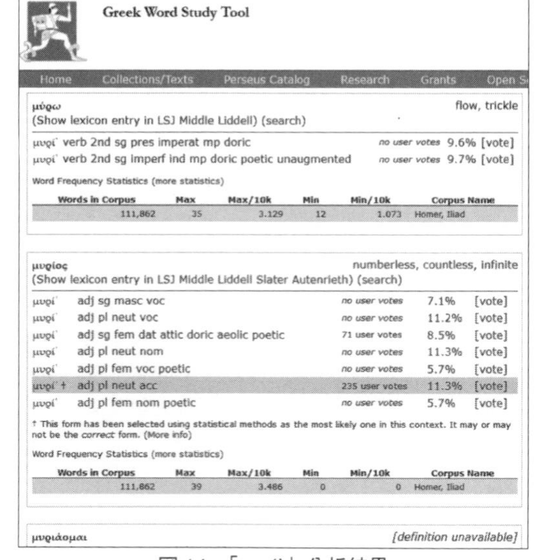

図14 「μυρί'」分析結果

まずは「μυρί'」だが、全部で12の候補が表示される。そして、画面上でピンク色で示される列が、Perseusの語彙分析ツールによって判定された語彙の形態である。ほかの語彙分析ツールの場合、候補が羅列されるだけのことが多いが、Perseusでは一歩進んで判断を示す。なお、「μυρί'」は形容詞「μυρίος」の「複数・中性・対格」と判定されているが、これは正解である。日本語訳では「数限りない」に該当する語彙である。

とはいえ、「It may or may not be the correct form」と注意書きされている通り、機械判定はまだ確度が高いものではない。

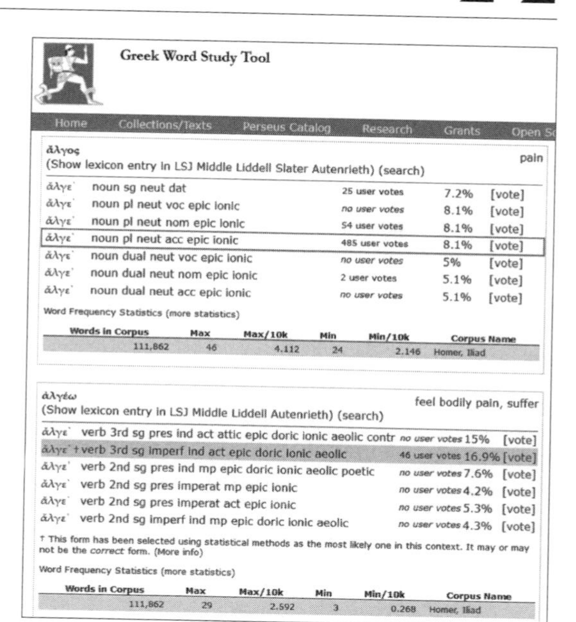

図15 「ἄλγε'」分析結果

「ἄλγε'」の分析結果は【図15】の通り。Perseusの語彙分析ツールの評価では動詞「ἀλγέω」の「三人称・単数・未完了過去・直説法・能動態」の特殊形として判定されているが、これは誤りである。正しくは枠で囲んだ部分、中性名詞「ἄλγος」の「複数・対格」の特殊形。日本語訳では「苦しみを」に対応する語彙であり、形容詞「μυρί'」の被修飾語である。つまり両者あわせて「数限りない苦しみを」ということになる。

古典ギリシア語において、形容詞は修飾する名詞と性・数・格が一致する。形容詞「μυρί'」の判定は正しいわけだから、「μυρί'」の被修飾語である名詞「ἄλγε'」の判定が誤っている点を考えると、機械判定にはまだまだ改善の余地があるように見える（なお、「More info」の部分から、判定の基準を見ることができる。単語間の修飾 - 被修飾の関係などは現状では読み込まれていないようだが、将来的には評価基準に含まれるようになるかもしれない）。

こうした機械判定の不備を補うため、Perseusの語彙分析ツールがしばらく実験していた興味深い試みが「ユーザー投票」である（現在は投票できない）。利用者が正しいと考える形態を「投票」してもらう仕組みである。期間中、各候補の右端にある［vote］をクリックすることで投票できた。機械判定に対して、人の手による判断を集計していたわけである。「ἄλγε᾽」の例で見ると、機械判定と異なり、正しい形が最多得票となっている。このあたりの評価の相違は、今後機械判定の精度を上げるために利用されていくものと思われる。

しかし、この投票システムにも問題がないわけではない。誤った形にも一定数の投票が見られるためである。結果として最多得票の語形判定が正しいという場合が多そうだが、語彙の形態の正誤は多数決で決まる性質のものでもないため、注意が必要である。投票のぶれはPerseus利用者の古典語に対する理解度を示すものともいえる。Perseusは誰でも利用可能なサイトであるため、さまざまなレベルの利用者が混在している。「ユーザー投票」はPerseusのようなサイトだからこそ可能な興味深い取り組みではあるが、その一方で、有象無象の利用者状況の中で、いかに情報の精度を担保していくかという点は、これから課題となるだろう。

こうしてみると、Perseusの語彙分析ツールは非常に便利なツールではあるが、現状で提示される答えは完全なものというわけではないので、使いこなすためにはやはり一定水準の古典語の知識が求められることになる。

■3. Perseusの電子化データ

前節では、Perseusでの作品の読み方を、ホメロス『イリアス』を題材に紹介した。作品を読む場合、ウェブブラウザに「表示されたもの」を読むことになるが、Perseusでは、はじめから表示通りのページが用意されているわけではない。注釈や翻訳など複数の文献が同一ページに読み込まれることからもわかる通り、各文献のデータファイルは個別に作成されており、リクエストに従ってそれらが組み合わされ、ページが動的に構成されている。本節は、そうしたPerseusのデータに注目しつつ、いわば表示とその裏側をめぐる話題を中心に、簡単に紹介する。

さて、PerseusがCreative Commons Attribution-ShareAlikeの下で各種文献の電子化データ（XMLデータ）を公開していることはすでに記した。これは、見方を変えると、Perseusが基本的に「公開可能」な文献を電子化しているということを意味している。そのような公開可能な文献というと、一般的には、著作権の切れた文献か、著作権者に承諾を得た文献に大別されると考えられるが、Perseusも例にもれず、両者を含んでいる。

Perseusがプロジェクトの当初に電子化を進めた文献は、現在ハーバード大学出版局から刊行されているLoeb Classical Library（LCL）に含まれる作品を中心としていた。LCLは1911年に創始された古代ギリシア・ローマの古典作品の古典語 - 英語対訳本シリーズである。当初のPerseusはその中から利用可能な古代ギリシア語作品を選んで、原典テキストおよび翻訳を電子化した（なお、はじめはデータの記述にSGMLを用いていたようである）。CD-ROM版Perseusに含まれる作品データはそうして準備されたものが利用され、Perseusがウェブベースになった後も、データは引き継がれている。

前節で、原典テキストの右コラムに英文訳や注釈等も表示されることを述べたが、そこで挙げられているものは19世紀末から20世紀初頭のものである。また、現行のPerseusのホメロス『イリアス』をみてみると、ギリシア語原典テキストには定評のあるOCT版（Oxford Classical Text）が利用されており、翻訳にはLCL版やほかのものが付されている（OCT版は1920年刊行のものと記される。同じホメロスの『オデュッセイア』については、ギリシア語原典テキストも1919年刊行のLCL版）。最近のPerseusでは、LCL以外の校訂本を元に電子化された作品も増えているが、LCL版を利用した場合と異なり、原典テキストのみで英訳等が存在しないこともある。

ざっと見渡してみると、Perseusでは、古典語の文法書や辞書など、原典テキストや翻訳以外にも種々の文献が電子化されて公開されているが、その多くは著作権の切れた文献である。従って、校訂テキストを含め、注釈書などにしても、最新の研究を参照できるわけでない点には注意が必要である。そうした文献の良しあしは一概にはいえないが、この点はPerseus（や同種のサイト）の一つの制約とみることもできる（なお、Perseusの著作権関連ページを確認すると、一部のテキストは出版社や著者の承諾を得て使用しているそうである **[注11]**。完全には確認できていないが、そうした作品のXMLデータはダウンロード可能になっていない場合もあるようだ）。

すでに述べた通り、Perseusプロジェクトは1980年代後半に始まり、1990年代半ばにはウェブサイトでの公開を始めている。古代ギリシアの作品を電子化するにあたって、一つの問題は、気息記号やアクセント付のギリシア文字（polytonic Greek）の扱いである。いまでこそUnicodeの恩恵で文字の扱いが簡単になり、記号付き文字を直接入力することも可能になっているが、プロジェクト開始当初はまだそうした仕組みは整っていなかった。

古代ギリシアの作品を電子化する試みはPerseus以前からすでに行われており、1970年代前半には、ギリシア語文献の電子化を進めるTLG（Thesaurus Linguae Graecae）プロジェクトが開始された［注12］。その中で、TLGの表示、検索システムの開発を率いていたDavid Woodley Packardによって、Beta Codeと呼ばれる、ASCII文字のみでアクセントや気息記号まで表記するための入力規則が開発され、1981年にTLGのギリシア語入力法として採用された。そして、Perseusプロジェクトも、ギリシア語文献の電子化にあたって、このBeta Codeを採用する（ただし、基本的には、TLGではすべて大文字、Perseusは小文字での入力である。原則として各文字はギリシア語小文字として扱われ、ギリシア語大文字を表記する際はその文字の前に*をつける。【図16】参照）。

Beta Codeで入力されたデータは、ウェブブラウザ等で表示される際に、Beta Codeから利用者のシステムに適合する形に変換されて表示される。

現在はUnicode（UTF-8等）が利用可能となり、ほぼ環境を選ばない状況ができているが、それ以前は、記号付きギリシア文字を表示するためには、特定のフォントを指定するなど特殊な手順が必要となっていたうえ、手法ごとに入力規則が異なっており、ある環境で作成したデータは、それと同種の環境でしか表示できない（あるいは表示するためには手間がかかる）という問題があった。それに対して、ASCII文字のみで規格化されたBeta Codeによって内部の文献データを記述することで、データの入力と出力が切り分けられる。一定の規則に基づいて記述されるのであれば、内部のデータと画面表示が一致している必要はなく、利用者の画面での記号付きギリシア文字の表示は「見せ方」（出力）の処理の問題となる。

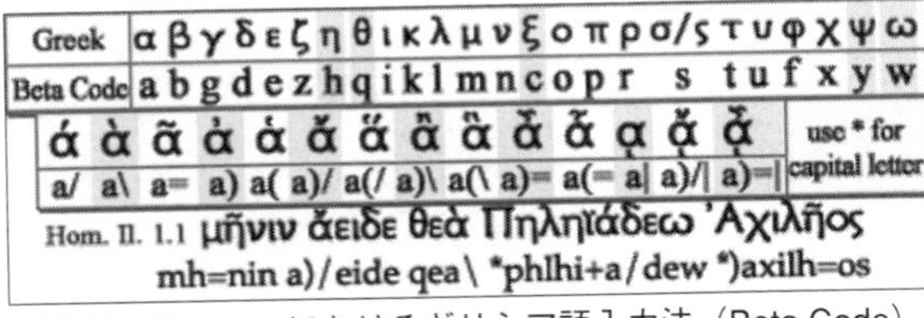

図16　Perseusにおけるギリシア語入力法（Beta Code）

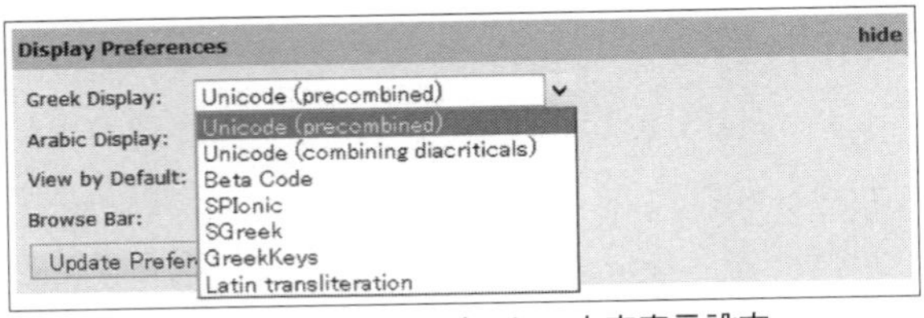

図17　Perseusのギリシア文字表示設定

現在のPerseusでは、ギリシア文字の表示方法について、各ページ右コラムに表示される設定欄（Display Preferences）から、環境にあわせて利用者自身が設定できる。今日の一般的なPC環境であれば、「Unicode (precombined)」で問題ない。【図17】のリストのSPIonicなどは、Unicode以前の表示法の名残ともいえるものである。

Unicodeを用いれば、記号付きギリシア文字を直接指定して入力することが可能である。つまり、入力と出力を共通化する形で内部のデータを蓄積し処理することができる。しかも、ギリシア語に限らず、多言語を共存させることも可能になる。しかしながら、Perseusのウェブサイトは Unicodeに対応済みとなってはいるものの、Perseusのシステム内部では、ギリシア語を処理する際はBeta Codeを用いているようである。

Perseusのギリシア語原文において、それぞれの語彙から語彙分析ツールへのリンクが張られていることは前述の通りだが、例えば『イリアス』冒頭の「μῆνιν」を例にとると、そのリンクのURIは【図18】[注13] のようになっている。つまり、「μῆνιν」が分析プログラムに引き渡される際に「mh=nin」と記述されており、Beta Codeが利用されていることがわかる。また、語彙の分析結果ページでは、【図19】のように右コラム上部に検索ボックスが表示されるが、ここでも表記はBeta Codeである。

ちなみに、検索欄にUnicodeで「μῆνιν」と入力しても検索可能だが、結果表示後の検索欄は【図19】と同じになる。つまり、内部でUnicodeからBeta Codeへの変換が行われているわけである（このあたりの処理については、公開されているプログラムのソースコードをきちんと読めば明確になるが、筆者はそこまで確認できていないため、ここでの話は実際の動作からの推測である）。

Unicodeは利便性の高いコード体系ではあるが、各種プログラムやシステムの対応状況はまちまちといえる。Unicode対応が完全ではない場合、Unicodeで記述されたデータの取り扱いに困難をきたす。それに対して、ASCII文字のみで記述されるBeta Codeの場合、基本的にどのようなプログラムやシステムでも処理できる。このような、環境に依存しない汎用性

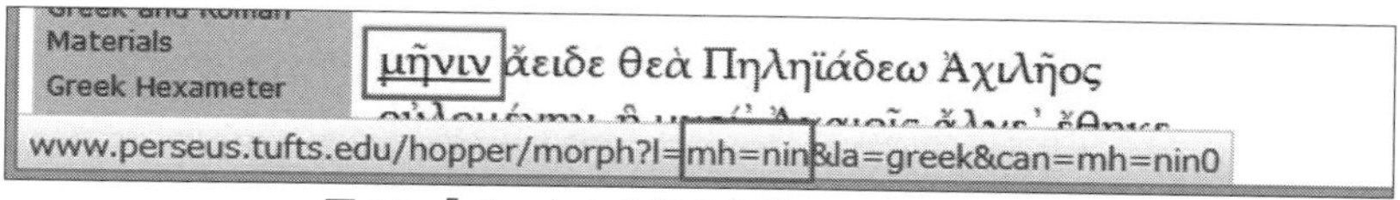

図18 「μῆνιν」から語彙分析ツールへのリンク

図19 「μῆνιν」分析結果ページの右コラム検索ボックス

は、Beta Code の大きな特徴であり、現在なお利用される一つの要因であろうと考えられる。なお、今後 Unicode がさらに一般化し、各種データの Unicode 化が進む場合も、基本的には現在の Beta Code から変換するだけで済むため、大きなコストはかからないものと思われる。

ところで、現在の Perseus は各文献データを TEI/XML（以下 XML とのみ表記）を用いて構造化している。本節で全体を扱うことは難しいため、ホメロス『イリアス』冒頭の本文部分を中心に、データと画面表示について簡単に触れておきたい（文字のエンコードに対して、文献のエンコードともいえるかもしれない）。

各文献について、そのページで表示されている部分の XML データは、各ページの本文下部にある XML リンクから確認できる。ホメロス『イリアス』冒頭について、XML データを確認すると、**【図 20】**のように表示される（データの階層的表示はブラウザによって整形されたもの）。

```
- <TEI.2>
  - <text>
    - <body>
      - <div1 type="Book" n="1" org="uniform" sample="complete">
          <milestone ed="p" n="1" unit="card"/>
        - <l>
            <milestone ed="P" unit="para"/>
            μῆνιν ἄειδε θεὰ Πηληϊάδεω Ἀχιλῆος
          </l>
          <l>οὐλομένην, ἣ μυρί' Ἀχαιοῖς ἄλγε' ἔθηκε,</l>
          <l>πολλὰς δ' ἰφθίμους ψυχὰς Ἄϊδι προΐαψεν</l>
          <l>ἡρώων, αὐτοὺς δὲ ἑλώρια τεῦχε κύνεσσιν</l>
          <l n="5">οἰωνοῖσί τε πᾶσι, Διὸς δ' ἐτελείετο βουλή,</l>
          <l>ἐξ οὗ δὴ τὰ πρῶτα διαστήτην ἐρίσαντε</l>
          <l>Ἀτρεΐδης τε ἄναξ ἀνδρῶν καὶ δῖος Ἀχιλλεύς.</l>
        - <l>
            <milestone ed="P" unit="Para"/>
            τίς τ' ἄρ σφωε θεῶν ἔριδι ξυνέηκε μάχεσθαι;
          </l>
          <l>Λητοῦς καὶ Διὸς υἱός: ὃ γὰρ βασιλῆϊ χολωθεὶς</l>
          <l n="10">νοῦσον ἀνὰ στρατὸν ὄρσε κακήν, ὀλέκοντο δὲ λαοί,</l>
          <l>οὕνεκα τὸν Χρύσην ἠτίμασεν ἀρητῆρα</l>
          <l>Ἀτρεΐδης: ὃ γὰρ ἦλθε θοὰς ἐπὶ νῆας Ἀχαιῶν</l>
          <l>λυσόμενός τε θύγατρα φέρων τ' ἀπερείσι' ἄποινα,</l>
```

図 20　ホメロス『イリアス』冒頭・本文 XML データ

μῆνιν ἄειδε θεὰ Πηληϊάδεω Ἀχιλῆος
οὐλομένην, ἣ μυρί᾽ Ἀχαιοῖς ἄλγε᾽ ἔθηκε,
πολλὰς δ᾽ ἰφθίμους ψυχὰς Ἄϊδι προΐαψεν
ἡρώων, αὐτοὺς δὲ ἑλώρια τεῦχε κύνεσσιν
οἰωνοῖσί τε πᾶσι, Διὸς δ᾽ ἐτελείετο βουλή,　5
ἐξ οὗ δὴ τὰ πρῶτα διαστήτην ἐρίσαντε
Ἀτρεΐδης τε ἄναξ ἀνδρῶν καὶ δῖος Ἀχιλλεύς.
τίς τ᾽ ἄρ σφωε θεῶν ἔριδι ξυνέηκε μάχεσθαι;
Λητοῦς καὶ Διὸς υἱός: ὃ γὰρ βασιλῆϊ χολωθεὶς
νοῦσον ἀνὰ στρατὸν ὄρσε κακήν, ὀλέκοντο δὲ λαοί,　10
οὕνεκα τὸν Χρύσην ἠτίμασεν ἀρητῆρα
Ἀτρεΐδης: ὃ γὰρ ἦλθε θοὰς ἐπὶ νῆας Ἀχαιῶν
λυσόμενός τε θύγατρα φέρων τ᾽ ἀπερείσι᾽ ἄποινα,

図 21　ホメロス『イリアス』冒頭・本文表示

ここでは Unicode のギリシア文字が表示されているが、これは表示設定を Unicode（precombined）としてページを表示したうえで XML データを表示しているためである。後で確認するが、元の XML データファイルでは Beta Code が用いられている。

この XML データが整形されて、通常表示される画面となる**【図 21】**。

XML データにおいては、詩行が 1 行ずつ <l></l> タグで囲まれ、5 行ごとに <l n="5"> などとして行番号が付されている。そうした情報を元に、実際の本文表示では、行番号が右側に表示される。「book」や「card」

の情報なども、XML データの中に埋め込まれている。一方、XML データでは記述されないが、本文表示の際には、ギリシア語の各語彙に対して Perseus のシステムによって自動的に語彙分析ツールへのリンクが生成される。

あわせて、右コラムの注釈部分も XML データを確認しておく。注釈は英語とギリシア語などが混在した文献なので、ギリシア語原典とは性質が異なるものといえる。ここでは、1891 年版の注釈について見てみる。

右コラムでは【図 22】のように表示されるが、この部分の XML データは【図 23】の通りである（ここでも Unicode 表示の関係でギリシア語部分が Beta Code ではなくなっている）。

細かいタグの説明は省くが、注釈の XML データでは、『イリアス』本文の場合と異なり、lang 属性による言語指定が行われている。このデータでは、<text lang="en"> と記述して基本言語に英語を指定しつつ、該当部分では lang="greek" や lang="la" の属性をつけて、その部分がギリシア語やラテン語であることを指定している。ブラウザで表示される際には、そうした指定に基づき、ギリシア語やラテン語部分の語彙に、Perseus のシステムによって語彙分析ツールへのリンクが自動的に生成される。また、文献情報も <bibl> タグで埋め込まれているが（ここではウェルギリウス『アエネイス』への言及）、この部分についても、ブラウザでの表示の際には、Perseus のシステムによって自動的に該当箇所へのリンクが生成される。

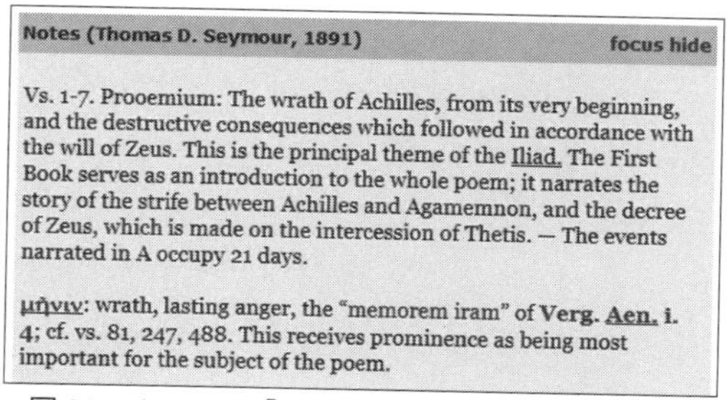

Notes (Thomas D. Seymour, 1891) focus hide

Vs. 1-7. Prooemium: The wrath of Achilles, from its very beginning, and the destructive consequences which followed in accordance with the will of Zeus. This is the principal theme of the Iliad. The First Book serves as an introduction to the whole poem; it narrates the story of the strife between Achilles and Agamemnon, and the decree of Zeus, which is made on the intercession of Thetis. — The events narrated in A occupy 21 days.

μῆνιν: wrath, lasting anger, the "memorem iram" of **Verg. Aen. i. 4**; cf. vs. 81, 247, 488. This receives prominence as being most important for the subject of the poem.

図 22　ホメロス『イリアス』冒頭・右コラム注釈

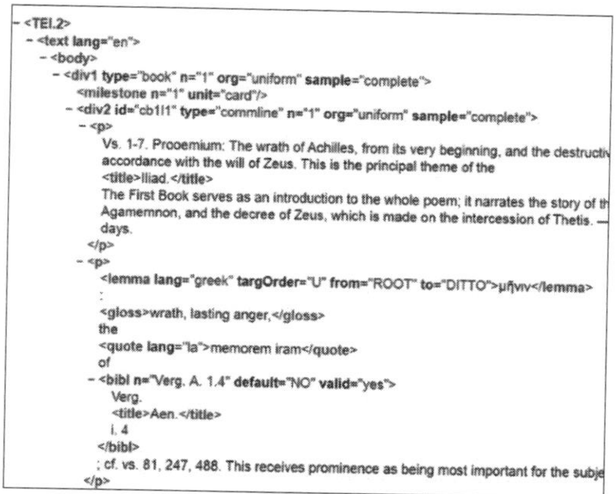

```
- <TEI.2>
 - <text lang="en">
  - <body>
   - <div1 type="book" n="1" org="uniform" sample="complete">
      <milestone n="1" unit="card"/>
    - <div2 id="cb1l1" type="commline" n="1" org="uniform" sample="complete">
     - <p>
        Vs. 1-7. Prooemium: The wrath of Achilles, from its very beginning, and the destructiv
        accordance with the will of Zeus. This is the principal theme of the
        <title>Iliad.</title>
        The First Book serves as an introduction to the whole poem; it narrates the story of th
        Agamemnon, and the decree of Zeus, which is made on the intercession of Thetis. —
        days.
      </p>
     - <p>
        <lemma lang="greek" targOrder="U" from="ROOT" to="DITTO">μῆνιν</lemma>
        :
        <gloss>wrath, lasting anger,</gloss>
        the
        <quote lang="la">memorem iram</quote>
        of
      - <bibl n="Verg. A. 1.4" default="NO" valid="yes">
          Verg.
          <title>Aen.</title>
          i. 4
        </bibl>
        ; cf. vs. 81, 247, 488. This receives prominence as being most important for the subje
      </p>
```

図 23　ホメロス『イリアス』冒頭・注釈部分 XML データ

再び『イリアス』本文に戻るが、『イリアス』本文下部で先ほどみたXMLリンクの下に、作品の電子データに関するライセンス表示がある【図24】。

このライセンス表示の文章中の「XML version」の部分をクリックすると、（本節の例では）『イリアス』本文全体のXMLデータファイルを確認することができる【図25】。つまり『イリアス』1巻から24巻までの作品全体が一つのXMLデータファイルにまとめられている。

This work is licensed under a Creative Commons Attribution-ShareAlike 3.0 United States License.

An XML version of this text is available for download, with the additional restriction that you offer Perseus any modifications you make. Perseus provides credit for all accepted changes, storing new additions in a versioning system.

図24 『イリアス』本文下部・CCライセンスに関する表示


```
  <?xml version="1.0" encoding="UTF-8"?>
- <TEI.2>
  - <teiHeader status="new" type="text">
    - <fileDesc>
      - <titleStmt>
          <title>Iliad (Greek). Machine readable text</title>
          <author>Homer</author>
          <sponsor>Perseus Project, Tufts University</sponsor>
          <principal>Gregory Crane</principal>
        + <respStmt>
          <funder n="org:AnnCPB">The Annenberg CPB/Project</funder>
        </titleStmt>
        <extent>about 500Kb</extent>
      + <publicationStmt>
      + <notesStmt>
      - <sourceDesc default="NO">
        - <biblStruct default="NO">
          - <monogr>
              <author>Homer</author>
              <title>Homeri Opera in five volumes.</title>
            - <imprint>
                <publisher>Oxford, Oxford University Press</publisher>
                <date>1920</date>
              </imprint>
            </monogr>
          </biblStruct>
        </sourceDesc>
      </fileDesc>
    + <encodingDesc>
    + <profileDesc>
    + <revisionDesc>
    </teiHeader>
```


図25 ホメロス『イリアス』ギリシア語XMLデータ・ヘッダー部分


```
- <text>
  - <body>
    - <div1 type="Book" n="1" sample="complete" org="uniform">
        <milestone n="1" unit="card" ed="p"/>
      - <l>
          <milestone unit="para" ed="P"/>
          mh=nin a)/eide qea\ *phlhi+a/dew *)axilh=os
        </l>
        <l>ou)lome/nhn, h(\ muri/' *)axaioi=s a)/lge' e)/qhke,</l>
        <l>polla\s d' i)fqi/mous yuxa\s *)/ai+di proi/+ayen</l>
        <l>h(rw/wn, au)tou\s de\ e(lw/ria teu=xe ku/nessin</l>
        <l n="5">oi)wnoi=si/ te pa=si, *dio\s d' e)telei/eto boulh/,</l>
        <l>e)c ou(= dh\ ta\ prw=ta diasth/thn e)ri/sante</l>
        <l>*)atrei/+dhs te a)/nac a)ndrw=n kai\ di=os *)axilleu/s.</l>
      - <l>
          <milestone unit="Para" ed="P"/>
          ti/s t' a)/r sfwe qew=n e)/ridi cune/hke ma/xesqai;
        </l>
        <l>*lhtou=s kai\ *dio\s ui(o/s: o(\ ga\r basilh=i+ xolwqei\s</l>
        <l n="10">nou=son a)na\ strato\n o)/rse kakh/n, o)le/konto de\ laoi/,</l>
        <l>ou(/neka to\n *xru/shn h)ti/masen a)rhth=ra</l>
        <l>*)atrei/+dhs: o(\ ga\r h)=lqe qoa\s e)pi\ nh=as *)axaiw=n</l>
        <l>luso/meno/s te qu/gatra fe/rwn t' a)perei/si' a)/poina,</l>
```


図26 ホメロス『イリアス』ギリシア語XMLデータ・本文冒頭

ここまで確認したXMLデータは抜粋表示であり、ヘッダー情報が含まれていなかったが、元のデータファイルでは、【図25】の通りに種々の情報がヘッダーに記載されている。【図25】では情報を折りたたんだ状態で表示しているが、すべて展開した状態にすると、<teiHeader></teiHeader>の間に、各種のタグを含めて80行程度ある。また、ヘッダーの情報の一部は、ページ表示の際に利用されている（本文下部に表示される出典情報など）。

ギリシア語本文の部分も見ておくと、先に述べた通り、ギリシア語がBeta Codeで記述されていることを確認できる【図26】。繰り返しになるが、このように記述されたデータが機械的に処理されて、【図

21】の本文表示となっているわけである。そのようなデータの加工処理は、データを扱うシステムに依拠する。Perseus は Perseus なり、ほかのシステムはほかのシステムなりの方針に従って処理を行うことになる。

純粋にデータ構造を記述するのであれば、端末の画面表示（あるいは人間へのデータの見え方）に関わる要素は不要である。【図 25】の中で記される「Iliad (Greek). Machine readable text」というタイトルが、電子化データに関する Perseus の考え方を端的に表現しているようにもみえる。

ここまで述べてきたように、Perseus では、そうした「機械に読ませる」データを記述するにあたって、独自規格ではなく、Beta Code や（古くは）SGML、（現在は）TEI/XML といった標準規格を用いている（Beta Code を「標準」というのは難があるかもしれないが）。そのため、Perseus の作成するデータは、汎用性・可搬性が非常に高いものとなっている。また、作成されたデータは機械的処理の対象となるが、そのデータを記述していく作業は、人間の領域である。文献を規格に沿って電子化するにあたっては、例えば【図 25】や【図 26】のようにタグ付けを行い、文書構造や付随情報を明記する必要がある。この作業自体、文献を意識的に意味づけしていくことにつながるため、多大な労力を要する高度な作業ともいえる。場合によっては、そうした意味づけの過程で、それまで意識されていなかった問題が顕在化し、新たな知見が得られる可能性もある。Perseus はそうして作成されたデータまで、可能な限り、惜しげもなく公開しているわけである。

デジタル化する人文学の世界の中にあって、Perseus プロジェクトが一つの先進的なモデルケースであることは、広く認められることと思われる。筆者はやはりキーワードとして「オープン」Open を思い浮かべるが、ここまで紹介してきた Perseus の持つ標準化技術への意識の高さ、データを公開する姿勢、それらを実践していく在り方、情報技術との連携などは、まさに Perseus の先進性を支えてきた柱であると同時に、これまでの、そして、これからの人文学の世界に対する大きな挑戦である、ともいえるかもしれない。

ところで、本節で扱った Perseus Digital Library は、いわゆる Perseus 4.0 と呼ばれるバージョンである。2005 年より現行の Perseus 4.0 へとバージョンアップして以来、15 年が経過している。数年に一度はバージョンアップを行っていた Perseus プロジェクトとしては、異例の長期間を同一バージョンで過ごしていることになる。

Perseusのウェブサイトに掲載されている2019年4月下旬の告知では、Perseusプロジェクトが次のフェーズ（Perseus 5.0）への移行に注力し、Perseus 4.0はいわば保守（あるいは、むしろ終了に向けた）段階に入った旨が述べられている。本節はもともと2014年時点のシステムに基づいて記述したものであるが、5年以上経過してほぼ内容に変化はない。実際のところ、ここ数年は積極的に手が加えられることはなかった、ということだろう。

「Perseus Digital Library Updates」**[注14]** をみると、2016年ごろからPerseus 5.0に関する話題が登場してくる。断続的にシステムの要件策定などの議論が行われており、2017年にはEldarion社 **[注15]** が新規Viewer（文書閲覧システム）の開発を受託した。開発されたViewerは、Digital Classics（デジタル古典学あるいは人文情報古典学と呼ぶべきか？）の開拓者Ross Scaife（1960-2008）**[注16]** にちなんで「Scaife Viewer」と名付けられて、2018年3月15日に最初のバージョンがリリースされた **[注17]**。システムは「Perseus Digital Library Scaife Viewer」（https://scaife.perseus.org/）にて稼働しており、現在もオープンソースで開発が進められている **[注18]**（なお、Scaife Viewerは、CapiTainS **[注19]** をベースとして、PythonやNode.js〈サーバサイドで動作するJavaScript環境〉を用いた汎用的なシステム構築が志向されており、Perseusプロジェクトに特化したものではない。むしろPerseusプロジェクトを超えて、より大きな基盤として広がることが意識されているようにも感じられるが、ここでこれ以上深入りすることはやめておこう）。

いずれ正式にアナウンスされるはずのPerseus 5.0の到来もさることながら、人文情報学の変わらぬ先駆者として、今後のPerseusプロジェクトの動向も要注意である。

▶注

[1] 本節の初出は吉川斉「「デジタル学術資料の現況から」ペルセウス・デジタル・ライブラリーのご紹介 (1) ～ (3)」『人文情報学月報』32-34（March-May 2014）である。本節は初出記事に加筆修正を行った。また、掲載画像については、現行のシステムと照合したうえで、初出時のものをそのまま利用した。なお、初出の記事は『人文情報学月報』ウェブサイト（http://www.dhii.jp/DHM/）にて閲覧可能である。

[2] “Perseus Version History,” Perseus Digital Library, accessed April 28, 2021, https://www.perseus.tufts.edu/hopper/help/versions.jsp.

[3] “All Announcements,” Perseus Digital Library, accessed April 28, 2021, https://www.perseus.

tufts.edu/hopper/help/oldannounce.jsp.
[4] "Who We Are," Perseus Digital Library, accessed April 28, 2021, https://www.perseus.tufts.edu/hopper/about/who.
[5] Internet Archive, accessed April 28, 2021, https://archive.org/web/.
[6] Free eBooks - Project Gutenberg, accessed April 28, 2021, https://www.gutenberg.org/.
[7]「青空文庫」最終閲覧日 2020 年 7 月 15 日 , https://www.aozora.gr.jp/.
[8] Papyri.info, accessed April 28, 2021, https://papyri.info/.
[9] Perseus' Java Hopper, SourceForge accessed April 28, 2021, https://sourceforge.net/projects/perseus-hopper.
[10] https://as.tufts.edu/news/2014digitalHumanities.htm（現在は大学ウェブサイト更新に伴い閲覧できない。なお、ページ内容は Internet Archive に保存されている。）
[11] "Perseus Copyrights & Warranty," Perseus Digital Library, accessed April 28, 2021, https://www.perseus.tufts.edu/hopper/help/copyright.
[12] Thesaurus Linguae Graecae, accessed April 28, 2021, http://stephanus.tlg.uci.edu/.
[13] "Greek Word Study Tool," Perseus Digital Library, accessed April 28, 2021, http://www.perseus.tufts.edu/hopper/morph?l=mh=nin&la=greek&can=mh=nin0.
[14] Perseus Digital Library Updates, accessed April 28, 2021, https://sites.tufts.edu/perseusupdates/.
[15] Eldarion, accessed April 28, 2021, https://eldarion.com/.
[16] "Ross Scaife," Wikipedia, accessed April 28, 2021, https://en.wikipedia.org/wiki/Ross_Scaife.
[17] 最初のバージョンのリリース日（3 月 15 日）は、Ross Scaife の命日にあたる。
[18] Scaife Viewer, GitHub, accessed April 28, 2021, https://github.com/scaife-viewer.
[19] CapiTainS: Software suite and guidelines for Citable Texts, accessed April 28, 2021, http://capitains.org/.

The digital Loeb Classical Library

2014-10-28 ~ 2014-12-27

吉川　斉

2014年9月某日、西洋の古典文学叢書として著名なLoeb Classical Libraryの電子版が公開された。本節では、電子版Loeb叢書について紹介する［注1］。

■1．基本編：DLCLを操作する

Loeb Classical Library（以下LCL）は、米国人James Loebによって1911年に創設された古典文学叢書である［注2］。1912年に最初の12巻が刊行されて以降、現在ではシリーズは500巻を超えている。緑の装丁がギリシア文学作品、赤い装丁がローマ文学作品を示し、それぞれギリシア語-英語、ラテン語-英語の対訳本である。

James Loebは、古典語（ギリシア語・ラテン語）の知識の有無を問わず、できるだけ多くの人たちが簡単に古典作品に親しめるようにすることを大きな目的とした。そのため、英語対訳本であることが重要であると同時に、体裁についても、“handy books of a size that would fit in a gentleman’s pocket”、つまり持ち運びやすさが意識された（日本の文庫本よりも少し大きなサイズ）。

紆余（うよ）曲折を経て、1989年以降、ハーバード大学出版局がLCLの刊行を一手に担うようになり、現在に至る［注3］。100年以上続く叢書であるため、早期刊行本の中では、すでに著作権が切れ、Internet Archiveあたりで公開されているものも複数存在する。また、前節で紹介したPerseusプロジェクトもそうした作品を利用している（なお、LCC早期刊行本については、現代の研究者の手による改訂版への置き換えが順次進められてもいる）。

2014年に公開されたthe digital Loeb Classical Library（以下、DLCD）は、5年を費やして準備された。500冊を超えるすべての刊行本が電子化されており、ウェブベースのシステムであるため、ネット環境があれば、スマートフォンやタブレットでも閲覧可能である。創設から100年の歳月を経て、いつでもどこでも手元にLCLの環境が調う時代になったわけである。現在の編集主幹Jeffrey Hendersonは、電子化によって叢書全体がポケットに収まるようになったことを知れば、James Loebも喜んだだろうと述べている**[注4]**。

なお、LCLは、現在も年に4、5巻ペースで刊行される、ハーバード大学出版局の商品である。電子版も無料ではなく、有料購読することですべての機能が利用可能となる。とはいえ、一定の範囲であれば無料で閲覧可能であり、まずは、有料購読せずとも見られる部分を中心として、使用法を簡単に紹介しよう。

■1-1．作品を探す

The digital Loeb Classical Library へ は、https://www.loebclassics.com/ からアクセスする。トップページは非常にシンプルである。購読済みの場合は、まず「ログイン」するが、ここではログインせずに進める（DLCLではレスポンシブウェブデザインが採用されており、画面幅によって表示が変わる。本節の説明画像は一定以上の幅のPC画面によるものである）**【図1】**。

DLCLでは、作家や作品ごとに対象を選択できるようになっている。例えば、ホメロス作品を読む場合は次のようにたどる。

トップページで「BROWSE」の部分にマウスカーソルを合わせると**【図2】**、メニューが展開される**【図3】**。

DLCLの「BROWSE」メニューでは、「AUTHORS」（作家

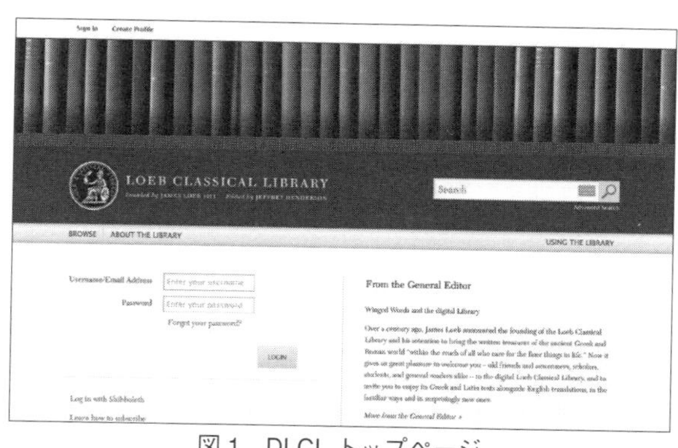

図1　DLCLトップページ

図2　メニュー表示をする

別)、「GREEK WORKS」(ギリシア語作品)、「LATIN WORKS」(ラテン語作品)、「LOEB VOLUMES」(書籍版巻数)によって作品を探すことができる。書籍版の場合、一人の作家の作品が複数巻に分散したり、一つの作品が複数巻に分割されていたりすることも多いため、そうした枠組みを気にせず作品を選択できる点は、電子化の恩恵ともいえる。

さて、ホメロス作品を読む場合、通常は「AUTHORS」あるいは「GREEK WORKS」を選択する。「AUTHORS」を選択すると、アルファベット順に作家名が表示され、古代ギリシア・古代ローマの作家が区別なく並ぶ【図4】。ホメロスの場合は「H」の項目から「Homer」を選択すると、作者情報として「Homer」を含む作品の検索結果が表示される【図5】。そこからさらに作品を選択すれば、各作品を読むことができる。リスト右側の緑色の線は、ギリシア語作品であることを示す。ラテン語作品の場合は赤色の線となる(個別作品の閲覧画面については後述する)。

実は、この画面はDLCLにおける検索の共通インターフェースである。メニューから「GREEK WORKS」「LATIN WORKS」を選択、あるいは上部の検索ボックスを利用した場合などは、いきなりこの画面に跳ぶ。さらに結果を絞り込んでいくことで、目的の作品に到達することにな

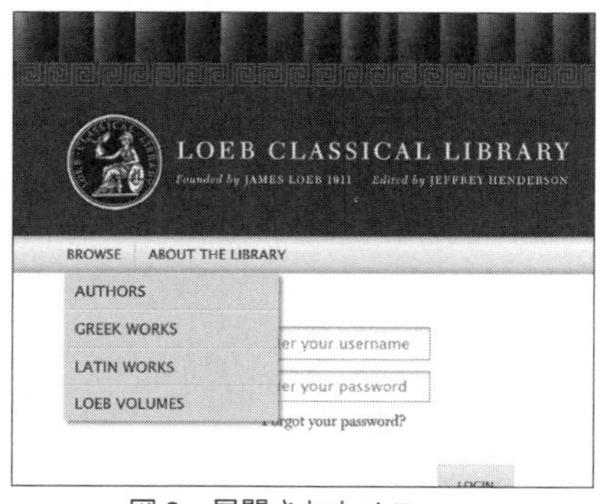

図3　展開されたメニュー

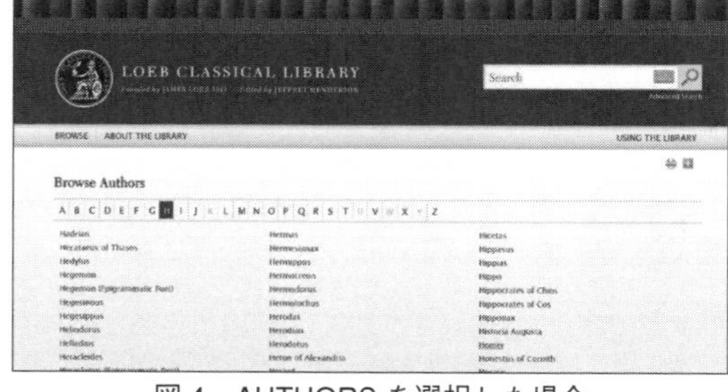

図4　AUTHORSを選択した場合

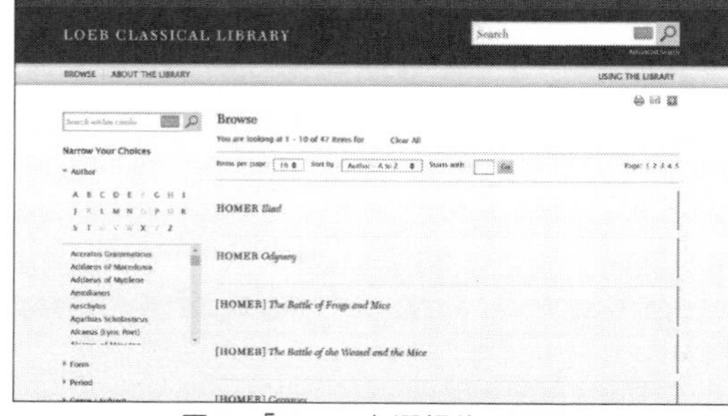

図5　「Homer」選択後の画面

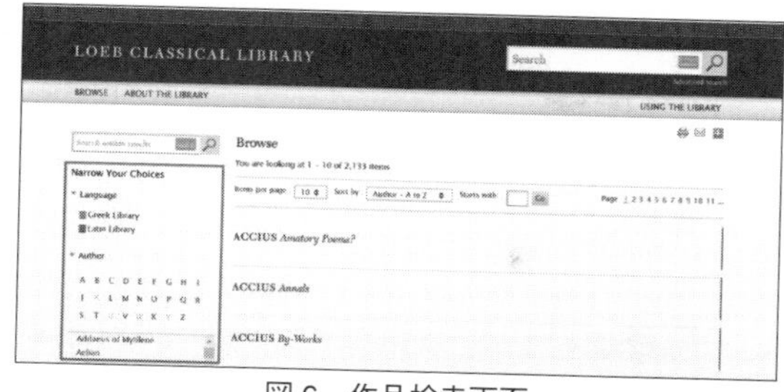

図6　作品検索画面

る（なお、「LOEB VOLUMES」を選択すると、各巻の作家名・作品名が番号順にリスト表示される［注5］）。

ところで、「BROWSE」メニューからたどっていくと以上の手順をとることになるが、https://www.loebclassics.com/browse に直接アクセスすると、初期状態から絞り込み検索が可能であり、【図6】の枠で示した左コラム部分から結果を絞り込める。絞り込み条件は、「Language」（ギリシア語・ラテン語の別）・「Author」（作者）・「Form」（散文・韻文の別）・「Period」（作品年代）・「Genre/Subject」（作品のジャンル、主題）である。また、左コラム上部の「Search within results」ボックスに条件を直接入力することも可能である（ちなみに、例えば前述「BROWSE」メニューの「GREEK WORKS」は、「Language」欄の「Greek Library」で絞り込んだ検索結果を表示するためのリンクとなっている。「LATIN WORKS」も同様）。

こうした仕組みを整えるため、各作品を電子化するにあたって、作品検索を可能にする各種情報をひも付けてデータベース化したものと思われる。この種の作品データベース自体は、本文まで電子化せずとも構築可能ではあるが、電子化された本文との組み合わせによって、利便性が格段に向上する。

■1-2．作品を読む

さて、それではホメロス『イリアス』を例に、実際に作品を見てみよう。LCL では 170 巻（1924 年刊）に『イリアス』1 ～ 12 巻、171 巻（1925 年刊）に『イリアス』13 ～ 24 巻が収められている。【図5】の画面で、「HOMER Iliad」を選ぶと、以下の画面が表示される【図7】。なお、ログインしていない場合、作品本文ページは 1 ページしか読めない［注6］。

ギリシア文学作品ということで、緑色の枠線で囲まれている。左側にギリシア語原文、右側に英語訳が表示される。左下・右下にはページ番号も付され、書籍版のページ構成を意識した画面構成となっている。また、本文や翻訳中に見られる註釈番号をクリックするとポップアップして註が表示される。ページ送りは＜と＞の部分で行う。

電子版は書籍版の表示に近づけているが、画像データを表示しているわけではなく、ギリシア語の本文テキストもすべてデータ化されている。従ってテキストの選択・コピーなども可能である。一方、Perseusプロジェクトの場合は本文テキストと辞書機能が連携しているが、DLCLにはその種の連携はない。

また、画面右上の「LCL 170」の箇所から、原本の情報を確認できる【図8】。

原本の情報ページでは、目次なども含まれる。目次の項目はそれぞれリンクになっており、該当する箇所に跳ぶことができる。

ここで注目すべきは、TITLE PAGEやINTRODUCTIONなど、本文テキスト以外の部分まで電子化されている点だろう（ただしTITLE PAGEについては、画像データをそのまま使用している）。また、次巻のLCL171では、LCL170の分まで含めた『イリアス』全体のINDEXページが巻末に付されるが、そうした部分も電子化されている。つまり、原本を一冊まるごと電子化して閲覧できるようにしているわけである。

ただ、このページ下部に載せられた情報では、原本が1924年刊行のものに見えるが、TITLE PAGEを確認すると1999年刊行の第二版（を2003年に再版したもの）を使用していることがわかる。第二版では現代向けに英語訳の語彙などが改められており、初版のものとはページ

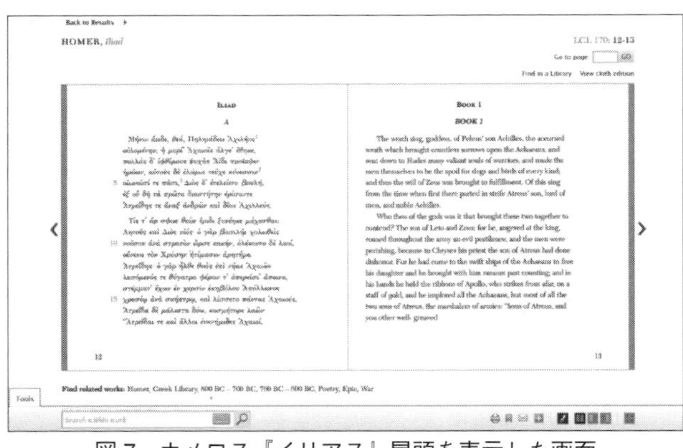

図7　ホメロス『イリアス』冒頭を表示した画面

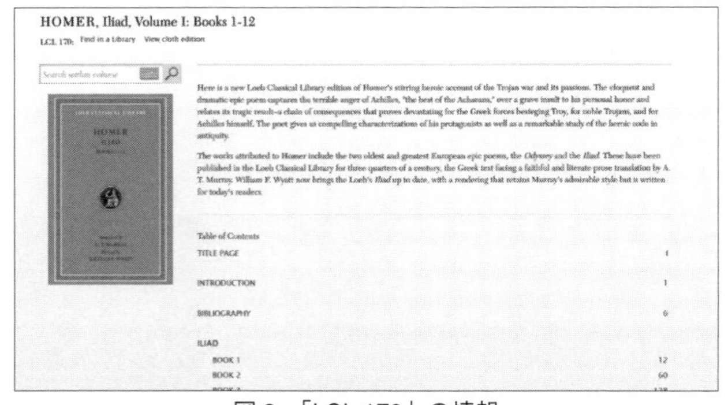

図8「LCL 170」の情報

番号も異なる。従って、例えば「LCL 170」についていえば、情報ページに第二版に関する情報も掲載するべきものと思われる **[注 7]**。

■1-3. 本文を検索する

ところで、DLCL では本文テキストのデータまで電子化されているため、作品検索だけではなく、テキストの検索も可能である。**【図 7】**の下部に「Search within work」と書かれたボックスがあるが、その箇所に検索したい語彙を入力することで、閲覧中の作品内での当該語彙の使用箇所を確認できる **【図 9】**。

筆者が試した限り、大文字小文字、アクセント、気息記号の別は無視されるようである。ここではギリシア語語彙を検索したが、翻訳本文も検索対象であり、英語語彙も検索できる。

また、一つの作品内だけでなく、全作品の全文検索も可能である。各ページ右上の「Search」ボックスに検索したい語彙を入力する。DLCL 内の全作品から該当箇所を検索できる **【図 10】**。

結果表示のインターフェースは作品検索のときと共通である。作品検索同様に、左コラムで条件を指定して結果を絞り込んでいくことも可能である。また、結果一覧の「Show results within」の部分をクリックすると、具体的な該当箇所を確認できる（**【図 10】**のグレー部分）。なお、語彙検索の際、ワイルドカードも利用できるとされるが **[注 8]**、筆者が確認した限りでは、ワイルドカード利用時の微妙な検索結果に加えて、「Show results within」の部分で該当箇所がうまく表示されないなどの問題が見られた。このあたりは、開始当初から抱える問題ではあるが、いずれ改善されることを期待したい。

こうした本文検索機能は、DLCL に限らず、テキストの電子化プロジェクトにはつき

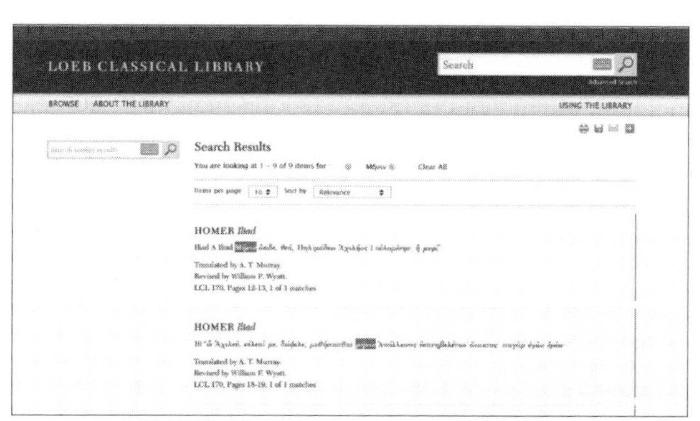

図 9 『イリアス』内の「μῆνιν」検索結果

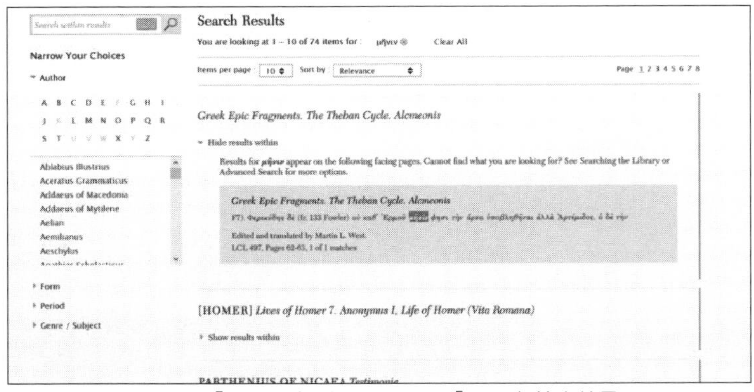

図 10 「Search」ボックスでの「μῆνιν」検索結果

ものであろう。実際に使用してみると、DLCL の用意する検索機能もそれなりに充実したものとなってはいるが、DLCL ならではの問題も見え隠れしている。

例えば【図 9】の結果をみると、それぞれの該当する箇所が、『イリアス』の巻数・行数ではなく LCL の巻数・ページ数で示されている（LCL 170, Pages 12-13 など）。これはあくまで LCL の枠組みに基づくものであり、DLCL 内部でのみ通用する仕組みといえる。いわば DLCL の独自仕様である。

通常、古典作品を引用する場合に LCL の巻数・ページ数を使用することはまずない。ホメロス『イリアス』第 1 巻 1 行（Hom. *Il.* 1.1）などと表記することが一般的である。もちろん、DLCL も検索結果から本文を参照すれば、該当箇所の作品内での位置を目視できるが、データとしては抽出できないのである。その点で、DLCL での検索結果は、外部との連携において汎用（はんよう）性に欠けているように見える。あるいは、DLCL 内部においても、例えば『イリアス』第 9 巻を読みたいと思ったとき、第 9 巻を直接指定する方法が用意されていない。『イリアス』第 9 巻は LCL 170 に含まれるが、直接第 9 巻に跳ぶためには、いまのところ、【図 8】で示した原本情報ページからリンクをたどる必要がある。

DLCL における作品本文ページの画面構成（【図 7】）にも触れたが、LCL の電子化における基本的発想がこうした部分に現れているように思われる。すなわち、DLCL はあくまで LCL の「刊行本」を電子化するものであり、そこに含まれる「古典作品」は内容の一つでしかない。もちろん、LCL 自体は「古典作品」を主題とするものではあるが、DLCL はいわば結果として

「古典作品」が電子化された状態である。

テキストがデータ化され、本来は刊本という物理的な枠組みから解放されうる状態でありながら、すでに見た通り、DLCLでは「本」の体裁が重視され、もとの古典作品そのものではなく、書籍版のページ構成によってデータ区分が決定されている。実のところ、それ自体は形式の問題に過ぎず、そこまで重要ではないのかもしれないが、原本の枠組みを超えた本文表示ができない点は、電子化の利点を活かしきれていないようにも思われる。

また、Perseusプロジェクトはデータの可搬性を企図してTEI/XMLによるテキスト記述を行っているが、果たしてDLCLはどのような形式でテキストを電子化しているのか。商用であるため一概に批判はできないものの、あるいは非常にClosedな環境が構築されている可能性もゼロではない。もし可搬性の高い形式がとられているならば、いずれは「古典作品」本位のデータ表示や検索も可能になってほしいところである**[注9]**。

■2．発展編：DLCLを購読して利用する

前述した通り、ログインしていない状態では、作品本文閲覧ページは1ページまでしか読めない。1ページを超えると**【図11】**のような表示に変わる。

筆者は個人で購読手続きを行っているため、上記のような制限はなく、すべての機能が利用可能となっている。本節は購読してログインした場合について説明していこう。

■2-1．DLCLの購読手続き

DLCLは有料購読してログインすることですべての機能を利用可能な状態

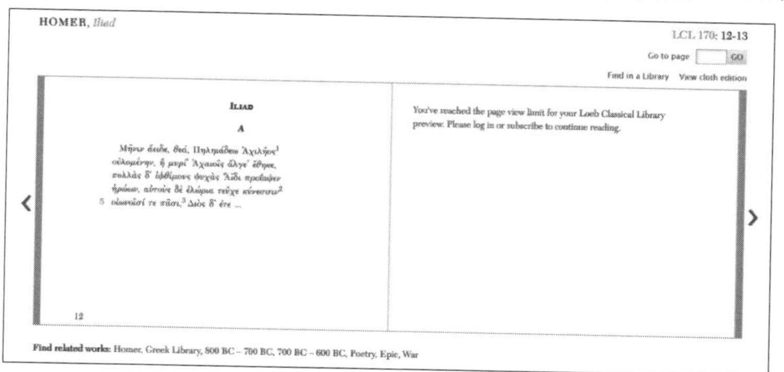

図11 「ログインしてください」

になる。そのためには、購読の手続きをしなければならない。DLCL 購読の手続きについては、「How to Subscribe」ページにまとめられている通りだが **[注 10]**、DLCL では、機関購読（Institutions）と個人購読（Individuals）の二通りの購読方法が用意されている。

機関購読は組織ごとの一括契約で、料金体系は組織の種類や規模に応じて要相談。また、機関購読のみ、60 日間の無料トライアルが用意されている **[注 11]**。トライアルの案内を見る限り、トライアルは IP アドレスによるアクセス管理となっている。一方、トップページには「Log in with Shibboleth」のリンクがみられ、購読機関所属者の認証手段として、標準規格のシボレスが利用可能のようである **[注 12]**。

個人購読は、各自が個別に手続きを行う。年間購読のみ可能で、購読料は初年度 170 ドル、2 年目以降 70 ドルとなる **[注 13]**。書籍版 Loeb が一冊 28 ドルなので、DLCL 講読の価格設定は、初年度は書籍版を 7 冊、2 年目以降毎年 3 冊購入しておつりがくる計算である。書籍版 Loeb は、過去のものの改訂版を含め、近年は年間 10 冊前後の新刊が刊行されているため、それらを全部購入するのに比べて、価格は低めに抑えられている。また、個人購読の手続きは、現在、オンラインで可能となっている **[注 14]**。以前は担当者に直接メールを送る必要があったことを考えると、購読のためのハードルはかなり下がった **[注 15]**。日本から購読する場合、為替相場の影響を受け

図 12　トップページからログイン可能（本節で示した入力欄）

Create a personal profile to save searches and organize your favorite content.

Already a member? Sign in
First Name
Last Name
Email Address
Password (at least 6 characters)
Confirm Password
私はロボットではありません
reCAPTCHA
I agree to the terms and conditions
Cancel
SUBMIT

図 13　プロファイル作成欄

るため注意が必要である。

購読手続き完了後、DLCL ウェブサイトにログインすると、すべての機能を利用できる。

■2-2．プロファイルを作る（ログイン／サインイン）

【図 12】の上部をみると、「Sign in」「Create Profile」の文字列がみえる。「Create Profile」では、DLCL 利用者は個別アカウント（プロファイル）を作成することができる。プロファイルを作成することで、利用者は個別設定をサイトに保存できるようになり、後述するブックマークなどの機能が利用可能となる。

「Create Profile」をたどると、プロファイルの入力欄が表示される【図 13】。

プロファイルは購読の有無とは関係なく作成可能である。プロファイル作成後、登録したメールアドレスとパスワードを使用してサイトにログインできる。とはいえ、購読手続きを行っていない場合は、（当然ながら）ページ閲覧に制限が残るため、あまり実用性はないだろう［注 16］。購読手続きを行った場合は、プロファイルと購読の認証情報がひも付けられ、すべての制限が解除されるものと思われる（この点について、筆者は現行の仕組みとなる前に購読を開始しており、実際の挙動が確認できないため、あくまで推測である）。

ログインすると、ページの構成が変わり、ページ上部にプロファイルに登録した名前が表示され、枠で囲んだ部分に「MY LOEBS」タブが追加される【図 14】。

ちなみに、もともと DLCL は、「ログイン」するとページ閲覧数などの制限がなくなると同時に、「サインイン」（Sign in）が可能となる、二段階の仕組みをとっていた。

この仕組みでは、ログイン後、さらにサインインすることで、利用者は個別設定をサイトに保存できるようになり、DLCL のすべての機能を利用可能となっ

図 14　ログイン後のページ上部

ていた。「ログイン」はウェブサイトそのものへのアクセス(閲覧制限の解除)、「サインイン」はウェブサイト内部の個人データへのアクセスを可能とする手順であって、「サインイン」用の個人アカウントを作成する手続きが「サインアップ」(Sing up)と呼ばれていた。上記「プロファイル作成」はこの「サインアップ」に該当する手続きである。

現在の DLCL では(いつの間にか **[注 17]**)システムが簡素化され、ログインとサインインが実質的に一体化した仕組みとなっている。形としては、これまで「ログイン」しなければ不可能であった「サインイン」がログインせずとも可能になった状態であり、むしろ「サインイン」アカウントに「ログイン」アカウントが結合され、ユーザーの個人情報管理の一元化が図られたようにみえる。その点では、今回のシステム変更は、2018 年に発効した「EU 一般データ保護規則」(EU GDPR)とも関わりがあるのかもしれない。

少々ややこしいのは、現在も「ログイン」「サインイン」「ログアウト」「サインアウト」の表記や挙動が入り交じっていることであろうか。直近のシステムの変更にインターフェースの更新が追いついていない印象である。とはいえ、DLCL ではこうした表記の不整合がほかにも見られるため、ある程度広い心で読み替えつつ利用することも大切だろう。

■ 2-3. ログインして使ってみる

それでは、ログインした場合にどのような機能が利用可能となるか、実際に試してみよう。

ログインすることで追加された「MY LOEBS」タブにカーソルを合わせると、メニューが展開される **【図 15】**。「MY LOEBS」をクリッ

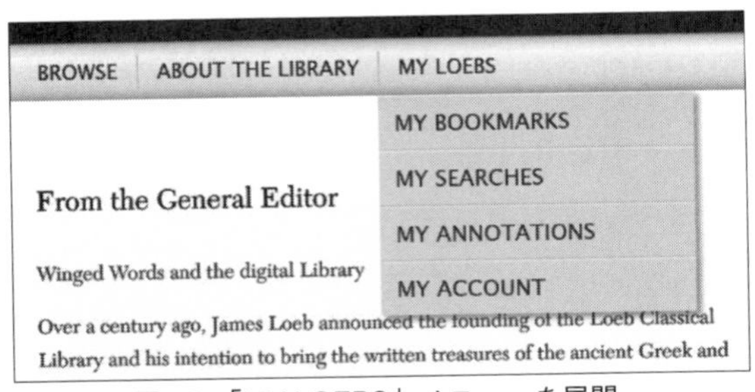

図 15 「MY LOEBS」メニューを展開。
項目リストが更新されていない。

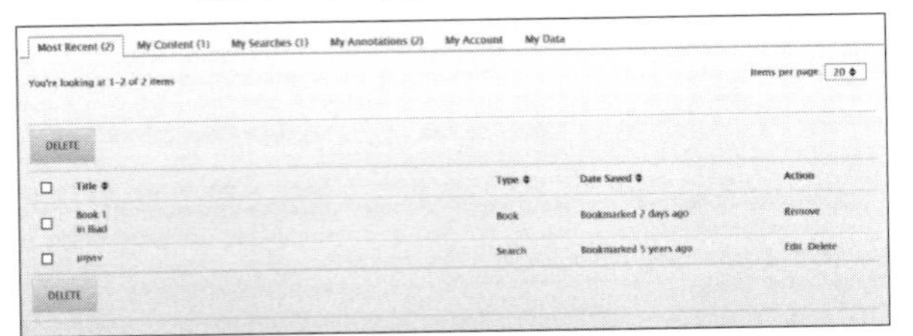

図 16 「MY LOEBS」を表示

クすると、「MY LOEBS」ページに遷移する【図16】。

「MY LOEBS」ページを表示するとわかるが、ログインした場合、利用者は「ブックマーク」(My Content)・「検索データ」(My Searches)・「コメント」(My Annotations)をサーバー上に記録できるようになる。前述のシステム変更で要素名に変更が入ったらしく、それまで「My Bookmark」と表記された項目が「My Content」となっている。ここでは「ブックマーク」と表記する。なお、「My Account」ではユーザー名やパスワードなどの管理が可能、「My Data」については後述する。

「Most Recent」には登録履歴が表示されるが、「ブックマーク」と「検索結果」のみで、「コメント」は含まれない。各データの編集・削除等を一覧画面の「Action」欄から行うことができる(Remove/Edit/Delete)。

「ブックマーク」はいわゆるしおりである。本文閲覧ページ下部に表示されるツールバーの「Save」ボタンから行う(【図17】の枠で囲んだ部分)。登録済みのページの場合は、「Remove Saved Content」となり、登録済みブックマークを削除できる。

ツールボタンを押すと、保存画面が現れる。ここでは表記はBookmarkのままである【図18】。

また、「Collections」を作成して、ブックマークをグループ分けして保存できる。【図16】の画面で「My Content」の箇所をクリックすると、ブックマーク一覧画面が表示される【図19】。

「検索データ」は、検索結果ではなく検索パラメータの保存である。毎回データを入力したり調整したりする手間を省くことができる。検索結果画面右上のボタンから保存する(【図20】の枠で囲んだ部分)。

図17 ツールバー。ブックマーク以外にもいろいろある。

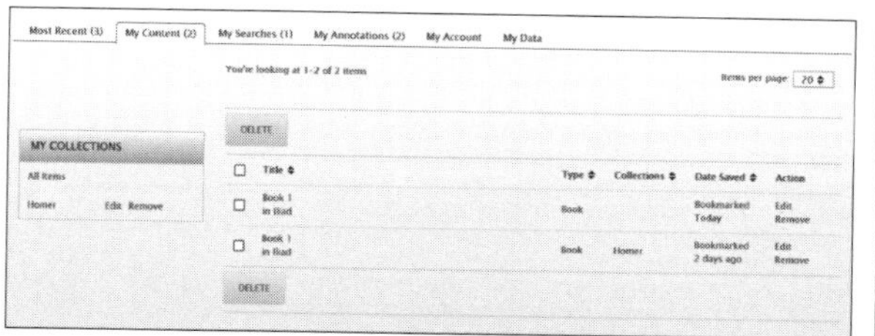

図19 ブックマーク一覧画面

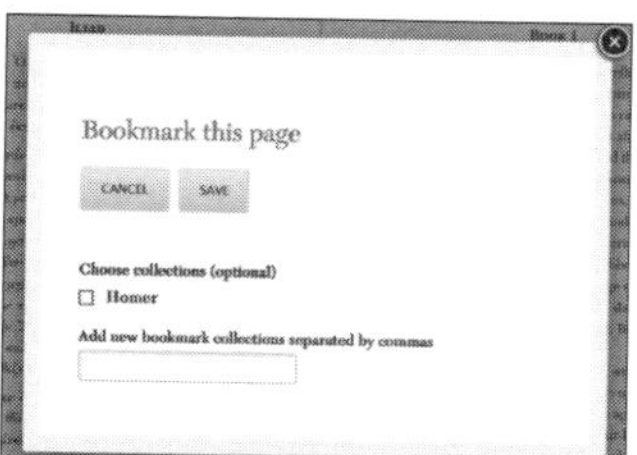

図18 ブックマーク保存画面

また、【図21】の通り、検索データを保存する際の画面に「Note」欄があり、コメントを付けられる。ただし、「My Searches」の一覧画面ではコメント内容は表示されず、個別に確認する必要がある。

ログインした場合の機能として、おそらく最も有用性が高いのは、「コメント」機能と思われる。ギリシア語本文やラテン語本文および翻訳・解説の英文に対して、利用者がコメントを付記できる。

本文を選択すると、鉛筆マークが表示される【図22】。そのマークをクリックするとコメント入力画面が表示される【図23】。すでにコメントが存在する部分は黄色でマークされている。

コメントは500字まで入力できる。システムはUTF-8対応であり、日本語でのコメントも問題ない。文字カウント機能もあるが、いずれにせよ500文字までしか入力できないように入力欄で制限されている。また、入力したコメントは、本文の黄色でマークされた部分をクリックすると、閲覧・編集・削除できる。

なお、すでにコメントを付けた範囲を再度選択してコメントをつけると、別コメントとして保存される。ただし、同一箇所に複数のコメントがあるかどうかは、表示してみない限り見分けがつかない【図24】。コメントの時間表示は協定世界時（UTC）である。

作成したコメントは、「MY LOEBS」ページの「My Annotations」の箇所で一覧表示もできる【図25】。

現在のコメント一覧画面は、コメント一覧を表示するだけになっている。以前は、作成したコメントの検索機能、コメントを一括して削除（REMOVE）、共有（SHARE）する機能、データ書き出し（EXPORT）機能なども用意されていた。例えばデータ書き出しを行うと、コメントの一覧データをほかのファイル形式に書き出してローカル保存できた。

使用できなくなった共有機能は、DLCLのほかの登録ユーザーとブックマークおよびコメントを内部で共有できる仕組みであり、本来はDLCLの看板機能の一つであったと思われる。現在は、AddThisサービス（addthis.

図20　検索結果画面右上のツールバー

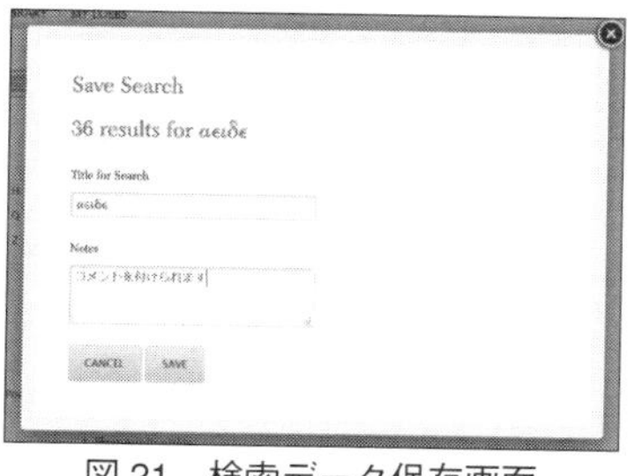

図 21　検索データ保存画面

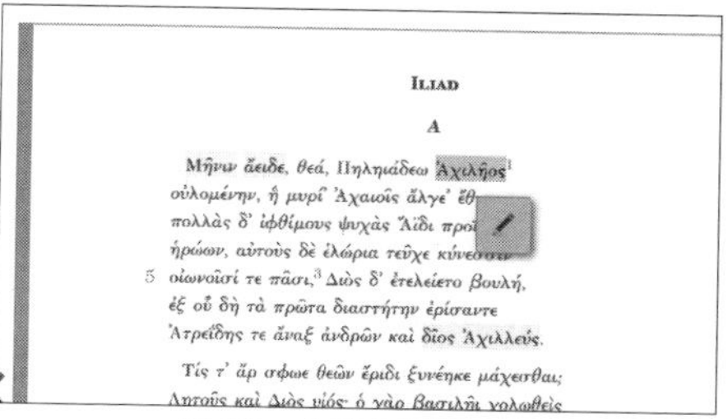

図 22　本文を選択する

com）を利用して、各種 SNS を通じて情報を共有する仕組みが導入されている（ツールバーの「＋」ボタンを使用）。

ところで、最近のシステム変更による変化として、「MY LOEBS」ページに「My Data」が追加された【図 26】。これは「EU 一般データ保護規則」（EU GDPR）に対応するもので、DLCL が保持する各種ユーザーデータのコピーをユーザー自身が入手できるように準備されたものである。

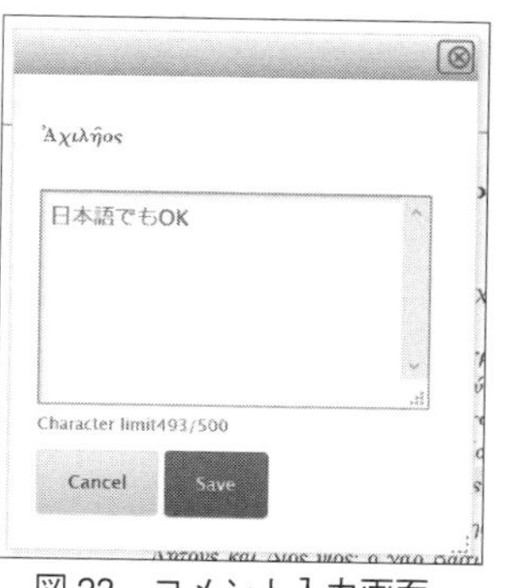

図 23　コメント入力画面。日本語でも大丈夫。

例えば、「My Data」を通じてコメントの構成データを入手できる。ページ内の「Download Annotation Data」と記載されたリンクをたどると、テキストデータでダウンロードできる。【図 27】のような記述がされている。これは【図 25】のコメント一覧表示の背後にあるデータともいえる。どのような情報から各コメントが構成されているかわかる。

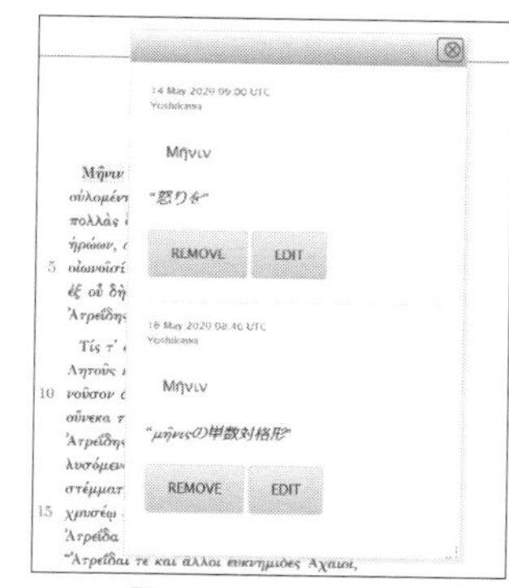

図 24　同一箇所に複数コメントの例

コメントが付された語句は “quoteText” に記される。“documentUri” は場所の表記で、“/homer-iliad/1924/pb_LCL170.13.xml” は、Loeb 叢書第

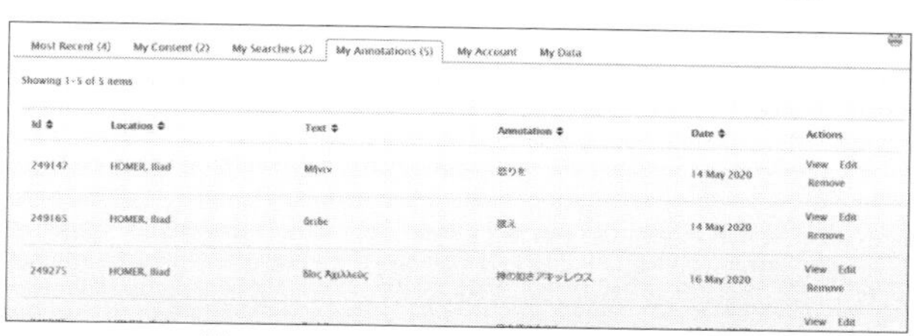

図 25　コメント一覧表示画面の一部

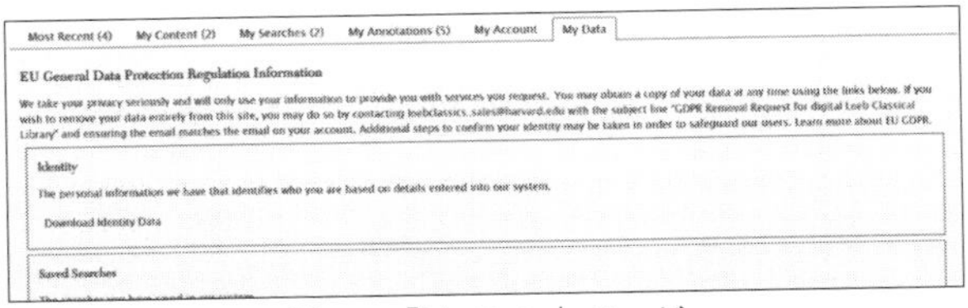

Most Recent (4) My Content (2) My Searches (2) My Annotations (5) My Account My Data

EU General Data Protection Regulation Information

We take your privacy seriously and will only use your information to provide you with services you request. You may obtain a copy of your data at any time using the links below. If you wish to remove your data entirely from this site, you may do so by contacting loebclassics_sales@harvard.edu with the subject line "GDPR Removal Request for digital Loeb Classical Library" and ensuring the email matches the email on your account. Additional steps to confirm your identity may be taken in order to safeguard our users. Learn more about EU GDPR.

Identity

The personal information we have that identifies who you are based on details entered into our system.

Download Identity Data

Saved Searches

図 26 「My Data」ページ


```
{
  "uid": "",
  "sections": [
    {
      "title": "Annotation",
      "description": "The annotations you have created or others have shared with you on the system.",
      "body": {
        "annotations": [
          {
            "type": "OWNER",
            "documentUri": "/homer-iliad/1924/pb_LCL170.13.xml",
            "note": "怒りを",
            "chunkTitle": "HOMER, Iliad",
            "quoteText": "Μῆνιν",
            "annotatedOn": "May 14, 2020 9:00:18 AM",
            "id": 249147
          },
          {
```


図 27 コメント構成データの一部。uid はマスク処理済み。

170巻の13ページを示す。そして、作者名と作品名は"chunkTitle"欄に記載されるが、これらの情報だけでは、実際にLoebの本文を確認しなければ、コメントが付された語句がホメロス『イリアス』の第何巻の何行目のものであるのかわからない。ほかにも、同一箇所に対するコメント、あるいは、同一ページの異なる場所に同一の語句（かつそれらに対するコメント）がある場合、このデータだけではそれらの位置関係を判断することが難しい **[注 18]**。コメントの構成情報の不足を補うためには、コメントを作成する際に、例えばコメントそのものに「1.1」といった参照情報を含めるなどの工夫が必要だろう。

以上、DLCLにログインした場合の機能を概観した。筆者自身が実際に確認できていない部分もあるが、LCL全体を手元で手軽に閲覧できる利便性に加えて、個々の利用者が自身の関心に基づいてデータを蓄積できる個別性がポイントであろうかと思う。また、ウェブベースのシステムであり、各データがサーバーに保存されるため、ログインさえできれば、場所や端末を問わずに蓄積したデータにアクセスできる点も重要である。

その一方で、それらがDLCLの囲いの中でのみ可能となっている点も注意する必要がある。せっかく蓄積したデータも、汎用性がなければ活用しにくいものとなる。特に古典研究という側面で考えると、原文にせよ翻訳にせよ、よほどの事情がない限りLoebのみを参照することはまずないため、DLCLでもほかの古典関係のデータとの互換性があると望ましい（DLCLは後発の電子化プロジェクトなので、なおのこと）。

DLCLの電子化データがどのような規格に従ったものであるのか、表示データのみでは不明ではあるものの、現在の状態から察するに、本文データに付記されるべきメタデータが不十分なのではないかと推測できる。とはいえ、あくまで「電子版のLoeb叢書を読む」という点に限っていえば、残念な部分が見受けられるにせよ、現在の形でも十分に有用なものになっていることは確かである。少なくとも、500冊を超えるLoeb叢書を手軽に閲覧できるようになったことは、非常に大きな進展である。このあたりは、DLCLに何を期待するかという、目的意識によって評価が変わってくるように思われる。

■3. DLCLの電子化の在り方について

Loeb刊行本の電子化については、部分的とはいえ、すでに20年以上前からPerseusプロジェクトによる試みが行われている。DLCLは発行元本家による電子化ではあるが、そもそもLoeb叢書を含む西洋古典文献の「電子化」に関する発想と実装という点では、Perseusプロジェクトに長期にわたる試行錯誤の歴史があり、蓄積がある。Perseus主幹のCrane教授が示すDLCLに関する評価なども踏まえつつ、最後にDLCLの電子化の在り方について触れておきたい。

LCL（の一部の刊本）については、すでに20年以上前からPerseusプロジェクトが電子化に取り組んでいる。そのPerseus主幹のGregory Crane教授が、DLCL開始にあたって、二つの記事（エッセイ）を公開した。一つはハーバード大学出版局からDLCLに関する告知があった2014年2月 **[注19]**、もう一つはDLCL公開後の2014年9月に発表したものである **[注20]**。2月のものは、まだDLCL現物が登場していなかったため、DLCLに直接関わる話はあまり含まれていない。一方、9月のものは、DLCL公開を受けて、より直接的にDLCLに関わる見解を述べている。とはいえ、いずれも、デジタル時代の古典研究の在り方に関するCrane教授の思想を背景に（その実践たるPerseusプロジェクトとの比較を含めて）、DLCLに批判的な目を向けるものとなっている。

Crane教授の考え方は、いうなれば、「Open」がキーワードである。その発想に基づいて、Perseusでは早くからTEI/XMLを用いたデータ構築やCreative Commonsライセンスを採用したデータ配布などを行っている。つまり、ただデータが「見える」というだけでなく、データの可搬性や再配布可能性まで配慮している。文献の電子化自体もプロジェクトの一つの成果であるが、それと同時に、そのほかの種々の研究のための素材としても利用可能な形を整えているわけである（さらにいえば、文献データだけではなく、プログラムなどもすべて公開している。つまり背後のシステムまでOpenである）。

近年は、Openをさらに推し進め、誰でもデータ構築に関与できるシステムが模索されている。例えば、データのさらなる利便性向上のために、本文データに語形分析情報を付与することなども目指されているが、これもすべての作業を一人で行うのではなく、共同作業として、皆でデータを入力可能な仕組みが試行されている。また、これらのデータ入力は、基本的に機械処理可能な規格に従って行われる。こうした手法は、それらを記述するための標準規格が整ってきたこと、それに対応した入力システムが整ってきたこと、そうした仕組みや発想に親しむ人が増えてきたこと、なども背景として考えられる。そうなるようにPerseusが活動してきたということでもある。そして、もちろん、この手法は本文データの入力や翻訳の作成などにも適用される。

さらに興味深いのは、（インターネットを利用するため当然ながら、）明確に世界中の人々が対象として考えられている点である。翻訳なども、フランス語やドイツ語、スペイン語、中国語などなど、英語だけではなく多言語のものが必要だと述べられる。Openなデジタル化として、「誰でも」利用できるデータであるということもあり、世界では英語だけが権威ではないとする意識も見られる（さらには、世界の「古典」はギリシア語・ラテン語のものだけではないとも）。また、印刷本であれば、紙面の制限などによって実現困難なことであっても、デジタルデータであれば、例えば複数言語による翻訳を、あるいは切り替えながら、同時に参照することも容易である。すなわち、現状の「本」の体裁にとらわれる必要はない。

ところで、多様な参加者による共同作業によって各種のデータを構築していく手法の導入は、従来の古典研究では行われてこなかった、新しい発想といえる（ただし、手法自体は既存のものである）。Crane教授は、Citizen Scholarshipという言葉も使用しているが、誰でも参加可能ということは、情報の質にばらつきが出ることも想定される。そこで重要なのが、個々の情報の根拠を明示することである。語彙の解釈、翻訳と本文の対応、参照した文献など、結論だけでなく、その結論に至る根拠などもきちんと示される必要がある。また、それらの示された根拠について、誰でも容易に確認できる状態でなければならない。つまり、それらの元情報のデジタル化も求められ、同時に、それらの情報やその場所を記述するための一定の規格も必要ということになる。先ほど述べた通り、それを可能にする環境が次第に整ってきているのが現在の状況である。文献をただデジタル化して公開するだけの段階を越えて、まだまだ行きつく先は不明確ながらも、デジタルデータを利用した新しい研究の世界が開き始めているともいえる。

翻って、DLCL の在り方を見直すと、Crane 教授の考える文献のデジタル化、デジタルデータの利用法、多言語化、Open な発想とは対照的なものであることがわかる。そして、そうした考え方を前提にした Crane 教授の DLCL に対する評価は、9 月のエッセイの一節（p.8）に端的に表れている。

> We are reaching the end of the first generation of the digital age - and with it, we are approaching the end of incunabular work, where digital materials imitate the forms and internalize the limitations of their print predecessors, just as print incunabula imitated their manuscript predecessors. The Digital Loeb Classical Library is a classic incunabular project ……. But we need to move forward and to adapt to the digital, global society in which we already live.
>
> （私たちは、デジタル時代の第一世代の終焉へと到達している――そして、それとともに、私たちは、ちょうど印刷本がその前身たる写本を模倣したように、デジタル資料が前身たる印刷本の体裁を模倣し、その限界を内部化する、デジタル揺籃（ようらん）期の終焉へと近づいている。The Digital Loeb Classical Library は、古典的な揺籃期のプロジェクトである……。けれど、私たちは前進し、私たちが既にその内に生きている、デジタルでグローバルな社会に順応する必要がある。）

DLCL のプロプラエタリ（proprietary）な仕組みは、古典研究における Open な環境を志向する Crane 教授には非常に不満の残るものであったと思われる。昔からの知名度を誇る Loeb 叢書が、いまになって「古典的」な仕組みで電子化することで、むしろその仕組みが影響力を残し、「前進」を阻害する要因ともなることへの危惧もあるのかもしれない。

とはいえ、注意すべきは、DLCL はあくまで商用サービスであるということとだ。DLCLがデジタル化している対象は、もともと彼らが持っているものである。現在のLoeb叢書はいわばハーバード大学出版局の商材なので、その売り上げによってシリーズが存続し、あるいはそれが広く古典研究の資金源ともなりえる。DLCLの場合は、有料の購読者／購読機関の存在が、システムの存続を支えることにつながる。その点では、現状のDLCLの在り方も一概に批判できるものではなく、Crane教授も、必ずしもDLCLの在り方を否定しているわけではない（ただ、デジタル化の手法の是非はともかくも、各種文献のデジタル化に公的な資金が投入されつつあるヨーロッパの現状を踏まえて、民間企業に依存するプロジェクトには懐疑的であるようにもみえる）。

ところで、筆者はDLCLを個人購読した関係で、図らずも、DLCLが利用しているプラットフォームを知ることができた。DLCLは、PubFactoryという電子出版プラットフォームを利用している **[注21]**。公開されている顧客一覧を見ると、大学出版局や学術出版社が中心で、学術書や専門書、専門雑誌を多く扱うシステムの構築によく利用されているようである。その点では、Loeb叢書の電子化に際して、このプラットフォームが選択されたことも、判断としてわからないでもない。しかし、汎用の電子出版プラットフォームが使用されることで、DLCLでは、あくまでもLoeb叢書の刊本を電子化することが意図されていたことも見えてくる。

> ……certainly, the development of the Digital Loeb was not a topic of academic discussion and seems to have been conducted under the secrecy typical of product development.
>
> （確実に、the Digital Loebの開発は、アカデミックな議論の議題ではなくて、商品開発に特有の秘密の下で行われたように思われる。）

Crane教授は2月のエッセイで以上のように述べている（p.3）。この推察はDLCLの公開前、つまり実際のシステムを目にする前だが、DLCLの性質をよく見抜いている。

Perseusプロジェクトの場合、デジタルデータの在り方を試行錯誤する場として、基盤のシステムも独自に開発したものであり、そのシステム自体も含め、全体がアカデミックな成果物といえるものである。そして、「古典」のデジタル化が主体であり、Loebはあくまでもその枠組みの中で利用可能な素材の一つということになる。ただ、Perseus は Open 前提であるため、Loeb 以外でも、存在するすべての素材を電子化できるわけではない。一方の DLCL は、印刷媒体の Loeb 叢書の電子化を目指したものであり、古典作品はその枠組みに収められるコンテンツの一つである。DLCL では、Perseus が電子化していない Introduction（英語）の部分など、Loeb 刊本のすべてのページを含む。そして、最新の Loeb 刊行本に電子版も追随する。従って、DLCL はあくまでも「Loeb 叢書の電子版」であり、出版物の電子化に属するものであるが、だからこそ、まさに読者が手軽に「Loeb 叢書」を読みたいという場合には、非常に有用性の高いものともいえる。

実際、DLCL のウェブサイト上に「Praise for the digital Loeb Classical Library」というページが掲載されている **[注 22]**。また、DLCL は、公開翌年の 2015 年に全米出版社協会による PROSE Award for Best Humanities eProduct を獲得するなど、一般の高い評価を得ている。こうした状況を見ると、これまでに Loeb 叢書の築いてきた知名度の大きさが改めて感じられると同時に、現行の DLCL の在り方が社会的に認められていることを確認できる。

それにしても、Crane 教授の考え方は、非常に先進的である。Loeb のような独自のコンテンツを抱える業者が、それらを Open な形で電子化して公開するというのは、まだ簡単なことではないように思われるし、それを押し付けるわけにもいかない。プロプラエタリなソフトウエアが Open 化する事例は最近増えているが、出版業界で民間から同様の流れが生じるには、その形態をとっても収益を確保できるモデルが必要である。とはいえ、標準規格の採用など、電子化の方法として部分的に Open な発想を取り込むことは可能と思われるので、少しずつでも開けた世界へと向かって行くことは期待できる。

ちなみに、筆者はいうなれば Open 派に組みする者ではあるが、DLCL に関していえば、「古典」叢書であるのだから、とりあえずは「古典」の枠組みに配慮したデータ管理が行われるようになってほしいと願う次第である。

▶注

[1] 本節の初出は吉川斉「「デジタル学術資料の現況から」The digital Loeb Classical Library のご紹介 (1) ～ (3)」『人文情報学月報』39-41（October-December 2014）である。The digital Loeb Classical Library のサービス開始から 5 年以上がたち、内容にも齟齬が生じているため、

本節では、現行のシステムに合わせて内容を改めた。なお、初出の記事は『人文情報学月報』ウェブサイト（http://www.dhii.jp/DHM/）にて閲覧可能である。

[2] "The Founder," Loeb Classical Library, accessed April 28, 2021, https://www.loebclassics.com/page/founder.

[3] "Our History," Loeb Classical Library, accessed April 28, 2021 https://www.loebclassics.com/page/history/our-history.

[4] "The General Editor," Loeb Classical Library, accessed April 28, 2021, https://www.loebclassics.com/page/editor/the-general-editor.

[5]「LOEB VOLUMES」を選ぶと、「LCL 1」から始まる書籍版一覧ページが表示される。500冊を超えるリストが一度に表示されるため、圧巻ではあるが、少々使いにくい。

[6] サービス開始当初は10ページまで閲覧できていたが、いつの間にか制限が厳しくなった。滞りなく作品本文を読むためには、基本的に購読が必須である。

[7] この点は「LCL 171」についても同様で、書籍版の初版は1925年刊行、電子化原本にもそれを用いたかのように表記されるが、実際は1999年刊行の第二版が用いられている。

[8] "Searching the Library," Loeb Classical Library, accessed April 28, 2021, https://www.loebclassics.com/page/searchinglibrary/searching-the-library.

[9] ただ、この点については、サイト内の「FAQ」や「Browsing the Library」の説明を読む限り、運営側でも問題はわかっていながら対応が難しいのではないか、とも感じられる。

[10] "How to Subscribe," Loeb Classical Library, accessed April 28, 2021, https://www.loebclassics.com/page/subscribe/.

[11] "Loeb Classical Library," Harvard University Press, accessed April 28, 2021, https://www.hup.harvard.edu/features/loeb/digital-edition-free-trial-request.

[12] この点に関わる挙動は、筆者の環境では確認できない。

[13] 2021年4月現在。サービス開始当初の購読料は初年度195ドル、2年目以降65ドルだった。

[14] "Digital Loeb Classical library," Harvard University Press, accessed April 28, 2021, https://www.hup.harvard.edu/catalog.php?isbn=9780674425088.

[15] 当時の手続きについては、本節初出版を参照されたい。

[16] 一方、購読していた利用者が購読を止めた場合もプロファイルは残るため、個別に作成したデータにアクセス不能になるわけではない。以前の仕組み（後述）だと、この点が明確には保証されていなかった可能性がある。

[17] 特にサイト上で告知もなく、気づいたら変わっていたため、具体的な時期は不明である。Internet Archiveでトップページの変遷を確認すると、おそらく2019年の夏ごろに変更されたものと推測できる。

[18] 構成情報から察するに、本文テキスト中の具体的なコメント位置は"id"で管理されているように思われるが、そのデータは個々のユーザー向けに公開されているわけではない。

[19] "The Digital Loeb Classical Library, Open Scholarship, and a Global Society," Perseus Digital Library Updates, accessed April 28, 2021, https://sites.tufts.edu/perseusupdates/2014/09/20/the-digital-loeb-classical-library-open-scholarship-and-a-global-society/.

[20] "The Digital Loeb Classical Library — a view from Europe," Perseus Digital Library Updates, accessed April 28, 2021, https://sites.tufts.edu/perseusupdates/2014/09/22/the-digital-loeb-classical-library-a-view-from-europe/.

[21] PubFactory, accessed April 28, 2021, http://www.pubfactory.com/.

[22] "Praise for the digital Loeb Classical Library," Loeb Classical Library, accessed April 28, 2021, https://www.loebclassics.com/page/praise.

Perseus Digital Libraryのプロジェクトリーダー Gregory Crane氏インタビュー

2019-01-31 ~ 2019-05-31
小川　潤

2018年7月6日、東京・一橋講堂において国際シンポジウム「デジタル時代における人文学の学術基盤をめぐって」が開催され、Laurent Romary氏とGregory Crane氏が特別講演を行った［注1］。Romary氏は欧州におけるデジタル人文学を牽引する人物であり、DARIAH（Digital Research Infrastructure for Arts and Humanities）のディレクターを務めている［注2］。一方でCrane氏は、日本でも言語学、歴史学などに携わる者によって利用されているPerseus Digital Libraryのプロジェクトリーダーである［注3］。訳者は、自らが西洋古代史を専門とし、Perseus Digital Libraryを日頃利用していることもあり、Crane氏にお話を伺いたいと考えた。幸運にも、人文情報学研究所・永崎研宣氏の協力のもとで氏にインタビューを行う機会を得て、Perseus Digital Libraryの設立と現在までの軌跡、プロジェクトの目的や今後の課題・展望などについて直接お話を伺うことができた。訳者は、この貴重なインタビュー内容をぜひとも広く共有すべきであると考え、本誌において全訳を掲載することとした。今月号から4回にわたって掲載を行う予定なので、ご賢覧くだされば幸いである。

なお、本インタビューは1時間あまりに及ぶものであり、その分量は長大なものとなった。テープ起こしから翻訳までを単独で完成させる能力は訳者にはなく、永崎研宣氏、中村覚氏（東京大学情報基盤センター助教【当時】）、小風尚樹氏（東京大学大学院博士課程【当時】）には、内容の確認、修正の過程においてご助力を賜った。前もって謝意を表したい。

■1．ペルセウスをどう始めたか

問：ペルセウスの過去・現在・未来についてお伺いします。まず、どのような目的・動機に基づいてペルセウスのプロジェクトを始めたのかを教えてください。

答：その質問に対しては二つの答えがあります。最初の答えは 1982 年の 6 月、私が、ギリシア語の検索と組版を可能にしようとしていたハーバード大学西洋古典研究室に協力してくれないかと依頼された時にさかのぼるのです。私たちは、TLG（Thesaurus Linguae Graecae）から入手可能なテクストファイルを所持していて、その公開を自動化する必要がありました **[注 4]**。このような依頼をされる以前、私はコンピューターの活用についてさほど考えてはいませんでした。というのも私は、コンピューターを用いるのは、ほかに方法がない場合の最終手段であると考えていたからです。しかし、立ち上げを依頼されたとき私は、これは古典学における歴史的転換と変化の始まりに立ち会う好機であると気がつきました。私はこのようにして、私たちがデジタル古典学あるいはデジタル人文学と呼ぶところの分野に興味を持つに至ったのです。数年間プロジェクトに従事して、私は何よりも、印刷媒体がいかに限られたものであるかに気づかされました。考古学の書籍は異なる図書館に収蔵され、さらに画像もない。それらが真に有用でないことがわかったのです。そのとき私は、コンピューターを用いることでさまざまなことが可能になることを知っていました。それゆえパロアルト研究所（Xerox PARC）を訪れ **[注 5]**、そこで初めてデジタルカラー画像、ビデオディスクではなくデジタルのカラー画像を目撃したのです。それを見た私は、印刷媒体で可能なことのすべてはデジタル媒体によっても可能であり、むしろ高度に行えるということ、そして私たちは古代世界全体を描写する史資料のネットワークを構築することが可能であることを認識したのです。そして、このような文献学の全体的視点に基づいて、私たちは 1985 年にペルセウス電子図書館を創設しました。私たちはすべての史資料をつなげるとともに、これらすべてを、全世界が入手可能なものとしたかったのです。ハーバード大学や、名門大学に属する人々のみではなく、全世界の利用者が入手可能なものに。

問：では創設後、これまでどのような歩みを続けてきたのかを教えてください。

答：私たちは 30 年以上にわたって発展を続けてきました。プロジェクトが（本格的に）始動したのは 1987 年です。最初の補助金提案書を書いたのは 1985 年の春、そして、後にペルセウスとして結実するプロジェクトの初期段階の企画書を出したのは 1985 年の 9 月です。私が助教授になって 1 週目のことでしたので、実質的に私の初めての仕事でした。私たちは設計のための少額の補助を受け、さらに 1987 年には試作を行うに十分な補助金を得て、それ以来（今日まで）継続的に発展しています。時には大きな補助金を受けたり、時には少額であったりしましたが、ここまで途切れなく、継続的に維持してくることができました。

問：プロジェクト創設時の規模、メンバー構成はどのようなものだったのですか？

答：当初は小さなチームでした。最初に私とともにこのプロジェクトに参加したのは Jud Harward という人物であったと思います。このプロジェクトは私がハーバード大学にいたときに始まりましたが、当初はボストン大学と協力しており、加えて Elli Mylonas、CTS（Canonical Text Services）の技術開発者である Neel Smith がプロジェクト開始時点でのメンバーでした。ほかにもメンバーがいたことは確かだと思いますが、（いずれにせよ）私たちは小規模なグループでプロジェクトに取り掛かり、そして彼らは全員、今日でも同様の仕事をしています。

問：どのような専門分野を持つ人々が参加したのでしょうか？

答：私たちは全員、古典学者です。ほとんどの人材に関して私たちは、まず古典学を専攻し、その後、古典学の素養の上に専門的な技術を習得した者に依拠してきたのです。コンピューター科学者とプロジェクトを始めるのではありません。その一つの理由として、十分な資金のない人文学領域に彼らが興味を持たない点がありますが、それだけではありません。もし私が、技術力は高いが私たちの実現したいことを理解していない人物と、実現したいことについての明確なビジョンを持つ反面で技術力のない人物、この両者のどちらかを選ばなければならなかったとしたら、常に後者を選んだでしょう。もしプロジェクトがもっぱら技術の専門家や文書管理ソフトのようなものに依拠するなら、その成果は予測可能で、ありきたりなものにとどまることになります。このような場合、例えて言うならば、トラクターや自動車を手に入れることはなく、手押し車を手にするようなものです。つまり、次にやるべきことについて考えることは決してないのです。私は、限りなく重要な進歩は、解決したいと思う既存の問題を明らかにすることではなく、これまでには試みようと考えることすらなかった何かを想像し、デジタル技術が全く新たな方法でそれにアプローチすることを可能にしてくれると気づくことでもたらされると考えたのです。そのような意味での進歩は、プロジェクト参加者が双方の分野に通じていない限り、実現不可能なのです。すなわち、人文学とデジタル技術に通じていない限り。

■2．コンピューター科学と人文学の垣根が低いドイツ

問：つまり、こうしたプロジェクトは人文学者によって進められるのがよいということでしょうか？

答：もちろん連携していくのが望ましいですが、あえて選ぶのならそうです。ただ、ここでは逆説的にこうも言えます。つまり、もし人文学領域に真にコミットメントするコンピューター科学者がいるのであれば、それは非常に効果的だということです。実際、幾人かのそうした人材を私たちは有しています。そして、このような（分野横断型の）科学者育成はアメリカにおいてより、ドイツにおいて容易なのです。なぜなら、アメリカにおいては自然科学、俗に言うSTEM（Science, Technology, Engineering & Mathematics）学問分野に対する助成金と、人文学が対するそれとの間に明確な区別が存在し、人文学のほうに資金がない以上、コンピューター科学者が人文学領域でキャリアを形成することは困難なのです。一方ドイツにおいては、このような区別はありません。それゆえ助成金が豊富で、コンピューター科学者が人文学のプロジェクトに参加して報酬を得ることに何の障害もないのです。これがアメリカとドイツの違いであり、ドイツの強みでもあります。

問：では日本は、ドイツのような制度を採り入れるべきでしょうか？

答：いま、日本がどのような制度を有しているのかは存じませんが、そうあるべきだと思います。もし、いずれかの機関が人文学領域で活動するコンピューター科学者に研究助成をできるのであれば、そのほうが有利です。それにもかかわらず、アングロ＝サクソン諸国においては、

「科学」を人文学から区別するがゆえに、構造的な障壁が存在するのです。一方でドイツにおいては、すべて Wissenschaft（科学）です。

■3. ペルセウスの現在

問：ペルセウスの現在についてお聞きします。プロジェクト開始時にあなたが立てた目標は、現時点ではどの程度達成されたと言えるでしょうか？

答：もし大きな目的がすでに達成されているとしたら、それは十分に野心的ではないということです。私の大きな目的は――ソフトウエアの発展を踏まえて今日では表現の仕方を変える必要があるかもしれませんが――地球上のすべての人がふとした興味に基づいてギリシア・ローマ世界の探求を始めることのできる基盤を構築すること、と言い表されるものであると思います。人が学び始めることができ、より深く学び、情報の終着点に達することがない。ヨーロッパに行かなければ書籍が入手できないと悩むこともなく、それらは常に入手可能な状態にある。各人の（学習）背景と目的に沿って、彼らが何を知る必要があるのかを正確に特定することを可能にする、十分な機能を有する環境を構築するのです。そしてこの分野で、私たちは着実な進展を遂げています。しかし、私は、ローマ史に関心を持つあなた自身（インタビュアー）のような事例、世界で最も先進的な国の一つである日本にいるにもかかわらず、整備された図書館、利用可能なインフラを持たず、それでも自らの考えていること、研究内容を日本語で論文にまとめ、それをより広い世界――英語・フランス語・ドイツ語・イタリア語が支配的な世界――に対して発信したいと望んでいるような事例に思いをめぐらせているのです。まさにこのような事例こそが、私の目的にとっての素晴らしいユースケースなのです。私たちは、自らの挑戦の意義を明確にすることができるとともに、その挑戦において活用しうるいくつかのツールと、対処すべき多くの課題を有しているのです。

問：いま現在、プロジェクトではどのような取り組みを行っているのでしょうか？

答：現在、私たちはギリシア語、ラテン語、そしてあらゆる史料を公開するためのシステムモデルを有しており、これは二つの要素を含んでいます。そのうちの一つは、増大する史料の内容を説明するデジタル注釈の高密度なネットワークから成るものです。こうした注釈のうち、わかりやすいカテゴリーの一つが、地名です。歴史は、多くの人がその場所を知らない数多くの地名に言及しますが、もし地名情報を特定し、それをデータベースにリンクすることができれば、システムは地図を表示することができ、それによって利用者は史料が言及する地名がどこに存在したのか確認することができるのです。これは簡単な事例ですが、非常に明瞭なシステムです。というのも、私はギリシア語の注釈を行うことができ、あなたは日本語の注釈を行うことができる。一方で私は日本語を読むことはできないし、ある人はギリシア語を読むことができない。しかし私たちは皆、地図を見ることはできるのですから。地図は私たち全員にとって可視の媒体なのです。地名とは異なる種類の注釈としては、テクストの言語的特徴に関する注釈があげられるでしょう。テクスト中の文構造や語義がデジタル辞書に関連付けられることで、文法の基礎的知識さえあれば、本格的に学習したことのない言語（で書かれたテキスト）を扱うことができるようになるのです。そして、元来のテクストがどのようなものであるかをある程度把握することができるようになります。こうしたシステムは、理論上実現可能であり、多数の言語にローカライズさせることもまた可能なのです。もう一つの要素は、特定の言語において、例えば翻訳のように、テクストを構成する能力を持つ人材を要するものです。翻訳を作成するとともに、その翻訳を可能な限り体系的に原典と連結し、加えてあらゆる言語学的情報を包括するシステムである「並列翻訳（align translation）」についてはすでにお話ししました**[注6]**。そしてここにこそ、各言語の母語話者が必要となるのです。それゆえに私はこのプロジェクトが、地名を特定し、言語学的な注釈を行うのに貢献してくれる人材を世界中で確保することを望んでいるのです。そうすれば、ある人が中国語、日本語、アラビア語、ドイツ語、英語など、どのような言語を話すのであれ、情報を得ることができるようになります。異なる言語を用いる諸コミュニティーが、各言語の翻訳を発展させていくのです。そしてそれぞれの注釈や研究成果を（他言語のコミュニティーにも）解釈可能にする動きを進めるのです。つまり、ギリシア語テクストについての注釈や研究を日本やアメリカ、ドイツの利用者にとって理解可能なものにするということです。なぜなら、これら各コミュニティーはそれぞれ異なる問いを有しているのですから。

問：こうした取り組みは、どのようなチームで進められているのでしょうか？

答：いまのところ、私を除いてアメリカに2名、ドイツに3名、計5名の常勤スタッフがいます。加えて、そのほかにも多くのボランティアによる協力者がいます。私たちのプロジェクトは多くの大学からの協力者を得ており、彼らがまた大学院生をはじめ多くの学生協力者をもたらしてくれます。私たちのプロジェクトは協力者のネットワークによって成り立っており、同時にさまざまな研究チームをつなげ、同じプロジェクトで協働することに熱心であると思います。簡単に言えば、それぞれに異なる問題を把握しようと試みることで私たちは、ほかのチームの人々と話すことによってどのように新たな知見を得ることができるかを学ぶことができ、私たちの取り組みの意義をより深く思い知らせてくれるような新たな課題を把握することができるのです。それゆえこの日本で、私はSATが何に取り組んでいるのか、どのようなサービスを提供し、どのような史料を扱っているのかをより深く把握したいと思っています**[注7]**。そうすることで、私たちが直面しているいくつかの課題に対しての、これまでとは異なるアプローチの仕方を垣間見ることができるでしょう。そして理想を言えば、私がどのように仏典のプロジェクトに貢献できるかを考えるとともに、日本の研究者がどのように私たちのギリシア語・ラテン語のプロジェクトに貢献してくれるかを考えたいと思います。そうすることで、（私たちと日本の研究者との間に）新たなネットワークを構築したいと考えています。

問：上でSATプロジェクトの話が出ましたが、SATについて印象に残った点、感銘を受けた点があれば教えてください。

答：私にとって最も印象深かったのは、SATが直面している課題と、私たちが直面している課題がいかに似通ったものであるかという点、そしてこちらの人々のSATに対する考えに触れることで、私がどれほど多くのことを学びえたかという点です。 SAT は仏典を扱っており、いうなれば比較的大規模な史料群を対象としていることになります。思うにその規模は、私が扱うホメロスから6世紀までのギリシア語・ラテン語の史料群、私たちが扱わなければならない膨大な数の史料群に匹敵するものであると思うのです。 このような類似点を踏まえて、私が感銘を受けたのは、コミュニティーの SAT、とりわけ仏典との関わりの深さ、そして、ボランティアがどれほど多大な貢献をこの仕事に対してなしたかという点です。 これは明らかに、仏典プロジェクトが仏教の実践、そしてデジタル化とテクスト読解の進展によりもたらされた（宗教的）核心への献身を有効活用できるという事実を反映していると言えるでしょう。 これこそが、SAT を支えるコミュニティーの強みであり、今後、私たちのプロジェクトにおいても醸成していかなくてはならないものです。このような連携の萌芽（ほうが）は、The Homer Multitext Project において活躍したボランティアに見られ、潜在的な可能性は（ギリシア語・ラテン語のプロジェクトにおいても）あると考えています。 しかし私は SAT のプロジェクトを見て、真の可能性を見いだしたのです。SAT プロジェクトの本質的な強みは、それに関わる人々が、仏典の重要性について明確な認識を有している点にあります。 たとえ、そうした人々が仏典をもっぱら学問的、科学的な視点から扱っていたとしてもです。 この点に関して、私にとって非常に興味深いのは、学問領域と信仰領域、すなわち研究者と仏教の実践者との間に反目が存在するのかという問いです。西洋において学界と宗教の間に敵意と懐疑が存在し、学問領域に属する人々が信仰の実践に対して軽蔑の念さえ抱いているのと同じように。もちろん、西洋におけるこうした対立には歴史的背景があるのですが、それでもそのような相互の関係性は損失が大きいと私は見ています。 このような関係性は、信仰を実践する人々が私たちのプロジェクトに協力することを困難にしてしまっていますし、それが何かしら建設的であるとも、またこれまでのいかなる場合においても建設的であったとは思われません。 私たちがドナルド・トランプのような人物を大統領に持つことになった理由の一つは、アメリカの多くの人々が、高等教育機関に属する知的エリートたちから除外され、軽蔑されていると感じていたからなのです。私が思うに彼らは、ないがしろにされた感情のはけ口を求めており、それが大きな損失をもたらし、彼らの専門家、そして学者に対する信頼を失わせてしまうことを可能にしたのです。西洋における（学界と宗教の）関係性はこのような様相ですが、私は、SAT プロジェクトにおける知的営みの在り方が、そこから多くのことを学べるものなのではないかと期待しているのです。もちろんこれには、仏教が暴力的な負の側面を（西洋と比して）欠いているという要因もあるでしょう。（西洋では負の側面が顕著であったがゆえに）西洋における思想の形成とはすなわち宗教的権威の否定であったのであり、そのために我々は宗教的な権威から切り離され、もはやこれを尊重する必要もなくなってしまっているのです。

■ 4. ペルセウスと他の資料

問：ここからはペルセウスの内容についてお聞きします。私の知り合いで古代史を研究している何人かの学生にペルセウスの有用性について質問したところ、考古学資料、碑文、パピルス史料などを扱うには十分ではないとの意見がありました。この点について、将来の展望はいかがでしょうか？

答：現在、ペルセウス電子図書館に碑文やパピルスが多くみられないのは、これらを扱うほかのシステムが存在するからです。例えばパピルス史料に関しては、素晴らしい規模を誇るプロジェクトである Papyri.info が存在し **[注 8]**、すべての史料を CC ライセンスに基づいて入手することができます。加えて、非常に興味深いプロジェクトの一つである DTS（Distributed Text Services）が進行しており、これは CTS（Canonical Text Services）の進化版です **[注 9]**。CTS は、複数の異なる版を持つ文献に関しては非常によく機能しましたが、碑文を扱うための最適化はなされていませんでした。碑文は一回的で単一の史料であり、石碑上の語の位置によって参照され、文献史料のように複数の版を持つ文字媒体の史料ではなく、極めて物質的、物理的な史料です。それゆえ言うまでもなく、もし碑面の翻刻を入手したのであれば、それは碑文そのものを入手したようなものなのです。それゆえ、DTS はテキストサービスを提供するとともに、CTS のシステムを一般化し、碑文やパピルスをより効率的に扱う方法を模索しています。このプロジェクトは現在進行形の試みであり、そのために構築されたAPIが存在します。ひとたび私たちがこのAPIを使用できるようになれば、パピルス、碑文、そして文献史料を単一の空間において結合することが可能になるでしょう。

私の考えでは、パピルスと碑文を比べれば、パピルスのほうが総数は少ないと思います。そしてパピルス学者は相互に親密な関係、友情とも言うべきものを有しており、相互の連携と共同作業が有効であると信じています。そのため彼らは、非常に網羅的なシステムを構築することができたのです。一方で碑文学者たちは互いに対抗関係にあることが多く、碑文自体も多種多様な地域から幅広く出土しており、さらに断片的なものも多いのです。それゆえに私たちは、パピルスと同じような網羅的なシステムを有するには至っていないのです。そしてパピルスがデジタル化されCCライセンスに基づいて入手可能である一方で、碑文に関しては、自由に閲覧することはできるものの、CCライセンスに基づくシステムは整っておらず、これがシステムの構築を困難にしています。これは、時代に遅れた在り方であると言えるでしょう。利用者がライセンスに基づいてデータを取得できるようになれば、コーパスをダウンロードして種々の処理を行うことで、あなた自身のプロジェクトにおいてこれを利用することができるでしょう。

■5. 校訂版をどう作るのか／利用と引用

問：次に、ペルセウスが収録する校訂版の問題についてですが、ペルセウスにおいては使用する校訂版をどのような基準で定めているのでしょうか。

答：まず、私たちは無料で使用し、公開できる校訂版を用いる必要がありました。それゆえ当然、著作権の問題から最新版の校訂を使用することは不可能でした。私たちは伝統的な制度、すなわちアメリカにおける著作権制度に従って、1923年以前に出版されたもの、あるいは著者が亡くなってから70年以上を経た版に限って使用してきたのです。しかし、ドイツでは著作権法は異なります。版権は25年しか保護されておらず、さらに著作権で保護されている版をデジタル化することも許されるのです。もちろん、このデジタル化した版を公開することは許されませんが、私たちは公開可能な版を公開した上で、最新版と異なる箇所を明示することはできるのです。それゆえ私たちは、単一の版のみでなく、少なくとも二つの版を含むデジタルライブラリーを構築したいと考えています。それによって利用者は版によってテクストがどれほど異なるのかを知ることができるとともに、実際に見ることはできない最新版と照合することができ、異なる諸版の間に多様な解釈が存在することを実感することができるのです。そしてもちろん、次のステップがあります。各版の書評を書く際、評者はすべての編集方針をまとめることになっています。もし私たちがこれらの書評をデータとしてシステムにリンクさせることができれば、利用者はすべての編集方針を閲覧することができるようになるのです。

今週、私はある出版社の方たちとお会いしたのですが、彼らに対して、版権を保護することは近いうちに不可能になるという私の考えをお伝えしました。なぜならデジタル化の流れを止めることはできないからです。実際、もし私が著作権で保護される版のデジタルデータを持っていれば、私は旧来の版との相違を自動化して公開することもできれば、旧来の版を最新版に書き換えるプログラムを書くこともできるのです。こうした可能性は明らかに著作権を無意味にしてしまうでしょう。私はいかようにもテクスト間の相違を明示することができますし、これにほかの人々も加わって、手動で照合作業を行い、彼らが校訂に関する自らの見解を書き足していけば、結局のところ著作権は有名無実化してしまうでしょう。それゆえ、本文校訂に関しては近いうちに、ライセンスに基づいて完全に公開されることになるはずです。というのもこれを制限することは不可能だからです。これは大きな変化です。とても大きな変化です。ドイツにおいては著作権法を改正することが必要ですが、私たちはいままさにこれに取り組んでいます。私たちはドイツ政府に対して、この大きな変化を促進するように依頼したいと考えています。しかしまずは、こうした変化がいかに達成されるのかを示すために、小さな仕事から始めていきます。

問：それが実際に可能になれば、非常に有用だと思います。そのようなシステムはまもなく公開される予定なのでしょうか？

答：その通りです。私はすでに多くのテクストを手にしており、いくつかの文献、例えばソフォクレスの悲劇などから着手しようと考えています。すでにいくつかの校訂版を入手しており、それらの相違をいかに構造化し、比較し、そして効果的に研究するかを考えていくのです。

問：次に、デジタル校訂版の利用と引用についてお聞きします。日本においては現状、デジタル校訂版よりも Loeb や Bude、Teubner といった紙媒体で出版された校訂版のほうが信頼に足るとの認識が広く存在するように思われ、そのために研究者はペルセウスを始めとしたデジタル校訂版を参照したことを必ずしも明記しない場合があると思いますが……。

答：利用者は、何であれ彼らが利用したサービスを明示するべきです。もしペルセウスを用いたのであれば、参考にしたサービスとして言及すべきです。もし利用者が私たちのテキストを利用し、それを Teubner などと比較したいというのであれば、それは何の問題もないことは言うまでもなく、私たちが促進すべきことでもあります。利用者は最新の版を確認するべきですし、クロスリファレンスは必要です。それゆえ、私たちのテキストを土台に、ほかの版と比較することは至極適当なことです。しかし利用者はその際、検討・研究過程のすべてを明らかにするべきであることは間違いありません。とはいえ、それがなされなかったからといって、私たちがそれに抗議するというようなことはありません。

問：アメリカやドイツにおける状況はどうでしょうか？

答：私が思うに、状況は同じです。研究者たちがギリシア語の言語学を扱う書籍を執筆するためにギリシア語を読み、分析する際、彼らの多くは私たちのテキストを使用します。時には少し変更したりもしますが、このような場合、一般的に研究者たちはペルセウスを参照したことを明示します。しかし一方で、変更を加えることなく、書籍執筆のため単にテキストを参照する場合、彼らは本来必要な引用を行わないことがあります。

■6. これまで存在しなかったシステムを構築する

問：やはり問題はあるということですね。今後、古代史・古典の分野においてもデジタル校訂版の参照を明記する慣習を形作っていく必要があると思います。さて、時間の関係もあり次が最後の質問になります。ペルセウスのさらなる進化のために、今後どのようなことを行っていきたいと考えておられるのでしょうか？

答：昨日私は、私が非常に重要な試みであると考えているプロジェクトとサービスのそれぞれをご紹介しました。その中でも特に重要な三つのプロジェクトである自動マッピングと言語的注釈、そして並列翻訳（align translation）について詳しく説明したと思います。これらのすべては現に機能していますし、我々が構築することもできますが、それでも現状、これらは別の動作環境で稼働するシステムなのです。それゆえ、テキストを読みながら同時に、「地図を表示」「ツリーバンクを表示」「並列翻訳を表示」といったツールを目にすることはできないのであり、これらのツールを単一のシステムのうちに包含しない限り、一つのまとまったシステムとして機能することはないのです。これができるまでは、複数のシステムを行き来するという煩雑な作業が残り、真に「読んでいる」ことにはなりません。これが、一つの技術的課題です。しかし私は、このような技術的課題の背後に横たわっているものは、「読むこと」に関する先入観と初期理論であると考えています。私にとっての問題は、我々がどのように利用者のテキスト理解を助けることができるかという点にあり、この問題に対して私は、我々が「スマートエディション」（smart editions）と称するシステムを構築しようとしているのです。これは利用者が扱うテキストのコーパスモデルを内蔵しており、何が重要であるのかを把握し、提供するものです。例えば、あなたが演劇史を研究しているとして、能や歌舞伎との比較研究という視点から古代ギリシア劇に興味があるとします。この場合あなたは、より一般的に思想史に興味がある場合とは異なる点に注目するに違いありません。我々はどのようにして、あなたが探索しているもの、学んでいるものに対して（システムを）最適化することができるでしょうか。どのように、あなたが、翻訳を通して理解する以上の、真に興味を抱いたテキストに取り組むことを可能にするシステムを構築することができるでしょうか。あなたはおそらく、翻訳されたテキストの奥に存在する一次史料に目を向けるようになり、「この言語を学んでみたい、この言語についてよく知りたい」と言うようになるでしょう。私を例に取れば、私の好きな黒澤映画のいくつか、『虎の尾を踏む男達』や、日本の歴史をモチーフとする『影武者』を鑑賞すること自体は文化的にも容易なことです。しかし、表面的な部分を越えて歴史的文脈や言語、そして字幕の裏に存在する言語的ニュアンスを理解することは私にとっては困難なことなのです。私は、私自身やほかの人々が、作品を理解するために非常に強力で、すべての語彙、形態素、そして作品に現れる慣習的な要素のすべてを網羅するようなシステム構築を進める状況を容易に見いだすことができます。もしそのようなシステムにアクセスできればの話ではありますが。それゆえ私は、私自身の状況を考えるのです。すなわち、興味はあるけれども、それを知るための知識に欠けるという状況を。このような状況にある人こそ、私が支援したい人であると言えるのです。つまり（ギリシア語やラテン語に堪能でなくとも）ホメロスやそのほかのギリシア悲劇、プラトンやホラティウスを読もうとする人々です。

問：なるほど。興味関心はあるけれども、文化的・言語的困難のゆえになかなか一歩踏み出せずにいる人々にとって有益なシステムを、ということですね。

答：そうです。そして私は、これまでは存在しなかったシステムを構築したいと考えています。そこでは誰もが興味から出発することができ、そして探求できる範囲に限界はないのです。もちろんそこでも、多大なエネルギーと決意、修練、終わりなき修練と、理解を深めるための長年にわたる努力が求められるでしょうが、あなたのささげる時間と努力の不足以外に、あなたの探求を妨げるものはないのです。これは、上で述べたような困難な障壁に妨げられるのとは対照的です。私が黒澤映画を理解しようとするとき、そこには真の限界がありました。図書館に行き、映画史と映画学に関する本を読むことはできますが、言語はわからず、私が本当に触れたいと望むような深い文化的文脈に分け入ることもできないのです。しかしこれは、私たちが変えることのできるものであり、私は専門とする西洋古典の分野においてどのように変えることができるかを知っています。それゆえに私は、こうした変革を前に進めるためのアイデアを持っているのです。そして（SAT プロジェクトを知って）私は非常に感銘を受け、このような変革を SAT とも連携して進め、相補的なプロジェクトとして協同することに希望を抱きました。それによって私たちは、どのようにドイツやアメリカの人々が、限界に縛られることなく仏典の探求に参入できるのか、そして同じく、どのようにラテン語やギリシア語の文献に日本や韓国、中国の人々が触れられるようにするのかをともに考えることができるのです。

質問者：アジアの人々が西洋古典になじみにくいのはもちろんですが、欧米の人々がアジアの文献に触れることはそれ以上に困難なのではないかと思います。仰るように、協同を通してそのような困難が少しずつでも解消されていくのではないかと期待したくなりました。貴重なお話をありがとうございました。（完）

全４回にわたって掲載した「Gregory Crane 氏インタビュー全訳」も今回が最終回となる。古典文献学の分野における世界最大のデジタルライブラリーであるペルセウスのプロジェクトリーダーである Gregory Crane 氏とお話しできたことは私にとって貴重な経験であったと同時に、快くインタビューに応じてくれた Crane 氏の快活な人柄がいまも記憶に残っている。

お話の中では、ペルセウスの設立秘話や苦労話、現在までの発展過程、さらには今後の取り組みに至るまで真摯にお答えいただき、ペルセウスについて詳しく知ることができた。同時に、プロジェクトの枠にとどまることなく、Crane 氏がテキストのデジタル化を進める上で大切にしている理念、さらには「テキストを読む」ことに対する根本的な認識に関してもお話しいただいた。これを通して、テキストのデジタル化がさらに進展するこれからの時代のテキスト読解、ひいては人文学の在り方を考える上で重要な示唆を得ることができたと思う。

質問者の勉強不足、さらには翻訳の拙さゆえに Crane 氏が語ってくれた貴重な内容を十分に伝えきれていない点については、ご容赦いただければ幸いである。改めて、このような機会を設けてくださった東京大学大学院人文社会系研究科の下田正弘氏、人文情報学研究所の永崎研宣氏、翻訳にご協力いただいたTokyo Digital Historyの諸賢、そして何よりも、インタビューに快く応じてくださったGregory Crane氏に深い謝意を表したい。

▶注

[1] このシンポジウムについては以下を参照。「デジタル時代における人文学の学術基盤をめぐって」、最終閲覧日2020年7月15日、http://21dzk.l.u-tokyo.ac.jp/kibans/sympo2018/。

[2] DARIAH-EU, accessed July 15, 2020, https://www.dariah.eu/.

[3] Perseus Digital Libraryは、ギリシア・ラテン語文献を中心に、さまざまな地域・時代の史資料を収録している。"Perseus News and Updates," Perseus Digital Library, accessed July 15, 2020, http://www.perseus.tufts.edu/hopper/.

[4] Thesaurus Linguae Graecaeは、古代から現在に至るまですべてのギリシア語テクストのデジタル化と、デジタル技術に基づく文献学的分析を目的とするプロジェクトで、1972年に創設された。Thesaurus Linguae Graecae, accessed July 15, 2020, http://stephanus.tlg.uci.edu/index.php.

[5] パロアルト研究所は、もともとはXerox社によって設立された科学技術研究所であるが、現在はXeroxの子会社であるPARCの本部となっている。Crane氏が訪問した当時は、いまだXerox社の研究所であった。PARCについては、以下の日本語サイトを参照。PARC: A Xerox Company, accessed July 15, 2020, https://www.parc.com/ja/%E3%83%9B%E3%83%BC%E3%83%A0/.

[6] Gregory Crane氏は本インタビューの前日、2018年7月5日に東京大学本郷キャンパスにおいて特別講演を行っており、その際に「並列翻訳(align translation)」の紹介も行った。詳細はhttp://static.perseus.tufts.edu/lexicon/を参照。

[7] SATについては、前註で言及した特別講演において人文情報学研究所の永崎研宣氏が紹介を行った。SATに関しては、SAT大正新脩大藏經テキストデータベース, 最終閲覧日2020年7月15日, http://21dzk.l.u-tokyo.ac.jp/SAT/を参照。

[8] Papyri.info, accessed July 15, 2020, https://papyri.info/.

[9] 以下でも述べられるような、CTSを補強するサービスとしてのDTSの概要や意義については、"Distributed Text Services (DTS)," distributed-text-services/speifications, GitHub, accessed July 15, 2020, https://github.com/distributed-text-services/specificationsによくまとめられている。

西洋古典・古代史史料のデジタル校訂とLeiden+
—デジタル校訂実践の裾野拡大の可能性—

2020-02-29

小川　潤

■1．紙媒体の校訂記号をデジタルでも利用

西洋古典学、あるいは西洋古代史の分野において、主に碑文・パピルス史料を校訂する際に国際的に広く用いられているのがLeiden記法である［注1］。Leiden記法を用いることによって、諸校訂間における校訂記号が統一され、相互の比較参照が容易となった。

Leiden記法は、当然ながら紙媒体の出版を想定して制定された規格であるが、近年のデジタル化に伴うデジタル校訂においても、有用な規格として採用された。しかしながら、Leiden記法は、そのままでは機械可読でないために、規格を保ちつつこれを変換する必要があった。そのような試みの一つとして、TEIのサブセットであるEpiDocがあげられる。EpiDocは、史料上の欠損箇所や異読、校訂者による補いなどを<gap/>や<choice/>、<supplied/>といったタグを用いて表現したうえで、出版の際には変換スキーマを用いてLeiden記法にのっとった形で出力できるようにしている［注2］。またEFESのようなデジタル出版のためのプラットフォームも開発されている点を考えれば［注3］、EpiDoc周辺の技術環境は相当に整備されてきており、古典・古代史史料のデジタル校訂における標準規格としての地位が確固たるものとなりつつある。事実、Perseus Digital Libraryを始め、西洋古典・古代史分野における名だたるデータベースの多くは、EpiDoc準拠のデータを提供するようになっている［注4］。

■2．Leiden+とは何か

しかしながら、実際にEpiDocの規格にのっとって史料を校訂・マークアップする段になると、人材の確保という問題が生じる。というのも、EpiDocがTEIのサブセットであり、TEIが現状ではXMLの枠組みの中で記述され

ている点を踏まえると、XML に関する基本的な知識と経験を有している必要があるからだ。これは、デジタル技術に親しんでいるわけではない古典・古代史研究者には負担が大きく、特に TEI の普及が欧米ほどには進んでいない日本においては大きな障害となりうる。こうした負担を軽減し、古典・古代史研究者がかねて親しんでいる Leiden 記法をそのまま用いてデジタル校訂を行うことを可能にするためのマークアップ言語が Leiden+ である。Leiden+ は、Integrating Digital Papyrological Project が、Papyri.info の利用者、ことにデジタル校訂者のために提供している言語であり、Papyri.info の校訂プラットフォーム内において主に利用されている。以下では、Leiden+ のガイドラインに基づいて **[注 5]**、その記法を簡潔に紹介したい。

■ 3. 文構造

まず、文構造の記述に関しては XML での構造化と大きな相違はなく、用いる記号が異なるのみである。まず冒頭では、<S=.--- という形で言語宣言を行う。例えば、<S=.grc とすれば、ギリシア語の文書であることを示している。それ以降は、XML と同じく開始記号と終了記号で各構造要素を囲むことで文構造を表現する。例えば、XML で <div n='r'>---</div> と記述する部分は <D=.r --- =D> と記述し、<ab>---</ab> で囲む部分は <= --- => で囲む。行番号に関しての記述は XML と比して非常に簡潔で、テクストの先頭に、1. のように番号とピリオドを挿入すればよい。それゆえ、全体の構造としては以下のようになる **【図 1】**。

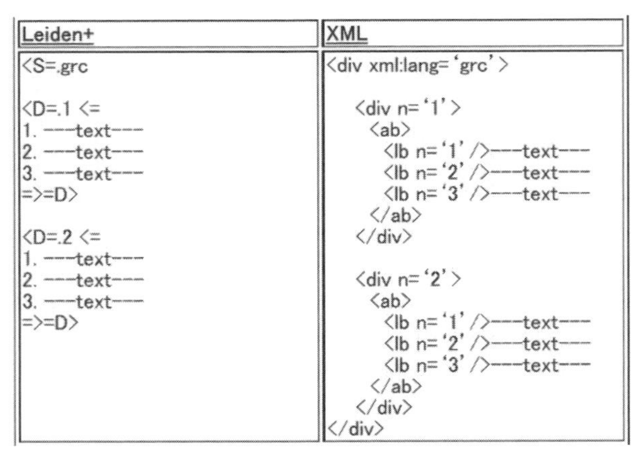

Leiden+

```
<S=.grc

<D=.1 <=
1. ---text---
2. ---text---
3. ---text---
=>=D>

<D=.2 <=
1. ---text---
2. ---text---
3. ---text---
=>=D>
```

XML

```
<div xml:lang='grc'>

  <div n='1'>
    <ab>
      <lb n='1' />---text---
      <lb n='2' />---text---
      <lb n='3' />---text---
    </ab>
  </div>

  <div n='2'>
    <ab>
      <lb n='1' />---text---
      <lb n='2' />---text---
      <lb n='3' />---text---
    </ab>
  </div>
</div>
```

図 1　Leiden+ と XML によるテキスト構造化例

以上が、基本的な構造の記述方法である。要素を記号で囲むという点に関してはLeiden+とXMLで大きな違いはないが、Leiden+のほうがより簡略化されており、特に行番号の記述に関しては非常に直感的である。

■4. テクスト校訂

次に、テクストの校訂について述べる。テクストの校訂においては、Leiden記法の記述方法をほとんどそのまま入力することができ、Leiden+の真価が発揮される点であると言えよう。

まず、基本的な表記の例として、校訂者による補記・欠落箇所・省略を見ることで、Leiden+が、Leiden記法に慣れ親しんだ者にとっていかに直感的な記述を可能にしているかを示したい。Leiden記法において、校訂者による補記は、補われた文言を[]で囲む形で表される。すなわち、Iul [ius] C [ae] sarと表記されていた場合、iusとaeの部分は判読不可であったが、校訂者により前後の文言から推測され、補われたことになる。こうした補記は、XMLでは[]部分を<supplied></supplied>に置き換えて記述する必要がある一方、Leiden+においてはLeiden記法と全く同様に記述することができる。欠落箇所は、Leiden記法では[.....](5文字欠落)、[-ca.10-](約10文字欠落)、あるいは[- - -](欠落文字数不明)という形で表す。これをXMLで表そうとするとそれぞれ、<gap reason='lost' quantity='5'/>、<gap reason='lost' quantity='10' precision='low'/>、<gap reason='lost' quantity='unknown'/>と記述する必要があるが、Leiden+ではそれぞれ、[.5]、[ca.10]、[.?]と表記すれば事足りる。最後に、省略について、Leiden記法では省略部分を()で囲う。Iul(ius) Caes(ar)と記述されていれば、原文にはIul Caesとしか記されていない(欠落があるわけではない)が、校訂者が省略部分を補ったことを意味する。これをXMLで記述するためには、<expan><abbr>Iul</abbr><ex>ius</ex></expan><expan><abbr>Caes</abbr><ex>ar</ex></expan>というように、多くのタグを記述する必要があるが、Leiden+では(Iul(ius)) (Caes(ar))と記述すればよい。

このように、テクスト本文の校訂に関してみれば、Leiden+の記述方法はおおむねLeiden記法を踏襲しており、古典・古代史研究者にとって直感的に理解しやすいものになっていると言えよう。

■5．異読等の注釈

次に、テクスト本文の校訂記号ではなく、異読等の注釈、クリティカル・アパラタスに関わる記述を見てみたい。まず、綴りの正規化、つまり原テクストで綴りを誤って記されている語を、正書法にのっとった形に修正する場合、Leiden+ では <:（正書表現）|reg|（原テクスト）:> を用いて表す。例えば、再度カエサルを例にとれば、<:Iulius Caesar|reg|Iullius Cesar:> といった具合である。これを XML で記述すると、<choice><reg>Iulius Caesar</reg><orig>Iullius Cesar</orig></choice> とする必要がある。次に異読に関しては、<:（原テクスト）|alt|（異読）:> とする。例えば、底本ではユリウス・カエサルと読んでいるところを、テクストの欠落が原因で解釈が分かれ、別の写本ではデキウス・カエサルと読んでいるような場合、<:［Iu］lius Caesar|alt|［De］cius Caesar.> と記述することになる。XML では、<app type='alternative'><lem><supplied>Iu</supplied>lius Caesar</lem><rdg><supplied>De</supplied>cius Caesar</rdg></app> となるだろう。

このように、XML では原テクストと正書表現・異読の双方をタグで囲む必要があるうえに、上の例のような補記、あるいは欠落、省略などがある場合には、それもいちいちタグで囲まねばならず、場合によってはタグの入れ子構造が相当複雑になることも考えられる。この点でもやはり、Leiden+ は XML に比してより直感的な記述を可能にしていると言えるだろう。では Leiden+ は、Papyri.info において実際にどのように利用されているのか。最後にこの点を紹介して、本節をまとめたいと思う。

■6．Papyri.info での利用法

まず、Papyri.info にサインインしたうえで、ページ上部に並ぶ DDbDP、HGV、APIS などの諸パピルス・データベースから編集したいパピルスを選択し、エディターで開くと、以下のような Leiden+ 対応のエディターが表示される【図 2】。

ここで、Leiden+ の規格に従ってテクストを校訂し、Save ボタンを押すと、編集結果が自動的に EpiDoc 準拠の XML ファイルに反映される【図 3】。

このように専用のエディターが用意されているため、校訂者は記述が容易な Leiden+ を用いてテクストを編集するだけで、自動的に XML ファイルを

```xml
<text>
  <body>
    <head n="20219" xml:lang="en">
      <date>IIIspc</date>
      <placeName>?</placeName>
    </head>
    <div xml:lang="grc" type="edition" xml:space="preserve"><div n="v" type="textpart"><ab>
<lb n="1"/><gap reason="lost" extent="unknown" unit="character"/><supplied reason="lost" cert="low"> διάταγμα</su
<lb n="2"/><gap reason="lost" extent="unknown" unit="character"/> <unclear>A</unclear>ὐτοκράτωρ Καῖσαρ Λο<supp
<lb n="3"/><supplied reason="lost">Σεπτίμιος Σεουῆρος Εὐσεβὴς</supplied> <choice><reg>Περτίναξ</reg><orig>Περτ
<lb n="4" break="no"/><supplied reason="lost">κὸς Ἀδιαβηνικὸς </supplied><gap reason="lost" extent="unknown" unit
<lb n="5" break="no"/><supplied reason="lost">κρὰτωρ Καῖσαρ Μᾶρκος Αὐρήλιος Ἀ</supplied>ντων<supplied reason="lo
<lb n="6"/><gap reason="lost" extent="unknown" unit="character"/><gap reason="illegible" quantity="1" unit="characte
<lb n="7"/><gap reason="lost" extent="unknown" unit="character"/><supplied reason="lost"> ζ</supplied>ωγρ<unclea
<lb n="8"/><gap reason="illegible" quantity="1" unit="line"/>
<lb n="9"/><gap reason="lost" extent="unknown" unit="line"/> </ab></div></div>
  </body>
</text>
```

図 2　Leiden+ によるエディター画面（パピルス断片：p.aberd.15 = Trismegistos 20219）

```
Leiden+ Copy to Clipboard
<S=.grc<D=.v<=
  1. [.?][ διάταγμα(?)] [ἄ]λλο πε[ρ]ὶ τῶν ζωγ[ράφων]
  2. [.?] Ạὐτοκράτωρ Καῖσαρ Λο[ύκιος]
  3. [Σεπτίμιος Σεουῆρος Εὐσεβὴς] <:Περτίναξ|reg|Περτίν[α]κος:> Σεβαστὸς [Ἀραβι]
  4.- [κὸς Ἀδιαβηνικὸς ][.?] Παρθικ̣[ὸς Μέ]γιστος κ[αὶ Αὐτο]
  5.- [κρὰτωρ Καῖσαρ Μᾶρκος Αὐρήλιος Ἀ]ντων[ῖ]νος Σεβαστ[ὸς λέγουσι·]
  6. [.?].1ποτ[.3].1ων μοι γρ[αφ ][.?]
  7. [.?][ ζ]ωγρᾴφος Νεικọ[μήδης (?)][.?]
  8. .1lin
  9. lost.?lin =>=D>
```

図 3　EpiDoc 準拠の XML ファイル（パピルス断片：p.aberd.15 = Trismegistos 20219）

も編集することができる。これにより、必ずしもデジタル校訂に慣れ親しんでいないパピルス研究者も含めた幅広い協働が可能になっていることは間違いないだろう。Papyri.info の目標の一つである既存データの EpiDoc XML への変換という課題はもちろん **[注 6]**、パピルスの総数が膨大である点、未校訂のパピルスが多数存在する点を考えても、プロジェクトの成功のためにはクラウドソーシングのような手段が不可欠であり、そのためには、校訂作業をできるだけ容易にすることが非常に重要である。その意味で、Leiden+ のような、パピルスを扱う研究者にとって親しみやすいマークアップ言語を開発し利用することが、パピルス研究者によるデジタル校訂の実践を容易にしていると言えよう。

同じことは、パピルスのみならず、碑文のデジタル校訂についても言える。

Leiden 記法自体は碑文とパピルスの校訂を想定して設定された規格であるため、当然、碑文にも適用可能である。しかしながら、碑文のデータベース、あるいは Papyri.info の如きプラットフォームにおいて、Leiden+ のようなマークアップ言語を利用して広く校訂者を募るといった試みは管見の限り見いだせない。こうした状況を踏まえてか Gregory Crane 氏も、パピルス研究者に比して、碑文研究者間の協働は進んでいないように思われると述べている［注 7］。もちろん、EpiDoc の啓蒙活動を中心に、多くの研究者が碑文のデジタル校訂に関われるようにすることを目指す動きは広まりつつあるが［注 8］、今後はさらに、実際にデジタル校訂に参加できる機会をいかに作っていくか、そして何よりも、Leiden+ のような実践環境の整備・簡略化をいかに進めていくかが課題となるだろう。こうした環境整備の方向性として、校訂や異読などの文献学的情報については Leiden+ をそのまま活用することも可能であり、これを適用することは一考に値しよう。それに加えて、人名や地名、社会的関係等の歴史学的情報の取り扱いについては、別に検討していく必要があるだろう。

▶注

［1］最初の規格は 1931 年、オランダの Leiden で開催された中東パピルス研究者の会合において制定され、翌年には、その意義と簡潔な解説を付したラテン語の小論が発表された。Cf. B. A. van Groningen, "De signis criticis in edendo adhibendis," Mnemosyne, New Series 59, pars 4 (1932): 362-365.

［2］Leiden 記法と、EpiDoc における記述法の対応については、"EpiDoc Guidelines 9.1," EpiDoc: Epigraphic Docunments in TEI XML, accessed July 15, 2020, https://www.stoa.org/epidoc/gl/latest/ からダウンロードできる EpiDoc Leiden Cheatsheet を参照。

［3］"EFES: EpiDoc Front-End Services," EpiDoc/EFES, GitHub, accessed July 15, 2020, https://github.com/EpiDoc/EFES.

［4］代表的なものをあげると、碑文のデータベースとしては Epigraphische Datenbank Heidelberg、IOSPE（Inscriptions of the Northern Black Sea）などが、パピルス関係では、最大のデータベースである Papyri.info が EpiDoc XML 形式でデータを提供している。

［5］Leiden+ のガイドラインは、"Text Leiden+ Documentation," Papyri.info, accessed July 15, 2020, http://papyri.info/docs/leiden_plus.

［6］"About Papyri.info," Papyri.info, accessed July 15, 2020, https://papyri.info/docs/about.

［7］小川潤「Gregory Crane 氏インタビュー全訳（第 3 回）」『人文情報学月報』93（April 2019), https://www.dhii.jp/DHM/dhm93-2.

［8］例えば、Institute of Classical Studies は 2011 年以降、毎年、EpiDoc のワークショップを開催している。また 2018 年には、東京で開催された TEI2018 においてワークショップが行われ、筆者含め、日本人も数名参加した。このほかにも、世界各地で多数のワークショップが開催されている。

Arethusaによる古典語の言語学的アノテーション
—構文構造の可視化と広範なデータ利活用の実現—

2020-03-31
小川　潤

■1．二つの目標

ギリシア語およびラテン語のツリーバンク作成［注1］、そのための言語学的アノテーション付与を補助するデジタルツールとして、Arethusaがある。現在、ArethusaはThe Perseids Projectを介して利用可能であるが［注2］、このツールは最終的には、ライプツィヒ大学のプロジェクトであるAncient Greek and Latin Dependency Treebank 2.0に資するものである［注3］。このプロジェクトは二つの目標を掲げている。一つ目は、新たな仕様に基づくツリーバンク・データを生成すること［注4］、二つ目は、可能な限りのアノテーション自動化、およびデータ形式変換の簡略化を可能にするツールを整備することである。Arethusaは、この二つ目の目標に沿って開発されたと言うことができよう。

さて、言語学的アノテーションといった場合、付与すべき情報の種類は主に、形態情報と統語情報の二つである。ほかに、意味情報を付与する場合もあるが、Arethusaにおいて、この機能は限定的である。それゆえ以下では、まずArethusaの基本的な操作を説明し、どのように形態・統語情報をテクストに付与するかを示す。その後、作成されたデータがどのような形式で保持され、利用されうるかを明らかにする。

■2．アノテーションを付与する方法

Arethusaを用いてテクストにアノテーションを付与するためには、The Perseids Projectのホームページから、Perseids Platformにログインする必要がある。ログインすると、上部にいくつかの項目バーが現れ、その中から“NEW TREEBANK ANNOTATION”を選択すると、アノテーションを付与したいテクストを入力する画面が表示される。“Input text:”という

欄に手動で直接テクストを入力してもよいが、より便利な方法として、Perseus Digital Library からテクストを自動的にインポートすることができる。“Available Works” というリンクをクリックすると、Perseus のページに遷移するので、左側のバーの中から言語を選び、アノテーションを付与したいテクストを表示する。Perseus のテクスト表示ページでは、テクストの下に “Annotate in Perseids” や “Create Treebank,” “urn:cts” といったいくつかのエクスポート方式が表示されており、Arethusa へエクスポートする場合には “Create Treebank” を選択する。すると、先ほどのテクスト入力画面の “Input text:” の欄に自動的にテクストが挿入されるので、右側の “Edit” をクリックし、アノテーション付与画面に移行する【図 1】。この画面からの操作を通して、実際にアノテーション付与を行っていくこととなる。

アノテーション付与画面上部には、テクストが語ごとに分割された状態で、一文ずつ表示される [注 5]。ここでは、表示された各語をクリックすると、その語が選択された状態となり、右の “morph” や “relation” といったタブからアノテーションを付与することができる。このうち、“morph” タブから形態情報を、“relation” タブから統語情報を付与する。試しに、カエサル『ガリア戦記』の有名な冒頭、「ガリアは全体で三つの部分に分かれている Gallia est omnis divisa in partes tres」という文言にアノテーションを付与し、ツリーバンクを可視化したのが【図

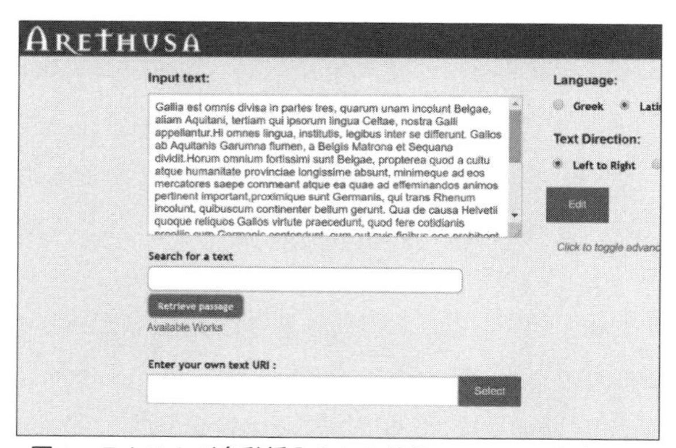

図 1　テクストが自動挿入された状態のテクスト入力画面

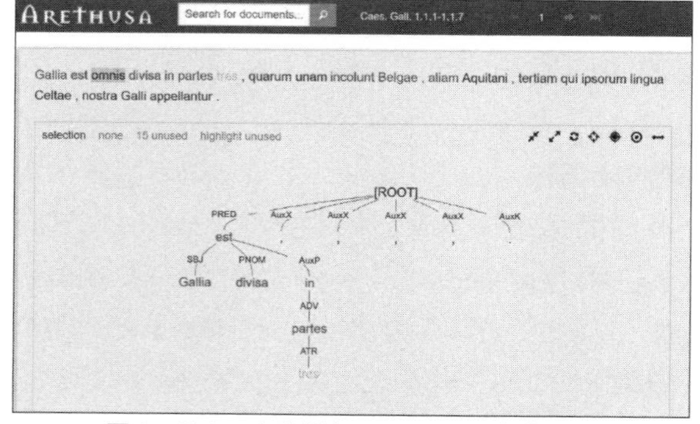

図 2　テクスト表示と Treebank 可視化画面

2】である。

【図2】では、omnis という語が黄色でハイライトされているが、これは、この語が現在選択されていることを示している。この状態で、画面右の“morph” タブをクリックすると、omnis の形態情報を付与できるが、【図3】からわかるように、Arethusa ではあらかじめいくつかの選択肢が表示されるので、その中から選択することができる。もし、選択肢の中に該当する形態情報が存在しない場合には、新たに手動で設定することも当然ながら可能である。続いて、omnis を選択した状態のままで“relation” タブをクリックすると、【図4】のような画面が表示されるので、語の文法的機能を選択肢から設定する。次に、図2の画面から、語同士のつながりを定義する。すなわち、選択された語が、どの語に対して文法的機能を果たしているのかを設定するということである。操作方法は非常に簡単で、まず特定の語（ここでは omnis）を選択したうえで、その語が文法的機能を果たす対象の語を、表示されたテクスト上、あるいは表示されるツリーバンク上でクリックするだけである。これらの作業を各語に対して行うことで、一文全体に形態・統語情報を付与し、ツリーバンクとして可視化することができる。

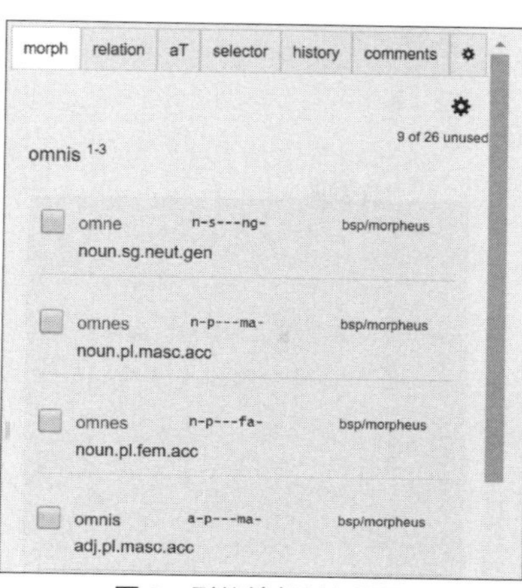

図3　形態情報付与画面

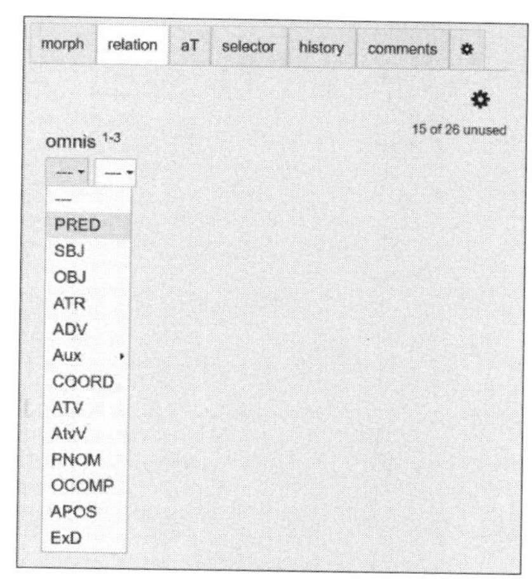

図4　統語情報付与画面

■3. 自動的に XML で記述

さて、このように作成されたデータは、自動的に XML で記述され、保持されることになる。この XML データはツール上で確認でき、UI を用いず

```xml
<sentence id="1"
          document_id="http://perseids.org/cts5/nemo/citations/urn:cts:latinLit:phi0448.phi001.perseus-lat2"
          subdoc="1.1.1-1.1.7"
          span="">
   <word id="1" form="Gallia" lemma="Gallia" postag="n-s---fn-" relation="SBJ" head="2"/>
   <word id="2" form="est" lemma="sum1" postag="v3spia---" relation="PRED" head="0"/>
   <word id="3" form="omnis" lemma="omnis" postag="a-s---fn-" relation="" head=""/>
   <word id="4" form="divisa" lemma="divido" postag="v-srppfn-" relation="PNOM" head="2"/>
   <word id="5" form="in" lemma="in" postag="r--------" relation="AuxP" head="2"/>
   <word id="6" form="partes" lemma="pars" postag="n-p---fa-" relation="ADV" head="5"/>
   <word id="7" form="tres" lemma="tres" postag="m-p---fa-" relation="ATR" head="6"/>
   <word id="8" form="," lemma="punc1" postag="u--------" relation="AuxX" head="0"/>
   <word id="9" form="quarum" lemma="qui2" postag="p-p---fg-" relation="" head=""/>
   <word id="10" form="unam" lemma="unus" postag="a-s---fa-" relation="" head=""/>
   <word id="11" form="incolunt" lemma="incolo1" postag="v3ppia---" relation="" head=""/>
   <word id="12" form="Belgae" lemma="Belgae" postag="n-p---fn-" relation="" head=""/>
   <word id="13" form="," lemma="punc1" postag="u--------" relation="AuxX" head="0"/>
   <word id="14" form="aliam" lemma="alius2" postag="n-s---fa-" relation="" head=""/>
   <word id="15" form="Aquitani" lemma="" postag="" relation="" head=""/>
   <word id="16" form="," lemma="punc1" postag="u--------" relation="AuxX" head="0"/>
   <word id="17" form="tertiam" lemma="" postag="" relation="" head=""/>
   <word id="18" form="qui" lemma="" postag="" relation="" head=""/>
   <word id="19" form="ipsorum" lemma="" postag="" relation="" head=""/>
   <word id="20" form="lingua" lemma="" postag="" relation="" head=""/>
   <word id="21" form="Celtae" lemma="" postag="" relation="" head=""/>
   <word id="22" form="," lemma="punc1" postag="u--------" relation="AuxX" head="0"/>
   <word id="23" form="nostra" lemma="" postag="" relation="" head=""/>
   <word id="24" form="Galli" lemma="" postag="" relation="" head=""/>
   <word id="25" form="appellantur" lemma="appello" postag="v3ppip---" relation="" head=""/>
   <word id="26" form="." lemma="punc1" postag="u--------" relation="AuxK" head="0"/>
</sentence>
```

図5　アノテーション情報を記述したXML

に、直接編集することもできる。また、XMLファイルをダウンロードすることも可能である。実際のXMLデータは、**【図5】**のような形式で作成される。

このXMLファイルを見ると、“word”要素の中に、“postag”属性が付与されていることがわかる。ここでいうpostagとは、Part-of-Speech Tags（POS Tags）のことを指している。POS Tagsとはその名の通り、各語の品詞情報（法や時制といった文法情報を含む場合もある）を記述するために用いられるタグセットであり、言語ごと、あるいは言語横断的に設定される**[注6]**。Arethusaを用いたアノテーションも、ギリシア・ラテン語のためのPOS Tagsに基づいて行われており、“postag”属性はこのタグ情報を記述する項目である**[注7]**。“relation”属性と“head”属性は語の係り受けを記述するためのもので、“head”属性値が係り先の語のID、“relation”属性値が語の機能を記述している。

このように、規格化されたタグセットを用いてデータを作成しておけば、データ形式や使用タグの自動変換を容易に行うことができる。それによって、例えば、Arethusaで作成したデータを変換して、Universal Dependencies（UD）のデータの一部として公開するといったことが可能になる。UDは、複数言語間で統一規格にのっとったツリーバンク作成を目指すプロジェクトであり、すでに70言語以上のデータが蓄積されている**[注8]**。UDに蓄積されたデータは、複数言語間の構文解析・比較に利用でき、言語学研究に大きく資することになるだろう。Arethusaを用いてアノテーションを行い、構文構造をデータ化することで、ギリシア・ラテン語の言語学的分析に貢献しうるのみならず［注9］、UD という国際的なプロジェクトに貢献し、比較言語研究への幅広い利用可能性を持つデータを作成することができるのである。

■4．教育への利用可能性

最後に、少し話は変わるが、Arethusa を用いた言語学的アノテーションのギリシア・ラテン語教育への利用可能性について簡潔に触れておきたい。言語学的アノテーションが自らの文法解釈について、形態・統語両面からの厳密な検討を促しうるという点を踏まえれば、これを学習者、特に初級文法を終えてテクスト講読を始めた段階の初学者向け学習ツールとして活用することは大いに有効であろう。Arethusa という共通のツールを用いて、テクストへのアノテーション付与の過程を議論すれば、厳密な文法・構文知識を身につけるための大きな助けとなりうる。同時に、将来、デジタル環境での言語学的アノテーションに関わりうる人材を育成することにもなり、学習で用いたデータを蓄積・保存しておけば、そのデータを用いて言語分析、テクスト分析を行い、いずれ自らの研究に役立てることも十分に可能である。

▶注

[1] ツリーバンクとは、統語解析情報付きコーパスのことであり、統語構造が木構造で表現されるためにこのように呼ばれる。

[2] The Perseids Project は、西洋古典に関心を持つ利用者の研究活動、古典語学習を補助するためのプラットフォームを提供する。The Perseids Project, accessed July 15, 2020, https://www.perseids.org/.

[3] Perseus Digital Library で著名な Gregory Crane 氏と、Arethusa の開発にも携わる Giuseppe G. A. Celano 氏をプロジェクト責任者とする。プロジェクトの概要については、ライプツィヒ大学のプロジェクト紹介ページを参照。“Ancient Greek and Latin Dependency Treebank 2.0,” Digital Humanities: Universität Leipzig, accessed July 15, 2020, https://www.dh.uni-leipzig.de/wo/projects/ancient-greek-and-latin-dependency-treebank-2-0/.

[4] Ancient Greek and Latin Treebank 2.0 の前身として、バージョン 1.0 が存在した。

[5] 一文の分割方法については、機械学習等は用いられておらず、句読記号に基づいて処理されているにすぎないため、誤りが生じる可能性がある。その際には、手動で分割を修正する必要がある。

[6] POS Tags は基本的に、構造がおのおの異なる言語間では別個に設定されるが、複数言語間で統一的な規格を設定しようとする試みも存在する。代表的なものが、後に言及する Universal Dependencies（UD）で用いられている Universal POS Tags（https://universaldependencies.org/u/pos/）である。

[7] Arethusa で用いられるタグの詳細な解説は、Giuseppe G. A. Celano 氏によるガイドライン（“Guidelines for the Ancient Greek Dependency Treebank 2.0,” Perseus DL/treebank-

data, GitHub, accessed July 15, 2020, https://github.com/PerseusDL/treebank_data/blob/master/AGDT2/guidelines/Greek_guidelines.md）を参照。ギリシア語版だが、ラテン語もほぼ同様である。

[8] Universal Dependencies, accessed July 15, 2020, https://universaldependencies.org/.

[9] 古典語のツリーバンク・データを用いた言語研究例として、Giuseppe G. A. Celano, "A Computational Study on Preverbal and Postverbal Accusative Object Nouns and Pronouns in Ancient Greek," The Prague Bulletin of Mathematical Linguistics 101 (2014): 97-110.

PapyGreekによる歴史言語研究のためのギリシア語コーパス構築の試み
—文書パピルスの言語学的アノテーション—

2020-04-30

小川　潤

■1．ギリシア語コーパス PapyGreek

PapyGreek（Digital Grammar of Greek Documentary Papyri）は、フィンランド・ヘルシンキ大学の古典学者 Marja Vierros 氏を代表とし、言語学部が中心となって運営するプロジェクトであり、ギリシア語の歴史的変遷を形態・音韻の両面から研究するためのデータ構築を目的とする［注1］。そのために、テクストへの言語学的アノテーション付与を共同で行うためのプラットフォームを用意し［注2］、幅広い協働が可能になる環境を整備している。

このプロジェクトで扱う主なテクストは、ヘレニズム時代からアラブによる征服までの約1000年間に、主にエジプトで作成、保存されたギリシア語文書パピルスである。文書パピルス（documentary papyri）とは、一般的には文学的パピルス（literary papyri）と対置される種類の史料で、行政文書等の公的文書および書簡、契約書などの私的文書を含む。主に詩や文学を記す文学的パピルスに比べ、作成当時の言語使用状況をよく反映するものとされ、古典期以後のギリシア語の歴史的変遷を扱う言語研究には不可欠なテクストである。

■2．操作方法

さて、ここからは PapyGreek の操作について具体的にみていく。サインインしたのち、まずはアノテーションを付与するパピルス文書を選択することになるが、これはページ上部の “Collections” から行う。“Collections” には、「文書パピルス documentary papyri」「文学的パピルス literary papyri」「碑文 inscriptions」の三つの項目があるが、上述の通り文書パピルスが主要なテクストであり、「文学的パピルス」と「碑文」についてはいまだ整備が進んでいないように見える。文書パピルスのテクストデータは、Papyri.info と同様に DDbDP（Duke Databank of Documentary Papyri）のものを利用している **[注3]**。パピルス文書を選択すると、テクスト表示・編集画面に遷移する **【図1】**。

この画面におけるテクスト表示方法は、PapyGreek 独自のものである。ここで注目すべきは、テクスト中で上下2段になっている箇所である。PapyGreek においては、テクストの「オリジナル」と「レギュラライズ」、すなわち史料に記されたままの形と、辞書にのっとった形での正書法を明確に分離し、別々にアノテーションを行うことが重視されており、ここでは上段が「オリジナル」、下段が「レギュラライズ」された語となっている。すでに述べたように、テクストそのものは DDbDP から、おそらく XML 形式でエクスポートされたものである。ただし、Marja Vierros 氏の説明から考えるに **[注4]**、PapyGreek ではデータ形式を変換し、校訂・異読情報は保持したうえで、XML タグを取り外しているものと思われる。なぜならば、PapyGreek ではアノテーション付与のためにテクストを Arethusa にアップロードする必要があるのだが **[注5]**、Arethusa はあらかじめツリーバンク形式で構造化されたものを除いて **[注6]**、XML ファイルのアップロードはできないからである。Arethusa 自体では、プレーンテクスト入力、あるいは Perseus Digital Library と連携したテクストインポートが可能だが、PapyGreek では、Arethusa へのアップロード可能な何らかの形式にデータを変換しているものと考えられる。

図1　テクスト表示・編集画面（https://papygreek.hum.helsinki.fi/text/22280）

■3．アノテーション

さてアノテーションについてであるが、“Annotate” タグをクリックすると、“Original” と “Regular” の二択が表示される。すでに述べたように、PapyGreek においては「オリジナル」と「レギュラライズ」の区別が重要であり、別個にアノテーションを行う必要がある。これによって綴りや語形の「揺れ」をデータ化し、その変遷の研究に用いることができるのである。校訂者が “Original” か “Regular” のどちらかを選択し、“edit” をクリックすると、選択したほうのテクストが Arethusa にアップロードされ、アノテーション付与画面に移行する。ここからのアノテーション付与の具体的な操作は、前号に掲載した論考において詳述したのでここでは省くが **[注7]**、「オリジナル」のアノテーションを行う場合には、語の原形（lemma）などの入力に際しても史料に記されたままの形（綴り・語形など）を保持することが重要である **[注8]**。

アノテーション付与が完了したら、これを提出（submit）する必要がある。提出は “edit” の隣にある “submit” から行うことができ、承認されればデータとして公開され、PapyGreek からダウンロードが可能になる。PapyGreek は、アカウント登録をすれば誰でも自由にテクストを選択し、アノテーションを行うことができるオープンプラットフォームであり、クラウドソーシングの理念に沿ってデータ構築を目指すプロジェクトであると言える。それゆえ、クオリティコントロールは必然的に問題となるが、提出／承認というプロセスを経ることで、この問題に対処しているものと思われる。このようなシステムが、一定のクオリティを担保するために有用なことは疑いなく、あとはプロジェクトの規模、承認者の負担とのバランスの問題になるだろう。

■4．ビッグデータに基づいた歴史言語学的研究に寄与

ここまでで、パピルス文書に対するアノテーション付与作業は完了する。このように作成されたデータは、言語学者間で共有され、ある種のビッグデータに基づいた歴史言語学的研究に寄与することになる。パピルスという史料は、一つ一つは断片的であることが多いものの、その総数は膨大である。これをデータ化、しかも言語学研究に利用可能なアノテーションを施してデータ化するとなれば、パピルスに携わる研究者間の協働なくしては不可能である。その点、Papyri.info や Arethusa ——ひいては Perseids Project に代表

される Open Philology の試み——と連携しつつ、協働を容易にしている点は高く評価されよう。このプロジェクトはいまだ進行中であり、現状ではアノテーション付与済みのテクスト数も限られているように思われるが、今後もプロジェクトが長く継続されるならば、ヘレニズム期からイスラーム支配に至るまでの約 1000 年という途方もないスケールで、歴史言語研究に資するギリシア語言語コーパスが構築されることになるはずである。

▶注

[1] Cf. "About the PapyGreek project," Digital Grammar of Greek Documentary Papyri, last modified, June 4, 2020, accessed July 15, 2020, https://www.helsinki.fi/en/researchgroups/digital-grammar-of-greek-documentary-papyri/about-the-papygreek-project.

[2] 言語学的アノテーションについては、小川潤「Arethusa による古典語の言語学的アノテーション：構文構造の可視化と広範なデータ利活用の実現」『人文情報学月報』104 (March 2020) を参照。

[3] "ddbdp," Papyri.info,accessed July 15, 2020, https://papyri.info/ddbdp.

[4] 筆者は、2 月初めにイタリア・パルマで開催された Parma Digital Papyrology Workshop に参加した。そこには Marja Vierros 氏もインストラクターとして参加し、PapyGreek の解説・ハンズオンを行った。

[5] Arethusa については "Ancient Greek and Latin Dependency Treebank 2.0," Digital Humanities: Universität Leipzig, accessed July 15, 2020, https://www.dh.uni-leipzig.de/wo/projects/ancient-greek-and-latin-dependency-treebank-2-0/、および小川「Arethusa による古典語の言語学的アノテーション」を参照。

[6] ツリーバンクとは、統語解析付きコーパスのことで、統語構造が木構造で表現されることから、このように呼ばれる。この構造を記述する XML ファイルの内容については、小川「Arethusa による古典語の言語学的アノテーション」の図 5 を参照。

[7] 小川「Arethusa による古典語の言語学的アノテーション」。

[8] 詳しくは "How to use the PapyGreek-platform," PapyGreek, accessed July 15, 2020, https://papygreek.hum.helsinki.fi/help より、PapyGreek のアノテーション・ガイドラインを参照。

序——中世

纓田宗紀

■1．歴史基礎学を介して中世学に浸透したDH

今世紀のデジタル・ヒューマニティーズ（DH）と西洋中世学の結びつきにみられる特徴は、DHが、歴史基礎学と呼ばれる諸領域を介しながら中世学に浸透している点にある。

ここでいう歴史基礎学とは、歴史＝過去をひも解くための基礎となる学問諸分野の総体であり、代表的なものとしては、古文書学を構成するとされている古書体学、文書形式学、古書冊学や、貨幣学、印章学などがある。古文書学とDHの融合はとりわけ急速に進んでおり、①デジタル・パレオグラフィー（後述）、②デジタル・ディプロマティクス［注1］、③デジタル・コディコロジー［注2］のように「デジタル」の接頭辞を冠した用語もすでに市民権を得ている。

■2．手書き文字の読解のためのさまざまな取り組み

現在、西洋中世の史資料を扱ううえで基本的な技能となる手書き文字の解読にコンピュータ技術を援用する研究、すなわち先の①デジタル・パレオグラフィーに関わる議論が活況を呈している。

この潮流を牽引してきたのが、永井が紹介するキングス・カレッジ・ロンドンのプロジェクトDigital Resource and Database for Palaeography, Manuscript Studies and Diplomatic（DigiPal）だ（☞本章1）。史料研究の成果を画像とともに効果的にプレゼンするソフトウエアの開発とデジタル・パレオグラフィーの方法論の構築に尽力したDigiPalプロジェクトは、2017年にアメリカ中世学会の創設したDigital Humanities and Multimedia Studies Prizeの受賞第一号となった。

いくら技術が発達したとしても、人間の目が不要になることを意味しない、

ということは常に強調されるべきである。むしろ公開されるデータが増え続けるからこそ、それをチェックし、必要な修正を施すための技能が必要となる。そしてもちろん、DH は人間による手書き文字の解読も支援する。ラテン語手稿史料の解読を補助するツールとして開発されたのが、赤江が紹介する Enigma である（☞本章 2）。Enigma を使うには、インストールもセットアップも必要ない。自力で読み取れた文字とワイルドカードを入力するだけで、候補となる単語をリストアップしてくれる、非常に使いやすい検索システムとなっている。

■3．中世テクストのデジタルデータ作成とその教育方法

この Enigma 誕生の地リヨンにおける DH の研究・教育の取り組みを伝えるのが、長野による 2 本の報告だ（☞本章 3、4）。

リヨンの CIHAM は、DH と中世学が融合した魅力的なコンテンツを数多く生み出しているものの、非英語圏発信ということもあってか、日本語で情報が届けられる機会は多くない。長野の報告によれば、CIHAM の中世学者たちは、TEI に準拠した中世テクストの Digital Scholarly Edition を作成する方法を開拓するとともに、サマースクールの開催によりその方法論の普及にも力を入れている。このサマースクールは、毎年世界のどこかで行われており、筆者も、2018 年 6 月にウィーン近郊のクロスターノイブルク修道院で開催された一週間のコースに参加した。修道院の一室でラテン語手稿史料をエンコードするという「現代版写字生」を体験する機会に浴したことが大きな喜びだったことは言うまでもないが、このときは、参加する大学院生たちの渡航費、宿泊費、食費をすべてフランスの研究教育助成団体が資金提供するという資金運用にも驚かされた。

■4．日本の西洋学者は何をやっているか

さて、以上に挙げた記事は、主にヨーロッパにおけるデジタル中世学の研究・教育を日本語の世界に伝達している。翻って日本人の西洋中世学者は、DH にどのようにして参与しているのだろうか。先駆的な成果は、書誌学、とりわけインキュナブラと呼ばれる初期印刷本の研究に確認することができる。インキュナブラの製作における作業工程や植字工の分業体制を高い粒度で明らかにした安形と徳永の取り組みは（☞本章 5、6）、デジタル技術が新し

い研究手法を可能にすることを示した。しかし、文学者、書誌学者、言語学者の一部はすでにデジタル中世学への参入を果たしているものの、総じていえば、日本で行われている中世研究にDHはいまだ根づいていない。歴史分野から発信する纓田は、19世紀以来続く史料編纂事業がDHと結びつく過程を概観するとともに、オープンなデータを活用した実践的試みの萌芽をみせている（☞本章7）。

彼我の差をみれば、少し危機感が生まれてくるかもしれない。デジタル中世学の成果は、すでに我々が先行研究としてフォローすべき対象となっているし、既存の方法論のデジタル化にまつわる議論も百出している。我々は、おのおのの専門領域の研究・教育を通して見えているデジタル中世学の動向を、日本における中世学の場に持ち込むべきときに来ている。

▶注

[1] 主に中近世に由来する文書史料の真贋、書式、発行日付、保存、管理、再利用を吟味する文書形式学にコンピュータ技術を援用し、分野横断的に行われる研究。
参考文献：Georg Vogeler (ed.), Digitale Diplomatik. Neue Technologien in der historischen Arbeit mit Urkunden, (Köln: Böhlau Verlag, 2009).

[2] 書冊（codex）の形をとる本を、材料、装飾、製造方法・工程、流通・蔵書の在り方などあらゆる観点から調査する古書冊学にコンピュータ技術を援用し、分野横断的に行われる研究。
参考文献：Kodikologie und Paläographie im digitalen Zeitalter / Codicology and Palaeography in the Digital Age, vols. 1-4 (Norderstedt: Books on Demand, 2009-2017).

デジタル技術を用いた古書体学
—シンポジウム参加報告—

2011-09-29
永井正勝

■1．はじめに

「デジタル技術を用いた古書体学（Digital Palaeography）」に関するシンポジウムがイギリスのKing's College London（KCL）において2011年9月5日に開催された。参加者は発表者を含めて50名ほどであったが、主催者によれば定員を超える聴講希望の申し込みがあったとのことである。私は運よく参加が許され、中世ヨーロッパの文書を対象としたDigital Palaeographyの最先端の発表を聴くことができた。以下、簡単ではあるが、その報告を行いたい。

私の研究対象は古代エジプトの神官文字（Hieratic）で書かれた文書であり、それゆえ私は中世ヨーロッパの文書や書体に関する知識を持ち合わせていない。それでも今回参加したのは、古書体学の研究で膨大な量の蓄積のあるヨーロッパでデジタル・パレオグラフィー（Digital Palaeography）の研究がどのようなレベルで行われているのかを知りたかったのと、私の神官文字研究に役立つ手法が見つかるのではないかとの期待を抱いてのことであった。そして、日本におけるDigital Palaeographyの研究のために、多少なりとも貢献ができれば、との思いもあった。

■2．コンピューターを利用した人文学研究の拠点を目指す組織、DigiPalの来歴

このシンポジウムはDigital Resource and Database for Palaeography, Manuscript Studies and Diplomatic（DigiPal）**【図1】**というプロジェクトが主催したものであるので、最初にDigiPalの位置づけについて述べておきたい。いまから20年前の1991年、Harold Short教授のご尽力によりCentre for Computing in the Humanities（CCH）がKCLに設立された。その名の通

り、これはコンピューター技術を利用した人文学研究の拠点を目指した組織である。その後CCHの活動が認められ、2011年にDepartment of Digital Humanities（DDH）へと発展を遂げる。そのCCHからDDHへの移行時期にあたる2010年10月に、DigiPalはCCH/DDHのプロジェクトとして設立された。DigiPalのプロジェクト・リーダーはPeter Stokes博士であり、彼をリーダーとして抜擢したのがCCHの設立者のHarold Short教授であったことを考えると、CCH/DDHにおけるDigiPalの位置づけも想像のつくところである。今回のシンポジウムはDigiPalが行う最初の大きな催しであるとともに、DDH発足後に最初に開催されたDigital Palaeographyの催しでもある。そのような記念すべき会に日本からの参加が許されたことは誠に光栄であった。

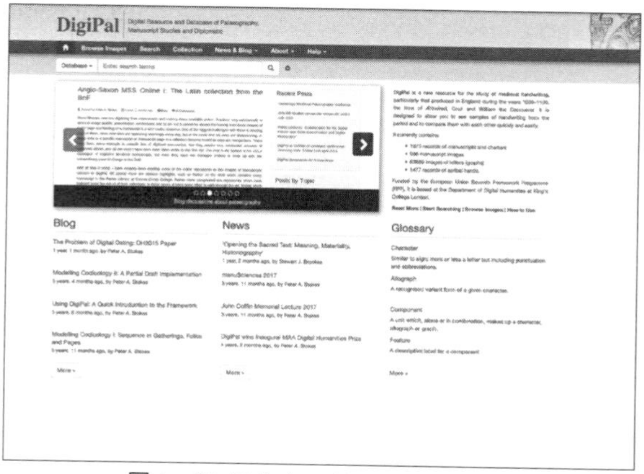

図1　DigiPal : http://www.digipal.eu/

■3．シンポジウムのプログラム

シンポジウムは基調講演の後に20分間の発表が9本続き、最後にディスカッションを経て閉会した。プログラムは以下の通りである。

9:30-10:00: Coffee and registration

10:00-11:00: Introduction, followed by

［1］Plenary Lecture: Elaine Treharne（Florida State University), A Site for Sore Eyes: Digital, Visual and Haptic Manuscript Studies

11:00-11:20: Coffee Break

11:20-12:30: Session 1. Chair: Orietta da Rold (University of Leicester)

［2］Peter Stokes (King's College London): DigiPal in Theory

［3］Stewart Brookes (King's College London): DigiPal in Practice

[4] Erik Kwakkel (Leiden University): The Digital Eye of the Paleographer: Using Databases to Identify Scribes and Date their Handwriting

12:30-13:30: Lunch (provided for all registered participants)

13:30-15:00: Session 2. Chair: Ségolène Tarte (University of Oxford)

[5] Wim Van Mierlo (University of London): How to Work with Modern Manuscripts in a Digital Environment - Some Desiderata

[6] John McEwan and Elizabeth New (Aberystwyth University): The Seals in Medieval Wales Project: Towards a New Standard in Digital Sigillography

[7] Ben Outhwaite and Huw Jones (Cambridge University Library): Navigating Cambridge's Digital Library: the Cairo Genizah and Beynd

15:00-15:20: Coffee Break

15:20-16:50: Session 3. Chair: Malte Rehbein (Universität Würzburg)

[8] Franck Le Bourgeois (Institut National des Sciences Appliquées de Lyon): Overview of Image Analysis Technologies

[9] James Brusuelas (University of Oxford) and John Wallin (Middle Tennessee State University): The Papyrologist in the Shell

[10] Els De Paermentier (Ghent University): Diplomata Belgica: Towards a More Creative and Comparative Palaeographical Research on Medieval Charters

16:50-17:00: Short Break

17:00-17:30: Panel Discussion with Michelle Brown (University of London), Donald Scragg (University of Manchester) and Marc Smith (École Nationale des Chartes), chaired by Clare Lees (King's College London)

■4．発表内容

このシンポジウムの基本的なスタンスはデジタル技術を用いた古書体学研究であるわけだから、デジタル化されたデータが必要となる。その際のデジタル化とは、古文書そのもののデジタル画像（画像データ）と古文書の持つ情報のデジタル化（メタデータ）が含まれることになるが、そこで問題となるのはデジタル・データをどのように作成し（システム）、それをどのように活用するのか（活用）ということにあるだろう。そこで、以下では、画像データ、メタデータ、システム、活用を観点にして発表内容を大まかにとらえ、それを簡単に紹介したい。

■5．文書のデジタル画像化とその活用、メタデータ

基調講演の Treharne（発表［1］）は、古文書のデジタル画像を PC の中に閉じ込めておくのではなく、利用者が、例えば現実世界で本のページをめくるように、デジタル文書を扱うという実践を、博物館や美術館での展示を紹介しつつ述べたものであった。講演では、マイケル・ポラニーの『知覚の現象学』にも触れつつ、身体性や visual orientation をキーワードに History of Text Technologies（HoTT）の紹介がなされた。このように Treharne 氏の発表は文字に焦点を当てるような Palaeography 研究の事例ではなく、むしろ、文書のデジタル画像化とその活用に焦点を当てたものであった。とはいうものの、デジタル画像を資料として扱うためには、文書の著者、作成場所、保管場所、年代などの情報を付与していかなくてはならず、画像化の背後に Digital Humanities の技術が隠されているということを、我々は忘れてはならないだろう。

Treharne 氏の発表を含め、約半分ほどの研究は「文書や資料全体の画像化」（画像データ）を行い、「資料をブラウザーなどを通して広く公開する」（一般利用）という主旨のプロジェクトに関するものである。発表［6］、［7］、［9］の発表もこれに該当する（広くとらえると［5］も該当）。公開される資料には画像ばかりではなく、資料の年代、場所、内容、法量などの「資料が持つ様々な情報の付与」（メタデータ）が含まれることにもなるが、残念ながら、それぞれのデータベースがいかなるシステムに基づいて作成されているのかということまでは知ることができなかった。特に写本などの資料は特定の場所に1点のみ存在する資料であるから、情報の可視化（visualization）によって世界のいかなる場所からも資料にアクセスすることができるという点で、このようなデータベースの有効性はすでに認知されているところであるし、実際、世界的に広く実施されているものだと思われる。だが、上記の発表は古書体学そのものの研究を目指したものではなかった。

■6．メタデータの作成と TEI

古書体学に直結する発表は、「個別の文字の画像」（画像データ）を扱いつつ、

そこに「古書体学で要求される様々な文字情報」（メタデータ）を付与しており、そのようなデータから「文書の書記の同定や異体字の変遷などを探る」（学術利用）試みであった。しかも、メタデータの作成には「Text Encoding Initiative（TEI）」を積極的に用いたものもあり、これらの発表がまさにDigital Palaeographyの中核をなすものであった。[3]、[4]、[10] の発表がこれに該当する。

文字の画像データ、文字の持つメタデータ、TEIに基づく記述、研究利用をすべて含んだ発表は、DigiPalの研究員を務める発表Brookes [3] であった。Brookes氏は、古文書の中の代表的な文字を画像ファイルとして保存するとともに、それぞれの文字の種類、字形上の特徴、色、書物の年代、書記などの情報を付与したXML形式のデータベースを作成しており、そのタグ付けには「TEI」が利用されている。このデータベースでは、例えばgという文字で検索をかけると、その異体字のバリエーションが画像と共に提示され、またそれぞれの文字の年代や書記名が同時に示される。その後、時代・書記名・文書の種類などの要素でソートをかけると、その結果が提示される。システムのみならず、コンテンツとしても、文字に関するメタ情報と個別の文字の切り出し画像とがリンクした充実したデータベースであった。この試みは、古書体学の分析を実証的に行うことのできるシステム構築の事例として、私が最も興味を持った研究であった。発表 [4] もこれに近い内容を持っていたが、[4] は文字の字画（stroke）や字形の特徴などをデータベースにしたものであり、発表としては、字形の通時的変遷や書記による字画の違いなどの結果を計量的に示した上で、そこからわかる結果の検討に重点を置くものであった。

■ 7．情報工学からのアプローチ

ところで、発表者のKwakkel氏が述べていたことであるが、書体から書記を推定する際には「同一の書記の字形はある程度統一されているはずだ」という想定に基づいて作業が行われている。しかしながら、実際には、そのような想定が通用するとは限らず、同一文書内で筆跡のユレがあることも珍しくないように思う。それゆえ、TEL等に準拠してメタデータを付与する以前に、まずは書体を詳細に分析する作業が必要となる。そこに着眼したのが、発表 [2]、[8] であろう。発表 [8] は人文学というよりも情報工学からのアプローチであり、Laboratoire d'InfoRmatique en Image et Systèmes d'information（LIRIS）【図2】が行っているプロジェクトとして、文字や書記の自動判別ソフトを紹介するものであった。

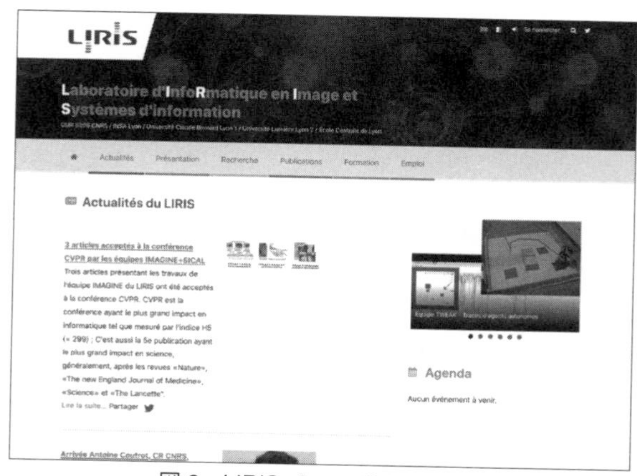

図2　LIRIS : https://liris.cnrs.fr/

■8.「古書体学研究における確証的にして便利なツールとは何か」

最後に、DigiPalのプロジェクト・リーダーであるPeter Stokes氏の発表［2］を取り上げよう。Stokes氏の個人的な関心の一つは、自らが作成したソフトを用いて書記の同定を行うというものである。発表［2］は、学者の経験則や暗黙知に基づいて行われた作業にコンピューター解析を導入しようとしたものであり、そのような点では発表［8］の試みと同様であるし、日本でもすでに古文書の解析などにコンピューターを用いた文字の自動判別が導入されている。だが、Stokes氏の発表の主旨は、コンピューター解析の成果を紹介することではなく、むしろDigital Palaeographyの現状を見据え、その将来に向かう方向を提案するというものであった。

Stokes氏は自らが作成したソフトを用いても書記の同定に失敗することがあるという例を取り上げ、コンピューターの利用が万全ではないことを明かす。それでもDigital Palaeographyに向かう動機の一つは「古書体学研究における確証的にして便利なツールとは何か」について模索しているからだという。経験則や暗黙知に基づく研究のほかに、デジタル技術を用いた分析も存在するわけであり、それによって従来では不可能とされていた事柄が理解されることがあるかもしれないし、実際それを追求しているのであろう。Stokes氏は名実ともにDigital Palaeographyを牽引する人物であるが、Digital Palaeographyの理念として最後に述べていたのは、Digital Palaeograhpyの成果を学術と一般の別を問わず広く公開することの重要性と、Digital PalaeographyがTraditional Palaeographyと衝突するものではないということであった。

■9．画像情報を用いたDHの可能性

KCLをはじめ、欧米ではDigital Humanitiesの潮流が確固たるものとなり、日本でも人文情報学研究所等の活動によりDigital Humanitiesの基礎が浸透しつつある。これは私の独断かもしれないが、Digital Humanitiesの中心的な資料は、そもそもテキスト入力が可能な資料（テキスト）が中心になっているように思う。それに対して、Digital Humanitiesの研究は書体そのものが問題となるため、どうしても画像情報が必要となる。そのような、画像情報を用いたDigital Humanitiesは、研究の蓄積が皆無ではないが、まだまだ大いなる可能性を秘めた分野であることを今回のシンポジウムを通して痛感した。私自身も、画像情報を用いたDigital Humanitiesの分野に多少なりとも寄与することを目指して、古代エジプト語の神官文字を対象とした画像データベースを充実させていきたいと思っている。

本シンポジウムの参加にあたり、人文情報学研究所の永崎研宣氏、ならびにWestern Sydney大学のHarold Short教授から並々ならぬご協力をいただきました。また、筑波大学西アジア文明研究センターからは経済的な援助を賜りました。感謝申し上げます。

▶（参考）発表者のホームページ等（最終アクセスは初出時）

[0a] Department of Digital Humanities (DDH), KCL.：
http://www.kcl.ac.uk/artshums/depts/ddh/index.aspx

[0b] Digital Resource and Database for Palaeography, Manuscript Studies and Diplomatic (DigiPal)：
http://digipal.eu/

[1] History of Text Technologies (HoTT)
http://hott.fsu.edu/

[2] KCL：
http://www.kcl.ac.uk/artshums/depts/ddh/people/core/stokes/

[3] KCL：
http://www.kcl.ac.uk/artshums/depts/ddh/people/core/brookes/

[4] Erik Kwakkel's Personal Page: Turning Over a New Leaf：
http://www.hum.leiden.edu/icd/turning-over-a-new-leaf/

[5] Wim Van Mierlo, University of London：
http://ies.sas.ac.uk/about/Staff/wimvanmierlo.htm)

[6] Seals in Medieval Wales：
http://www.imems.ac.uk/medievalwelshsealsinthenlw.php

Seals in Medieval Wales 1200-1550：
http://www.aber.ac.uk/en/history/research-projects/seals/
[7] Cambridge University Library: Taylor-Schechter Genizah Research Unit：
http://www.lib.cam.ac.uk/Taylor-Schechter/
[8] Laboratoire d'InfoRmatique en Image et Systèmes d'information (LIRIS)：
http://liris.cnrs.fr/graphem/
[9] De Paermentier, Els: Diplomata Belgica: analysing medieval charter texts (dictamen) through a quantitative approach：
http://www.cei.lmu.de/digdipl11/de-paermentier-els-diplomata-belgica-ana...

中世写本のラテン語の難読箇所を解決するEnigma

2014-07-26
赤江雄一

Enigma [注1] は、西欧中世ラテン語写本を読む際に避けられない難読箇所の解読を援助するために開発された簡便ながら効果的なウェブ上検索システムである。以下、Enigmaを紹介したい。Enigmaの使い方については同サイト上に日本語で説明があるので、それを繰り返すことは避けて、この場ではEnigmaが必要とされる文脈や、その画期的な特徴を論じ、最後にEnigma開発の背後にある開発者のメッセージを伝えたい [注2]。

■1．このツールを必要とする人は

このツールを必要とするのは、西欧中世の——したがって多くの場合グーテンベルクの活版印刷以前の——手書きの写本のラテン語テクストを読もうとする人たちである。当時のリングア・フランカであるラテン語で書かれた史料や著作の中で特に重要とされるものについては、近現代の学者によって写本から編纂され読みやすい活字で印刷された校訂版が存在していることが多い。通常、西欧中世研究に取り掛かりはじめたばかりの研究者は何らかの校訂版を用いることになる。その後も校訂版に依拠するだけで済む研究は多い。しかし、既存の校訂版では確かめる、あるいは知ることができない情報をつきとめる必要が生じることもある。校訂版がそもそも存在していない史料も数多くあるし、古い校訂版の場合は編纂者の方針によってはテクストの一部が意図的に省かれていることなどもあるからである。

■2．「難読箇所」とはどこか

そういうわけで必要に迫られて、ともかくも目当ての中世ラテン語写本のイメージを入手したとしよう。ただラテン語の一通りの文法的知識を持っていても、中世ラテン語写本には最初歯が立たないだろう。まず用いられている字体とラテン語の短縮綴りに慣れなければならない。つまり、必ずしも体系的でなくても古書体学 palaeography の知識が必要になる［注 3］。校訂版ではラテン語の綴りは完全なものになっているが、それは編纂者によって写本から復元されたものである。それに対して写本上ではラテン語の綴りは短縮あるいは省略されたかたちをとっている。例えば「主君・領主」等を意味する dominus という語は写本上では dns（n の上に短縮綴りであることを示す横棒 macron が付される）と記される。これらの略語については A. Cappelli の有名なラテン語略語辞書［注 4］を参照する必要がある。Enigma はラテン語略語を元の綴りに復元することを目的としたツールではない。上記の省略綴りの例を使えば d*n*s とワイルドカード（検索する際にどんなパターンにも適合する特殊文字）の一つを使って Enigma で検索してもよいが、これではあまりにもヒット数が多すぎて元の綴り dominus をつきとめることはできないだろう。これらの基本的ラテン語略語は初心者には難しいかもしれないが、Enigma が対象とする「難読箇所」ではない。難読箇所とは、Enigma のサイトにもあるように「読み取りがたい書体、不明確な筆跡、写本自体への損傷などさまざまな理由で、一つの単語の中でもすべての文字を解読するのは不可能な」箇所である。加えて、Cappelli の略語辞典等に記載されていない（長めの）略語も含めてよいだろう。

■ 3. 可能性のある語彙がリストアップされる

Enigma が画期的なのは、このような難読箇所につきあたって頭をひねる前に、ともかくも読み取れる限りの文字を入力し、わからない文字のところにはワイルドカードを当てはめて検索すれば、常に求めている単語だけがヒットするわけではなくても、可能性のある語彙の選択肢が絞り込まれてリストアップされる点である。特に、サイトでの説明からもわかるように、一つの検索の中で複数の種類のワイルドカードを組み合わせて用いることができるのは便利である。リストアップされた単語は William Whitaker が作成したオンライン版ラテン語英語辞書 WORDS にリンクされており、クリック一つで基本的な意味と語形も確認できる（ただし Whitaker の WORDS のみに頼ってはならない。古典ラテン語辞典および中世ラテン語辞典も参照する必要がある）。これらの機能のありがたさは、わからない文字の部分にはまりうる複数の綴りをリストアップし、しかもその中に正解が含まれているかどうかもしばしば定かでないままに複数のラテン語辞書のあちこちを引く、その作業に費やされる時間と手間を大幅に削減できる点にある。

■4．実際に使ってみて

筆者は、自らの研究で用いている写本の保留状態にしていた難読箇所についてEnigmaを使ってみた。その結果、すべての難読箇所の解決をもたらす万能薬ではないものの、難読箇所の解決にあたっての出発点としては非常に有用だと評価する。

特に筆者が感心したのが、i, n, u, mといった文字に含まれる縦線（minims）を感嘆符（！）というワイルドカードで置き換える検索方法である［注5］。写本上ではi, n, u, mの識別はしばしば難しい。写本で用いられている羽ペンの筆跡では、これらの文字に含まれる上下に走る縦線は太く明瞭に見えやすいが、横の線（nやmの上部、uの下部）は細い筆跡となり不明瞭になりやすいからである。例えばnimisという単語が省略なしに綴られているとする。しかし写本での見かけ上、最初の4文字nimiが4文字であるかどうかすらわからないことがある。その場合確実に視認できるのは、見かけ上の縦線7本の後にsが続いていることだけである。

Enigmaなしでは、下手をすればsよりも前の部分についてi, n, u, mの順列組み合わせによって本来の単語を推測せざるをえないだろう。ここで多大な労力が発生しうる。Enigmaではこのような単語について推測を重ねるのではなく、見かけの通りに!!!!!!!sと検索できる。そうするとinuiis, minis, nimis, uiniis, uinu, uiuus, uniusという6通りがヒットする。まだ6通りも残されていると思われるかもしれないが、むしろ即座にここまで候補が絞り込まれることが大きなメリットなのだ。Enigmaを使っているうちに、なぜこれまでこれがなかったのかと筆者は感じるようになった。筆者は前述の作業を面倒だと感じていたが、実際にそれがこういうかたちである程度解決されうると思っていなかったのである。

■5．使いこなすコツ

Enigmaを使いこなすには若干のコツを知っておくと便利である。例えば、縦線での検索を可能にする第3のワイルドカードのためにi, u, n, mという文字を入れて検索をかけると、何もヒットしないことがある。この場合は必要に応じてこれらの文字を縦線に置き換えて（すなわちｉは一つの！、ｎとｕは!!、ｍは!!! として）検索したほうがよい。また、ｃとｔが相互置換的に検索されることも知っておくべきだろう。これは、羽ペンの運筆上ｃとｔの筆跡はしばしば著しく似ていることを加味した結果であろう。

■6．人文学の研究に関わり続けることの重要性

Enigma は比較的シンプルなつくりだが、以上述べたことからもわかるように、普段から中世の写本に触れている者にとってかゆいところに手が届く配慮がなされている。それは開発者自身の研究現場の必要に応えるためにEnigma が開発されたからである。マージョリー・ブールガール**[注6]** は、リヨン第二大学で中世カトリック教会の13 世紀説教写本の研究で博士号を取得した後、引き続き同大学に主要拠点を置く共同研究機関〈CIHAM 中世キリスト教およびイスラム教世界歴史・考古学・文学〉**[注7]** の技官 Ingénieur d'étude として Digital Humanities のさまざまなプロジェクトで活躍しつつ、彼女の専門領域の研究を続けている。彼女はさらにデジタル・メディアに携わる中世研究学者のウェブ上のコミュニティーである Digital Medievalist **[注8]** の運営委員を 2008 年から 2012 年まで務め、その後もこのコミュニティーの中心的存在である。彼女はこれまでに Whitaker の WORDS を利用した OCR 用スペルチェック用ラテン語語形リスト Verba **[注9]**、これを利用したラテン語スペルチェッカー COL（Correcteur Orthographique de Latin）**[注10]** を開発した（Enigma は COL の発展形でもある）。これらの活躍により、2013 年にはフランス国立科学研究センター CNRS の優秀な技術・行政系のスタッフに贈られる Crystal CNRS 賞 **[注11]** を受賞している。

今回の原稿執筆にあたってマージョリーに Facebook 上でインタビューを行ったが、そこで彼女が強調していたのが、人文学の研究に関わり続けることの重要性だったのは印象的だった。

私には、中世や近代初期の歴史や文学などの分野で博士号などをとって、その後 Digital Humanities（DH）の分野に移った友人が何人もいますが、彼らは元の研究分野からかけ離れた分野で仕事をする状況になっています。それは DH の領域で彼らが〈より役に立つ〉と思われてい

るからですが、彼らには元の分野の研究を継続する余地が所属組織からまったく与えられていないことが多いのです。私が幸運なのはDHと中世説教研究の両方を行える状況にある点です。私はDHの分野でより多くの人が私と同じように両方を行えるようになるのを希望しています。彼ら自身のためだけではなく、DHにとってもよいことだからです。これがEnigmaの背後にある私の考え、世界に対する私のメッセージです。

フランスあるいはヨーロッパの状況と日本の状況には違う点も数多くあるだろうが、彼女の言葉は日本のDHの今後を考えるうえでも示唆に富んでいるのではないだろうか。Enigmaは人文学とDHの結合がいかに有益なものであり得るかをまさに証明するものだから。

▶注

[1] Enigma, http://ciham-digital.huma-num.fr/enigma/?l=jp, accessed July 16, 2020.

[2] 筆者はこのシステムの公開に際して開発者の依頼でインターフェイスの日本語版作成に協力したが、システム自体の開発には携わっていない。

[3] 例えばHow to Read Medieval Handwriting (Paleography) を参照, https://chaucer.fas.harvard.edu/how-read-medieval-handwriting-paleography, accessed July 16, 2020。書体学の定義や学問としての発展については日本語では高山博・池上俊一編『西洋中世学入門』(東京大学出版会, 2005), 27-53; 高宮利行「古書体学」『大修館英語学事典』(大修館, 1983), 961-73など、古書体についてはスタン・ナイト著『西洋書体の歴史―古典時代からルネサンスへ』高宮利行訳(慶應義塾大学出版会, 2001)があるが、上掲のハーバード大学のサイトで提供されているような「実用的」な情報は管見の限り日本語の公刊されたかたちではほとんど著されていない。追記:その後、西洋写本学の基本書の日本語訳が2015年に刊行された。ベルンハルト・ビショッフ著『西洋写本学』佐藤彰一、瀬戸直彦訳(岩波書店, 2015)(短縮形を示す補助記号については217-242ページに記述がある)。

[4] Cappelliのラテン語略語辞書 *Dizionario di abbreviature latine ed italiani* は著作権が切れているのでオンラインで入手可能である(Enigmaサイトを参照)。なおAbbreviationes™ Onlineという有料のウェブ上検索システムも存在する, http://www.ruhr-uni-bochum.de/philosophy/projects/abbreviationes/, accessed July 16, 2020。

[5] 中世では通常vとuは区別して用いられていなかった(ラテン語にはもともとuしか存在していなかったわけだが)。校訂版では大文字についてはV、小文字についてはuに統一してあることが多い。Enigmaのアウトプットではvとuはすべてuに統一してあるようである。

[6] Marjorie Burghart, http://ciham.ish-lyon.cnrs.fr/membres/marjorie-burghart, accessed July 16, 2020.

[7] http://ciham.ish-lyon.cnrs.fr/, accessed July 16, 2020.

[8] Digital Medievalist, http://www.digitalmedievalist.org/, accessed July 16, 2020.

[9] Verba, https://sourcesup.renater.fr/verba/, accessed July 16, 2020.

[10] 現在も開発継続中とのこと, COL - Latin Spellchecker, http://latin.drouizig.org, accessed July 16, 2020.

[11] https://www.cnrs.fr/fr/personne/marjorie-burghart, accessed July 16, 2020.

リヨン高等師範学校講義「中世手稿のデジタル編集」参加記

2016-04-29
長野壮一

西洋中世研究において、古文書学は実証研究にとって欠かせない歴史補助学の一つとして、重要な役割を果たしてきた。かつてはもっぱらアナログな手法で取り組まれた古文書学だが、現在ではDHの影響を受けるようになっており、研究者や学生のDHに対する関心も高まりつつある。そうしたニーズを受けて、中世研究を専攻する大学院生を対象とした欧州共同のDH教育プログラムが昨年度より行われている。「中世手稿のデジタル編集」(Digital Editing of Medieval Manuscripts) である **[注1]**。

「中世手稿のデジタル編集」はエラスムス・プラス計画による教育プログラム。参加機関はフランス社会科学高等研究院 (EHESS)、プラハ・カレル大学、ロンドン大学クイーン・メアリー、シエナ大学、クロスターノイブルク修道院図書館である。授業はヨーロッパ中世学研究に携わる大学院生が手稿文書のデジタル編集・電子出版を行うための技術を習得することを目標としており、全体の構成は次のようになっている。

- 第1週 (2月1～6日、於クロスターノイブルク):「中世テクストを編集する——古書体学、古書冊学、文献学」(Editing Medieval Texts: Paleography, Codicology, Philology)
- 第2週(3月7～12日、於リヨン):「デジタル編集——コード化、タグ付け、電子出版」(Digital Editing: Encoding, tagging, and online publishing)
- 第3週 (6月20～25日、於ロンドン):「デジタル版中世テクストの図書館を創設する」(Creating a Library of Digitally Edited Medieval Texts)

今回、筆者はフランス・リヨンにて行われた2週目の授業に参加する機会を得た。この授業は、DHを学ぶ前提として文献学一般を扱った1週目の授業を踏まえて、TEIの基礎を学ぶことを主眼に置いている。本節は5日間にわたる集中講義の参加記である。

集中講義「デジタル編集——コード化、タグ付け、電子出版」は、2016年3月7日から12日にかけて、リヨン高等師範学校のジャック・モノー・キャンパスにおいて行われた[注2]。主催者はフランス国立科学研究センター（CNRS）研究員のMarjorie Burghart、ゲストスピーカーはJames Cummings（オクスフォード大学）、Elena Pierazzo（グルノーブル第3大学）、Chris Sparks（ロンドン大学クイーン・メアリー）、Magdalena Turska（元DIXIT研究員）と、高名な講師陣が多数集まった。

■1．初日

全3週間のプログラムのうち2週目に当たる本授業は、「XMLの基本概念を概観し、批判的校訂を行うために必要なTEIの知識を習得し、TEIでコード化したファイルの変化形を例示する」ことを目標としている。初日の午前はCummings氏による導入講義「デジタル学術編集」（Digital scholarly editing）から始まった。ここでは史料をデジタル化・マークアップするための前提として、TEI/XMLの基本的な事項に関する概説が行われた。続いて、同じくCummings氏により、「TEIの基本構造と核となる要素」（Basic TEI Structure and Core Elements）を説明する講義が行われた。

以上の座学を踏まえて、実際にTEI P5に基づいた簡単なXMLファイルを作成する実習（Creating a basic TEI P5 XML file with oXygen XML Editor）が行われた。使用したエディタはOxygen XML Editorのトライアル版であり、以後、授業を通してエディタはOxygenの使用が推奨された。ここで学生は各自で短い詩のテキストファイルへ教員の指示通りにタグ付けを行い、複数名の教員が机間巡視を行う形式での実習が行われた。

続けて、授業はTEI/XMLからHTMLおよびCSSのセクションに移った。Sparks氏による講義「HTMLとCSSでWebページを作成する」（Creating Web Pages with HTML and CSS）の後、あらかじめ教員によって作成されたHTMLとCSSのファイルを学生が組み替えて、ブラウザ上における見た目がどのように変化するのか確認する実習が行われた。この際に使用したツールはjsFiddleである。

以上のように、初日の午前の授業ではTEI/XMLおよびHTML、CSSの基本事項を座学で学び、簡単なコードが書けるようになる段階まで進んだのである。

昼食休憩を挟んで午後の授業では、中世の史料を用いてさらに実践的な内容が扱われた。Cummings 氏による講義「固有表現——人名、地名、組織名」（Named Entities: People, Places, and Organisations）では、固有名詞を XML に記述する際の TEI のルールを学んだ。続けて行われた実習では、あらかじめ用意された XML ファイル中の人名にタグ付けを行い、生没年などの注釈を付す作業を行った。これを教員の作成したオンライン上のソフトウエアにアップロードし、ブラウザで表示される文章上の人名の部分にカーソルを合わせれば、正しくコードが書けている場合、先ほど入力した注釈が画面上に表示されるという次第であった **[注 3]**。

Burghart 氏による初日の最後の授業「古文書の簡単な校訂版を作成する」（Creating a simple edition of a diplomatic document）では、XML ファイルの題名・行・段落などにタグ付けを行い、パラメータを変化させることで、ブラウザ上においてさまざまな形式で表示する練習を行った。

■2．2日目

翌 2 日目の授業は、「TEI メタデータ概説」（An Overview of TEI Metadata）と題された Cummings 氏による講義から始まった。ここでは TEI によって記述されるメタデータについて、特にヘッダー部分の構造について解説が行われた。続いて、同じく Cummings 氏による講義「TEI による手稿文書の翻刻・説明」（TEI for Manuscript Transcription and Description）では、原本のレイアウトに関する情報を保持した上で可読性を高めるための TEI 翻刻の方法、また <msDesc> タグによって TEI にメタデータを付与する方法が説明された。これらの講義内容を踏まえた実習として、実際に TEI に書誌情報のメタデータを付与する練習（Ms Desc. exercise in groups: encode the description of mss we're going to see at the City Library）が行われた。

午後からは市街地にあるリヨン市立図書館（Bibliothèque municipale de Lyon）に場所を移し、図書館の来歴や、図書館の保有する稀覯（きこう）書コレクションについての司書による解説が行われた。ここではさまざまな中世写本の実物に触れることができ、古文書の形式について具体的なイメージを持つ一助となった。

■3．3日目

3日目の午前の授業は、学生によるフィードバックの時間から始まった。これまでの二日間の授業を踏まえて、自分の研究がDHやTEIのマークアップとどのように関わることができるか、学生による報告と議論が行われた。

続いて、Burghart氏の講義「批判的校訂版を理解する」（Understanding critical editions）では、写本の異文に対するTEIを用いた註解の仕方を学んだ。

これらの講義内容を踏まえて、午後からの実習（Critical apparatus exercise）では中世のテクストの異文にTEIで注釈を付ける練習が行われた。完成したXMLファイルを教員の作成したオンライン上のソフトウエアにアップロードすると、異文がうまく反映されているか確認できるという次第だった［注4］。

■4．4日目

4日目の授業は、「誰でも知りたがっているくせにちょっと聞きにくい文書編集のすべてについて教えましょう」（Everything you wanted to know about documentary editions 〈but were afraid to ask〉）と題されたPierazzo氏による講義が行われた。ここでは、手稿文書をTEIに翻刻する際、例えばアポリネールのカリグラムに見られるような、直線状の行をなしていないレイアウトの文書形式を正確に表現するのは困難であること、文書の形式によっては単なる翻刻ではなく、複製版（facsimile edition）の方がよいことなどが説明された。すなわち、手稿文書のレイアウトが直線状の行をなしているとき、レイアウトよりも内容が重視されるとき、可読性の高いテクストのアウトプットが必要なときは<text>タグを用いて表現し、手稿文書が線状の行を成していないとき、著者による訂正が多いとき、内容よりもレイアウトが重視されるときは<sourceDoc>のタグを用いて領域の集合として表現するべきこと、またその方法が説明された。

その後、これらの講義内容を踏まえて、手稿文書の画像データから<sourceDoc>タグを用いたXMLファイルを作成し、あらかじめ用意されたCSSと関連付けることで表示例を学ぶ実習が行われた。その際、画像データ上の位置情報を抽出して<zone>要素を作成するために教員の作成したソフトウエアを利用した［注5］。

■5．5日目

最終日となる5日目の授業は、Turska 氏によるデータベース「eXist」に関する講義（eXist : DB basics）から始まった。講義ではデータベースの使用方法を学び、その後、XPath（XML 文書中の任意の要素・属性を指定するための構文）を利用して、ツリー構造をなす XML ファイルの中から必要な情報を検索する実習が行われた。

ここまでの授業で、5日間で学ぶ内容をすべて終えた。午後からは学生によるフィードバックの時間が設けられ、その後、プログラム全体の3週目に当たるロンドンにおけるセミナー「デジタル版中世テクストの図書館を創設する」（Creating a Library of Digitally Edited Medieval Texts）の予告が行われた。それによると、最終週となるロンドンの授業では、学生がツールを制作する段階まで進むという。

■6．DH 教育プログラムの中世研究における意義

以上が授業「デジタル編集——コード化、タグ付け、電子出版」の概略である。出席者は20名ほどであったが、エラスムスの選抜を経ていることもあり、EU 諸国から集まった学生の意欲は総じて高かった。中世研究の分野では史料批判の精度を高めるため、TEI の技術の習得を望む学生が多いと聞く。ホスト校における受け入れ責任者の Burghart 氏も博士論文までアナログな手法を用いていたが、博士号取得後に TEI の技術を習得したそうである。こうした欧州の中世研究における TEI 人口の多さ、教育・研究体制の充実ぶりは、史料論・古文書学が注目される昨今のわが国の歴史学をはじめとした人文学に示唆を与える点も多いだろう［注6］。

▶注

［1］Digital Editing of Medieval Manuscripts, http://www.digitalmanuscripts.eu/, accessed July 16, 2020.
［2］Digital Editing, Lyon 2016 - Digital Editing of Medieval Manuscripts, http://www.digitalmanuscripts.eu/training-programme/digital-editing-2016/, accessed July 16, 2020.
［3］DEMM People & Places Exercise, https://chrissparks.org.uk/tei/places/, accessed April 29, 2016.
［4］TEI Critical Edition Toolbox, http://ciham-digital.huma-num.fr/teitoolbox/, accessed July 16, 2020.
［5］TEI Zoner, https://chrissparks.org.uk/tei/
［6］わが国の歴史研究で史料論・古文書学が注目されている事情については、例えば次の文献を参照。「ユーラシア東西における古文書学の現在」『史苑』75-2(2015).

フランスのDH
―リヨンCIHAMを中心として―

2016-06-29

長野壮一

フランス第2の都市として知られるリヨンは、中世期に司教座都市として発展し、学術・文芸の中心地として栄えた。ソーヌ河畔に建てられた街のシンボルであるサン＝ジャン大聖堂では、神聖ローマ皇帝フリードリヒ2世の帝位剥奪や修道士プラノ・カルピニのモンゴル帝国派遣を決議した重要な公会議が開催された **[注1]**。

そうしたリヨンに今日、中世学研究の中心拠点である中世史・中世考古学大学間共同センター（CIHAM : Centre Inter-universitaire d'Histoire et d'Archéologie Médiévales）が置かれていることは不思議ではない **[注2]**。CIHAMは社会科学高等研究院（EHESS）の付属センターを母体として1977年に創設され、その後1994年に国立科学研究センター（CNRS）の組織する共同研究ユニット（UMR）となった。2020年5月現在、CIHAMに参加する研究機関は、社会科学高等研究院、リヨン人間科学館（MSH Lyon）、リヨン高等師範学校、リュミエール＝リヨン第2大学、ジャン・ムラン＝リヨン第3大学、アヴィニョン大学である。

CIHAMは歴史学、考古学、文学といった多分野の研究者を擁し、五つのテーマ基軸「領域、周辺、境界」「東西両洋における権力と権威」「知の構築と交流」「エクリチュール、書物、翻訳」「人間、財産、市場」に基づく学際的な研究プロジェクトを主催している **[注3]**。これらのテーマ基軸から独立して、DHに関する活動、特に史料の電子出版を主導しているのが横断的基軸「デジタル人文学」である **[注4]**。

横断的基軸「デジタル人文学」ではCNRS研究員のMarjorie Burghart氏による主導の下、複数の研究プロジェクトが行われている。以下ではCIHAMの携わる合計六つのプロジェクトについて、デジタルツールおよび史料コーパスの二つのカテゴリに分けて紹介する。

■ 1．デジタルツール

■ 1-1．Enigma [注 5]

中世写本における難読箇所の解決補助ツール。単語の一部を入力すれば可能性のある候補がリストアップされる。仏英日ほか各国語に対応している。詳細については日本語版インターフェースの作成者である赤江雄一氏による解説記事（本書掲載）を参照のこと。

■ 1-2．Interactive Album of Mediaeval Palaeography [注 6]

学生やアマチュア研究者による写本読解技術習得の支援を目的とした古書体学の翻刻練習ツール。同様のツールにくずし字学習支援アプリ KuLA があるが [注 7]、Interactive Album of Mediaeval Palaeography では、史料の言語は羅・仏・伊・アラビア・オック語、時代は 9 ～ 15 世紀、難易度は「易」「中」「難」から選択することができ、写本の読解をゲーム感覚で学ぶことができる。仏英語に対応しており、開発には TEI/XML や CSS の技術が用いられている。

■ 1-3．TEI Critical Apparatus Toolbox [注 8]

TEI で批判的校訂を行った際、異本表現がうまく反映されているかチェックするための開発者向けツール。TEI ファイルをアップロードすれば、<app/> 要素内の <lem/> ないし <rdg/> タグによる異本ごとの分岐がブラウザ上でどのように反映されるのか確認できる。

■ 1-4．Correcteur Orthographique de Latin [注 9]

ラテン語スペルチェッカー。MS Word および OpenOffice 等互換ソフトで使用できる。

■ 2．史料コーパス

■ 2-1．Sermones latins [注 10]

ラテン語の説教集。『黄金伝説』の著者として知られるヤコブス・デ・ウォラギネや、アッシジの聖フランチェスコによるテクストが公開されている。形式は TEI によりタグ付けされた電子テクストであり、写本ごとの異同や、XQuery（XML 文書中の任意の要素・属性を指定するための問い合わせ言語）による要素検索が可能となっている。なお本コーパスの技術的側面については、Burghart 氏による仏語論文がある［注 11］。

■ 2-2．Ressources comptables en Dauphiné, Provence, Savoie et Venaissin (XIIIe-XVe siècle)［注 12］

ドフィネ、プロヴァンス、サヴォワ、ヴナスクの南仏 4 伯領における会計史料のアーカイブ。地方文書館から収集した史料のデジタル画像が公開されている。本コーパスは科研費プロジェクト「中世における統治技法の生成［注 13］」の成果物である。

以上が CIHAM における DH 研究の一覧である。これらのツールやコーパスは当該分野の研究者がいますぐ利用できるのみならず、TEI によるマークアップの応用事例として、西洋中世研究の専門家以外にとっても興味深い。

ところで、これらの研究プロジェクトはいかにして資金調達を行っているのだろうか。CIHAM ではセンター全体で公的研究資金配分機関であるフランス国立研究機構（Agence Nationale de la Recherche）から科学研究費を獲得し、その一部を DH 部門に配分している。民間の財団からは資金調達を行っていないという話である。

さて、筆者が本節の取材のためにリヨンを訪れた際、近年再開発の進むコンフリュアンス地区に立ち寄る機会を得た。マッシミリアーノ・フクサスや隈研吾ら著名な建築家の手によるポストモダン様式の集合住宅が建ち並ぶ街区を歩き、冒頭で述べたサン＝ジャン大聖堂を中心とする旧市街の石畳とのギャップが印象に刻まれた。フランスの DH 研究シーンにおいて CIHAM の有する独特の存在感は、伝統を誇りつつも新技術の導入を厭わないリヨン市民の気質に基づいているのかもしれない。

▶注

［1］藤崎衛監訳「第一リヨン公会議（1245 年）決議文翻訳」『クリオ』30(2016): 100-127.

［2］http://ciham.ish-lyon.cnrs.fr/, accessed July 16, 2020.

［3］http://ciham.ish-lyon.cnrs.fr/presentation/, accessed July 16, 2020.

［4］Axe transversal “Digital Humanities”, http://ciham.ish-lyon.cnrs.fr/axe-transversal-digital-humanities/, accessed July 16, 2020.

［5］Enigma, http://ciham-digital.huma-num.fr/enigma/, accessed July 16, 2020.

［6］Interactive Album of Mediaeval Palaeography, http://ciham.ish-lyon.cnrs.fr/paleographie/,

accessed April 29, 2016. 現在の URL, http://paleographie.huma-num.fr/index.php?l=en, accessed July 16, 2020.
[7] くずし字学習支援アプリ KuLA, https://itunes.apple.com/jp/app/id1076911000/, accessed July 16, 2020.
[8] TEI Critical Apparatus Toolbox, http://ciham-digital.huma-num.fr/teitoolbox/, accessed July 16, 2020.
[9] COL - Latin Spellchecker, http://drouizig.org/index.php/en/binviou-en/correttore-ortografico-di-latino/250-en-col-latin-spellchecker/, accessed July 16, 2020.
[10] Sermones.net, http://sermones.net/, accessed July 16, 2020.
[11] Marjorie Burghart, "Annotation collaborative d'un corpus de documents médiévaux : outils pour l'analyse de la structure et du contenu des sermons de Jacques de Voragine," Le Médiéviste et l'ordinateur, 43, (2004), http://lemo.irht.cnrs.fr/43/43-11.htm, accessed July 16, 2020.
[12] Ressources comptables en Dauphiné, Provence, Savoie et Venaissin, http://ressourcescomptables.huma-num.fr/, accessed July 16, 2020.
[13] GEMMA, https://anr.fr/Projet-ANR-10-BLAN-2011, accessed July 16, 2020.

ヨーロッパの初期印刷本とデジタル技術のこれから

2016-07-30
安形麻理

■1．英米流の書誌学とシェイクスピア研究

英米における分析書誌学は、シェイクスピアを中心に発展してきたといっても過言ではありません。手稿や清書原稿が残されていることもある近現代の作品と違い、シェイクスピアの戯曲作品は関連資料も少なく、さらに何が印刷原稿として使われたのか（下書き原稿、台本、訳者の記憶再生による原稿など）も含めて検討する必要があるためです **[注1]**。

例えば、20世紀半ばの書誌学者たちは、1623年に出版されたシェイクスピアの最初の作品集（いわゆるファースト・フォリオ）の綴りに着目しました。正書法が確立していなかった時代は綴りが植字工の裁量に任され、スペースの調整の結果や、好み、癖などが表れているのです。例えば、植字工Aがdoe、goeのように最後に「e」を付けたところを、植字工Bはdo、goと綴る傾向にあったことなどが明らかにされています **[注2]**。

さまざまなコーパスが利用できるようになった現在、この種の調査を行うための労力は大幅に軽減されました。もちろん、調査結果をどのように分析し解釈するかは、人間がきちんと考えなくてはなりません。そういう楽しい作業に労力を傾注できる、ありがたい時代になったといえるでしょう。

■2．西洋の初期印刷本のテキストデータ

ヨーロッパにおいて活版印刷術が始まった15世紀半ばから15世紀末までの50年ほどの間に印刷された本を、初期印刷本（インキュナブラ）と呼びます。往々にしていわゆるひげ文字のゴシックレター（ブラックレター）で印刷され、通常のOCR（光学的文字認識）では文字の認識ができないため、電子テキスト化もあまり進んでいません。

筆者が専門とするグーテンベルク聖書も、西洋最初の本格的な活版印刷本

として有名であり､現存する48部のうち1／3以上がデジタル画像化され、ウェブサイトやCD-ROMで公開されていながら、テキストデータは作られていません。誰もが名前を知っていて、中身も聖書という世界最大のベストセラーであることを考えると、少々意外なのではないでしょうか。

ゲッティンゲン大学図書館のサイトGutenberg Digitalでは、聖書の中の有名な箇所（例えば天地創造の1日目）をリストから選択すると、左に同館所蔵のグーテンベルク聖書、右に19世紀のラテン語聖書のデジタル画像の該当部分が並んで示されるようになっています［注3］。綴りを除けばほとんど同じという箇所もあれば、大きく違う箇所もあることがわかり、おもしろい提示方法だといえます。しかし、グーテンベルク聖書のトランスクリプションというわけではないので、冒頭に紹介したような綴りの特徴の調査や植字工の同定といった研究に使うことはできません。

また、マザラン図書館所蔵本のファクシミリ（高精細写真複製本）にはトランスクリプションが付いており有用ですが、綴りが現代化されていたり、縮約語や短縮語が開かれていたり、間違いが修正されていたりするので、やはり前述のような研究の素材とはなりません。

■3．デジタル技術を用いた初期印刷本の研究

幸い、印刷史上の重要性から、グーテンベルク聖書の現存本のデジタル画像化は進んでおり、さまざまな研究が可能になっています。なぜ同じ本を何冊もデジタル化するのかと不思議に思うかもしれませんが、手引き印刷時代には、印刷の途中でも活字を抜き差しして修正することが可能だったため、同じ刷りでも少しずつテクストが異なっているのが普通だったからです。

筆者は、市販の画像・映像編集ソフトウエアを応用してデジタル画像を重ね合わせたり、画面上の同じ場所で交互に高速で表示するという校合(きょうごう)手法により、グーテンベルク聖書の校合を実現させました。その結果、最初の印刷工房でも印刷途中での修正作業が行われていたこと、修正は各ページで一回のみであること、紙は羊皮紙よりも先に印刷されたこと、などの作業工程の詳細を明らかにすることができました。

グーテンベルク聖書の活字は定説では約300種類とされていますが、筆者は、校合を行う中で、もう少し多いのではないかという疑問を持ちました。そこで、活字そのものの研究も始めています。現在、共同研究者ととも

にオープンソースのOCRソフトウエアを組み合わせ、画像データから各活字の座標や縦横のサイズのデータを取得し、統計的な分析を行っているところです。単純なデータですが、印刷時期や分業のユニットといった先行研究の成果と合わせて検討すれば、技術の向上や担当職人による差といった印刷工程の詳細を明らかにする手掛かりとなると期待されます［注4］。この研究では、あわせてトランスクリプションデータも作成しています。

また、プリンストン大学の書誌学者Needhamと物理学者Agüera y. Arcasは、グーテンベルクの最初の活字で印刷された『トルコ教書』の小文字「i」の画像のクラスタリング分析を行いました。その結果、数百というクラスターが得られたことから、この活字が、従来考えられてきたような金属製の母型と鋳型によって鋳造されたものではないという説を発表し、論争を巻き起こしました［注5］。活版印刷術の根幹に関わる問題でありながら、検証はまだほとんど進んでおらず、今後の進展が期待されているところです。

このように、グーテンベルク聖書のようにメジャーで研究され尽くされているかのように思えるものでも、デジタル技術を使って新しい問いを立てることが可能になります。先行研究の方法論や知見を踏まえることで、そうした研究をより実りあるものにできるでしょう。

■4．高品質のデータと研究者の役割

私事にわたり恐縮ですが、筆者は、慶應義塾大学図書館が所蔵するグーテンベルク聖書のデジタル化の作業から研究利用までの各段階に関わってくることができました。その経験も踏まえ、データの質について最後に簡単に述べたいと思います。

高品質のデータがほしいというのは当然です。そうはいっても、色の再現性が高く、高解像度画像で、メタデータが充実していて、といったところはすぐに思いつくものの、具体的に何をもって質が高いとするかは、一律に決められるものではないでしょう。

2014年に発表されたIFLA貴重書・写本分科会によるデジタル化計画についてのガイドラインは、従来の手引きとは異なり、計画立案過程に焦点を当て、管理担当者、図書館員や学芸員に加え、組織内外の研究者という三者の視点に立っていることが特徴です［注6］。2014年に、筆者が指導する学生が卒業論文（未刊行）で日本の大学図書館の貴重書デジタルアーカイブを

調査した際、協力者として研究者の名前が入っていることはそもそも少なく、名前があっても役割が不明であるか、解説や解題の執筆という協力の形が多いことがわかりました。今後もデジタルアーカイブの構築は進んでいくと思われますが、データを利用するだけでなく、IFLA のガイドラインにあるように、計画策定段階から研究者が積極的に関わっていくことが必要だと、自戒も込めて考えています。

▶注

［1］英知明「シェイクスピア時代の演劇古版本」『書物學』7(2016): 1-9.
［2］1920 年に Thomas Satchell がはじめて着目し、Charlton Hinman が 1963 年の著書で体系的かつ徹底的な分析を行いました。Hinman, Charlton, The Printing and Proof-Reading of the First Folio of Shakespeare (Oxford: Clarendon Press, 1963).
［3］Gutenberg Digital, http://www.gutenbergdigital.de/gudi/eframes/index.htm, accessed 30 April 2021.
［4］Blaise Agüera y Arcas, "Temporary Matrices and Elemental Punches in Gutenberg's DK Type," in *Incunabula and Their Readers: Printing, Selling and Using Books in the Fifteenth Century*, ed. Kristian Jensen (London: The British Library, 2003), 1-12.
［5］安形麻理「「欧文活字」研究の現在」『書物學』8(2016): 9-15 ページ .
［6］IFLA rare books and special collections, Guidelines for Planning the Digitization of Rare Book and Manuscript Collections, https://www.ifla.org/publications/node/8968, accessed 30 April 2021. 国立国会図書館による仮訳が 2017 年に公開された。貴重書及び手稿コレクションのデジタル化計画のガイドライン, https://www.ndl.go.jp/jp/preservation/pdf/ifla_guideline_jp_2017.pdf, 参照 2021-04-30.

インキュナブラ研究と copy-specific information

2016-10-30

徳永聡子

西洋書誌学の世界では、1500年までに活版印刷術によって出版された本や印刷物を「インキュナブラ（incunabula）」と称し、時代的な区切りをここに設けている。もちろん、15世紀と16世紀の印刷文化を断絶した事象のごとくとらえることには批判の声もあり、この垣根をはらった研究も一般的になりつつある。その一方で、貴重書整備を進める時には何らかのマイルストーンが必要なため、現在でもとりわけ書誌目録の世界では「インキュナブラ」というくくりが用いられることが多い。本節では、このインキュナブラ研究の最近の動向とオンライン目録やデジタル化の関わりについてご紹介したいと思う。

■1．同じ版の本でも、同じ本は一冊もない

手書き写本と決定的に異なり、印刷本には同じ版（edition）の本（copy）が複数存在する。かつては中世／ルネサンス、写本／印刷本という二項対立的な区分の意識が強く、インキュナブラの個別本（copy）への関心は限定的なものであった。しかし、揺籃（ようらん）期の印刷本には中世写本の伝統がさまざまに引き継がれ、印刷後に装飾文字や欄外装飾などが手書きで施されたことも少なくない。このため本によってページ面の表情は様変わりする。また違った種類の（透かし模様入りの）紙が用いられていることもあれば、装丁も来歴も一冊ごとに異なる。さらには、書店や読者の手によって、署名、本文の修正、欄外注釈、要約、ペントライアル、短詩、本の価格など、実にさまざまに書き入れがなされる。つまり本にはそれぞれにたどってきた歴史が刻まれており、同じ版の本であっても、この世に一つとして同じものは一冊たりとも存在しないのである。近年のインキュナブラ研究では、こうしたモノとしての本を特徴づける諸要素をcopy-specific information、あるいはmaterial evidenceと称している。特に書き入れや来歴は、読書行為や本の流通の再構築に重要な手掛かりとなるため、これまで以上に注目が集まっている［注1］。

個別の書物へ関心が高まりゆく背景には、デジタル化の発展も絡んでいる。1990年代後半から始まった貴重書のデジタル化と公開は、過去20年もの間で飛躍的に進み、いまやインターネットを介して非常に多くの原資料画像を入手することができる。加えて英米の主要図書館の貴重書室では、2010年ごろから閲覧者のデジタルカメラの使用を許可するところが増えている。個人研究の使用範囲であれば（出版は含まれない）、自分のカメラで撮影したデジタル画像を自由に利用することができ、これには当初かなりうれしい衝撃を受けた。おかげで世界各地に散逸するインキュナブラも、同じ版の複数の本（copy）の比較調査が以前と比べてはるかに容易になっている。

■2．インターネット公開が主流となった目録

最新のインキュナブラ所在目録のデータによると、現時点までに約450,000点の現存本（copy）が確認されている。所蔵する公共機関はヨーロッパと北米を中心におよそ4,000カ所にも及ぶ［注2］。中でも伝統ある歴史と蔵書数を誇る大英図書館が刊行した英国インキュナブラの所蔵目録（通称BMC XI, 2007年）とオックスフォード大学ボドリー図書館が刊行した目録（通称Bod-inc, 2005年）は、インキュナブラの個別本研究の金字塔ともいえる［注3］。以前はこうした貴重書の書誌目録は冊子体で刊行されたが、最近ではインターネット上での公開が主流となりつつある。例えば、冊子体の出版から始まったBod-incも、さほど時間を置かずにPDF版がウェブサイトで無料公開され、いまでは検索可能なオンライン版が登場している［注4］。発売と同時に冊子体を求めた者にとっては複雑な思いもあったが、やはりツールとしてのオンライン目録の便利さは格別である。また欧米では、2010年ごろからインキュナブラのオンライン目録制作プロジェクトを立ち上げる図書館が急速に増えている。代表的なところでは、ケンブリッジ大学図書館、グラスゴー大学図書館、ピアポント・モーガン図書館などが挙げられよう［注5］。いずれも大型コレクションを誇るが、copy-specific informationの充実したオンライン目録をすでに公開している。

■3. 横断検索と数量分析、可視化

こうした図書館単位のプロジェクトの場合、対象資料は収蔵本に限定されることが一般的である。このため従来はデータを取得するためには、所蔵館ごとに検索をかけなくてはならなかった。だが、ここ数年の間に革新的な変化が起きている。複数のレポジトリーが持つインキュナブラのデータを横断的に検索する仕組みに加え、そのデータの数量分析や可視化を実現するツールが誕生したのだ。いずれもオックスフォードを拠点に置くプロジェクトで、Bod-inc の編集メンバーでもあった Christina Dondi 博士が率いている（博士は Consortium of European Research Libraries の Secretary も務める）。最初のプロジェクトとして立ち上げた Material Evidence in Incunabula（MEI）では、Incunabula Short Title Catalogue と欧米の図書館との連携を図り、版の書誌情報と連携図書館所蔵本の copy-specific information の横断検索を可能とするデータベースを構築した **[注 6]**。続けて 2014 年には The 15cBOOKTRADE を始動させ **[注 7]**、2016 年 6 月に MEI 時代から構築してきた、書誌情報と copy-specific information のデータの可視化を可能とするツール 15cV を正式に公開したばかりである **[注 8]**。インキュナブラをめぐるネットワークや伝播の過程、市場での価格変動など、The 15cBOOKTRADE が理解を目指す研究テーマは多岐にわたり、そのインパクトは極めて大きい。

The 15cBOOKTRADE の登場により、これまでには考えられなかった数のインキュナブラを対象とした分析が、より広い歴史的な枠組みの中で可能となり、書物史の新たな知見が広がることが期待される。一方、研究の発展には連携機関の増加とデータの充実が欠かせず、日本からのデータ提供も期待されるところである。今後、日本におけるインキュナブラの copy-specific information研究の推進が筆者にとって重要な課題の一つとなりそうである。

▶注

[1] グラスゴー大学図書館のスペシャルコレクションのウェブサイトに、copy-specific information について分かりやすい解説があるので参照されたい , http://www.gla.ac.uk/services/specialcollections/searchforspecificitems/whatiscopyspecificinformation/, accessed July 16, 2020.

[2] インキュナブラの現存本の所在情報は以下の二つのプロジェクトによる長年にわたるデータ集積のおかげで把握がなされている。Gesamtkatalog der Wiegendrucke, http://www.gesamtkatalogderwiegendrucke.de; Incunabula Short Title Catalogue, http://istc.bl.uk, accessed

July 16, 2020.
[3] Lotte Hellinga (ed.), Catalogue of Books Printed in the Xvth Century now in the British Library, part XI: England (Leiden: Brill, 2007); Alan Coates, Kristian Jensen, Cristina Dondi, Bettina Wagner and Helen Dixon (eds.), A Catalogue of Books Printed in the Fifteenth Century now in the Bodleian Library (Oxford: Oxford University Press, 2005), 6 vols.
[4] Bod-inc Online, http://incunables.bodleian.ox.ac.uk/, accessed July 16, 2020.
[5] Cambridge University Library Incunabula Cataloguing Project, http://search.lib.cam.ac.uk/; Glasgow Incunabula Project, http://www.gla.ac.uk/services/incunabula/; CORSAIR(The Morgan Library & Museum), http://corsair.morganlibrary.org/; Bayerische Staatsbibliothek Inkunabelkatalog, http://inkunabeln.digitale-sammlungen.de/, accessed July 16, 2020.
[6] Material Evidence in Incunabula, http://data.cerl.org/mei/_search, accessed July 16, 2020.
[7] The 15cBOOKTRADE: An Evidence-based Assessment and Visualization of the Distribution, Sale, and Reception of Books in the Renaissance, http://15cbooktrade.ox.ac.uk/project/, accessed July 16, 2020.
[8] http://15cv.trade/, accessed October 30, 2016.

Regesta Imperii Onlineの活用

2018-07-31

纓田宗紀

■1．はじめに

この連載では、2018年4月15日にTokyo Digital History（以下ToDH）によって開催されたシンポジウムの登壇者が、それぞれの立場から歴史研究とDHの関わりを論じている［注1］。第3回は、西洋中世史・教皇史を専門とする纓田（おだ）が担当する。当シンポで最終報告を務めた筆者は、「データの活用から公開までを展望する」というテーマのもと、オンライン・データベースからデータを入手し、それを加工・表現して公開するプロセスを概観した。そのさい利用したDBは、西洋前近代史を専門とする研究者によく知られているRegesta Imperii Online（レゲスタ・インペリイ・オンライン、以下RI Online）である［注2］。RI Onlineは、とりわけ西洋中世研究においては最も利用者の多いDBの一つである。しかしながら、多くの日本人研究者にとってなじみがあるのは、その機能の一つである文献検索サイトRI-Opacのみであり［注3］、オンラインDBとして備えている機能についてはあまり知られていないのではないだろうか。そこで本節では、まず19世紀以来現在まで続いているRIプロジェクトそのものについて、および今世紀に始まったオンライン化について解説し、その後ToDHシンポで筆者が提示したRI Onlineの活用例を紹介する。本節を目にしたMedievalistsが、DHに関心を向けることを願っている。

■2．RIプロジェクト

RIは、中世ヨーロッパの史料を綱文形式で記録する事業、および19世紀以来現在まで刊行が続いている史料目録集を指す。2018年3月までに、90冊を超える目録集が刊行された。

この事業は、カロリング朝期から神聖ローマ皇帝マクシミリアン1世まで（751～1519年）の王／皇帝に加えて、網羅的ではないながらも初期・盛期中世の教皇と教皇特使に関わる史料を対象としている。目録集の中では、これらの聖俗有力者が発行した文書史料だけでなく、年代記などの叙述史料を含む記録媒体に記された彼らの行為が、日付順に整理されている。各項目は、史料から明らかになる限りで、日付、行為者、行為内容、校訂版が採録された史料集名などを略式で記述している。対象とする史料は基本的にラテン語で書かれたものだが、綱文はドイツ語で記述されている。よって史料の本文をみるためには、綱文中の参照指示に従って該当する史料集にあたる必要がある。

RIプロジェクトの起源は、フランクフルトの図書館員ヨハン・フリードリヒ・ベーマー（1795～1863年）が1829年に着手したドイツ王／神聖ローマ皇帝に関わる史料の収集作業にさかのぼる。本来、ミュンヘンに現在の拠点をおく中世史料編纂機関モヌメンタ・ゲルマニアエ・ヒストリカ（Monumenta Germaniae Historica/MGH）による史料校訂の準備作業として始められたベーマーの仕事は、その後独自の事業として発展した。1906年からはオーストリア科学アカデミーが事業を受け継ぎ、1939年にはRegesta Imperii改訂委員会（Kommission für die Neubearbeitung der Regesta Imperii）が設立された。この委員会は、1967年以降、ドイツの公益社団法人として認可されている。現在この委員会は、エアランゲン＝ニュルンベルク大学のクラウス・ヘルバースを座長として、ドイツ語圏の中世研究者25名で構成されている。各メンバーは、現在進行中の14の小プロジェクトのいずれかを担当し、目録集が刊行される際には編者を務めることになっている。2014年の年次委員会においては、全プロジェクトの完了期限を2016年から2033年に延長することが承認され、ヨーロッパ各地の研究機関と協働して事業を継続している。

■3. RI Online

21世紀に入り、RIはインターネット・テクノロジーに対応し始める。2001年にはRI Onlineが開設され、ドイツ研究振興協会（DFG）の助成を受けたバイエルン国立図書館との共同プロジェクトにより、既刊目録集の紙面がPDFで閲覧可能となった **[注4]**。さらに2007年には、綱文のテキストデータを蓄積するオンラインDBが構築され始めた。RI Onlineでは、現在180,000件を超える史料目録がDB化されている。利用者は、キーワード検索機能を使って自身の関心に沿った史料を探すことができる **[注5]**。このDBは現在も更新され続けており、例えばRI Onlineのスタートページに掲載されている2018年7月の月次報告によれば、RI I,4,3とRI IV,4,4,5に、それぞれ教皇ヨハネス8世（在位872～882年）と教皇ケレスティヌス3世（在位1191～1198年）の文書に関するデータが追加されたようである **[注6]**。

先に述べたように、RIが提供するのは、批判的に校訂された原史料の文面ではなく、あくまでも史料の要約である。それゆえRIを利用する研究者の多くは、それを史料の内容を把握するための補助としてのみ利用していると思われる。しかし、RI Onlineはそれ以上の機能を備えている。

注目すべき点は、検索インターフェースの背後にある元データが、Web APIおよびXMLファイルの形式で公開されていることである。今回筆者は、XMLファイルの一括ダウンロード機能を使って元データを取得した。RI Onlineでは一件の史料につき一つのXMLファイルが用意されており、現在は約130,000件のXMLファイルをダウンロードすることが可能である。このXMLファイルは、TEIに準拠してマークアップされた目録記述を収めている。

ToDHの連載第2回では、福田真人が国立公文書館デジタルアーカイブの「公文録」を取り上げた **[注7]**。「公文録」は、史料のメタデータを記述した元データを公開していないため、WebページのHTMLソースファイルを解析したうえで目当ての情報をスクレイピングする必要があった。それに対して、RI Onlineでは元データとなっているXMLファイルが利用者に公開されているため、Webページから大量のデータをスクレイピングする手間を省くことができる。しかもそれらのXMLファイル内のテキストはTEIに準拠してマークアップされており、自らタグを改変・追加するなどして研究に利用することもできるのである。

なお、RI Onlineで採用されているマークアップ規格は、厳密にいえばTEIではなく、CEI（Charters Encoding Initiative）である。CEIとは、とりわけ西洋中世の証書史料（Charter）をエンコードするために策定されたTEIの派生ガイドラインであり、2004年にミュンヘン大学で行われたワークショップにおいて提唱された **[注8]**。

RI Onlineが提供するXMLファイルのマークアップには、不十分な点がないわけではない。例えば、史料の校訂テキストが採録されている史料集名の略号が、当該史料の梗概文の中にタグづけされずに埋め込まれているため、史料集名のみを一括で抽出するのは困難である。しかし、これらのXML ファイルには、RI Online の検索画面よりも詳細かつ利用しやすい情報が含まれている。例を挙げれば、ラテン語地名の現代語表記、ISO 8601にのっとった日付の表記、文書発給地の経緯度情報などを得ることができるのである。

■ 4．データの活用例：教皇特使研究への適用

以下では、ToDH シンポに向けて取り組んだ作業を紹介する［注 9］。しかしその前に、筆者の研究について簡単に触れておきたい。筆者は、中世ヨーロッパ世界で活動した教皇特使を研究対象としている。教皇特使とは、ヨーロッパ各地からの求めに応じてローマ教皇庁から派遣され、滞在先各地で教皇に代わって法的・政治的・宗教的任務を遂行した、教皇の「分身」ともいわれる役人である。盛期・後期中世（12 ～ 15 世紀）においては、教皇のブレーン集団を形成していた枢機卿が教皇特使を務めることが多く、彼らは一定期間教皇庁を離れて任務の旅に出た。

何らかの証書史料群を扱ったことのある研究者であれば、史料番号、日付、発行者、発行地、内容、証人などの情報をエクセルシートにまとめようとした経験があるのではないだろうか。以前は RI Online でデータを一括取得することができると知らなかった筆者自身も、RI Online の画面から史料の情報をコピー＆ペーストして、エクセルシートに入力する作業を続けていた。ところが、2017 年 11 月 26 日に東京大学本郷キャンパスで行われた、歴史家・アーキビスト・エンジニアを交えた ToDH のアイディアソンにおいてこの作業の効率化について話題提供した際、RI Online では各文書の情報を記述した XML ファイル群が取得可能であることを知った。

これを利用しない手はないと考え、筆者はこれをシンポの発表の題材にすることに決めた。RI V,2,3・4 には、13 世紀に主にドイツ語圏で活動したのべ 25 名の教皇特使の発行文書が目録化されている。RI Online から取得した該当文書の XML ファイル内の <dateRange>、<issuePlace>、<abstract> などのタグで囲まれた文字列を収集・分析すれば、教皇特使の移動ルート・滞在都市・移動の季節性・滞在都市ごとの文書発行数などの傾向を数量的に

第2部 時代から知る 古代 中世 近世 近現代

示すことができる。教皇特使の移動・滞在は、教皇権と各都市あるいは司教座との関係の指標となるため、歴史学的な成果への見通しも得られるのではないかと考えた。

今回対象としたのは、13世紀半ばに現在の独仏境界域で活動した教皇特使サン＝シェルのフーゴである。ドミニコ会の修道士で神学者としても有名なフーゴは、1244年に枢機卿として登用されて教皇庁に入り、1251年から1253年まで、皇帝フリードリヒ2世死後の混乱の中にあるアルプス以北で教皇特使として移動を繰り返した。フーゴを選んだのは、彼の教皇特使としての動向が筆者の研究関心にとって重要であるだけでなく、RIに収録された教皇特使の中で最も目録記述の数が多く（232件）、作業を自動化する効果が高いからでもある。

さて、ToDHのグループワークを経て、シンポまでの目標を、フーゴの教皇特使活動をTimelineJSで表現することに定めた［注10］。TimelineJSは、スプレッドシートに情報を入力してWeb上にアップするだけで視覚効果に優れた年表を作成できる無料のサービスである。つまり、RI OnlineでダウンロードしたXMLファイル群から、必要なテキスト部分を取り出したtsvファイルを出力してスプレッドシートにコピー＆ペーストすれば、年表で表現することができる。目下、このtsvファイルを出力するプログラムを書くこと、および各文書の発行地を地図上にプロットした画像を作成することが作業課題となった。テキストの処理にはPythonを、地図の作成にはデータの分析・表現に優れたTableauを使用した［注11］。これらの課題は、ToDHの関係者たち、とりわけ小林拓実、小風（山王）綾乃、小風尚樹の3名の惜しみない協力がなければクリアできなかっただろう。

試行錯誤の末、枢機卿フーゴの教皇特使活動全体をおさめる年表が完成した［注12］。表紙に続いて、1ページにつき1通の文書の情報を表示させた。各ページ左側の地図では、文書の発行地をその都市での発行数に応じた大きさの円で表している（ただし発行地不明の文書については地図をつけていない）。右側のテキスト部分では、綱文中に含まれている典拠先の史料集名の略号を黄色でハイライトすることによって、RI Onlineの検索画面・XMLにおける不十分な点を部分的に解消した。また、文書の受取人（または宛先）の情報も追加するために、筆者自身の手作業で各XMLファイル内に<recipient>タグを追加し、年表に表示させている。ほかの十分な情報量のある教皇特使に関してもこの作業を適用すれば、13世紀の教皇特使の移動ルート・滞在都市などの傾向を把握するという課題に対して、現在RIから手にすることのできるデータすべてを検討した結果を出すことができるだろう。

■5. おわりに

ここまでの成果は、歴史学的に新鮮な知見を求める読者にとっては物足りないかもしれない。しかし本節で筆者は、西洋中世学研究者にとって身近なRIというDBの構築にDHが貢献していること、そしてDHの世界に足を踏み入れてみれば、新たな研究の可能性が広がることを伝えようと試みた。今後DHの世界をのぞいてみようという歴史研究者にとって、単純な作業の効率が上がったり、作業そのものがおもしろくなったりすることは、成果につながることと同じように重要なことだと思う。

▶注

[1] このシンポジウムについては、以下の開催報告書およびトゥギャッターを参照。Tokyo Digital History 編「デジタル・ヒストリー入門：2018 Spring Tokyo Digital History Symposium 開催報告」東京大学学術機関リポジトリ (2018年5月), http://hdl.handle.net/2261/00074493; 2018 Spring Tokyo Digital History Symposium ツイートまとめ, https://togetter.com/li/1218570.

[2] Regesta Imperii, http://www.regesta-imperii.de/startseite.html, accessed July 16, 2020.

[3] RI-Opacは、美術史、音楽史、神学、哲学、考古学、言語学、文学などさまざまなディシプリンの、後期古代から宗教改革までを対象とした出版物の書誌情報を蓄積している。

[4] RI Startseite, http://regesta-imperii.digitale-sammlungen.de/seite/ri01_mue1908_0001, accessed July 16, 2020.

[5] Regesten, http://www.regesta-imperii.de/regesten/suche.html, accessed July 16, 2020.

[6] Regesten der Päpste Johannes VIII. und Cölestin III., http://www.regesta-imperii.de/nachrichten/aktuelles/details/jetzt-online-regesten-der-paepste-johannes-viii-872-882-und-coelestin-1191-1195.html, accessed July 16, 2020.

[7] 国立公文書館デジタルアーカイブ, https://www.digital.archives.go.jp/DAS/meta/Fonds_F2005032421074303276, 2020年7月16日閲覧.

[8] CEIプロジェクトのHPを参照, http://www.cei.lmu.de/index.php, accessed July 31, 2018. 現在のURL, https://www.cei.lmu.de/, accessed July 16, 2020.

[9] RI Onlineの活用例はすでにいくつか報告されている。最近の例として、TimemapやHeatmapを用いたビジュアライゼーションが挙げられる。Julian Schulz, "Review of 'Regesta Imperii Online'," RIDE 6, (September 2017), https://ride.i-d-e.de/issues/issue-6/regesta-imperii-online/, accessed July 16, 2020.

[10] Timeline JS, https://timeline.knightlab.com/, accessed July 16, 2020.

[11] Tableau, https://www.tableau.com/ja-jp, 2020年7月16日閲覧.

[12] Die Legation des Hugo, Kardinalpriesters von S. Sabina, https://cdn.knightlab.com/libs/timeline3/latest/embed/index.html?source=1DNR3eXGW6aSsjpvtinD9JC4hUUQ8ULZrV-D62a1K89g&font=Default&lang=en&initial_zoom=0&height=1260, accessed May 17, 2021.

序——近世

長野壮一

■1．近世研究における DH の浸透

西洋近世研究は今日、一般史におけるデジタル・ヒューマニティーズの浸透が顕著に見られる分野の一つである。その基盤には、西洋近世に特化したデジタルアーカイブの充実がある。Internet Archive や HathiTrust、Google Books といった全時代をカバーする主要アーカイブに加えて、本章の随所で言及されるように、EEBO-ECCO や MoMW といった近世固有のアーカイブが研究に必須の環境となっている。加えて、本章に収録された論稿で紹介される通り、Iberian Books（☞本章 4）や 1641 年アイルランド反乱の供述調書集成（☞本章 6）といった一国単位ないし個別事例の史料群も網羅的にアーカイブ化が進んでおり、西洋近世研究におけるデジタル・ヒューマニティーズの普及率の高さがうかがえる。

■2．近世研究におけるデジタル技術援用の背景

こうした活況の背景には、西洋近世研究に固有の伝統的な二つの動向の存在があると考えられる。一つは、二次大戦前のフランソワ・シミアンやエルネスト・ラブルスから近年のトマ・ピケティに至る数量経済史の学統であり、いま一つは、ロジェ・シャルティエやピーター・バークらに代表される出版史・書物史研究である。「系の歴史学と読解の歴史学」（二宮宏之）とも称されるこれら二つの動向は、いずれもデジタル技術と親和性が高く、今日の研究環境の前提を準備したと言ってよい。すなわち、前者ではまとまった分量の均質な史料に恵まれているため、米仏の研究者を中心に、比較的早い時期（1960 ～ 70 年代）から量的データの統計分析が行われてきた。また後者では、近世に入って活字文化の飛躍的な発展を見たことから、史料を言語コーパスとして把握する見地から語彙分析や言説分析といった文献学的研究が行われ

た。これらの方法的要請に応えるため、西洋近世研究では近年に入って、史料データの可視化や統計処理に長(た)けたTEIを中心とするデジタル技術の援用が必然的に行われることとなったのである。

■3. DHが近世研究にもたらす影響

そうした技術を利用して近年行われている個別研究の中でも、本章において重点的に紹介される事例は、ファースト・フォリオを中心としたシェイクスピア研究（☞本章1、2、3、5）、そして『百科全書』を中心とした「学問の共和国」研究（☞本章7、8、9、10）である。このような著名なテクストの分析において情報技術の利用が浸透し、また主要な学会・研究会において活発な議論が交わされているという事実は、西洋近世研究におけるデジタル・ヒューマニティーズの存在感の大きさを物語っている。

では、こうした近年の動向は、研究史においていかなる意義を持つのだろうか。可能性の一つとして、「大きな物語」への再接続や「言語論的転回」への応答といった形で、方法論の刷新が期待できるかもしれない **[注1]** 。もちろん、近年の『アナール』特集記事が指摘する通り、従来の数量歴史学が陥りがちだった「不適切で時代錯誤なカテゴリの付与」「素朴実証主義への誘惑」「多くの労力を費やしても陳腐な既知の結論にしか到達しない惧(おそ)れ」といった諸問題は、今日のデジタル時代にあっても完全に解決したとはいえない点に留意する必要はある **[注2]**。しかしながら、デジタルアーカイブの利用によって近世社会史における通説の再検討を促す個別研究が近年になって現れはじめていることもまた事実である **[注3]**。デジタル技術の普及は今後、西洋近世研究をいかなる方向へと導くのだろうか。この問いを考えるにあたって、本章に収録された諸論考は必ずや重要な示唆をもたらすだろう。

▶注

［1］Jo Guldi and David Armitage（平田雅博、細川道久訳）『これが歴史だ！：21世紀の歴史学宣言』（刀水書房 , 2017）.

［2］Karine Karila-Cohen, Claire Lemercier, Isabelle Rosé and Claire Zalc, “Nouvelles cuisines de l’histoire quantitative,” Annales HSS 73, no. 4, 2018: 773. なお、近年刊行された量的分析に関する定評のある概説として、次の文献を参照。Claire Lemercier and Claire Zalc, Quantitative Methods in the Humanities. An Introduction (Charlottesville: University of Virginia Press, 2019).

［3］近藤和彦「モラル・エコノミー論を歴史的に再考する：ディジタル・アーカイヴによるE・P・トムスン再審」『史林』94-1 (2011): 220-222.

デジタルなシェイクスピアリアンの1日

2014-06-27
北村紗衣

あなたがもしシェイクスピア研究者（シェイクスピアリアン）で、資料もなければ舞台を見に行くこともできないような僻地、あるいは宇宙のかなたで目覚めたとしよう。そんな時、あなたならどうするだろうか。比較文学者のエーリヒ・アウエルバッハは、ナチスに追われてイスタンブルに亡命した際、戦時ということで学術論文の入手がしづらくなったため、手に入りやすい古典を研究して『ミメーシス』をものしたという。しかしながら、2014年6月の時点であなたがどんな僻地にいたとしても、Wi-Fiさえあればアウエルバッハより幾分かは多い資料にあたることが可能だ（もちろん、だからといってアウエルバッハのような業績をあげられるとは言わないが）。なんといってもWi-Fiはマズローの欲求のピラミッドよりも下にある根源的な欲求［注1］だと言われているくらい、現代人には必要とされているインフラである。宇宙ステーションですらインターネットが通じる時代、図書館のない小さな村でもWi-Fiはどうにか入手できるだろう。

さて、シェイクスピアリアンであるあなたは図書館も大学も劇場もない場所で目を覚ました。あまり考えたくない状況だが、手元にはシェイクスピアの戯曲刊本すら一冊もなく、オンラインでテキストを探さねばならない。シェイクスピアのテキストを提供しているウェブサイトといえば、1990年代から戯曲テキストを無料で提供し続けている老舗サイトであるMITのThe Complete Works of WilliamShakespeare［注2］やヴィクトリア大学のInternet Shakespeare Editions［注3］、また少し後発のOpen Source Shakespeare［注4］があるが、もしあなたが有料オンラインデータベースにアクセスできる権限を持っているのならば、Galeが提供しているThe Shakespeare Collection［注5］を使うだろう。このデータベースは、世界中の大学で使われているエディションの一つであるアーデン版の全文と注釈のほか、批評なども収録しており、新しい知見が反映されたシェイクスピアのテキストを見られるという点で、シェイクスピアリアンにとって非常にありがたいデータベースの一つだ。アーデン版は学者のみならず一般読者にも愛用されているので、あなたが宇宙のかなたにいるとしたら、あなたが住んでいる宇宙ステーションは乗員の暇つぶしのためだけにでもこのデータベースを契約すべきだろう。

さて、あなたはアーデン版に収録されている『ロミオとジュリエット』(*Romeo and Juliet*)を読んでいる。『ロミオとジュリエット』には有名な"star-cross'd lovers"「星回り悪しき恋人たち」についてのプロローグがあるが、このプロローグは1623年に出たシェイクスピア初の全集であるファースト・フォリオには収録されていないというではないか(フォリオとは、二折版と言われる大きなサイズの版である)。このプロローグのことが気になってたまらないあなたは、シェイクスピアの各種テキストを比較しようとする。まずあなたが検索するのはおそらくEarly English Books Online(EEBO)**[注6]**だ。これは有料のデータベースで、1473年から1700年までにイングランド、アイルランド、スコットランド、ウェールズ、英領北アメリカで印刷された本およびそのほかの地域で印刷された英語の本すべてを収録することを目指すデータベースである。本の各ページの写真をそのまま見ることができるほか、版によってはページに書かれた内容を写真から文字に起こした検索可能なテキストを読むこともできる。EEBOを用いて1623年のファースト・フォリオと1597年に刊行された『ロミオとジュリエット』の最初のクォート版(フォリオより小さいサイズの四折版と言われる版)を比較したところ、確かにプロローグはフォリオには収録されていない。

『ロミオとジュリエット』の刊本のことが気になってきたあなたは、クォート版やフォリオ版のことをもっと知りたいと思い始めるが、あいにく手元にはまともな参考文献が一冊もない。そこであなたはペンシルヴェニア大学が提供しているDatabase of Early English Playbooks(Deep)**[注7]**に行く。このウェブサイトは、1660年以前にイングランド、スコットランド、アイルランドで刊行された戯曲刊本にはいったいどういうエディションがあるのかを確認できるデータベースである。このウェブサイトで調べたところ、『ロミオとジュリエット』については確認できているだけでクォート版が5種類、フォリオ版が2種類(ファースト・フォリオとセカンド・フォリオ)出ていることがわかる。

あなたはそれぞれのクォートやフォリオに載っている『ロミオとジュリエット』のテキストを画像で比較して見てみたいと思い始める。この時に便利なのが、ブリティッシュ・ライブラリーが提供している Treasure in Full: Shakespeare in Quarto [注 8] だ。このウェブサイトは、ブリティッシュ・ライブラリーが所蔵している 1642 年以前に発行されたシェイクスピアの各種クォート版の画像を収録しており、任意の 2 冊を選んで並べて比較検討することができる。『ロミオとジュリエット』については六つの版が登録されており、無料で見ることができる。もう一つ使えるのが、北米のワシントン D.C. にあるフォルジャー・シェイクスピア図書館が提供しているオンライン検索カタログ、Hamnet [注 9] とその画像データベース Luna: Folger Shakespeare Library Digital Image Collection [注 10] である。Hamnet で 1642 年以前に刊行された Romeo and Juliet を検索するといくつかのクォート版が登録されており、下にあるリンクから画像データベースに飛べるようになっているものがある。これを用いてフォルジャー・シェイクスピア図書館が所有するクォートを比較検討することができる。フォリオ版もいくつかは画像が登録されているので、これも比較対象に入れることが可能だ。

こうした『ロミオとジュリエット』の刊本は、いったいどういう人々に読まれていたのだろう。そう疑問に思った時に参考になるのが、モンペリエ第三大学が提供している Reading Shakespeare's Early Modern Readers [注 11] だ。このデータベースはまだ工事中だが、16 世紀末から 18 世紀ごろにかけてシェイクスピアの刊本に書き込みをしたり、手稿でシェイクスピア作品に言及したりした人々の情報を収集している、受容史研究者にはわくわくするようなサイトである。ここで検索してみると、『ロミオとジュリエット』についての書き込みがある刊本 8 冊、手稿 3 種類が登録されており、中にはあなたが数年前に訪問したスコットランド国立図書館で結局、見せてもらえなかったファースト・フォリオもあるではないか。もしあなたが宇宙のかなたにいるシェイクスピアリアンなら、次回、地球に帰還してエディンバラに行く機会があれば今度はぜひ、このフォリオを見せてもらわねばならない。

さて、刊本の検討に飽きてきたあなたは、『ロミオとジュリエット』のプロローグに出てくる "star-cross'd" という表現が同時代のほかの芝居でも使われているのかどうかが気になってきた。この時あなたが使うのは Literature

Online（LION）**［注 12］**である。大学の契約方法によって多少、利用の仕方が異なるが、LIONには通称English Dramaと呼ばれる、13世紀末から20世紀初めまでの英語で出版された戯曲のテキストを集めたデータベースが入っている。この全文検索で時代を1558年から1660年までにし、“star-cross'd”で綴りを曖昧にして検索したところ、少なくとも『ロミオとジュリエット』以外に2作の戯曲で似たような表現が使用されていることがわかった。

本文をいじることに疲れてきたあなたは、上演のことを考え始める。16世紀末のロンドンで、『ロミオとジュリエット』はおそらくシアター座かカーテン座あたりで上演されていたはずだが、これは1597年の時点ではどこにあったのだろうか。こう思った時に役立つのが、レスターのデ・モントフォート大学が提供しているShakespearean London Theatres（ShaLT）**［注 13］**である。このウェブサイトは近世ロンドンの劇場を地図で示してくれており、そのほかにもさまざまな教育用のコンテンツを含んでいる便利なサイトで、学者だけではなく、一般読者や観客も十分楽しめる。さらに当時の劇場運営のことをもっと詳しく調べたいと思えば、Henslowe-Alleyn Digitisation Project**［注 14］**がある。これはダリッジ・カレッジの創立者で舞台のスターであったエドワード・アレンと、その義父で興業主だったフィリップ・ヘンズローの手稿類を電子化するプロジェクトで、近世ロンドンの劇場文化を知るには必須の情報が多数含まれている。この二人は、シェイクスピアが『ロミオとジュリエット』を初演する際の様子を自由に脚色した1998年の映画『恋におちたシェイクスピア』にも登場していたので（史実とはだいぶ異なっているが）、シェイクスピアリアンでなくとも知っている名前かもしれない。

シアター座やカーテン座の位置を確かめ、ヘンズローの自筆文書の写真と格闘したあなたは、実際に劇場に出掛けて『ロミオとジュリエット』を見たくなるかもしれない。しかしながらあなたがいる場所が小さな地方の村だとしたら、すぐ近くで『ロミオとジュリエット』が上演されている可能性は少ないし、宇宙のかなたにいるとしたらなおさらだ。そんな時にあなたがチェックするのが、MIT Global Shakespeares**［注 15］**である。このデータベースはMITを中心に多数の参加者の協力により運営されているオープンアクセスのデータベースで、世界各国でのシェイクスピア上演の情報と映像データを収集している。このプロジェクトはShakespeare Digital Brasil**［注 16］**や

Taiwan Shakespeare Database [注 17] と協働しており、また中核コレクションの一つとして Shakespeare Performance in Asia（SPIA）[注 18] を有している。このウェブサイトで Romeo and Juliet の公演を検索すると、12 本の上演が登録されているのがわかり、中には 2004 年の蜷川幸雄演出の上演情報なども含まれている。映像については見られないものもあるが、かなり長い映像が視聴可能になっている場合もある。

しかしながらあなたは小さな村か宇宙のかなたにいるので、あまりインターネットの回線状況がよくなく、映像がスムーズに読み込めないかもしれない。仕方がないので、舞台の映像をあきらめて映画化作品でもチェックすることにしようか。British Universities Film & Video Council が提供している An International Database of Shakespeare on Film, Television and Radio [注 19] は、映画・テレビ番組・ラジオを中心にシェイクスピアの翻案情報を収集しているデータベースである。Romeo and Juliet で検索すると 219 件もの結果が出てくる。

219 件の検索結果の前であなたは疲れてしまったので、寝ることにする。明日は『ロミオとジュリエット』ではなく『ハムレット』を対象にしてはどうだろうか？　これも MIT 関連の HamletWorks [注 20] というサイトがあり、ここは『ハムレット』に関するあらゆる情報を収集・組織化しているといってよいようなプロジェクトである。『ハムレット』に飽きても、まだまだ見ることができるシェイクスピア関連の学術サイトはたくさんある。例えば MIT は今日、見た以外にも多数のコンテンツを MIT Shakespeare Project [注 21] として公開しており、これを見ているだけで 1 日は過ぎてしまう。結局、散発的な調べ物ばかりで研究はちっとも進んでいないかもしれないが、本が一冊もなくても少なくとも明日も見る資料があるということで少し心を穏やかにして、シェイクスピアリアンは眠りにつくことができる。

▶注

[1] http://www.bbc.com/news/magazine-23902918, accessed July 19, 2020.
[2] http://shakespeare.mit.edu/, accessed July 19, 2020.
[3] http://internetshakespeare.uvic.ca/, accessed July 19, 2020.
[4] http://www.opensourceshakespeare.org/, accessed July 19, 2020.
[5] https://support.gale.com/products/shax, accessed February 14, 2021.
[6] http://eebo.chadwyck.com/home, accessed June 27, 2014.
[7] http://deep.sas.upenn.edu/, accessed July 19, 2020.

[8] http://www.bl.uk/treasures/shakespeare/homepage.html, accessed July 19, 2020.
[9] https://www.folger.edu/digital-resources/hamnet, accessed February 14, 2021.
[10] http://luna.folger.edu/luna/servlet/, accessed June 27, 2014.
[11] http://shakespeare.readers.dr13.cnrs.fr/, accessed June 27, 2014（リンク切れ）.
[12] http://lion.chadwyck.co.uk/marketing/, accessed June 27, 2014.
[13] http://shalt.dmu.ac.uk/, accessed July 19, 2020.
[14] http://www.henslowe-alleyn.org.uk/, accessed July 19, 2020.
[15] http://globalshakespeares.mit.edu/, accessed July 19, 2020.
[16] http://www.shakespearedigitalbrasil.com.br/, accessed June 27, 2014（リンク切れ）.
[17] http://shakespeare.digital.ntu.edu.tw/shakespeare/browse.php, accessed July 19, 2020.
[18] http://web.mit.edu/shakespeare/asia/, accessed July 19, 2020.
[19] http://bufvc.ac.uk/Shakespeare, accessed July 19, 2020.
[20] http://triggs.djvu.org/global-language.com/ENFOLDED/, accessed July 19, 2020.
[21] http://shakespeareproject.mit.edu/, accessed July 19, 2020.

イベントレポート　第53回シェイクスピア学会セミナー Digital Humanities and the Future of Renaissance Studies

2014-11-27

北村紗衣

■1．はじめに

2014年10月11日から12日にかけて、学習院大学で第53回シェイクスピア学会が行われた。二日間かけて多数の研究発表が実施されたが、その中で2日目の13時より、'Digital Humanities and the Future of Renaissance Studies' と題して、ルネサンス・近世ヨーロッパの研究とデジタル資料に焦点をあてたセミナーが開催された。組織者を東京女子大学のアンジェラ・ダヴェンポート（Angela Kikue Davenport）講師がつとめ、上智大学のジョン・ヤマモト・ウィルソン（John Yamamoto Wilson）准教授、青山学院大学のトマス・ダブズ（Thomas Dabbs）教授、慶應義塾大学図書館の森嶋桃子（Morishima Momoko）司書が発表を行い、議論は主に英語で行われた。同時間帯にワークショップとパフォーマンス関連のセミナーも行われていたことを考えると、非常に盛況であったといえるであろう。

■2．日本ではなじみの薄いデジタル英文学研究

セミナー内でダヴェンポート講師も解説していたように、日本で英文学研究とデジタル人文学をテーマとしたセミナーが開かれることは珍しく、シェイクスピア学会においてはもちろん初めての試みであった。この種のセミナーやパネルや欧米ではすでに何度も開かれており、例えば2011年の7月17～22日にかけてチェコのプラハで開かれた第9回世界シェイクスピア学会ではMITの研究者を中心に'Global Shakespeares in the Digital Archive' というワークショップが組織されているし、2015年の4月1～4日にヴァンクーヴァーで行われることになっているアメリカシェイクスピア学会でも'Using Data in Shakespeare Studies' というワークショップが予定されている。本セミナーが企画されたのも、組織者のダヴェンポート講師がUKな

どにおけるデジタル人文学の隆盛を知り、日本ではシェイクスピア関連分野におけるデータベースなどの研究がまだあまり進んでいないことを憂えたためであるという。日本においてデータベースを用いた英文学研究がまだなじみの薄い分野であることを考えると、シェイクスピア学会においてデジタル人文学のセミナーが実施されたことは日本の英文学研究や近世ヨーロッパ研究において大きな進歩といえるであろう。

■3．EEBO-TCP ——フルテキストサーチ機能がついたDB

本セミナー報告の著者である北村がすでにDHM035「デジタルなシェイクスピアリアンの１日」**[注1]** でも指摘したように、近世英文学研究の主要なデータベースといってシェイクスピアリアンが第一に思い浮かべるのはEarly English Books Online（EEBO）**[注2]** である。本セミナーの最初の発表である、ジョン・ヤマモト・ウィルソン准教授の 'Textual Analysis and the EEBO-TCP Database' はこのEEBOを扱ったものであるが、現在有料データベースとして広く大学に提供されている通常のEEBOではなく、さらに進んだデータベースであるEEBO-TCP **[注3]** に関する話題が中心である。TCPはText Creation Partnershipを意味しており、ミシガン大学図書館を本拠地とするこのプロジェクトは、近世の刊本についてXML/SGML形式の電子テキストを作成し、強力なフルテキストサーチ機能がついたデータベースとして提供しようとしている。現在、EEBO-TCPのフルテキストはEEBO-TCPパートナー機関にしか提供されておらず、日本にはこれに加盟している大学・研究所はない。ダブズ教授は実際にクリストバル・デ・フォンセカの著作を収録した古刊本をセミナーに持ち込み、これとEEBO-TCPに入っているデータを比較しつつ、EEBO-TCPの強力なフルテキスト検索機能のデモを行うという発表を実施した。さまざまな演算子を使用した検索が可能で、近世特有の綴りの揺れにも対応するテキスト検索機能は大きな魅力があるが、一方でEEBO-TCPは印刷された文字のみを検索の対象として想定しているため、書き込みや蔵書票、装丁といったものを対象としている研究者にとってはパラテクスト類の軽視につながるのではないかという点がいささか不安である。本報告の執筆者である北村がこの点を質問してみたところ、基本的にEEBO-TCPは遊び紙なども含めてすべてのページのデータを保存し、pdfとhtml両方をきちんと見られるような設計にするということであった。必ずpdfファイルが提供されるということであれば、書き込みなども検索はできないが確認はできるということになる。

■4. 過去のパフォーマンス空間を再現するプロジェクト

二番目の発表であるトマス・ダブズ教授の 'As You Like It: A Work Sample in Digital Reconstruction' は、ロンドンのセント・ポール大聖堂の北東側に位置し、近世には書籍産業の中心地としてにぎわっていたポールズ・クロス・チャーチヤードのデジタル復元を元に、シェイクスピアの喜劇『お気に召すまま』(*As You Like It*) と16世紀末ごろのロンドンの出版環境を結びつけて考察していこうというものである。本発表ではThe Virtual Paul's Cross Project **[注4]** という企画が紹介されており、これが参加者の関心の的となった。このプロジェクトは1622年11月5日にジョン・ダンが説教を行った時の環境を実験的に再現するものであり、ノースカロライナ州立大学がNational Endowment for the Humanities (NEH) **[注5]** のスタートアップ補助金で実施したものである。本プロジェクトの特徴は、野外パフォーマンスとしての説教を題材としているため視覚のみならずサウンドスケープにも焦点をあてていることであり、セント・ポール大聖堂の庭のさまざまな位置で聞けたであろう音を追体験することができる。過去のパフォーマンス空間を再現するプロジェクトとしては、アイルランド、ダブリンの伝説的な劇場であるアビー座のこけら落としの日を再現する Abbey Theatre, 1904 **[注6]** などすでに良質な前例があるが、音の再現という点では The Virtual Paul's Cross Project は野心的な試みであり、研究のみならず教育のためにも非常に役立つのではないかと考えられる。

最後の森嶋司書の発表 'Databases in University Libraries: Backgrounds of E-resources' は、現役の図書館員によるプレゼンテーションということで、大学図書館におけるデータベースの使用や図書館コンソーシアム、慶應義塾大学が擁している強力なディスカバリーサービスであるKOSMOS **[注7]** など、実用的な話題が中心であった。大学図書館コンソーシアム連合(JUSTICE) **[注8]** や、コンソーシアム向けの電子ジャーナルアーカイブであるNII-REO **[注9]** は、年々高騰するデータベースや電子ジャーナルの価格に悩まされている大学にとっては学術文献にアクセスするための解決法の一つとして有用なものであり、参加者の関心も高かった。一方で学生にデータベースの使い方を指導する際に教員が直面する問題など、教育上の課題についても質疑応答を含めて議論がなされた。

■5. 超えなければならない壁

本セミナーに参加して報告執筆者である北村が感じたのは、デジタル人文学分野の成果に関心を持つ近世英文学研究者の間でも、相当なデジタルディバイドがあるということである。本セミナーには、EEBOの使用法がまだよく理解できていない初学者から、自分でデータベースを作成できるレベルの専門家までさまざまな研究者が参加していた。こうしたあらゆるレベルの参加者にとって関心のある話題を提供できたという点では本セミナーは非常に実りのあるものであったと考えられるが、一方で情報技術に関する知識を研究者が共有し、学生に教えるためには超えなければならない壁が多数あるということも認識されたように思う。テキストのデジタル化やパフォーマンス空間の再現などは今後の近世ヨーロッパ研究、英文学研究に多大な影響を及ぼすものであり、日本におけるこの分野の研究がさらなる進展を見、研究者がこうしたデータを扱う技術も向上していくことを切に望むものである。

▶注

[1] http://www.dhii.jp/DHM/dhm35-1, 最終閲覧日 2020 年 7 月 19 日 .
[2] http://eebo.chadwyck.com/home, accessed November 27, 2014.
[3] http://eebo.odl.ox.ac.uk/e/eebo/, accessed July 19, 2020.
[4] http://vpcp.chass.ncsu.edu/, accessed July 19, 2020.
[5] https://securegrants.neh.gov/publicquery/main.aspx?q=1&a=0&n=1&ln=Wall&fn=John&o=0&k=0&f=0&s=0&p=0&d=0&y=0&prd=0&cov=0&prz=0&wp=0&pg=0&ob=year&or=DESC, accessed July 19, 2020.
[6] http://blog.oldabbeytheatre.net/, accessed July 19, 2020.
[7] https://search.lib.keio.ac.jp/discovery/search?vid=81SOKEI_KEIO:KEIO, 最終閲覧日 2021 年 2 月 14 日 .
[8] http://www.nii.ac.jp/content/justice/, 最終閲覧日 2020 年 7 月 19 日 .
[9] http://reo.nii.ac.jp/oja, 最終閲覧日 2020 年 7 月 19 日 .

JADH2015特別レポート

『御一統の温かいことばあってこそわが帆ははらむ。さなくばわが試みは挫折あるのみ』

―シェイクスピア劇のボドリアン・ファースト・フォリオの来歴について―

2015-09-28

Pip Willcox ／日本語訳：長野壮一

■1．はじめに

本節で紹介するのは、ボドリアン図書館所蔵ファースト・フォリオのデジタルリソース作成における意思決定と過程である。本節は、複数の利用者に適するリソースを作成しようという抱負とその効用を考慮して、現在進行中の、そして将来の作業について紹介する。

ボドリアン図書館のファースト・フォリオが注目に値するのは、本来の装丁と、オリジナルの持ち主の所有であることが明らかだという点にある。ボドリアン図書館のファースト・フォリオは脆弱（ぜいじゃく）な状態であるため、一般的な研究に適さない。それは専門家の領域においてすらそうだ。しかしながら、中には、摩耗の痕や受容の形跡といったファースト・フォリオの脆弱さそのものに関心を示す研究者もいた。そして、この脆弱さこそが、デジタルリソース作成の動機なのである。

■2．ボドリアン図書館所蔵ファースト・フォリオの来歴

シェイクスピアのファースト・フォリオが1623年にボドリアン図書館に入った経緯は明らかになっていない。

ある同業者の主張する珍説によれば、Heminge と Condell は、「造物主の幸福なる似姿」たるシェイクスピアの名声と、本の売り上げを高めること――「何が何でも買うべきだ」――を熱望していたので、ボドリアン図書館に一部寄贈したのだという。だが、もしそれが事実なら、未製本の紙の形で入ったのではなく、オクスフォードの地元製本工 Willian Wildgoose への委託の一部として送られたものだと考えるのがより妥当だろう（Honey et al 2014）。

より信憑性の高い説明としては、ファースト・フォリオは1610年、Thomas Bodleyによって斡旋されたStationerの会社との合意の下で図書館に入ったのだという。Bodleyは図書館にイングランドで出版されたあらゆる本を納入したいと考えていたのである（Blayney 1991; Gadd 1999）。図書館に納入されたあらゆる印刷本を考慮すると、数多くの書籍の中から英語による戯曲のフォリオが納入されたのは意外かもしれない。なぜならBodleyが図書館を再建して以来、英語による文学作品が大々的に収蔵品として取り上げられることはなくなり、とりわけ四つ折り版の戯曲はBodleyによって「お荷物の本」、「ガラクタ」、「無駄な本」として過小評価されたのであるから（Erne 2013）。

さて、1624年2月のボドリアン図書館に話を戻せば、ファースト・フォリオ――当時はまだその名称では呼ばれていなかった――は鎖でつながれ、1612年に竣工したばかりのボドリアン図書館アーツ・エンドの棚に納められた（Madan et al 1905）。

この書物がボドリアン図書館から持ち出された経緯もよくわかっていない。とはいえ違法な持ち出しであるという可能性はない。というのも、図書館の配架スペースや資金が尽きかけたとき、余分な書籍が売りに出されたのである。ファースト・フォリオはもしかすると、「任務に全く適していない」司書のThomas Lockeyにより、1664年に大量の「図書館の余分な本」の一部として、Richard Davisに24ポンドで売られたのかもしれない。というのも、このとき図書館は出版されたばかりのサード・フォリオを入手していたから。あるいは、ファースト・フォリオは「無能ではないとしても怠惰な」John Hudsonが司書の任にあった1701～1719年の期間に売られてしまったのかもしれない。

以下のことは明らかである。すなわちファースト・フォリオが書架にあった間、1642～1660年の空位期、「公共図書館」として知られていた期間も含めて、それは少なくとも部分的には、ぼろぼろになるまで読まれた。ボドリアン図書館の修復員たちが考えている通り、建物がほぼ無傷のまま残ったのに対し、その収蔵物はひどく損傷してしまった。収蔵物が利用されすぎたために書物は鎖でつながれ、館内閲覧のみしかできなくなったに違いない（Gilroy et al 2014）。

17世紀、ボドリアン図書館の利用を許可されたのは最低でも修士号をもった学生、フェローや大学の客員研究員だった。最も傷みの激しいページが、ハル王子とフォルスタッフが酔っ払ってギャッズヒルの盗みを計画する場面や、ロミオとジュリエットのベッドシーンであることから、彼らの興味対象が何であったかを推し量ることができる。

この書物が持ち出されてから1905年に至るまでの間のことは何もわかっていない。この年、モードリン・カレッジの学生 Gladwyn Turbutt が破損した装丁について相談するため、偶然にもボドリアン図書館にファースト・フォリオを持ち込んだのだ。Turbutt は勤務中の副館長 Falconer Madan に面会した。彼は装丁を見て、この書物が何であるかを理解した。Madan による同定は Strickland Gibson によって実証された。Gibson は書物の保存についての関心と専門知識を持った司書だった。

この再発見は書誌研究者の間で大変に称賛され、書誌学会における Madan の講義は『アテナエウム』や『タイムズ』紙で批評された。これを機に、司書の E. W. B. Nicholson がこの書物に興味を示した。彼はこの書物をボドリアン図書館で買い戻せないか、Turbutt 家に依頼した。この貧しい司書にとっては不幸なことに、この話は Henry Clay Folger の注目をも引いた。彼は匿名で、市場価格のおよそ十倍にあたる3,000ポンドでこの書物を購入することを持ちかけた。Turbutt 家はボドリアン図書館にこの書物を返却することを選んだが、Folger の申し出た金額よりも安く売ることを望まなかったので、図書館が資金調達を行うため、数カ月の猶予を与えた。

1905～1906年の間、個人の運動に続いて社会的な運動が起こった。世界中から多数の寄付が届いたのだ。それらの平均額は1ギニーだった。この恵みの期間が一度延長され、Turbutt 家自身によるものを含む二度の多額の寄付が行われた後、ついに目標額が達成された。Nicholson がファースト・フォリオの配達について問い合わせたところ、この書物は過去数カ月間、彼の隣の事務所にある Madan の机に置いてあったことがわかった。

ボドリアン図書館のファースト・フォリオは Madan の事務所から閉架書庫に移され、Turbutt 家による特注の箱に入れられ、数年間にわたって調査された。その後の館長たちは、この書物は壊れやすいので専門家の読者にすら提供できないと決定した。そのため、ファースト・フォリオを簡単に見ることはできても、詳細な調査を行うことができない状態が続いた。

■3．シェイクスピアへの全力疾走

2011年11月、Emma Smithがボドリアン図書館友の会の講演において、この書物の来歴を語った。彼女はその際に、これまで自分はファースト・フォリオを研究することができなかったと述べた。資金調達の来歴と、この書物のデジタル化が保存や研究に与える利益は、第二の社会的な運動を喚起した。

1905～1906年の運動における書簡中にしばしば見られるように、この書物を「オクスフォードのため」だとか「英国民のため」に保存するのではなく、「シェイクスピアへの全力疾走」――この名称はカルチュラル・オリンピアード2012の精神を保存しようと付けられた――は、一般公衆をこの書物の来歴に、またこの書物を彼らの来歴に引き込むことを目標としている。

シェイクスピアは私たち皆と関係をもっている。彼の作品は世界中の言語に翻訳されており、さらには地球上を超えてクリンゴン語（＝SFドラマ『スタートレック』に登場する架空の言語）にまで翻訳されている。加えて、シェイクスピアの作品はおそらくあらゆる形態の創造的芸術に翻案されている。彼の永遠に続くと思われる業績の名声にしてもそうだ。シェイクスピア劇は英国における学校教育課程の一部をなしている。そのため、英国で教育を受けた子どもは皆、シェイクスピアの著作について、少なくとも幾分かの知識を持っている。

私たちは一般公衆に対し、自分にとってシェイクスピアがどんな存在であるか、短いブログ記事を書くよう求めた。そして、その記事を本運動のウェブサイトのブログ上で公開した。運動の支援者たちは自分の寄付金の献呈文を書く機会を与えられ、賞品の抽選にノミネートされた。当選者は12名。商品は、ファースト・フォリオの前付にあるレオナルド・ディッグスの賛辞を、ボドリアン手捺染（てなっせん）工房のPaul W. Nashが手刷りで印刷した記念品である。さらに、彼らの氏名はメタデータによって恒久的に画像と関連付けられることになる。

著名な協力者たちの支援によって、資金調達が実現し、ファースト・フォリオは保存・電子化され、2013年4月23日、オンライン上で無料公開された。このウェブサイト上の移動はページ切り替えビューア（フリップブック）やサムネイルによって行われ、そこからJPGファイルの形でダウンロードすることもできる。

資金調達が公開のものであったことに鑑みて、ボドリアン図書館が公開しているほかの画像とは異なり、ファースト・フォリオの画像は「表示」（CC-BY 3.0 非移植）のクリエイティブ・コモンズ・ライセンスが付けられており、インターネットにアクセスした誰もが自由に二次利用できる。

この運動が有名になったことで、運動のウェブサイトは多数のアクセスを集めた。アクセスのピークは次第に安定していき、少数の訪問者が残るだけとなった。利用データをもっと詳細に調べるためには、より多くの資金が必要だった。例えば、訪問者が離脱したのは、求める画像を一回の訪問でダウンロードできなかったためか否か、といった調査である。

しかしながら、この運動に残された資金はわずかな量しかなかった。そして、Emma Smith の示唆するところでは、資金は教員の勉強会へと向けられた。この勉強会は、当該ウェブサイトをキー・ステージ 5（16 ～ 18 歳）の生徒への教育に使用することを主眼とするものだった。英国中から 28 名の教員が、ファースト・フォリオを用いた教授法に関する Emma Smith の講演と、この書物やプロジェクト、そしてウェブサイトについての制作者による講演を聴きに訪れた。それから教員たちは共同で作業の計画を立てた。この作業計画は現在、先ほどと同様に CC-BY 3.0 ライセンスの下で一般に公開されており、二次利用が可能となっている。

■4．ボドリアン・ファースト・フォリオ

この社会的運動はある寛大な人物の注目を引いた。彼はリソースをいまよりもっと容易に利用できるように、ほかの 3 名の資金提供者とともに追加の出資を申し出た。従来、継続的な資金提供を得ることは困難だった。中でも有名な事例として、シェイクスピア四折本アーカイブ（http://www.quartos.org/）は、共同出資者たちが強く興味を示していたにもかかわらず、パイロット版から先に進むことができなかった。それゆえ、私たちは彼ら少数の資金提供者に対して特に感謝している。

この社会的運動の目標は、インターネット接続を用いて誰もが自由に利用できるデジタルの「アバター」（Tarte 2014）を作成することにある。世界中の――南極大陸は除く――人々が、このサイトにアクセスした。最も利用が多いのは中国と英語圏である。

この資金提供者たちは、研究者にとって有用なリソースを作成することにとりわけ興味を示していた。そこで、私たちは彼らの目標に即して、サイト

の当初の簡潔さを損なわないまま、このサイトをもっと有用なものにする方法がないか、研究者たちに相談したのだった。

■5．助言と願望

いくつかのファースト・フォリオは、オンラインの素晴らしいインターフェースを通じて自由に利用することができる。このデジタルリソース作成の動機は、ファースト・フォリオの物質的な来歴と、アナログではアクセスできない場所からでも、デジタルでそのアバターにアクセスすることを可能にすることである。

この「アクセス」ということが意味するのは、リソースがオンラインで利用できるということだけではない。よく知られていない書物や、あるいはもっと大規模なプロジェクトの場合には、説明書きが必要とされるかもしれない。しかしながら、この劇作家について、そしてこの書物については、よく文脈に位置づけられた情報は極めて広い範囲にわたって存在する。従って私たちは、それについて話す来歴を単一の文書に制限した。それはキャンペーンのウェブサイトで説明されているものである。

私たちは、オクスフォードで開かれた小規模の諮問会議において、さまざまな職位の研究者から数量的なデータを集めた。数量的データはほかにも、私たちの質問票にメールで回答した同業者からも集められた。彼ら、相談に乗ってくれた寛大でかけがえのない研究者たちに対しては、運動のウェブサイト上で謝意を示してある。

彼らの要望は明快だった。すなわち、画像と同時に電子化されたテクストを公開することである。これは第一には、テクストの検索を容易にするためのものだ。可能であれば戯曲・幕・登場人物の発話・舞台監督などといった要素ごとに切り取ることができればよいのだが、この作業はまだ完成途中である。意見とは別個に、より詳細な質問も行われた。印字の誤りの修正依頼、合字や「長いs」のキャプチャ、句読点の前後のスペースの統一などに関する質問である。

これらは、TEI/XML転写へのコード化によって実現可能である。このような国際基準を使用することで、テクストの相互運用や保存が可能になるのだ。ファースト・フォリオの物質的重要性を鑑みて、私たちはそのXML版を作成することに決めた。その際、既存のテクストを用いるのではなく、転写を専門とする会社に委託した。それに続いて、この分野の専門家でなければ認識できそうにない要素を自ら入力することで、エンコードを豊かにした。

同じころ、Sarah Werner が示唆に富み、かつ有益なブログ記事を公開した。それは彼女の豊富な経験から得られた「シェイクスピアのオンライン上の複製に私たちは何を望むのか」という記事である。以下に抜粋したリストは記事の要点を示しているが、全文も読むに値するものである。

1. 高解像度、全ページの網羅、拡大可能な画像
2. ページごとに閲覧するか、本のように見開きごとに閲覧するか選べること
3. （近代的な幕や場面の区切れも含めた）戯曲や署名、ページ数に同期したナビゲーション
4. 版ごとに割り振られた目録の情報
5. デジタルに置き換えられた資料に関する目録の情報
6. ダウンロードや二次利用が可能なCC-NCまたはCC-BYライセンス
7. オフライン状態でも読みやすいインターフェイスを有すること
8. 自分独自の注釈がつけやすいこと

私たちは、このリソースが、利用者になりうる人すべてにとって、専門家であるなしにかかわらず、有益なものになることを望んだ。そのため、私たちの目標は、デジタルのアバターを作成することにある。このアバターはファースト・フォリオの重要性を明らかにし、ファースト・フォリオを主にその内容に関心をもつ読者が利用できるようにし、ソフトウエアや画像・テクストの二次利用を可能にするのである。

■6. 実現と共同作業

ボドリアン図書館所蔵ファースト・フォリオに関するプロジェクトは幸運だった。というのも、プロジェクトの技術的実現に際して、オクスフォード大学の複数の学部に助言を求めることができたからである。TEIのエンコード化については大学のITサービス（訳注：オクスフォード大学のITサービスにはテクストアーカイブをはじめとする人文学資料のデジタル化に関する部門があり複数の専門家が常駐している）に相談した。プロジェクトを発案・実施したボドリアン

図書館は、ウェブサイトをデザインし、XMLにコード化されたテクストを作成した。プロジェクトのためのソフトウエアは、オクスフォード大学のe-リサーチセンターによって開発された。

このリソースは利用者と共同で作成されなければならない。この原則は、ソフトウエアを迅速に開発する方法と調和する。そして経験上、別の迅速な原則と実践もまた、この文脈に適用可能ということがわかっている。理想をいえば、この過程は繰り返し行われることが望ましい。しかし実際には、学術関連のデジタル化と出版の多くは、資金調達プロジェクトによって運営されている。多くの場合、こうした資金調達なしには作業に着手することができない。しかしながら、このことは以下のような複数の好ましくない影響を伴う。

1. リソースのデザインやテクストの編集、そしてソフトウエアの開発は、資金調達が行われている期間だけしか行われない。プロジェクトの期間が短く、締め切りが厳しいため、ベータ版を試行したり、主要な作業が終わった後、さらなる開発を行うための時間はほとんどない。ただし幸運なことに、私たちの主要な同僚たちは、散発的にではあれ、このリソースに関する作業を継続することができた。
2. 実際のところ、すべてのポストを養えないような小規模のプロジェクトは、別の職務の周囲にはめ込まれる。その際、より勢力の強い大規模な作業の方が優先されることが多いため、本来のプロジェクトが放っておかれてしまう。
3. 緊急事態が発生した際、規模の経済が問題となる。例えば、データ入力会社によって作成されたテクストが、正確さの協定基準を満たさないことが判明した場合、その大部分を校正する必要が生じてしまう。それにより、転写されたテクストに対する信用が失われてしまったなら、全体的なデータ再入力の後に校正を行いたいと思う。失った時間もまた頭痛の種だ。なぜなら決められた出版期日が迫っているのだから。私たちは手持ちのテクストを校正することに決める。しかしながら、これに伴う作業が意味するのは、改良を加える余地が少ないということだ。
4. プロジェクトが資金調達されている環境において、ソフトウエア開発の方向性は二つある。すなわち、既存のひな型に即した上で、新しいアプリやプラットフォームなどのリソースを追加して開発するか、あるいは最初から個別のプロジェクトの特定の要請に合致するように開発するかである。ファースト・フォリオの電子化プロジェクトの場合は後者である。前者の場合、技術発展に伴う維持や記録、二次利用や移転が容易である。後者の場合、できあがったリソースは、内容について豊富な知識を持った人たちと共同で、特定の目的のために作成したものだが、前者のアプローチの利点を多かれ少なかれ損なっているかもしれない。

5. リソースの元となるデータが文書館で厳重に保存され、安全のために容易には閲覧できないのとは対照的に、リソースが維持されるか否かは、その作成に携わった人たちの関心が持続するか否かによって決まることが多い。彼らの多くは資金提供されたプロジェクトに携わっているが、その雇用は不安定なため、リソースが「孤児」となり、さらには、そのリソースに関する特有の専門知識が失われ、プロジェクトに携わった研究者のキャリアパスも不安定になってしまいかねない。私たちの場合は幸運にも、先述の通り、サイト構築に携わった人たちはいまも相談することができるし、中にはさらなるサイトの発展に携わっている人もいる。

私たちは意見を寄せてくれた研究者たちの要求に答えて、作成したデータベースに研究に有用なリソースを作成することと、特定の関心に基づく研究を行うことの間に、議論はあるだろうが、プロジェクトの制約に基づく実用的な境界線を設けた。例えば、句読点の前後のスペースについて。例外は、物理的損傷によりテクストが解読不能になることのような、書物の物質的側面の記録である。

このリソースにより、オンライン上で高画質の画像にアクセスでき、またオフライン状態でも書物の一部ないし全部をダウンロードすることができる。このリソースは、メタデータ（丁数、部、戯曲、幕、舞台など）や電子テクストを通じて、もっと容易に閲覧できるようになる。そうした画像の電子テクストを通じて、画面上のファースト・フォリオを読むことが、理論的には可能になる。というのも、ソフトウエアにとっては正しい綴りを判別することが難しいのである。

CC-BY ライセンスが意味するのは、二次利用の容易さである。プロジェクトが外部資金によるものであるため、利用や二次利用を系統的に計画する継続研究というのはありそうにない。しかしながら、今後のプロジェクトに有益な情報を提供することはできる。

ボドリアン図書館は長年にわたって、リソースの保有と供給に取り組んできた。たとえ、専用のウェブサイトが閉鎖されたとしても、画像とテクストは保存され、ほかのインターフェースから利用できるようになっているだろう。コードはオープンソースであり、二次利用の容易さを念頭に置いて作成・記録されているからである。

先述した Sarah Werner による要望の中で、1 番目から 6 番目までは私たちのリソースに組み込まれた。要望の 7 番目と 8 番目については、オフライン状態における PDF インターフェースが試行され、この書物の重要性が強調されている。このインターフェースは転写されたテクストや画像を積み重ねたもので、これによりコード化されたテクストにフィードバックされるような、共時的でない注釈が可能になる（Willcox and De Roure, forthcoming）。

■ 7．目下の作業

このリソースについての作業は、e- リサーチセンターにおいて継続中である。新しく作成されたリソースの通常の簡潔な目録に加えて、側面ごとの検索機能を完成させる作業が目下進行中である。

また、リソースのテクストは私たちの望むような状態にはない。自分だけの力で系統的に訂正する力は私たちにはないので、誤りを見つけたとき、その都度訂正している。読者からの訂正も募集中である。

なお、ファースト・フォリオのテクストはあるハッカソンにおいて利用された。さらに次のハッカソンも計画中である。

■ 8．今後の作業

このリソースの利用状況は順調ではあるが、最高潮には至っていない。小さなピークはあった。一般公衆への講演やハッカソンなどのような関連イベントである。現在行われている研究者や学生、一般公衆をファースト・フォリオに関与させようとする運動は、ファースト・フォリオの認知度や利用度を高めている。特殊な事例としては、リソース中のテクストの綴（つづ）り方が統一されていない場合に綴りの異形を調べる必要がある。というのも、専門家でない人がファースト・フォリオの中から目的の節を見つける際、このことは最も大きな障害になると考えられるからである。

研究目的を遂行するため、デジタル画像に注釈を付けようという複数のプロジェクトが進行している。このプロジェクトがさらに進み、社会に開かれ、引用や二次利用が可能で、かつ持続的なバージョンが登場し、それの画像やテクストに注釈が付けられることを願っている。デジタルリソースについての議論に際して、「私たちはデジタルリソースを結びつけていくように取り組まねばならない」という言い回しがある。なるほど、この種の仕事には助成金が少ないかもしれない。しかしながら、この仕事がファースト・フォリオのリソースに関連するにせよ、二次利用可能な要素を生み出すにせよ、とにかく着手されることを私たちは願っている。

■9．私自身について

私が英語英文学とアングロ＝サクソン研究で学位を取得した後、特に興味を持ったのは、中世のテクストとその物質的背景について編集・調査を行うことだった。私は写本研究学と古文書学の能力を研鑽(けんさん)し、編集のための情報を得るために書物誌への理解を深めた。それに加えて、XML と TEI のガイドラインを学んだ。私は書物誌や文学、そして TEI の知識によって、オクスフォード大学ボドリアン図書館にてデジタル編集者としての職を得た。そこで私は、Early English Books Online のテクスト作成パートナーシップやシェイクスピア四折本アーカイブを含む、複数のプロジェクトに従事している。これらのプロジェクトを通じて、私は中世の写本から近世の書籍へと対象を移した。私がいまでも関心をもっているのは、書物の物質性や来歴、そして書物がデジタル上でどのように閲覧され、また解釈されるかである。

オクスフォード大学の Emma Smith による、ボドリアン図書館友の会を対象とした、ファースト・フォリオの来歴と、1905 ～ 1906 年における「英国民のために」ファースト・フォリオを守ろうとする社会運動についての講演を聴いたことで、私はもう一度社会運動を行おうと考えた。今度は、ファースト・フォリオを世界中とシェアすることによって、資金調達が可能になるだろう。私はこのプロジェクトを主催した。具体的には、社会参加活動を統括し、ウェブサイトのデザインについて助言を行い、ファースト・フォリオをページ順に並べ、デジタルリソースのメタデータを作成した。また、プロジェクトのより大きなチームを統括した。チームのメンバーが所属していたのは、University's Development Office、the Bodleian Communications、Conservation and Collection Care、Imaging Services departments、Bodleian Digital Library Systems and Services である。プロジェクトの中で最も成果が上がったと私が考える側面は、シェイクスピアやファースト・フォリオが自分にとってどんな意味を持つのかについてのやり取りである。その相手は、私たちの相談に乗ってくれた Emma Smith ら文学研究者、Vanessa Redgrabe や Stephen Fry ら「シェイクスピアへの全力疾走」への著名な協力者――彼らがプロジェクトに協力してくれたおかげで多くの人目を集めることができた――、ジャーナリスト――彼らがファースト・フォリオの来歴に興味を持ってくれたおかげで私たちの運動を広めることができた――、1905 ～ 1906 年における資金提供者たち――ボドリアン図書館に収められた彼らの書簡を読むのに私は多くの時間を費やした――、2012 年の資金提供者たち――彼らの多くは人生の中で大切な人への贈り物を提供してくれた――、そして、私たちのウェブサイトにブログ記事を寄せてくれた寛大な人たちである。

惜しみない寄付により、プロジェクトがデジタル版の編集と新しいインターフェースからなる第二段階に入ったとき、私はプロジェクトを管理する立場にあった。仕事の内容は、学界からの要望の収集、転写の外部委託だった。また、デジタル版の編集も管理し、顧問やソフトウエア開発者からなる技術チームの調整を行った。チームのメンバーは IT サービスやオクスフォード大学の e- リサーチセンターに所属しており、インターフェースを作成する開発者と共同で作業を行っている。この作業はいまも継続しており、もうすぐプロジェクトの第三段階に入るだろう。

このプロジェクトからは新たな共同研究が誕生した。そこにはソーシャルマシンやファースト・フォリオの物質性、あるいは非同期で共同編集できるツールとしての編集可能な PDF ファイルについての作業が含まれている。これらの作業は私たちがデジタル研究の考察を行う際に影響を与えている。また、私の新しいプロジェクトに示唆を与えている。そのプロジェクトは、ボドリアン図書館にデジタル研究（Digital Scholarship）についての研究センターを創設するというものである。

▶**文献目録**

- Peter Blayney, *The First Folio of Shakespeare* (Washington D.C.: Folger Shakespeare Library, 1991).
- Ian Anders Gadd, *'Being like a field' : corporate identity in the Stationers' Company 1557-1684* (University of Oxford: unpublished DPhil thesis, 1999).
- Falconer Madan, Strickland Gibson and G. M. R. Turbutt, *The Original Bodleian Copy of the First Folio of Shakespeare (The Turbutt Shakespeare)*, (Oxford: Clarendon Press, 1905).
- Lukas Erne, *Shakespeare as literary dramatist* (Cambridge and New York: Cambridge University Press, 2013).
- Nicole Gilroy, Julie Sommerfeldt, Arthur Green, Andrew Honey and Sabina Pugh, 'Outrageous Fortune: the Conservation of Bodleian's First Folio', in *Current Solutions for Mutual Issues: postprints from the Book and Paper Group's sessions at the Icon Positive Futures conference*, 2013: 3-12, accessed, February 26, 2021, https://thebookandpapergathering.org/2014/11/04/current-solutions-for-mutual-issues/.
- Ségolène Tarte, 'Digital Images of Ancient Textual Artefacts: Connecting Computational Processing and Cognitive Processes.' *Dagstuhl Reports*, 4, no. 7 (2014): 130-31.
- Andrew Honey and Arthur Green, "Met by chance' - a group of ten books bound for the Bodleian Library in February 1624 by William Wildgoose of Oxford,' in G. Boudalis, M. Ciechanska, P. Engel, R. Ion, I. Kecskeméti, E. Moussakova, F. Pinzari, J. Schirò, & J. Vodopivec, Eds., *Historical book binding techniques in conservation* (Horn; Vienna: Verlag Berger, 2016: 61 - 88).
- Emma Smith, *Shakespeare's First Folio: Four Centuries of an Iconic Book* (Oxford: Oxford University Press, 2016).

三大デジタルアーカイブのデータセット比較と近世全出版物調査プロジェクト

2015-10-29

菊池信彦

■1．はじめに

デジタル化資料の公開が一般的となり、巨大なデジタルアーカイブが林立されて思うのは、それらが提供するデータセットがそれぞれとして、あるいは全体として、どのような特徴をもつのかという点であろう。この問題に関する興味深い記事が、10月2日にGDELTプロジェクトのブログで公開された［注1］。記事は、主要三大デジタルアーカイブと言える、Internet Archive（IA）、HathiTrust（HT）、そしてGoogle Books Ngram（GB）の各コレクションの比較を紹介したものである。

■2．記事概要

記事では1800年以降の資料を比較対象としており、以下のような結果が得られた。なお、原文のブログ記事にはグラフが掲載されているので、あわせてご確認いただきたい。まず、1800年から、パブリックドメインの境界年にあたる1922年までの各年の資料数をグラフ化すると、三つのコレクションともほぼ同じ波形を示しているものの、資料の多さはHT > IA > GBの順であった。しかし、1923年以降の資料数は、HTとIAはそれまでの10～20%の水準にまで下がる一方で、GBは特に1943年以降爆発的な増加を見せていた。1800年から1922年までの資料に関し、IAの約37%はGB由来である一方、HTの8%はIAから、93%はGBからのものであった。つまり、HTで提供されている19世紀資料は、その大部分がGBの成果によっているということである。また、各データセット内の重複率は、HTで34%、IAで約25%であった。HTとIAに収録されている1923年以降の資料における政府刊行物数の顕著な違いから、とりわけ1945年以降の米国政府関係のトピックを検索する際には検索するアーカイブ由来のバイアスがかかる可能性があることに注意を促している。また、三つのデータセットでキーワード検索を比較した結果、1922年以前ではほぼ同様の結果が得られる一方、その年以降では収録されている資料データの違いから検索結果に大きな違いが出た。最後に、IAの1800年から2013年までの資料内で言及されている地名を動的にマッピングした地図も公開されている。

以上を踏まえてブログ記事は、結論として、単語の頻度検索のみを行うのであれば、優れたユーザーインターフェースを提供しているGBの利用を勧めている。一方で、研究上フルテキストへのアクセスが必要であるならば、1922年以前に関するものに限定せねばならないことを前提に、利用契約上のハードルが低いIAの利用を勧めている。なお、HTについては、著作権保護資料のテキストへも限定的ながらアクセスが可能であることを述べるにとどまっていた。

■3．結論から感じた疑問

ところで、筆者としてはこの結論に対して特に二つの疑問を感じた。一つは、比較した三つのデジタルアーカイブで検索可能な範囲は19世紀資料の全体のどのくらいの割合を占めているのか、つまりそもそも19世紀資料の総量はどの程度あるのかということ、もう一つはこの分析が英語以外の言語でも同じように当てはまるものなのかということである［注2］。しかし、例えばスペイン一国に限っても、19世紀出版物の総量はいまだ明らかにはなっていないのだから、これらの問いに直ちに答えることは難しいだろう。だが、上で紹介した記事が対象とする時代とは異なるものの、これらの問いへの解答につながりうるDHプロジェクトがあるので、最後にそれを紹介したい。そのプロジェクトは、Iberian Books［注3］という。

■4．Iberian Books プロジェクト

Iberian Booksは、1472年から1600年までの間に、近世スペインおよびポルトガルを中心に、ヨーロッパと新大陸で刊行されたスペイン語・ポルトガル語出版物の全リストを作成したプロジェクトである。British Library等による English Short Title Catalogue［注4］のスペイン・ポルトガル語版といえばわかりやすいかもしれない。アイルランドのユニヴァーシティ・カレッジ・ダブリンにあるメディア史研究センター（Center for the History of the

Media）を拠点に、2007 年から 3 年間続けられ、そのリストは Short-Title catalogue、いわゆる省略形タイトルで作成・整理された。これを第 1 期とすると、第 2 期、すなわち 2010 年から 2014 年までは、Andrew W. Mellon 財団の助成を受け、プロジェクトの調査対象を 1601 年から 1650 年までに拡大し行われた。第 1 期および第 2 期の結果、Iberian Books のデータベースには、世界 1,300 以上の図書館が所蔵する約 320,000 冊、約 65,000 タイトルの書誌情報を収録し、さらにすでにデジタル化済み資料 12,000 点へのリンクも提供している。さらに今後 2018 年からは、その後の 1651 年から 1700 年までを対象に行われる予定となっており、これをもって 15 世紀後半から 17 世紀までの約 250 年間、スペインで文化・芸術が興隆した、いわゆる「黄金世紀」（Siglo de Oro）の全出版物を一覧できるようになる。

Iberian Books は、スコットランドのセント・アンドルーズ大学を拠点に、近世におけるフランス語出版物を対象に始まった同様のプロジェクト Universal Short Title Catalogue（以下、USTC）にもデータ提供を行っており、これらを通じて近世ヨーロッパの全出版物の調査と研究が進められている。今後、Iberian Books や USTC、あるいはそのほかのプロジェクトが、19 世紀を対象に全出版物を含めた調査を行うことがあれば、上に挙げたデジタルアーカイブの検索可能範囲という問いに答えられる日がくるのかもしれない。

▶注

[1] “The World As Seen Through Books: Comparing the Internet Archive, HathiTrust, and Google Books Ngrams Collections,” GDELT Official Blog, last modified October 2, 2015, accessed July 19, 2020, http://blog.gdeltproject.org/the-world-as-seen-through-books-comparing-the-internet-archive-hathitrust-and-google-books-ngrams-collections/.

[2] ブログ記事では英語に限定して調査を行ったかどうか明確には書かれていないが、10 月 13 日に掲載された Library of Congress のブログ記事では、当該調査に関するインタビューが掲載されており、そこでは「1800 年から現在までの英語のデジタル化図書」を対象にしたと書かれている。Erin Engle, “The World As Seen Through Books: An Interview with Kalev Hannes Leetaru,” last modified October 13, 2015, accessed October 15, 2015, http://blogs.loc.gov/digitalpreservation/2015/10/the-world-as-seen-through-books-an-interview-with-kalev-hannes-leetaru/.

[3] Iberian Books, accessed July 19, 2020, http://iberian.ucd.ie/index.php.
Iberian Books, accessed July 19, 2020, http://www.ucd.ie/ibp/.

[4] English Short Title Catalogue (ESTC), accessed July 19, 2020, http://estc.bl.uk/.

書評
“Shakespeare and the Digital World: Redefining Scholarship and Practice”

(Christie Carson and Peter Kirwan, ed., Cambridge University Press, 2014)

2017-03-31

北村紗衣

人文学におけるデジタル技術研究の進展はめざましいものがあり、シェイクスピア研究においてもその注目度は高い。本書は幅広い意味でのシェイクスピアとデジタルをテーマに17本の論考を収録した論文集である。第1部はデジタル時代におけるシェイクスピア研究、第2部はデジタル時代におけるシェイクスピア教育、第3部は学術的成果の刊行と研究者のアイデンティティー、第4部はコミュニケーションとパフォーマンスをテーマとしている。

本書でまず問題となるのは、クリスティ・カーソンとピーター・カーワンによる序論でも指摘されているように「シェイクスピア」とは何で、「デジタル」とは何か、ということである（p. 1）。本書においてはシェイクスピア研究を広くとらえており、近世ヨーロッパ文学から演劇研究まで、さまざまな視点による論考が収録されている。例えば、本書における最もユーモアに富んだ論考と言えるであろう、ブルース・E・スミスの ‘Getting Back to the Library, Getting back to the Body’（pp. 24-32）は、スミスがパサデナのハンティントン図書館にオンラインで入手できなかった刊本を見に行ったところ、しばらくウェブばかり用いていて図書館閲覧室を訪問していなかったため入館証が失効しており、大変なショックを受けたというところから始まって、実際に物理的な実在体としての刊本を目の前で見ることとオンラインで文献を見る経験の違いなどに思いをめぐらせていく論考であるが、ここでスミスがハンティントン図書館で見ようとした文献はシェイクスピアではなく、ユリウス・カエサル・スカリゲルの『詩学』である。近世ヨーロッパの文書がどんどん電子化されている中、著名な学者であるスカリゲルの著作がオンラインで見つからないということ自体がそもそもショッキングとも言える一方、何でもオンラインで調達できる我々シェイクスピアリアンはいささか研究環境の上で甘やかされているのではとも思えてくる論考である。

「デジタル」はさらに定義が難しい。本書においては「デジタル」をコンピュータを用いたデータ利用や通信一般であると定義し、文書の電子化からブログやソーシャルメディアの利用まで、さまざまなテーマを扱っている。例えば編者の一人であるピーター・カーワンは '"From the Table of My Memory": Blogging Shakespeare in/out of the Classroom'（pp. 100-112）において、近世にヨーロッパの人々が備忘録としてあらゆることを書き込んでいたコモンプレイスブックと現代のブログの共通性に留意しつつ、教育においてブログや Twitter といったウェブメディアをどう使うかについて実際に自分が行っている実践方法を含めて考察しており、大学でシェイクスピアを教えている教員にとっては興味深いものであろう。一方で 'The Impact of New Forms of Public Performance'（pp. 212-225）を寄稿したスティーヴン・パーセルはパフォーマンス研究の立場から、新しい技術を使用したさまざまさまざまなシェイクスピア上演をライヴ性（liveness）とデジタルを軸に考察しており、ベルギー生まれのイヴォ・ヴァン・ホーヴェが演出し、映像などを多数使用しつつ観客の参加を促す『ローマ悲劇集』（*Roman Tragedies*, 2007）から、ロイヤル・シェイクスピア・カンパニーとマドラーク・プロダクション・カンパニーがTwitterのみを使用して上演した現代版『ロミオとジュリエット』の翻案である *Such Tweet Sorrow*（2010）まで、さまざまなプロダクションを取り上げている。舞台上演とデジタル技術の関わりはシェイクスピアを含めた舞台芸術研究で現在非常に注目されているトピックであり、こうした論考はタイムリーなものであると言えるであろう。

全体としては幅広い分野をカバーしており、シェイクスピア研究者にとっては教育から上演分析までさまざまなヒントを得ることができる書籍になっている。編者たちは序論において、共著を書くよりも論文集を編纂することで「豊富な経験」（p. 3）を読者に提供したかったと述べているが、この狙いはある程度成功していると言ってよい。一方で一本一本の論考がやや短く、もう少し長く深い議論を読みたいと思うようなところも多数あり、ここは欠点と言えるであろう。

発表レポート

17世紀アイルランド史個別事例研究 "Utilising 1641 Depositions in History: A Statistical Study"

2018-11-30
槙野　翔

第2部　時代から知る
古代
中世
近世
近現代

■1. はじめに

2018 年 9 月 11 日、The Eighth Conference of Japanese Association for Digital Humanities（JADH2018）において、Tokyo Digital History（以下 ToDH）メンバーで、パネル発表を行った。これまでの ToDH の活動の紹介の一環として、筆者は専門とする 17 世紀アイルランド史に関する個別の事例研究発表を担当した。本節では、報告についての紹介とともに、報告において対象としたデータベースに関する問題点についても少し触れたい。

■2. 報告要旨

本報告は "Utilising 1641 Depositions in History: A Statistical Study" と題し、大きく以下 3 点を論じた。すなわち、大量のテクストが収められている特定のデータベースを取り上げ、メタデータを取得したのち、それらをいくつかの観点から可視化することを課題として設定した。

■3. データベース紹介

報告では "1641 Depositions"（以下 "Depositions"）を取り上げた。"Depositions" は、1641 年にアイルランド北部で起こった土着カトリック貴族の反乱の際、プロテスタント聖職者が収集した被害者供述の集成を、デジタル・データベース化したものである［注 1］。アイルランド北部で勃発した反乱は、次第にアイルランド全土へ波及し、最終的にはブリテン諸島を巻き込んだ 10 年を超える戦争へと発展した。戦争に伴って供述収集も断続的に行われ、最終的には 8,000 件にのぼることとなった。プロテスタント聖職者の集めたカトリック反乱に関する被害者供述という史料の性格上、バイアスのかかった史料である。それらの原本は、トリニティ・カレッジ・ダブリン（以下 TCD）に所蔵されている。

本データベース公開以降、1641 年の反乱に関する研究は活況を見せている **[注 2]**。被害者供述は 17 世紀アイルランド史研究上の最も重要な史料の一つであると同時に、「北アイルランド問題」を抱えるアイルランドにおいて、現代政治を左右する史料でもあった。それゆえ、アイルランド人文社会科学研究評議会（Irish Research Council for the Humanities and Social Sciences）、連合王国人文科学研究評議会（The Arts & Humanities Research Council in the UK）といったアイルランド・イギリス両国の学術組織から 100 万ユーロの資金提供を得たプロジェクトである本データベースは、21 世紀のアイルランドにおける和平プロセスの一つの到達点としてとらえることも可能である **[注 3]**。

"Depositions" のデータベースの性格に目を向けてみると、集積されている 8,000 件の供述の翻刻された文章とともに原史料の写真を表示することが可能である。供述者の姓・名、供述が取られた州は、任意の語彙により検索できるようにもなっている。そういった供述の書誌情報に加えて、"Nature of Depositions"（以下 "Nature"）という項目は、供述の内容によって供述をカテゴリ化し、供述に書いてある内容をとらえやすくしている。

"Depositions" には、TEI によってテクストはマークアップされているとの記述がある。しかし、確かに "Depositions" の技術的な側面の紹介ページに TEI に関する言及があるものの、XML データの取得は不可能であることが、すでに指摘されている **[注 4]**。本論点に関して、現在 "Depositions" の管理を行っているエンジニアの Gary Munnelly 氏（TCD 博士課程）と電話での面談を行ったが、指摘は正しいとの回答をいただいた **[注 5]**。

データベース上の問題のみならず、歴史研究上の問題点が、時間的な観点、地理的な観点、メタデータの観点において指摘できる。まず、戦争の進行に伴って供述収集は行われたものの、供述内容の時間的な変化に関する言及はあまり見られない。特に、戦争が終了した後の 1650 年代の供述については、あまり触れられることがない **[注 6]**。二つ目に、アイルランド全土の供述が集められているものの、反乱の起こった北部地域や植民地政府のあるダブリンなど特定の地域に注目した地域史的関心が高まる一方、地域的な偏差に対しての言及も研究史上あまり見られない。三つ目に、これまでの研究では「反乱では実際に何が起こったのか」を、特定の地域に注目し実証的に明らかにすることを目的としていることが多い。そのため、通常の場合、各供述の情報は単純な翻刻テクストとして参照されている。言い換えれば、メタデータへの注目は、1641年反乱に関する歴史研究において見られない **[注7]**。

■4．データ取得・可視化

そういった問題点を踏まえ、まず、本研究は“Depositions”のメタデータをウェブ・スクレイピングにより取得した。ウェブ・スクレイピングについては、ToDHメンバーである小風（山王）綾乃（お茶の水大学大学院博士課程）・中村覚（東京大学情報基盤センター助教）両氏から技術的なサポートをいただいた。次に、ウェブ・スクレイピングによって取得したデータを、可視化ツールの一つであるTableauに読み込ませることで、分析を行った。Tableauを使用した理由は、操作方法の容易さおよびツール自体のアクセスの容易さによる。ただし、Tableauの操作性は、処理の過程が確認できないことの裏返しでもある。つまり、より発展的なプログラミング内容を表現させる場合、Tableauが可視化ツールとして最適かどうかは再考の余地があろう **[注8]**。

データの可視化は三つの観点から行った。すなわち「地図上での可視化」、「グラフ化」、ならびに「カテゴリ別の供述数の可視化」である。特に、Tableauの機能は、数の変化などを表現しやすい。

まず **【図1】** では、州ごとの供述の総数を地図上にプロットしたものを年ごとに作成した。本可視化によって、供述収集がどのように進行していたか

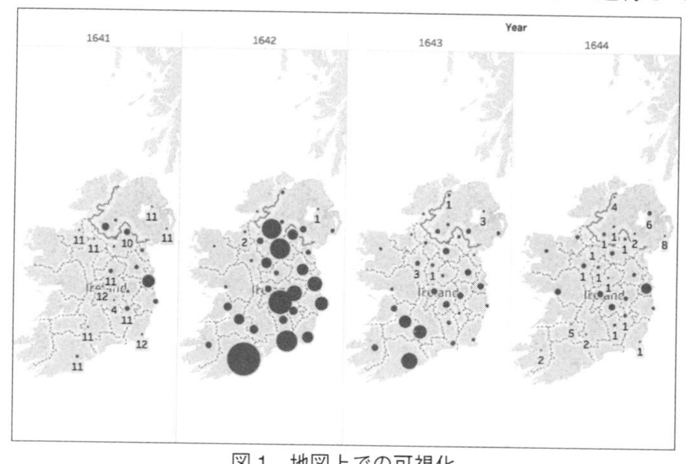

図1　地図上での可視化

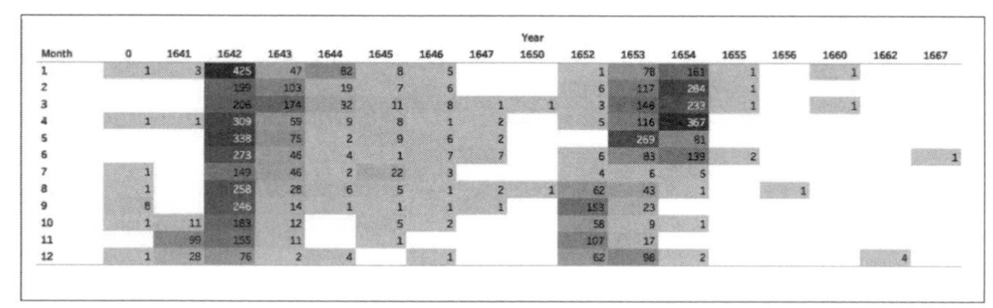

Month	0	1641	1642	1643	1644	1645	1646	1647	1650	1652	1653	1654	1655	1656	1660	1662	1667
									Year								
1	1	3	425	47	82	8	5			1	78	161	1		1		
2			199	103	19	7	6			6	117	284	1				
3			206	174	32	11	8	1	1	3	148	233	1		1		
4	1	1	309	59	9	8	1	2		5	116	367					
5			338	75	2	9	6	2			269	81					
6			273	46	4	1	7	7		6	83	139	2				1
7	1		149	46	2	22	3			4	6	5					
8	1		258	28	6	5	1	2	1	62	43	1		1			
9	8		246	14	1	1	1	1		153	23						
10	1	11	183	12		5	2			58	9	1					
11		99	155	11		1				107	17						
12	1	28	76	2	4		1			62	98	2				4	

図2　月ごとの供述数の分布グラフ化

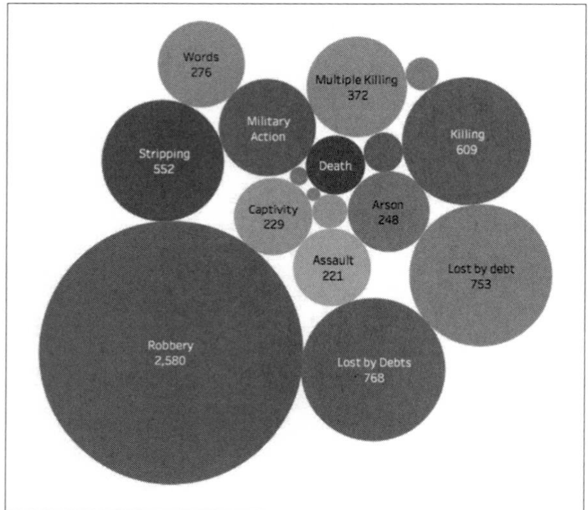

図3　カテゴリ別の供述数の可視化（画像は1642年時のもの）

を明らかにすることができた。

【図2】では、月ごとの供述数の全期間にわたる分布をグラフ化することで分析した。グラフ化については、縦軸に地域、横軸に年を取った一覧表を作成したが、文字の羅列ではなく、数の大小を色の濃淡で表示することができる。色の濃淡によって、供述数のピークが1642年のみならず、1654年にもあることが明らかとなっている。

【図1】および【図3】については、Tableauの機能の一つであるアニメーションを、地図上の可視化の結果を年ごとのタイムラインに落とし込むことで、時間による変化を文字通り定点観測することができた。このアニメーション化によって、特に、図3において1650年を境としてRobberyの丸とKillingの丸の大きさが逆転していることがわかった。本分析で明らかとなった顕著な変化は、歴史研究上の重要な指摘であることは特筆に値するであろう。

■5．振り返り・問題点

JADHの報告では、可視化それ自体をゴールとして設定したため、より発展的な考察を行うことはできなかったが、本節ではもう少し踏み込んだ言及を行いたい。

本事例研究紹介ではテクストに何が書いてあるかではなく、「どこ」で「いつ」、「どのような」供述が集められたかに注目することで、“Depositions”の供述の地域的な偏差・時間的な変化を明らかにした。ここからわかることは、メタデータの把握という史料の性格・構造を理解する視点の重要性であろう。言い換えるならば、データベースからデータを取得する際に、必要となるアーキヴィストが有するような階層的な思考法それ自体が、研究者に新たな視点を提供するとも言えるだろう。眼前にあるテクストをより深く読むために、メタデータの理解は非常に有益である。

しかしながら、本事例での「どのような」の部分には史料上の落とし穴がある。供述の性質を分類した“Nature”は、実際の供述にあるものではなく、“Depositions”公開に伴って付与されたものである。そのため、テクストを読まない限り、その性質が正しいかは判断がつかない。もし、TEI によるタグが確認できるならば、性質の分類分けの判断についても検証が容易となるだろう。つまり、TEI の XML を取得できないという事実は、“Nature”の信憑性を考えた時、致命的な欠陥と言える。

■6．おわりに

本国の貢献について触れたい。本事例報告は日本の学術界における本データベースの初めての本格的な紹介であった **[注 9]**。さらに、メタデータ視点から本データベースを考えることで、供述のテクストを分析するのみならず、より多角的な分析が可能であることが明らかとなった。こういった分析も歴史研究のみでは出てこない視点である。

本事例研究報告を行ったパネルは ToDH を紹介するものであった。ToDH 主宰の TEI セミナー（2018 年 2 月 21 日、於：東京大学）および Python セミナー（2018 年 7 月 19 日、於：東京大学）によって、本事例研究のスタートが可能になり、毎週のセッションでのディスカッションによって、日頃行う研究とは別の観点から研究を進めることができた。今後は、“Depositions”に収められている供述のテクスト分析を行っていく。その際、同じく ToDH メンバーの福田真人氏（東京大学大学院博士課程）とも協働しながら、分析を進めていきたい。このように、常に誰かとともに行うことで得られる視点は、メタデータ的視点とともにToDHで得られた大きなものである。

最後に、個人的な話をすれば、私はToDHへの参加がほかのメンバーよりも遅い。思考法もまだまだ慣れず、技術的に先鋭的なことができるわけではない。そのため、人文情報学に慣れ親しんだ読者には当たり前のことを、素人がつらつらと述べてきたにすぎないと映るかもしれない。しかし、歴史学を専攻するそんな素人の大学院生が、Pythonの処理の過程を眺めていた時、Tableauでアニメーションが動いた時に、素直に感じた驚きと高揚感が伝われば幸いである。

▶注

[1] http://1641.tcd.ie, accessed July 19, 2020.

[2] 代表的な研究としては次のようなものがある。Eamon Darcy, Annaleigh Margey and Elaine Murphy (eds.), The 1641 Depositions and the Irish Rebellion (London: Pickering & Chatto, 2012); Micheál Ó Siochrú and Jane Ohlmeyer (eds.), Ireland, 1641: Contexts and Reactions (Manchester, Manchester University Press, 2013); Eamon Darcy, The Irish Rebellion of 1641 and the Wars of the Three Kingdoms (Woodbridge, Suffolk: Boydell Press, 2013)

[3] アイルランド人文社会科学研究評議会理事で、17世紀アイルランド史を研究するTCD教授Jane Ohlmeyerのインタビューを参照されたい。Owen Bowcott, "Witness Statements from Irish Rebellion and Massacres of 1641 Go Online," The Guardian, March 7, 2010.

[4] "How Have the 1641 Depositions Been Marked Up?," 1641 Depositions, accessed July 19, 2020, http://1641.tcd.ie/project-tech_behind-markup.php; Walter Scholger, "Review of 'The 1641 Depositions,'" RIDE 5 (2017), accessed July 19, 2020, https://ride.i-d-e.de/issues/issue-5/1641-depositions/.

[5] この点に関して、アドバイスをいただいたMunnelly氏、ならびに彼を紹介してくださったJane Ohlmeyer教授に感謝する。

[6] 50年代の供述に注目した研究はJohn Cunningham, Conquest and Land in Ireland: The Transplantation to Connacht, 1649-1680 (Woodbridge: Boydell & Brewer, 2011), esp. ch. 2, 3, and 4.

[7] TCDでは、"Depositions"を用いた言語分析プロジェクトが進められているが、それらもテクスト分析を行うものの、書誌学的な分析は行われていない。

[8] Kyran Dale（嶋田健志監訳、木下哲也訳）『PythonとJavScriptではじめるデータビジュアライゼーション』（オライリー・ジャパン, 2017）, xiiを見よ。

[9] Jane Ohlmeyer（後藤はる美訳）「1641年：新しいコンテクストとパブリックな視角」『東洋大学人間科学総合研究所紀要』22（2019）。

18世紀研究におけるDHの広がり 第1回 個別発表にみるデータ可視化
—第15回国際十八世紀学会（ISECS 2019）に参加して—

2019-08-31

小風綾乃

■1．はじめに：国際十八世紀学会について

2019年7月14日（日）から19日（金）にかけて、エディンバラ大学にて第15回国際十八世紀学会（International Society of Eighteenth-Century Studies）大会が開催された。筆者はその参加報告を、今月号より数回に分けて寄稿する予定である。国際十八世紀学会はその名の通り18世紀に関する研究に携わる研究者が集まる学会で、思想・歴史・文学など多分野性がその特徴の一つである。世界中に支部を持ち、支部単位では年次大会が開催されているが、国際大会は4年ごとに開かれる祭典であり、発表言語は英語かフランス語を任意で選ぶことができる。今年は491のグループに分けられたセッションと講演が用意された。同学会の日本支部である日本18世紀学会のツイートによれば、1600名以上の参加があったようであり、4年に一度の祝祭にふさわしい盛況ぶりであった［注1］。

筆者が第15回大会のプログラムを確認したとき、まずDigital Humanities（以下DH）関連発表の多さに驚いた。日本における人文系の学会と比べて［注2］、本大会では「デジタル」（英：“Digital”、仏：«numérique»）を冠する発表やパネルセッション等が多数準備され、発表者がデジタル技術の関与を前面に押し出していることが読み取れた。タイトルからDHへの関連を判断できる発表の件数は、発表単位では77件、セッション単位では全477セッション中23件で、うち1セッションは終日のワークショップとして企画された［注3］。すべての発表は追い切れなかったが、筆者が参加したセッションを中心に18世紀研究におけるDHの広がりを紹介することとしたい。

今大会で行われたDH関連発表は、（1）デジタル技術を取り入れた個別発表、（2）DHプロジェクトの紹介、（3）DH教育を含む人文学の未来について、という3種類に大別することができるように思われた。このうち本節

では、デジタル技術を取り入れた個別発表の例を取り上げる。(1) には、マッピングやネットワークの可視化を手法として取り入れていたとしても、デジタル技術の関与を前面に押し出さないタイトルをつけたものも多かった。第2回で論じる予定である各種 DH プロジェクトと差別化するために、ここではタイトルに「デジタル」が明示されていない発表における DH の実践について、手法ごとに取り上げることとする [注4]。

■2. マッピング

マッピングによる可視化はこれまでも多くの研究者が用いてきた手法であり、地理的情報を視覚的にとらえる意義は人文学者にもすでに理解されていることだろう。情報技術の発達によって変わったのはむしろ、研究に必要な地図を、研究者自身が気軽に作成できるようになったことであると考える。

しかしその弊害として、視認性の悪い地図も見られるようになってきている。例えば 19 日の Ruggero Sciuto の発表では、1735 年から 1765 年までフィレンツェに駐在していた外交官 Luigi Lorenzi による、イタリア半島やフランスの外交官との書簡のやり取りがマッピングされた [注5]。しかし彼はベースマップにカラーの航空写真地図を用いていたため、注意深く観察しなければ黄色や赤で表現したエッジが見えない場合もあった。可視化ツールでは用途に合わせてさまざまなオプションが用意されているが、地図を作成する際には、伝えたい内容を明確に伝えるための工夫が必要ではないか。

一方で、マッピングを多層的に行うことでより深い情報を伝えることも比較的容易になってきている。17 日に行われた全体講演の一つとして Maria-Susana Seguin が行ったプレゼンテーションでは、18 世紀前半期フランスにおけるパリ王立科学アカデミーの通信会員 [注6] の出身地がマッピングされた [注7]。彼女がプレゼンテーションに用いた図は、会員の出身地にピンを打つことで地理的な偏りを聴衆に認識させるシンプルなものであった。筆者は同じテーマについての可視化を行ったことがあり、そこでは、通信会員の出身地に、会員区分ごとに色を変えた円グラフを人数に応じたサイズで配置することで、より深い情報を一見して把握できるようにした。論文など、著者による可視化を第三者が分析の材料にできる場合には多層的なマッピングが有益になることもあるだろうが、プレゼンテーションのように短時間で画面を遷移しなければならない場合には、主張したい点に情報を集中する方が、伝えたい情報を効果的に伝えることができると思われる。研究者それぞれが自分の目的に応じた地図を作成できるようになったからこそ、重層的な情報提供の可能性を意識しつつも「見せる」ための配慮を忘れないように心がけたいところである。

■3. ネットワーク分析

一方でネットワーク分析、なかでもネットワーク図は一見人文学研究になじみの薄い可視化モデルに感じられるかもしれない。しかし Chloe Edmondson、Dan Edelstein らが述べるように、近世ヨーロッパ研究において人的結合関係は多くの研究者の関心を集めてきたテーマであり、その意味でネットワーク分析もまた、人文学とのつながりの深い分析手法である［注8］。

近世のヨーロッパでは、国際的な書簡のやり取りの増加や印刷技術の進展により書物・定期刊行物の往来が活発になった。「文芸共和国」あるいは「学問の共和国」(Respublica Litteraria) と呼ばれる書簡や印刷物を介した国際的ネットワーキングについては日本語でも読むことができる［注9］。さらに近年の欧米圏では、DH 的アプローチによってこの国際的ネットワーキングの研究を深化させようとする研究書が次々に出版されている［注10］。

18 日のセッションでは、Gemma Tidman がコレージュ教育［注11］に言及した個人や雑誌のポジティブ・ネガティブな反応をネットワーク図で表現した［注12］。彼女は赤と青のエッジと、ラベルのついたノードを持つネットワーク図のプログラムを独自に作成して生成し、「ルソーと『トレヴー誌』(Journal de Trévoux) にはポジティブな結びつきが見られる」という「気づき」を述べた。

発表には時間的制約があるため、彼女は特定の人物と定期刊行物との関係に言及するにとどめたのかもしれないが、筆者は彼女がネットワーク図を分析に用いた意義を十分には理解できなかった。なぜなら、彼女の指摘した「気づき」は限定的であるように思えたので、可視化のためのプログラムに読み込ませずとも、Excel で作成した元のデータから判断できたと考えられるからである。同じ感想を持ったのは筆者だけではなかったのか、質疑応答では、このネットワーク図に質問が集中する結果となった。

質疑の論点は 2 点あった。1 点目は、ノードに人物と定期刊行物が混在しており、何を言おうとしているのかネットワーク図からはわからないという指摘、2点目は、Palladio［注13］やTableau［注14］などの可視化ツールを使わないのかという質問であった。1点目は技術的に改善可能であるように思う。エッジに矢印をつけ、有向グラフにしていれば、ソースとターゲットとして人物と定期刊行物を同じネットワーク図上に表現する理由を説明できたのではないだろうか。

2点目の可視化ツールの使用についての質問は、DH推進派で、今大会でもデータベースの分析について発表した研究者によるものであった。確かにPalladioやTableauはデジタル技術への敷居を下げ、技術面の知識がなくとも研究者たちにデジタル技術の実践を可能にする便利なツールである。しかしこれらのツールを利用する際には、その分析モデルがどのような種類の理解に役立つのか、あるいはどのような分析には向かないのかについても検討する必要があるのではないだろうか。

Tidmanに限らず、今大会ではいくつかの「過度に単純化されたネットワーク図」が見られた。これは、必ずしもネットワーク図を用いたネットワーク分析の基礎理論や特徴を理解せずとも、ツールを用いれば「容易に」可視化できる現状がはらむ問題であるように思われる。分析手法が理解されずに可視化された図は、幾何学的にきれいに整っていても、プレゼンテーションのなかでは装飾としての役割しか果たさない場合があるかもしれない。ネットワーク図に組み込める要素について理解した上で、自らの研究に必要な要素を慎重に検討し、求める要件を満たす可視化モデルを選ぶ必要があるのではないか。PalladioもTableauも提供する可視化モデルは限定的であるので、それで足りない場合にはプログラミング言語を用いた可視化が必要になることもあるだろう。そしてネットワークモデルは、Tableauの基本モデルとしては提供されておらず、Palladioでは色や表現できる範囲に制限がある。Tidmanが作成したようなモデルは、独自のプログラムを用いて作成するのであれば、より適切な表示の仕方を追求すべくスキルを高める必要があるだろう。しかし、この場合にはあえて独自のプログラミングをせずともGephi［注15］の利用が有効であるようにも思えた。可視化モデルやツールを選択する場合には、データや分析手法への理解と適切な情報収集がますます重要なものとなっていることを改めて感じた。

■4．おわりに

本節ではマッピングとネットワーク分析について取り上げたが、いずれも分析対象や内容はこれまでの人文学研究から外れるものではなく、あくまで可視化の手段としてDH的アプローチを取っているという印象を受けた。しかし、マッピングやネットワーク分析の背景には、地理学や統計学などの蓄積がある［注16］。こうした他分野の蓄積に学ぶことで、デジタル技術をより深く研究に適用する可能性が人文学研究にも開かれるかもしれない。

いまや、人文学者の大多数がDHプロジェクトの恩恵を受けるユーザである。Lara Putnamが指摘するように、そのユーザのほとんどがデジタル・リソースの上澄みを利用するにとどまり、デジタル・アーカイブやデジタル・コレクションの閲覧とダウンロードを目的に利用する［注17］。情報提供者側がどれほど精巧なデータベースやツールを作り上げようとも、ユーザ側に利用するにあたってのリテラシーがなければ、情報提供者側の意図が十分に伝わらないことも考えられる。

では、これまでDHに関心を持ってこなかった人文学者に、彼らにとって新しいデジタル資源とその利活用にあたって必要なリテラシーを届けるには、どのような行動が求められるのだろうか。一つの解決策としては、例えばThe Programming Historian［注18］やイギリス歴史研究所（Institute of Historical Research）主催のDigital History Seminar［注19］のような、ユーザとして批判的実践例を積み重ねる取り組みに活路を見いだせるのではないかと考える。このような問題関心に基づき、本節では利用者の側から批判的に国際十八世紀学会の個別発表を振り返った。次回はDHプロジェクトを紹介したい。より多くのユーザがより深く、より批判的にDHの資源を活用するために、本短期連載がわずかなりとも参考になれば幸甚である。

▶注

［1］日本18世紀学会（JSECS）@XVIIIe_siecle「国際18世紀学会@エジンバラ、どうやら1600名以上の参加があるようです。UKでも人文系の国際学会としては大成功の部類に入るとのこと。また加入者も増えています。#ISECS2019」（2019年7月17日11:00）https://twitter.com/XVIIIe_siecle/status/1151431546676625408, accessed July 19, 2020.

［2］数は少ないが、筆者の専門に近い範囲で把握している限りでは、第66回日本西洋史学会大会で「デジタル資源を活用した資料の共有化とこれからの西洋研究への展望」というシンポジウム（http://www.seiyoushigakkai.org/2016/index.html, 最終閲覧日2020年7月19日）が、また日本フランス語フランス文学会の2018年春季大会で「初期近代におけるテクストのデ

ジタルアーカイブ構築にむけて――国際人文学共同研究の可能性を求めて」というワークショップ（http://www.sjllf.org/taikai/?action=common_download_main&upload_id=1479, 最終閲覧日 2019 年 8 月 31 日）が開催された例がある。

[3] "Digital/data/numérique" とその派生語を含む、または DH プロジェクト名を含む発表を計上した。なお、終日のワークショップは 6 セッション、21 件の発表からなる。

[4] 筆者が参加したセッションでは、テキスト分析や空間分析などのアプローチは確認することができなかったため、本節ではマッピングとネットワーク分析のみを対象とする。

[5] Ruggero Sciuto, "Diplomatic Correspondences at the Crossroads of Local and Supranational Enlightenment," (presentation, 15th International Society of Eighteenth-Century Studies, University of Edinburgh, July 2019).

[6] パリ王立科学アカデミーはフランス科学アカデミーの前身である。通信会員とは、パリに住む会員と通信書簡でやり取りをして、研究成果や居住地域の情報を伝える会員区分を指す。

[7] Maria-Susana Seguin, "Enlightenment Science: A Cultural Geography," (presentation, 15th International Society of Eighteenth-Century Studies, University of Edinburgh, July 2019).

[8] Chloe Edmondson and Dan Edelstein, eds., *Networks of Enlightenment: Digital Approaches to the Republic of Letters*, (Liverpool: Liverpool University Press on behalf of Voltaire Foundation, 2019), introduction, pp. 3-8.

[9] H. ボーツ・F. ヴァケ（池端次郎・田村滋男訳）『学問の共和国』（知泉書館 , 2015 年）.

[10] Pierre-Yves Beaurepaire, Jules Grandin et Aurélie Boissière, eds., *La communication en Europe de l'âge classique au siècle des Lumières*, (Paris: Belin, 2014); Edmondson and Edelstein, eds., *op. cit*. Howard Hotson, and Thomas Wallnig, eds., *Reassembling the Republic of Letters in the Digital Age: Standards, Systems, Scholarship*, (Göttingen: Göttingen University Press, 2019), accessed July 19, 2020, https://doi.org/10.17875/gup2019-1146.

[11]「コレージュ」はアンシァン・レジーム下の中等教育機関である。詳しくは以下を参照。フィリップ・アリエス（杉山光信・杉山恵美子訳）『「子供」の誕生：アンシァン・レジーム期の子供と家族生活』（みすず書房 , 1980 年）; E. デュルケーム（小関藤一郎訳）『フランス教育思想史』（行路社 , 1981 年）.

[12] Gemma Tidman, "The Identity of an Enlightenment Querelle, or, Was There a Querelle des collèges in Eighteenth-Century France?," (presentation, 15th International Society of Eighteenth-Century Studies, University of Edinburgh, July 2019).

[13] Palladio はスタンフォード大学が開発したデータ可視化ソフトである。ブラウザ上で動き、CSV ファイルまたはスプレッドシートを読み込ませるだけで容易にマッピング、ネットワーク図、表、ギャラリーを生成できる。http://hdlab.stanford.edu/palladio/, accessed July 19, 2020.

[14] Tableau は Tableau 社によって運営されるデータ可視化ソフトである。ネットワーク図は生成できないが、基本的なグラフからマッピングやヒートマップ、ツリーマップなど多様なグラフを生成でき、データ分析を補助する機能も豊富である。本来は有料のソフトであるが、学生や教職員は認証を経れば無料で使用できる。https://www.tableau.com/ja-jp, accessed July 19, 2020.

[15] Gephi はネットワーク分析に特化したデータ可視化ソフトである。使い方には慣れが必要だが、ネットワーク分析を使うメリットの一つである統計分析が可能である。https://gephi.org/, accessed July 19, 2020.

[16] DH のコンテクストでは、すでに GIS を利用した歴史地理学の研究成果や、グラフ理論を用いた多量データのネットワーク分析が取り上げられている。ネットワーク分析における「つながり」の把握には数学的な計算が用いられることがあり、上述の Gephi には機能

として搭載されているため、理論を理解すれば有効に活用することができるだろう。HGIS研究協議会編『歴史 GIS の地平：景観・環境・地域構造の復原に向けて』（勉誠出版 ,2012年）; Mark Algee-Hewitt, "The Principles of Meaning: Networks of Knowledge in Johnson's Dictionary," in Edmondson and Edelstein, eds., *op. cit.*, pp. 251-277.

[17] Lara Putnam, "The Transnational and the Text-Searchable: Digitized Sources and the Shadows They Cast," *American Historical Review* 121, issue 2 (2016), pp. 377-379.

[18] https://programminghistorian.org/, accessed July 19, 2020.

[19] https://ihrdighist.blogs.sas.ac.uk/, accessed July 19, 2020.

18世紀研究におけるDHの広がり 第2回 各種ウェブコンテンツの紹介（1）
—第15回国際十八世紀学会（ISECS 2019）に参加して—

2019-09-30

小風綾乃

■1．はじめに

2019年7月14日（日）から19日（金）にかけて、エディンバラ大学にて第15回国際十八世紀学会（International Society of Eighteenth-Century Studies）大会が開催された。筆者は18世紀研究におけるDHの広がりを概観すべく、先月号より、本大会の参加報告を投稿している［注1］。

今大会では、ヴォルテール財団［注2］、COMHIS（Helsinki Computational History Group）［注3］などの研究グループの紹介や、データベース・研究ツールの紹介が充実していた。それらの成果物には、すでに公開されて広く認知されているものもあれば、現在は公開準備中で、プロジェクトの構想が紹介されたものもある。第1回ではデジタル技術を取り入れた個別発表に焦点を当てたが、第2回である本節と次の第3回では、18世紀研究に役立つウェブコンテンツには現在どのようなものがあるか、紹介されたプロジェクトに限定した情報を提供できれば幸いである。なお、筆者の専門は18世紀フランス史であるため、自身の研究に関連するコンテンツに比重を置いた記述となることをご了承いただきたい。

■2．18世紀研究に役立つウェブコンテンツ

■2-1．出版物を対象とした広範な検索ポータル：ESTC, Le gazetier universel

新聞等定期刊行物の広範な検索ポータルとしては、1473年から1800年までに発行された新聞や雑誌、書物を集めたESTC（English Short Title Catalogue）［注4］と、アンシァン・レジーム期および革命期フランス（17-18世紀）の新聞・雑誌を集めたLe gazetier universel［注5］が紹介された。前者のESTCは英国図書館によって運営され、英語、ウェールズ語、アイル

ランド語、ゲール語のテキスト、計48万件を超えるエントリが登録されている。一方後者のLe gazetier universelはフランス語の定期刊行物約800タイトルを対象とする検索ポータルで、Google BooksやGallicaなど約40のサイトに対して1.5万件のリンクを提供する。Le gazetier universelでは、*Dictionnaire des journaux*［注6］および*Dictionnaire des journalistes*［注7］のデジタル版へのリンクや参考文献リストもあわせて閲覧できるため、閲覧するタイトルがいかなる性格をもつのか、またどのような人物によって編集されたのかについても把握できる。

■2-2．特定の刊行物を対象としたデジタル校訂版テキスト：DIGITARIUM, MHARS, Philosophie cl@ndestine, ARTFL, ENCCRE

特定の新聞・雑誌を対象としたデジタル校訂版テキストとしては、18世紀のハプスブルク帝国における最重要メディアであった*Wien[n]erisches Diarium*（1703年創刊）を対象としたDIGITARIUM［注8］と、パリ王立科学アカデミー［注9］の機関誌*Mémoires et Histoire de l'Académie Royale de Sciences*（1666-1795）を対象としたMHARS［注10］が紹介された。オーストリア科学アカデミーが運用するDIGITARIUMでは、プレーンテキストと画像データを同一画面上に表示して比較することができる。IHRIM（Institut d'Histoire des Représentations et des Idées dans les Modernités: リヨン高等師範学校に拠点が置かれる大学間協働研究グループ）が運用するMHARSはまだ電子化の途上にあるため、現在は生前科学アカデミーに属していた一部の物故会員に対する弔辞のテキストのみ閲覧できる。注釈としては、人名にBnF dataやIdRef、VIAFへのリンクが付されている。プロジェクトリーダーであるMaria Susana Seguinによれば、翻刻作業はOCRにかけたものをベースに学生の協力を得て手動で修正しているとのことである。翻刻終了後にはクラウド・ソーシングによるTEI/XMLマークアップを行う構想もあり、MHARSの全貌の公開はしばらく先になりそうだ。なお、機関誌の画像データはすでにフランス国立図書館が提供している［注11］。

Seguinはさらに、哲学を対象とした啓蒙期の地下文書の書誌情報をまとめたウェブアプリケーションであるPhilosophie cl@ndestine: Les manuscrits philosophiques clandestins［注12］も運用している。このアプリケーションでは、著作タイトル、著者プロフィール、著作画像・プレーンテキストを提供するだけでなく、実物を確認したいユーザに向けて所蔵館の情報を地図付きで提供している。エクスポート機能を使用して関心のある文書のリストをダウンロードすることもできる。

18世紀フランスの代表的な著作群である『百科全書』のデジタル校訂版は、The ARTFL Project（以下、ARTFL）とENCCREの2種類が公開されている。筆者はこれらの『百科全書』のデジタル校訂版を自身の研究に使っているため、若干の検討を試みる。まずARTFL（American and French Research on the Treasury of the French Language）[注13] はシカゴ大学を中心に、幅広いフランス語コーパスの編集（12～20世紀）と、研究者が容易にアクセスできるシステムの作成を目指すプロジェクトである。メインコーパスであるARTFL-FRANTEXTは2.15億語、単語別では67.5万語から構成されており、その一部に『百科全書』も含まれる [注14]。ARTFLはテキストの電子化を行うためのノウハウやその後のデータ処理に関するプログラムも提供しており、次回取り上げるFBTEE [注15] などはその恩恵を享受している。

一方、ENCCRE（Édition Numérique Collaborative et CRitique de l'Encyclopédie ou Dictionnaire raisonné des sciences, des arts et des métiers（1751-1772））はフランス百科全書研究の第一人者Marie Leca-Tsiomisを中心に構築され、2017年にフランス科学アカデミーからウェブ公開された『百科全書』研究のプラットフォームである [注16]。同一画面上で、マザラン図書館に保存された『百科全書』初版の画像とTEI/XMLでマークアップされたテキストを閲覧できるだけでなく、項目ごとのメタデータ、世界中の専門家による査読付き注釈、参考文献情報が提供される。操作メニューは英語で表示されるARTFLとは異なり、ENCCREは注釈も含めすべてフランス語で提供されているため、利用にはフランス語力が必要となるものの、今後『百科全書』研究者の間でシェアが広がることは間違いないだろう。

■2-3．特定の時期・ジャンルを対象としたデジタルアーカイブおよびデータベース：French Revolution Digital Archive, MEDIATE databases

スタンフォード大学図書館とフランス国立図書館の協働で実現したFrench Revolution Digital Archive [注17] には、フランス革命期の主要な研究資料である膨大な画像群と議会記録が集められている。プレーンテキストと画像を同時に閲覧できるだけでなく、画像（jpeg）・テキスト（txt, pdf, TEI/

XML）ともにダウンロード可能である。

ナイメーヘン・ラドバウド大学に拠点が置かれ、18世紀の公衆に対する啓蒙（けいもう）思想の普及のシステムを理解することを主眼に置く研究グループMEDIATE（Middlebrow Enlightenment: Disseminating Ideas, Authors, and Texts in Europe, 1665-1830）**[注18]** は、1665年から1830年までにオランダ・フランス・イギリスでオークションにかけられた小規模な私立図書館のカタログを使った二つのデータベースを作成している。The BIBLIO database（Bibliography of Individual Book and Library Inventories Online, 1665-1830）は基本の書誌情報を集めたデータベースであり、The MEDIATE databaseは、検索可能な写本から書物や収集家に関するメタデータを集めたデータベースである。さらに、研究者が同時に複数の書物史データベースに照会するための共通インターフェースであるE-ENABLE（Early-modern - Enlightenment Networks of Authors, Books, and Libraries in Europe）も現在作成中とのことで、これらMEDIATEデータベースのパブリック版は2019年後半から2020年前半の間に公開される予定である **[注19]**。

■3．おわりに

本節では主に刊行史料を対象にしたウェブコンテンツを紹介してきた。古代や中世に比べ、18世紀研究では研究対象となる刊行史料の数が多いため、一人の研究者や研究グループが特定の史資料群をデジタル化しても、それらを使う研究者の数はそれほど多く見込めないかもしれない。しかしさまざまな史資料がデジタル化されれば、私たちは地理的な制約を超えてウェブ上で新たな史資料と出会える可能性が高まるし、それらがテキストで提供されるのならば、翻訳機能を使うことで言語的制約を幾ばくか取り除きやすくなるだろう。デジタル化はこのように、それまでのユーザに対する有用性を持つだけでなく、新規ユーザ層を広げる効果も持つため、一部の研究者だけが使ってきたような史資料をデジタル化することにも意義があると言えるのではないだろうか。多くの研究者がそれぞれにとっての重要史資料をデジタル化していけば、点と点がつながって線となり、そしていずれは面となっていくように、18世紀研究の空間は広がり、いっそう行き届いたものになっていくことだろう。

紙幅の関係上、書簡を対象にしたものや、分析機能を持つものについては本節では取り上げなかった。第3回ではコンテンツ紹介の続きとして、これらのコンテンツについて取り上げることとしたい。

▶注

[1] 小風綾乃「18世紀研究におけるDHの広がり：第15回国際十八世紀学会（ISECS 2019）に参加して 第1回：個別発表にみるデータ可視化」『人文情報学月報』97 (August, 2019).

[2] ヴォルテール財団は国際十八世紀学会の事務局を務める財団で、『ヴォルテール全集』や啓蒙研究書を出版しているほか、研究者への助成活動を行っている。http://www.voltaire.ox.ac.uk/, accessed July 19, 2020.

[3] COMHISは、近世ヨーロッパの書籍、新聞、定期刊行物の全文テキストと図書館目録からのメタデータを使って、公衆の言説や知識の生産を統合的に研究することを目的とした研究グループである。https://www.helsinki.fi/en/researchgroups/computational-history, accessed July 19, 2020.

[4] http://estc.bl.uk/F/?func=file&file_name=login-bl-estc, accessed July 19, 2020.

[5] http://gazetier-universel.gazettes18e.fr/, accessed July 19, 2020.

[6] http://dictionnaire-journaux.gazettes18e.fr/, accessed July 19, 2020.

[7] http://dictionnaire-journalistes.gazettes18e.fr/, accessed July 19, 2020.

[8] https://digitarium-app.acdh-dev.oeaw.ac.at/start.html?id=jg17xx, accessed July 19, 2020.

[9] パリ王立科学アカデミーは1666年に創設された科学研究機関（ただし「王立」を冠したのは1699年）で、現在のフランス科学アカデミーの前身にあたる。

[10] http://editions.ihpc.huma-num.fr/mhars/accueil, accessed July 19, 2020.

[11] https://gallica.bnf.fr/ark:/12148/cb32786820s/date, accessed July 19, 2020.

[12] http://philosophie-clandestine.huma-num.fr/index.html, accessed July 19, 2020.

[13] https://artfl-project.uchicago.edu/content/dictionnaires-dautrefois, accessed July 19, 2020.

[14] ただし、ARTFLプロジェクトでは一括のOCR処理がなされているため、ARTFL Encyclopédieのテキストには多くの誤認識が見られるという問題もある。これについては、現在修正を行っている段階である。https://encyclopedie.uchicago.edu/node/16, accessed July 19, 2020.

[15] FBTEE（The French Book Trade in Enlightenment Europe: Mapping the Trade of the Société Typographique de Neuchâtel, 1769-1794）, accessed July 19, 2020, http://fbtee.uws.edu.au/main/.

[16] http://enccre.academie-sciences.fr/encyclopedie/, accessed July 19, 2020.

[17] https://frda.stanford.edu/, accessed July 19, 2020.

[18] http://mediate18.nl/, accessed July 19, 2020.

[19] ゲストアカウントへのアクセスを希望する場合は公式サイトから連絡が必要である。

18世紀研究におけるDHの広がり 第3回 各種ウェブコンテンツの紹介（2）
—第15回国際十八世紀学会（ISECS 2019）に参加して—

2019-10-31

小風綾乃

■1．はじめに

2019年7月14日（日）から19日（金）にかけて、エディンバラ大学にて第15回国際十八世紀学会（International Society of Eighteenth-Century Studies）大会が開催された。筆者は18世紀研究におけるデジタル・ヒューマニティーズ（以下、DH）の広がりを概観すべく、8月号より、本大会の参加報告を連載している［注1］。

前回に引き続き、本節では、18世紀研究に役立つウェブコンテンツには現在どのようなものがあるか、学会にて紹介されたプロジェクトに限定した情報を提供する所存である。第2回では印刷物のオンラインコレクションやデジタルライブラリを中心に紹介したが、第3回はそれ以外のウェブコンテンツ、すなわち書簡など非印刷物のデータベースや分析用アプリケーション、ピアレビューサイトについて紹介する。

■2．18世紀研究に役立つウェブコンテンツ（2）

■2-1．書簡を対象とするオンラインコレクション：EEとCorrespondence and Other Writings of Six Major Shapers of the United States

書簡を対象としたオンラインコレクションとしては、EE（Electronic Enlightenment）［注2］とCorrespondence and Other Writings of Six Major Shapers of the United States［注3］が紹介された。EEはオクスフォード大学ボドリアン図書館によって運用されており、ヨーロッパ、アメリカ、アジアの人々を結ぶ、近世期の書簡を収録するオンラインコレクションである。対象時期は17世紀初頭から19世紀半ばで、10,232名、79,254通の書簡・文書を含み、思想家や学者、政治家、外交官のみならず、肉屋や商人、主婦や召使の考えや関心を見ることができる [注4]。一方、アメリカ国立公文書館がNHPRC（The National Historical Publications and Records Commnission）を通じて管理するCorrespondence and Other Writings of Six Major Shapers of the United States は、アメリカ独立期の6名の政治家 [注5] とヨーロッパ・アメリカに広がる文通相手に関連する文書、計18.3万件以上を対象に、注釈付きで検索可能なテキストを提供している。

■2-2．アレゴリー、自然法のデータベース：Erdteilallegorien, Natural Law 1625-1850

18世紀研究のために紹介されたウェブコンテンツには、これまで紹介してきたように、広く普及していた印刷物やルネサンス以来活発であった書簡ネットワークを明らかにすることを企図したものが多いという印象を持った。印刷物や書簡は、図書館やアーカイブズとのつながりが深く、デジタル化へのハードルが低いということも理由の一つであるように思える。

しかし、印刷物・書簡に限らず、デジタル化の波は押し寄せているようだ。学会において紹介されたほかのデータベースとしては、バロック時代の中・東欧のアレゴリーを集めたErdteilallegorien [注6] や、1625～1850年の自然法学者の生物書誌学的プロフィールをまとめたNatural Law 1625-1850: Database[注7]が挙げられる。ウィーン大学のWolfgang Schmaleをプロジェクトリーダーに据えるErdteilallegorienはマップ、索引、タイムラインからアレゴリーの画像と解説を検索できるようになっている。筆者にとってアレゴリーの読解は専門外のため本データベースの有用性について言及することは避けるが、知識を持ち合わせない人にとって、解説付きで画像を閲覧できることはありがたい。ドイツ語だけでなく、英語にも対応すればユーザはより広がると感じた。なお、本データベースにはサイト運用者が独自に撮影したアレゴリーを掲載しているため、ダウンロードや引用を希望する場合には運用元への連絡が必要な点には注意が必要である。エアフルト大学、イェーナ大学が提供するNatural Law 1625-1850は自然法に関する国際的共同研究の成果物として、国ごとの担当者が作成したページを集めたウェブサイトである [注8]。公開されているデータベースではドイツ語圏の法学者12名のプロフィールを参照できるが、担当者によってデジタル化の方法と範囲に差があるため、現状ではまだ充実しているとは言えないだろう。今後、データが追加され、充実していくことを期待したい。

■2-3．分析の機能を備えたウェブアプリケーション：FBTEE, Commonplace Cultures

テキストや画像、メタデータを提供するウェブコンテンツに対し、分析のツールとしての性格が強いものでは、FBTEE（The French Book Trade in Enlightenment Europe: Mapping the Trade of the Société Typographique de Neuchâtel, 1769-1794）**[注9]** と Commonplace Cultures: Digging into 18th-century Literary Culture **[注10]** が挙げられる。まずウェスタン・シドニー大学が運用するFBTEEは、1769年から1794年まで経営されたスイスの出版社 Société Typographique de Neuchâtel（以下、STN）の取引をマッピングしたウェブアプリケーションである。アプリケーション上では、STNの複式簿記を利用して、ヨーロッパ中、約40,000冊の流通を対象に、ほぼすべての取引が再構築されている。そのため、STNが取引した著者、タイトル、発行者、主題、ジャンル、期間など、さまざまな区分で絞り込んで調べることができる **[注11]**。次に Commonplace Cultures: Digging into 18th-century Literary Culture は、18世紀の出版物に一般的であった文章の借用・再利用例を検索するためのアプリケーションで、シカゴ大学の ARTFL **[注12]** と The Oxford eResearch Centre **[注13]** による共同研究の成果として公開されている。ECCO **[注14]** から抽出された4,000万件以上のテキストデータを対象に、ユーザは複数の出版物の間で文章が借用・再利用されている例を検索できる。

■2-4．Palladio によるデータ可視化例を提供するウェブサイト：Mapping of the Republic of Letters

分析結果を可視化した例を提供するサイトもある。スタンフォード大学を中心に運用されている Mapping of the Republic of Letters **[注15]** では、Publications メニューからヴォルテールやベンジャミン・フランクリン、ジョン・ロックの書簡ネットワーク研究の成果物を見ることができる。本サイトの興味深い点は、分析段階において Palladio **[注16]** で作成されたマップや Breve **[注17]** で作成されたデータスキーマを操作可能な状態で提供している点である。そのため、それらのマップやデータスキーマをユーザが試用でき、データ自体もダウンロードできる。データの二次利用に役立つだけでなく、可視化による分析を研究に取り入れたい人文学研究者にとっても、モデル研究として参考になるのではないだろうか。

■2-5．ピアレビューを集めたウェブサイト：18thConnect

最後に18thConnect［注18］というサイトを紹介しておきたい。18thConnectは18世紀研究に関するデジタル・コンテンツのピアレビュー・システムであり、テキサスA&M大学に置かれたCoDHR（Center of Digital Humanities Research）が運用している。19世紀研究を対象にしたNINES［注19］と共同で制作した独自のガイドライン［注20］に基づく査読に通過したコンテンツが掲載されている。フランスENS（高等師範学校）の調査結果からもわかるように、DHプロジェクトの場合には、DHの専門教育を受けていない人文学者が独学で実践に至る場合も多い［注21］。18世紀研究のための史資料は多岐にわたるため、世界中で多くの研究者がDHに関心を寄せ、それぞれの史資料を用いたウェブコンテンツのプロバイダになっていくことが望まれる一方で、質の担保、情報の拡散も重要なポイントになるだろう。DHの恩恵を受けるユーザにとっても、18thConnectはオンライン上にあふれる情報を整理するサイトとして機能してくれるはずである。

■3．おわりに

前号から2回にわたって紹介してきたウェブコンテンツは、第15回国際十八世紀学会で紹介され、かつ筆者が発表の場に居合わせたものに限定されているが、それでもなお豊富なコンテンツが作成されていることが伝わるのではないかと思う。実際には、上記で取り上げたもののほかにも多くのコンテンツが作成され、各分野の専門家の間で共有されていることだろう。本大会でも新たなDHプロジェクト立ち上げのサポートや教育手法の提案を目的としたパネルセッションがいくつか開かれており、その盛況ぶりを見た限りでは、今後もこのようなウェブコンテンツは充実していくことが予想される。本連載の第4回では、これらDHの発展を後押しするような内容の発表を紹介することとしたい。

▶注

［1］小風綾乃「18世紀研究におけるDHの広がり：第15回国際十八世紀学会（ISECS 2019）

に参加して 第1回：個別発表にみるデータ可視化」『人文情報学月報』97; 同「18世紀研究における DH の広がり：第15回国際十八世紀学会（ISECS 2019）に参加して 第2回：各種ウェブコンテンツの紹介（1）」『人文情報学月報』98.

[2] https://www.e-enlightenment.com/index.html, accessed July 19, 2020.

[3] https://founders.archives.gov/, accessed July 19, 2020.

[4] 一部のコレクションの閲覧には所属機関のサブスクリプションまたは個人での登録が必要である。データベースの使い方は以下を参照のこと：https://www.e-enlightenment.com/info/about/tours/, accessed July 19, 2020.

[5] 対象となっている6名は、ジョージ・ワシントン（1732-1799）、ベンジャミン・フランクリン（1706-1790）、ジョン・アダムズ（1735-1826）（とその家族）、トマス・ジェファソン（1743-1826）、アレクサンダー・ハミルトン（1755-1804）、ジェームズ・マディソン（1751-1836）である。

[6] https://erdteilallegorien.univie.ac.at, accessed July 19, 2020.

[7] http://naturallawdatabase.thulb.uni-jena.de/home.html, accessed July 19, 2020.

[8] https://www.uni-erfurt.de/max-weber-kolleg/forschungsgruppen-und-stellen/natural-law-project/program/, accessed October 31, 2019.

[9] http://fbtee.uws.edu.au/main/, accessed July 19, 2020.

[10] https://commonplacecultures.org/, accessed July 19, 2020. 検索フォームは以下：http://commonplacecultures.uchicago.edu/, accessed October 31, 2019.

[11] 使用方法については動画チュートリアルを参照：http://fbtee.uws.edu.au/main/tutorials/, accessed July 19, 2020.

[12] ARTFL（American and French Research on the Treasury of the French Language）は、幅広いフランス語コーパスの編集（12-20世紀）と、研究者が容易にアクセスできるシステムの作成を目指すプロジェクトである。https://artfl-project.uchicago.edu/, accessed July 19, 2020.

[13] https://www.oerc.ox.ac.uk/, accessed July 19, 2020.

[14] GALE が運営する ECCO（Eighteenth Century Collections Online）は、「18世紀に英国およびその植民地で刊行されたあらゆる印刷物と、それ以外の地域で刊行された英語印刷物を収録対象とするオンライン版アーカイブ」（https://myrp.maruzen.co.jp/book/ecco/, 最終閲覧日2020年7月19日）である。公式サイトは以下。https://www.gale.com/intl/primary-sources/eighteenth-century-collections-online, accessed July 19, 2020.

[15] http://republicofletters.stanford.edu/, accessed July 19, 2020.

[16] Palladio はスタンフォード大学が開発したデータ可視化ソフトである。ブラウザ上で動き、CSV ファイルまたはスプレッドシートを読み込ませるだけで容易にマッピング、ネットワーク図、表、ギャラリーを生成できる。http://hdlab.stanford.edu/palladio/, accessed July 19, 2020.

[17] http://hdlab.stanford.edu/breve/, accessed July 19, 2020.

[18] https://18thconnect.org/, accessed July 19, 2020.

[19] https://nines.org/, accessed July 19, 2020.

[20] https://18thconnect.org/about/wp-content/uploads/2011/12/18thc-guidelines.doc, accessed July 19, 2020.

[21] 2018年末に発表されたレポートによれば、ENS 内の DH 実践者67名のうち、専門的な DH の初期教育を受けた者は2名にとどまり、大部分は組織内の研修または独学で DH を学んだと回答した。詳しくは調査結果の 3) Métiers et outils des acteurs en humanités numériques à l'ENS を参照：https://digithum.huma-num.fr/enquete/, accessed July 19, 2020.

18世紀研究におけるDHの広がり 第4回 大学での教育実践と新たなDHプロジェクトの支援
—第15回国際十八世紀学会（ISECS 2019）に参加して—

2019-11-30

小風綾乃

■1．はじめに

2019年7月14日（日）から19日（金）にかけて、エディンバラ大学にて第15回国際十八世紀学会（International Society of Eighteenth-Century Studies）大会（以下、ISECS2019）が開催された。筆者は18世紀研究におけるデジタル・ヒューマニティーズ（以下、DH）の広がりを概観すべく、8月号より、本大会の参加報告を連載している［注1］。第4回である本節は、参加記の最終回として、大学における教育実践に関するセッションや、新たなDHプロジェクトの支援に関するセッションについて簡単に紹介することとしたい。

■2．大学における教育実践

15日に開かれたラウンドテーブル“The Digital Eighteenth Century: Directions and Opportunities”では、ヘルシンキ大学、ジョージア工科大学、メリーマウント大学、セゲド大学におけるDH教育の実践例が取り上げられた。本節では、メリーマウント大学のTonya Howeによる発表について紹介したい［注2］。彼女の発表では、Literature in Context［注3］というオープンリソースを用いて、1660～1830年の著名な英文学者の生きた時代に関する理解を深める、という学部生向けの授業実践が紹介された。彼女の指導する学部生は、文学に関する専門知識は発展途上の段階にあり、プログラミングなどの情報技術はほとんど持たないとのことであった。彼女の主張は、その教育段階における限界を認識した上で、操作の容易なデータ可視化ソフトウエアを利用したり、授業の中でTEIマークアップを共同で進めることで、研究対象に対する理解を深めるとともに、DHに対する関心と知識を養成するのがよいだろうというものであった。

筆者は自身の経験から、初学者にとって、当事者性がDH実践への扉を開く大きなきっかけになりうると考えている。そのため、導入的位置づけでデータ可視化ソフトを利用し、自身や、自身の分野に関連する研究材料を使ってみるという教育実践の在り方は説得的であるように思えた。DHに触れる多くの学生は、自身の研究に活きる可能性が自身の研究材料によって示されることで、研究の道具としてのデジタル技術や知識の有用性を認識し、実践者になることを促されるのではないだろうか。

Tonya Howeの発表では学生が作成した可視化データが次々に紹介されたが、そのようなDH教育が学生のその後の研究にどのように活きたのかに言及がなかったことは残念に思った。というのも、彼女らのラウンドテーブルのテーマは「方向性と好機」であり、まだ教育や研究にDH的アプローチを取り入れていない層にそのアプローチの有用性を示すためのものであったように筆者には思えたからだ。教育に取り入れるかを迷っている教員にとっては、DH的アプローチがその後の学生の研究に活きたという、具体的な事例が示されるとなおよかったのではないだろうか。

第2部 時代から知る
古代
中世
近世
近現代

■3. 新たなDHプロジェクトの支援

18日には、Emily Friedmanによって新たなDHプロジェクトを支援するためのワークショップが開催された[注4]。同ワークショップは、参加者が配布されたシートの項目を埋めながら、自らのDHプロジェクトの構想を練るものであった。同じワークショップに参加した研究者とのディスカッションを通して、自分たちに必要なものを練り上げていくプロセスは、自らのデジタル技術に関する知識の不足からくる不安を取り除くのに効果的であろう。

このような不安の例には、前項で挙げた“The Digital Eighteenth Century: Directions and Opportunities”の主宰者Mikko Tolonenが言及していたものがある。彼はラウンドテーブルの導入として、DHプロジェクトでデータを作成する際には、そのプロジェクトが大規模であればあるだけ、研究成果を発表するまでに時間がかかるという危惧と、データ・クリーニングにかかる労力が大きいという難点を挙げた。またRóbert Péterは、同ラウンドテーブルにおいて、多くのDH研究が公開されているものの、コードの公開は不十分であるように思えることから、プロジェクトの再現・再生産は可能なのか、という疑問を投げかけた[注5]。このように、DH プロジェクトの中ではさまざまな困難や課題が立ち現れてくるだろう。Friedman が主宰したようなワークショップを、そのような困難や課題を解決するための糸口として利用できるとよいのではないだろうか。

近年、国内の人文系の学会でも DH に焦点が当てられた研究や企画が徐々に増えてきたことを踏まえると、デジタル史資料がこれほどまでに流布し、さらに爆発的な増加が見込まれる現在、人文学者がデジタル史資料やデジタルツールの使い方を学ぶ必要性はますます高まっていくことだろう。その結果として独学で DH の世界に足を踏み入れざるを得なくなる研究者も少なくないと思われる。そこで、人文系の学会で DH プロジェクトそのものをサポートするような企画、すなわち、成果発表の場としてではなく、研究手法を学び、その場でフィードバックを得られるような勉強会としての性格を持つ企画が組まれることは、コミュニティ全体の DH に関する知識の底上げに寄与し、デジタル研究環境の整備への気運を高める上で有益であるように感じた。

■4．おわりに

第 15 回国際十八世紀学会における DH 関連発表の全体を見通してみると、プロバイダによる情報提供だけでなく、専門研究における実践例、未来の実践者の心がけと教育方法の検討までをカバーしており、この機会に DH について理解を深めたい研究者にとってバランスのとれた構成をしていた。また、発表者だけでなく参加者も DH に対するリテラシーが高く、技術的な質問や DH 的アプローチの意義を批判的に問う姿勢が見られた。

今回の DH 関連発表の多くに共通して見られた特徴は、データベースやコレクションに依存した研究が多かったという点である。このような発表の多くは、データベースやコレクションを作成したチームが、自分たちの成果物がどのような性格を持ち、どのような分析に適用しうるかを示したものであった。このようなコンテンツ依存の分析は、作成者によるアピールの手法としては有効だが、広範なデータベースを紹介した一部の発表において、18 世紀の書物の性格を一般化するような見解が示されたことには疑念をもった。当時の出版物すべてを収集することは物理的に不可能なため、どれほど広範なデータベースを使ったとしても、分析結果の一般化には慎重になるべきである。デジタル史資料の利用の際には、紙媒体と同じく、データベースやコレクションの性質や限界を把握することが大切である。

とはいえ、データベースに含まれるデータが特定の史資料に特化し、かつその史資料に関しては網羅的であるために、含まれる史資料の性格について明示しやすいものもある。本連載で紹介したデータベースの中では、ハプスブルク帝国の最重要メディア Wien[n]erische Diarium の画像・テキストデータを集めた DIGITARIUM［注 6］や、パリ王立科学アカデミー（1666-1793）の『年誌・論文集』のテキストデータを集めた MHARS［注 7］が該当するだろう。種々の出版物を扱うような広範なデータベースの場合には、フィルタリングによって対象を限定することで、紙で閲覧するのと同様に、史料批判を行い、信頼性の高いデータを使って分析する可能性が開かれるだろう。

データだけでは十分でない。今後 DH の実践者が増加するとともに充実していくことが予想されるこれらのデータを適切に利用していくためには、ユーザのリテラシー向上が要となる。データ利用や分析手法などの理解を通してユーザが批判的実践者となっていけば、リソース全体の質も向上し、特定の史資料に特化したリソースもその真価を発揮しやすくなるだろう。

人文系の研究にデジタル技術が浸透していくにつれ、ユーザ側のリテラシー形成が急務になってきているように思う。全員が DH プロジェクトの牽引（けんいん）者にならずとも、広くアンテナを張って情報を収集したり、利用してみた上でそれが自らの研究に役立ちうるのかを判断できるようになればよい。本連載は、これまであまり DH の流れに関心のなかった 18 世紀研究者が、DH に興味を持ったタイミングで役に立てば、との願いを持って書いてきた。本連載で紹介した内容は一部であるし、筆者の力不足で伝えられない情報もたくさんあったため、18 世紀研究に限らない、より詳しい DH 関連技術や概念については、『歴史情報学の教科書：歴史のデータが世界をひらく』［注 8］などをご参照いただきたい。

▶注

［1］小風綾乃「18 世紀研究における DH の広がり：第 15 回国際十八世紀学会（ISECS 2019）に参加して 第 1 回：個別発表にみるデータ可視化」『人文情報学月報』97（August, 2019）; 同「18 世紀研究における DH の広がり：第 15 回国際十八世紀学会（ISECS 2019）に参加して 第 2 回：各種ウェブコンテンツの紹介（1）」『人文情報学月報』98（September, 2019）; 同「18 世紀研究における DH の広がり：第 15 回国際十八世紀学会（ISECS 2019）に参加して 第 3 回：

各種ウェブコンテンツの紹介（2）」『人文情報学月報』99 (October, 2019).

[2] Tonya Howe, "DH Pedagogy & Open Educational Resources (OER)", in "The Digital Eighteenth Century: Directions and Opportunities" (roundtable), ISECS 2019, July 15, 2019.

[3] Literature in Context は、49名の作家たち（近日公開含む）の、文学的、政治的、知的、社会的、文化的な文脈における、生き生きとした、入手可能な比較的短いエッセイを提供することで、彼らの生涯や作品について明らかにし、啓発するための総合的な情報や解説を掲載している。https://www.cambridge.org/core/series/literature-in-context/7F33BBA656571804864A3787944D845C, accessed July 19, 2020.

[4] Emily Friedman, "Getting Started with Digital Humanities: A Collaborative Workshop," ISECS 2019, July 18, 2019.

[5] Róbert Péter, "The Fuzziness of DH Research," in "The Digital Eighteenth Century: Directions and Opportunities" (roundtable), ISECS 2019, July 15, 2019.

[6] https://digitarium-app.acdh-dev.oeaw.ac.at/start.html?id=jg17xx, accessed July 19, 2020.

[7] ただし、MHARS は現在進行中のプロジェクトであり、全巻の公開はまだ先となる。http://editions.ihpc.huma-num.fr/mhars/accueil, accessed July 19, 2020.

[8] 後藤真・橋本雄太編『歴史情報学の教科書：歴史のデータが世界をひらく』（文学通信、2019）。同書は紙書籍版のほか、PDF/epub/mobi でも提供されており、無料ダウンロードできる。http://repository.bungaku-report.com/htdocs/?action=pages_view_main&active_action=repository_view_main_item_detail&item_id=30&item_no=1&page_id=3&block_id=8#_8, accessed July 19, 2020.

序——近現代

山中美潮

■1. 近現代の特徴とは何か

「近現代」という時代区分に入るデジタル・ヒューマニティーズ研究は数多い。それは、ただでさえ学際的で裾野の広い欧米圏のデジタル・ヒューマニティーズ研究が無限に続いているような印象すら与えるかもしれない。「近現代」の特徴にまず史資料の多様性がある。時代が進むにつれ、残された史資料の総数は増加し、媒体が多岐にわたるようになった。現在進行形の事象や存命の人物に関する歴史や著作も研究対象に含まれることもある。これは史資料のデジタル化・保存法・検討方法の可能性が大きく広がったことを意味する。次に「近現代」にはデジタル・ヒューマニティーズという学問分野そのものも相対化され検討される。デジタル・ヒューマニティーズの礎石となった、ヒューマニティーズ・コンピューティングの登場は 20 世紀中葉であり、すでに半世紀以上の月日が流れた。こうした歴史からデジタル・ヒューマニティーズ研究の発展を批判的に考察し、また歴史学・文学・言語学などの諸学問内やその関係性においてどう体系化・理論化されてきたか振り返る試みも盛んに行われている **[注 1]**。

■2. グローバル化という特色

以上のように幅広い特色を持つ「近現代」欧米圏のデジタル・ヒューマニティーズであるが、本章を貫くテーマには「グローバル化」、「ローカル化」、「史料批判・資料批判への取り組み」が挙げられる。「グローバル」とは国民国家の枠にとどまらず、世界の連関の中で社会や史資料を理解するために歴史学などで積極的に取り入れられてきた「概念」である **[注 2]**。一方で、「グローバル化」はデジタル・ヒューマニティーズ研究「実践」の特色でもある。菊池信彦「第一次世界大戦 100 周年をめぐるデジタルヒューマニティーズの最近の成果と今後の課題」は第一次世界大戦関連史資料の大規模なアーカイブ化を追う。第一次世界大戦は現代の幕開けを象徴する世界戦争であり、2010 年代には戦争 100 周年を記念しヨーロッパ諸国で大戦史料のデジタル化が進んだ [注 3]。特に、クラウド・ソーシングを活用した大きなプロジェクトが進行したという。菊池によると、それは欧州にとどまらず、オセアニア諸国でも取り組まれている。まだまだ西洋中心であるが、デジタル化が世界同時に進むことで、そしてより多様な史資料が集積されることで、従来の研究射程がさらに拡大するという相乗効果が期待される。

■ 3．各地域独自の知の伝統

一方、デジタル・ヒューマニティーズ研究の多くが、西洋諸国の各地域で育まれてきた独自の知の伝統を反映してきたことにも注目するべきであろう。松下聖「ロシアにおける電子図書館と著作権」、「ロシアにおける大規模コーパスと電子テキストの可能性」はロシアの情報基盤構築体制を紹介し、多くの日本人にとってなじみのない東欧におけるデジタル・ヒューマニティーズの可能性を論じている。長野壮一「フランス現代歴史学におけるＤＨの伝統」はデジタル・ヒューマニティーズにアナール学派の系譜があることを見いだす。地域社会の事情がデジタル・ヒューマニティーズに影響を及ぼすことも少なくない。山中美潮「アメリカ史研究におけるデジタル・マッピングとパブリック・ヒストリー」ではアメリカ合衆国のデジタル・ヒストリーにおいてマッピングが盛んになった背景に、パブリック・ヒストリーとの親和性があったことを指摘した [注 4]。

■ 4．史料批判・資料批判への取り組み

最後に「史料批判・資料批判への取り組み」に触れておきたい。船田佐央子「デジタル時代におけるディケンズの文体研究」が論ずるように、多くの文献がデジタル化されテキスト解析ができるようになったことは、より大規模な言語分析を可能にした。しかし船田はデジタル分析にも研究者自身の考察・意味づけは重要であると言う。菊池信彦「デジタル史料批判を学ぶ 教育・学習プラットフォーム Ranke.2 について」では、史料のデジタル化そのものに対する批判的考察をどう行うべきか、ルクセンブルク大学現代史・デジタル・ヒストリー研究センター（C2DH）の Ranke.2 の取り組みを紹介して

いる。また、ボーンデジタル資料は現代研究の大きな特徴である。北村紗衣「イベントレポート Girls and Digital Culture: Transnational Reflections on Girlhood 2012」ではオンライン・コミュニティーでの会話などを対象に、どういった研究が進んでいるのか詳細に報告している。

■5. これからの難しいかじ取り

ここまで見てきたように、近現代のデジタル・ヒューマニティーズは地域や国独自の学術的土壌や社会的要請の影響を受けつつも、国境を越えた展開を遂げつつある。また史資料の多様化への批判的考察はこれからますます必要になってくると考えられる。西洋世界を研究しデジタル・ヒューマニティーズに取り組む我々には、研究対象地域のローカルな事情を考慮しつつ、グローバルな研究コミュニティーの一員として知的貢献するという難しいかじ取りが求められるだろう。

▶注

[1] Susan Schreibman, Ray Siemens, and John Unsworth, eds., *A Companion to Digital Humanities* (Oxford: Blackwell, 2004), accessed July 19, 2020, http://www.digitalhumanities.org/companion/; Matthew K. Gold and Lauren F. Klein, "Introduction: A DH That Matters," in *Debates in the Digital Humanities 2019*, ed. Matthew K. Gold and Lauren F. Klein (Minneapolis: University of Minnesota Press, 2019), accessed July 19, 2020, https://dhdebates.gc.cuny.edu/read/untitled-f2acf72c-a469-49d8-be35-67f9ac1e3a60/section/0cd11777-7d1b-4f2c-8fdf-4704e827c2c2#intro.

[2] 歴史学におけるグローバル・ヒストリー論に関しては、水島司『グローバル・ヒストリー入門』(東京：山川出版社 , 2010)；羽田正編『グローバル・ヒストリーの可能性』(東京：山川出版社 , 2017) を参照。

[3] 中野耕太郎「第一次世界大戦と現代グローバル社会の到来：アメリカ参戦の歴史的意義」秋田茂・桃木至朗 (編著)『グローバルヒストリーと戦争』(吹田：大阪大学出版会 , 2016) , 107-36;山室信一「世界戦争への道、そして「現代」の胎動」山室信一・岡田暁生・小関隆・藤原辰史 (編)『現代の起点：第一次世界大戦』第一巻、世界戦争 (東京：岩波書店 , 2014) , 1-28.

[4] パブリック・ヒストリー論、日本における実践に関しては、菅豊、北條勝貴編『パブリック・ヒストリー入門：開かれた歴史学への挑戦』(東京：勉誠出版 , 2019) を参照。

ロシアにおける電子図書館と著作権

2011-12-30

松下　聖

著作物の「コピー天国」と称されるロシア。実際ロシアの都市では、明らかに海賊版のDVDやCDが露店で堂々と売られている。近年は取り締まりも強化されたようだが、ネットを探せば多くのMP3等のデータファイルが無料でダウンロードできてしまう。

電子書籍についても例外ではなく、電子図書館（Электронная библиотека: elektronnaya biblioteka）や電子図書（Электронная книга：elektronnaya kniga）と検索すると、無料で古典から現代の文芸作品等を読めるサイトが星の数ほどヒットする。もちろん有料販売や著作者の承諾を得て配信しているサイトもあるのだが、違法な配信が約8割を占めるというから驚きだ。

その一方で、ロシア連邦政府は近年、著作権法や図書館法を改正し、ネット上で電子資料を扱う枠組みの構築や、公的な電子図書館の整備に向けて本格的に動き出している。

本節ではそんなロシアにおける、電子図書館および著作権にまつわる歴史や最新事情を紹介する。

■1．ロシアの著作権事情

ロシアの著作権事情は、ソ連時代から主に法学研究者によって日本にも紹介されてきたほか、現在は知的財産との関連で日本貿易振興機構（ジェトロ）等も最新情報を伝えている。このほかロシア語ソースも参考にし、ロシアにおける著作権法の変遷をたどってみよう。

・ソ連時代

まず、ロシア連邦の前身であるソヴィエト連邦では、1928年に著作権基本法が制定され、次いで1961年にソヴィエト民事基本法が制定された。

1961年以降はこの基本法をもとに、ソ連を構成する15の各共和国はそれぞれの民法典で著作権についての規定を設けたが、基本理念は1928年からソ連崩壊の直前まで変わることはなかった。それは、何よりも優先されるのは著作者ではなく、公共（＝国家）と社会主義社会の利益である、という点である。よって、著作権の国家管理は当然であり、検閲によって国家・共産党の意に沿わない著作物の発行は制限された。

■1-1．93年法～2004年の「著作権スキャンダル」

しかしペレストロイカ末期の1991年に民事基本法は全面改定され、西側諸国と同様の文言を入れた、著作権と著作隣接権に関する諸規定が置かれた。結局、この基本法が発効される前にソ連は崩壊してしまったが、翌年から暫定的にロシア連邦法として機能した。そして1993年には、同基本法の内容を受け継いだ「著作権及び隣接権に関するロシア連邦法」（以下、「93年法」と記す）が発効された。1995年には著作権に関わる国際条約「ベルヌ条約」も批准し、ひとまずの法体系は整った。

次に著作権法の大きな改訂が行われたのは、2004年である。1990年代後半からインターネットが普及し始めたことで、インターネット上での著作権という新たな問題も現れた。特に書籍をスキャンし、OCRを施して文書化し無料で公開する「電子図書館」の登場は、作家らの権利意識を刺激し、法廷闘争にも発展した。2004年、電子書籍の有料販売を手掛ける「KMオンライン」と著作権契約をしていた人気作家数名が、無料の電子図書館「マクシム・モシュコフ図書館」**[注1]** の創設者らを著作権侵害のかどで告訴した。KMオンラインが独占権を持つはずなのに、モシュコフ図書館で無料公開されていたからだ。結局、モシュコフ図書館側が和解金を払って問題は解決されたが、同図書館の活動は低調になっていった（ちなみに、KMオンラインも翌々年に著作権侵害で告訴されている）。

こういった問題がクローズアップされている最中、著作権法の改訂が行われた。この改訂においては、インターネット上での著作物の利用を作者が制限できる権利と並び、図書館による電子化に関する規定が盛り込まれた。著者の許諾・使用料の支払いなしの利用を定めた93年法の第19条2項では、図書館が一時的・無償で電子版の書籍を提供する場合は「電子コピーの作成が不可能という条件において、図書館内でのみ提供される」とされ、制約はあるものの図書館における書籍の電子化について、初めて法的な枠組みが提供されたのである。

■1-2．2008年――著作権法の「格上げ」

それから4年後の2008年には、さらなる改革が行われた。ロシアの法体系の中で基幹となる「ロシア連邦民法典」の第4部に、著作権と隣接権に関する規定が置かれたのである。これは、それまでの「連邦法」という地位からの「格上げ」を意味する。同法でも、図書館による電子化に関する規定が「情報提供、科学、教育、文化目的における著作物の自由な使用」を定めた1274条2項に設けられた。なお、この規定は同時期に改訂された政府の図書館振興計画と表裏一体の関係にあり、図書館法に「国立図書館は古典資料、貴重資料、科学・教育関連資料の電子化を実行できる」とした条項（18条）が追加され、さらに2009年にはロシア第二の都サンクト・ペテルブルクに「エリツィン記念大統領図書館」という、電子資料中心の図書館が開設された。

このように、ロシアにおける著作権法は、ソ連時代からの大変革と、ここ数年のめまぐるしい変化を経験している。著作権法は年々厳格化していく一方で、それと矛盾しない範囲で、公的な電子化事業も進めたいというロシア政府の意思が、著作権法の変遷によく表れている。それでは最後に、そういった政策を受けて発展を続けている、二つのロシア国立図書館を紹介しよう。

■2．ロシアの国立「電子図書館」

■2-1．エリツィン記念大統領図書館［注2］

エリツィン元大統領の名を冠したこの図書館は、2009年5月27日（図書館の日）、サンクト・ペテルブルクに開設された。ロシア初の「電子図書館」であり、「読書室」のコンピュータで所蔵資料約85,000点すべてを閲覧することができる。所蔵されているのは古代から現代までのロシアに関する歴史資料など人文学系が中心だが、農業、科学分野の資料もそろえられている。

すでに著作権が切れている、または著者と合意ができている一部の資料は、外部からブラウザ上のビュワーで閲覧することができる。例えば、日本（Япония：Yaponiya）と検索すると、1924年に出版された「日本の地震」に関する本や、日本に関する外交文書がヒットし、画像で見ることができる。またテーマごとに分けられた72の「コレクション」があり、ロシア連邦内各州の歴史や、フィンランド、イタリア、中央アジアなど近隣諸国についての資料をまとめて閲覧することができる（中国と韓国のコレクションはあって日本のものはないが、いずれコレクションに加わることを期待しよう）。

このように、歴史好き、ロシア好きには垂涎（すいぜん）ものの資料が堪能できる。英語版ページも整備されているので、興味のある方はぜひ訪れてみていただきたい。

■2-2. 国立図書館［注3］

140年以上の歴史を誇り、モスクワに本館があるロシア国立図書館（蔵書数4,300万点）も「電子図書館」を持っている。「論文」（約400,000点）、「一般書籍」（79,457点）、「古文書」（8,401点）、「楽譜」（13,329点）の4部門があり、大統領図書館と同様に一部資料は外部からの閲覧もできる。閲覧できる形式は、DifviewとDVSという電子書籍に特化したファイル形式に加え、オンライン上に公開されている資料の場合はPDFとブラウザ（オンラインビュワー）でも見ることができる。

同図書館は特に学術書や教科書の電子化に積極的である。楽譜コレクションの公開も、教育を目的としたものである。また権利問題にも敏感であり、ページ内の目につくところに「権利情報」として民法典の引用を載せている。

ちなみに、国立図書館総裁のヴィクトル・フョードロフ氏と館長のアレクサンドル・ヴィースリー氏（2012年当時）はメディアへの露出も多く、雑誌インタビューやカンファレンスなどでたびたび電子化と権利の問題に言及している。今後とも、彼らと、国会図書館および大統領図書館がロシアにおける公的な電子図書館の発展を牽引していくことだろう。

以上、ロシアにおける著作権および電子図書館の状況を紹介してきたが、いかがだろうか。冒頭でロシアを「コピー天国」と称してしまったが、法的には著作権の扱いは非常に厳格であり、公的機関と権利所有者における意識も相当高まっていることがうかがえた。そして国立図書館など公的機関は、電子化への要望と現実の権利問題の間で板挟みになりながらも、着実に歩を進めている。

日本も図書資料の電子化に積極的に取り組む一方で著作権の問題が足かせとなるという同様の課題を抱えている以上、お互いに学ぶ点は多いのではないだろうか。内閣府の世論調査によると、「ロシアに親しみを感じない」人の割合は82.9%（平成23年度）であるそうだが、著作権問題や電子図書館構築などでは、意外とよきパートナーとしてやっていけるかもしれない。政治や経済だけではなく、この分野においても今後のロシアの動向は要注目である。

▶主な情報源（年代順）

- 石川惣太郎「著作権法の変遷：ソビエトからロシアへ」『成城法学』48 (1995): 293-310.
- 桂木小由美「ロシア国立図書館のIT化」『カレントアウェアネス』269 (2002): 3-4, 最終閲覧日2020年7月19日、http://current.ndl.go.jp/ca1447.
- 石田三郎「ロシア ネット図書館告訴と著作権法の改定」『出版ニュース』2005（2004): 28.
- 兎内勇津流「ロシアの公共図書館の現状とその発展構想」『カレントアウェアネス』303 (2010): 14-16, 最終閲覧日2020年7月19日、http://current.ndl.go.jp/ca1710.
- 服部玲「海外出版レポート ロシア 書籍のデジタル化と著作権」『出版ニュース』2232（2011): 30.
- 日本貿易振興機構（ジェトロ）「ロシア　知的財産に関する情報」最終閲覧日2020年7月19日, http://www.jetro.go.jp/world/russia_cis/ru/ip/.
- Copyright.ru：著作権に関する情報ポータルサイト http://www.copyright.ru/
- ロシア電子図書館協会：電子図書館に関する最新情報や、識者によるさまざまな意見を読むことができる http://www.aselibrary.ru/.

▶注

[1] マクシム・モシュコフ図書館, accessed July 19, 2020, http://lib.ru/.
[2] エリツィン記念大統領図書館, accessed July 19, 2020, http://www.prlib.ru/.
[3] ロシア国立図書館, accessed July 19, 2020, http://elibrary.rsl.ru/.

ロシアにおける大規模コーパスと電子テキストの可能性

2012-01-27
松下　聖

ロシアでは、エリツィン記念大統領図書館などを中心として、テキストの電子化とアーカイブが積極的に進められている。電子化されたテキストは単に読まれるだけではなく、「分析」という新たな可能性ももたらしている。本節では、分析を目的に構築された、いわゆるコーパスシステムのあらましと、ロシアにおける大規模コーパスの実例を紹介することで、電子テキストが持つさまざまな可能性を探っていきたい。

■1．コーパスとは何か

「コーパス」というと、数年前にNHKで放送されていた「100語でスタート英会話」に登場する、バッタとえんどう豆と人間を融合させたような奇妙なキャラクター「コーパス君」を思い出す方もおられるだろう。何を隠そう、私もその一人だ。中学～高校時代に、英語学習の供としてたまにお世話になった記憶がある。実はこのコーパス君、今回の話と非常に深い関わりを持っているのだ。

『応用言語学事典』によると、コーパスとは「タグ付けされ、構成をもつ電子化された大規模なテキスト（言語資料）の集合」を指す言語学の専門用語である。著作権が消滅した文学作品が公開されている青空文庫に代表されるようなテキストアーカイブは、この定義からいくとコーパスではない。しかし、仮に青空文庫のテキストすべてに形態素解析（単語ごとバラバラにし、品詞を判別すること）を行いデータベース化したら、これは典型的なコーパスになる。このように言語資料（文字だけでなく音声も含む）に、ジャンル、出典、文法情報などさまざまな情報（タグ）を付加して検索可能にしたものが、コーパスである。

コーパスにもさまざまなものがあり、ジャンルや時代を限定した非公開のコーパスから、さまざまなジャンル、時代の膨大な言語資料を集めて一般公開されている大規模なコーパスまで存在する。代表的な大規模コーパスの筆頭には、ブリティッシュ・ナショナル・コーパス（BNC）[注 1] があげられよう。BNC は 1994 年に構築された英語コーパスで、自然科学、人文科学から文学作品、パンフレット、手紙、日記などあらゆる書き言葉と、日常会話が集積されている。総語数は約 1 億語と、世界最大規模である。日本語の大規模コーパスには、国立国語研究所の「KOTONOHA 計画」（2006 年〜）[注 2] があり、構築されたコーパス（少納言 [注 3]、中納言 [注 4]）が順次公開されている。もちろん、このほかにも大小さまざまなコーパスが存在し、ブラウザ上で利用できたり、データをダウンロードできたりする。

BNC や KOTONOHA といった大規模コーパスの多くはインターネット上に一般公開されており、無料・登録なしで使える場合もあれば、登録や使用料の支払いが必要な場合もある。使い方は、ネットの検索エンジンのような検索窓に検索したい単語を入力し、検索窓の近くや別窓にあるチェックボックスやリストで条件を設定して検索ボタンを押すだけ。あとは、出典と共に、入力した単語が含まれる文章がリストになって表示される。KOTONOHA 少納言は誰でもすぐに使えるので、コーパスを一度も使ったことのない方は、ぜひ試していただきたい。

こういったコーパスの利点は、信頼できるテキストデータを、さまざまな条件の組み合わせで検索できるという点だ。Google などの検索エンジンの方が確かにデータ量は勝るが、語彙検索以外はできない、出典や著者、作成時期が不明確な場合が多いなど、そのまま研究に活用するには難がある。一方でコーパスの場合はふつう、出典や作者、時代などテキストの情報に加え、単語ごとの文法情報（品詞、性、数、格……）も付与する。

では、コーパスの存在によりどういったことが可能になるのか。コーパスはもともと言語研究のために作られたので、言語学研究、文学研究に利用できるのはもちろん、辞書編纂や教育など、より実用的な分野での活用も期待できる。辞書編纂では、すでに三省堂「ウィズダム英和辞典」がコーパスを利用している。冒頭で紹介した NHK の英語教育番組も、前述の英語コーパス BNC を活用して、頻出単語やよく使われる構文を効率よく学習していこうという趣旨のものだった。「コーパス君」の名前の由来も、もちろんここにある。

このほかにも、アイデア次第でさまざまな分野への応用が可能になるだろう。コーパスは、決して言語学者の専売特許ではないのだ。

■2. ロシア語コーパスの歴史

「コーパス」のあらましを紹介したところで、本題のロシア語コーパスに話を進めよう。

ロシア語コーパスの歴史は、実はロシアではなくスウェーデンのウプサラ大学が1990年代前半までに構築した、いわゆる「ウプサラコーパス」から始まる。ウプサラコーパスは1960年代から80年代までの文学作品、1985年から89年にかけてのさまざまな専門分野のテキスト計600点から、100万語を抽出してデータベースとした。しかし形態素解析はされておらず、語形変化の検索にも対応できていなかった（ロシア語は英語に比べ語形変化が複雑なので、原形でしか検索できないのではあまり役に立たないのだ）。

その次に注目を集めたのは、これまたロシアではなくドイツ・チュビンゲン大学が1999年から構築を始めた「チュビンゲンコーパス」である。こちらはウプサラコーパスのデータに雑誌なども追加して総語数を1,400万語まで積み上げ、さらに形態素解析もしてインターネット上に公開された、現代的な意味でいう初めての実用的なコーパスシステムである。しかし、2004年でプロジェクトが終了したため、データの更新や改良は望めない。

ロシア"国産"の大規模コーパスが登場し始めるのは、2000年代になってからである。

モスクワ大学語彙論・辞書学研究所は、20世紀末にロシア国内で発行され13の新聞を資料とした「新聞テキストコーパス」**[注5]** を2000年から構築し始めた。総語数は1,100万語以上で、思想や地域の偏りがないよう、左右、全国紙、地方紙をバランスよく集めたという。

そして同時期から、ロシア科学アカデミーがついに「ロシア語ナショナル・コーパス（RNC）」**[注6]** のプロジェクトを始動させた。RNCは、いわばロシア版BNCであり、さまざまなジャンルのことばを包括した、代表性をもつコーパスが目指された。2003年に公開され、現在まで発展を続けている。総語数は3億語を超えるとされ、世界でも有数の規模のコーパスとなっている。次節では、このRNCについて詳しく紹介しよう。

■3．ロシア語ナショナルコーパス（RNC）について

RNCを利用するのに登録の必要はない。まず、トップページにアクセスすると、右側に更新情報、左側にメニューが表示される。そのメニューの中にある“Поиск в корпусе”をクリックすると、右側のフレームに検索窓が表示されると同時に、右上に10個の新たなメニューが表示される。ここから使いたいコーパスを選び、あとは検索窓に単語を打ち込み、条件を選択して“искать”（検索）ボタンを押せばよい。また、英語ページもある（ただし、利用できるコーパスは限られる）ので、ロシア語を全く知らない方も、ぜひ一度訪れてみていただきたい。

RNCのロシア語版では、実にさまざまなコーパス検索が可能である。RNCで利用できる10個のコーパスを、次に紹介しよう。

・【1】基本コーパス

18世紀から21世紀初頭までの文学作品（戯曲含む）テキストのコーパス。トルストイ、ドストエフスキーをはじめとした古典の大御所から、ペレーヴィンなど現在も活躍する作家の作品も含まれている。RNCのメインとなるコーパスで、総語数は2億語近い。時代や作者を限定しての検索も、もちろん可能だ。検索結果に表示されるタイトル部をクリックすると、作家情報、ジャンル、出典など計21項目の情報が表示される。

・【2】統語コーパス

文の構造（統語）を樹形図で示して、単語間の統語関係を検索できるコーパス。検索結果の“Показать структуру”をクリックすると、言語学徒にはおなじみの樹形図がPDF形式で表示される。

・【3】新聞・現代マスメディアコーパス

1990～2000年代のマスメディア（新聞、雑誌など）に掲載された記事のコーパス。

・【4】対訳コーパス

英・独・ウクライナ・ベラルーシ語とロシア語の対訳テキストが表示されるコーパス。4言語からロシア語へ翻訳されたもの、ロシア語から4言語へ翻訳されたものの双方を含む。オリジナル言語、訳出言語の細かい設定は、検索結果画面の右上メニュー“выбрать под корпуса”から行える。

・【5】方言コーパス

ロシア語の方言が検索できるコーパス。収録された年代、地域、テーマなどの情報が付与されている。

・**【6】詩文検索**

韻律など、詩特有の形式をかなり詳細に検索できるコーパス。作家名や年代での検索も可能である。

・**【7】教育用コーパス**

小～高校生、ロシア語学習者、または教師を利用者として想定したコーパスである。さまざまなジャンルの資料約 65,000 点を、複雑な文章を簡潔な文章へと編集してデータベースにしてある。調べてみると、確かに簡潔な文例が表示され、文章を書く時の手本にできそうだ。

・**【8】口語コーパス**

口語文が検索できるコーパス。インタビューや、台本の台詞、日常生活の会話が資料となっている。話し手の性別や年齢なども細かく指定することができる。

・**【9】アクセントコーパス**

ロシア語は、各単語に必ず一つアクセントがあり、その箇所を強く長く読むことになっている。アクセントの位置は、時代やジャンル（詩の韻律など）によって変わることがある。このコーパスでは、そういったアクセントの変遷を調べることができる。

・**【10】マルチメディアコーパス**

1930 ～ 2000 年代の映画を、映像・音声とあわせて検索できるコーパス。新しいものでは、2006 年公開の『Piter FM』も含まれている。台詞のテキストだけでなく、シチュエーションや仕草、表現なども限定して検索できる。検索結果画面では、動画ウィンドウと台詞が並んで表示され、スクリプトを見ながら映画のワンシーンを見ることができる。2010 年に開設されたばかりで、まだ検索精度や収録されている映画の本数に限界があるが、今後の発展に期待したい。

以上が RNC のあらましである。

RNC では、いわばコーパスの目指すべき形が示されているのではないかと思う。まず、10 種類ものコーパスを一つのサイトに集約し、ユーザーインターフェース（UI）も統一されており、ロシア語と専門用語さえ知っていれば使い方に戸惑うことも少ないだろう。ヘルプボタンが各検索窓の横に設置してあるうえ、マニュアルも各コーパストップページからアクセスできるので、さらに安心だ。そして、「対訳コーパス」「教育用コーパス」など、実用的なコーパスも盛り込まれている。まだ資料数は少ないが「マルチメディアコーパス」はかなり意欲的ではないかと思う。

このように、RNCはUI、ヘルプなどユーザー目線で設計されており、実用的、先進的なコーパスがいくつも盛り込まれている。RNCは、研究者だけではない幅広いユーザー層の利用を想定した「開かれたコーパス」を目指している、という印象が強く感じられた。

■4. 最後に

以上、ロシア語の大規模コーパスについて概観した。ロシアにおける大規模コーパスは2000年代以降、急速に発展し、規模の点のみならず、ユーザーインターフェースやマルチメディアコーパスなど先進的といえる点が多々あることが確認できた。

ロシアのこうした情報はなかなか日本に入ってこないが、両国の研究事情を共有しあって、切磋琢磨していけるような環境の構築が今後必要なのではないだろうか。

▶注

[1] British National Corpus, accessed July 19, 2020, http://www.natcorp.ox.ac.uk/.
[2] KOTONOHA 計画 , 最終閲覧日 2021 年 2 月 21 日 , https://pj.ninjal.ac.jp/corpus_center/kotonoha.html
[3] KOTONOHA 少納言 , 最終閲覧日 2020 年 7 月 19 日 , http://www.kotonoha.gr.jp/shonagon/.
[4] KOTONOHA 中納言 , 最終閲覧日 2020 年 7 月 19 日 , https://chunagon.ninjal.ac.jp/.
[5] 新聞テキストコーパス , accessed July 19, 2020, http://www.philol.msu.ru/~lex/corpus/.
[6] Russian National Corpus, accessed July 19, 2020, http://www.ruscorpora.ru/.

イベントレポート

Girls and Digital Culture: Transnational Reflections on Girlhood 2012

2012-09-26

北村紗衣

■1．ジェンダー、セクシュアリティと情報技術

2012年9月13日から14日にかけて、ロンドン大学キングズカレッジのストランドキャンパスにて、若い女性とデジタル文化をテーマとする学会'Girls and Digital Culture: Transnational Reflections on Girlhood 2012'（「女子とデジタル文化：女子であることについての国境を超えた省察 2012」, http://gdc.cch.kcl.ac.uk/）が開かれた。本学会はキングズカレッジの文化・メディア・創造産業学科（Department for Culture, Media and Creative Industries）およびデジタル人文学科（Department of Digital Humanities）の主催で行われたものであり、UKのみならずオーストラリアやイスラエルなど世界各国からジェンダーやセクシュアリティと情報技術の関わりに関心を寄せる研究者が集った。

■2．主催者が設定するハッシュタグ

特筆すべき点としては、事前に主催者から #digitalgirls2012 というTwitter用ハッシュタグが告知され、参加者には学会中にラップトップやスマートフォンなどで使用できるワイヤレスのパスワードが配布されるなど、デジタル文化をテーマとする学会にふさわしくインターネットの使用環境が整えられていたことがある。こうした学会中のTwitter利用については主に三つの利点があげられるであろう。まず、発表に関連するウェブサイトのリンクなどをハッシュタグで聴講者の参考のためにツイートする参加者がおり、参加者はタグを追うことで、リアルタイムで発表の補足情報を得ることができる。二つ目に、主催側であるキングズカレッジデジタル人文学科の教授であるアンドルー・プレスコット（Andrew Prescott）本人が述べたように、二つのセッションが並行して開催されている場合や途中でセッションを抜け

る必要がある場合でも後でハッシュタグを検索すれば議論の内容をある程度知ることができる。三つ目に、発表者は発表終了後にハッシュタグで検索すれば、時間に限りのある質疑応答では把握しきれない参加者の感想を知ることができる。学会終了後にテキサス大学から参加したキム・A・ナイトがTwitter上で報告したところによると、本タグで会期中426個のツイート報告があったという[注1]。ツイートの言語は英語のほか、ポルトガル語や本報告の筆者が行った日本語もあり、学会の題目にふさわしいトランスナショナルなものとなった。

■3. 差別発言とユーザの反応分析についての発表

学会においてはSNSなどデジタル文化と聞いて容易に思いつくようなものから養子縁組など即座に主題と結びつくとは思えないような意外性のある話題までさまざまなテーマの発表が行われたが、まず特筆すべきなのはリサ・ナカムラ（Lisa Nakamura）が初日の最初に行った基調講演 '"Trash Talk", Instrumental Racism, and Gaming Counter-publics' であろう。この基調講演は主に女性コミュニティーを取り上げたものが多い学会中のほかの発表とは異なり、男性が多いオンラインゲームコミュニティーにおいて一部のユーザが発する露骨な 'Trash Talk'、すなわち人種差別発言・性差別発言・性的指向に基づく差別発言と、それに対するほかのユーザたちの反応を分析したものであった。ナカムラはトラッシュトークをはじめとするさまざまな慣習を含んだゲームによって男性ユーザたちが社会関係資本などの「ゲーマー・キャピタル」（gamer capital）を育んでいると論じる一方、女性ユーザがこうした資本を持っていないと見なされがちであり、ゲームの世界において不利な立場に置かれがちなことも指摘している。質疑応答においてフリーメイソンの研究者であるプレスコットはこれに関してトラッシュトークがいわゆる「男性性」と見なされているものを実現するための一種のイニシエーションになっているのではないかと述べ、オンラインゲームとフリーメイソンという全く違う二つの文化に男性結社としての意外な共通点があることを指摘した。本講演とその関連議論はブラックウェルから公刊された *The International Encyclopedia of Media Studies* に収録された[注2]。

■4．女性中心のオンラインコミュニティーの文化的特質とは

男性ユーザ中心のゲームコミュニティーと女性ユーザ中心のTumblrなどのオンラインコミュニティーの文化的差異はこの講演後の質疑応答でも議論されていたが、2日目のセッションで行われた発表のいくつかをナカムラの講演と比較すると、女性ユーザ中心のコミュニティーにおいてはユーザ同士の絆が比較的重要視され、コミュニティーの安心感を減少させるトラッシュトークのような行為がイニシエーションとしての価値を持つようなことは非常にまれであるように見える。14日昼のセッション'Social Networks and Community'は、特にこのような女性中心のオンラインコミュニティーの文化的特質を明らかにするものであった。ラ・トローブ大学で文化人類学を専攻している西谷真希子は'Kinship and Digital Media: Networked Social World of Girls of Tongan Descent in Melbourne, Australia'と題する発表を行い、オーストラリアに住むトンガ系移民の若い女性たちがSNSサイト「Bebo」のフレンズ申請において親族紐帯（ちゅうたい）を非常に重視し、家族を大事にしたいという価値観に基づくコミュニティー形成を行っていることを明らかにした**［注3］**。同セッションにてカリフォルニア大学のローレン・E・シャーマン（Lauren E. Sherman）は'"At Least There's a Place Like This:" Community, Support, and Empowerment in Online Message Boards for Pregnant and Parenting Teens'と題する発表で妊娠・出産した10代の女性たちのオンラインコミュニティーを調査し、圧倒的多数が女性からなるこうしたコミュニティーにおいてはネガティブなポストがほとんど見られず、妊娠・育児により疎外されたと感じている若い女性たちにとって精神的な支えとなっていることを明らかにした。また、この次のセッションである'Tween Spaces'においてウォリック大学のイジー・ガタリッジ（Izzy Gutteridge）が行った発表'The Ugly Side of Stardoll'も、出会い目的で入り込んでくる男性ユーザがどれほど女性ユーザの嫌悪感を引き起こしているか、そして女性ユーザがこうした安心感をそぐユーザにどう対処しているかといった事例を通して、トウィーン（Tween、Teenより若い十歳前後の子どもたちを指す）向けの人形遊びサイトであるスタードールが基本的には少女たちが安心して遊べるコミュニティーとして機能する一方、さまざまなリスクに対処する方法を学ぶ場でもあることを示すものであった**［注4］**。

■5．デジタル文化の「男性性」の背景

本学会の醍醐味の一つは、「女子とデジタル文化」と銘打っているにもかかわらず、男性が多数を占めるゲームのコミュニティーを基調講演のテーマに据えることで、デジタル文化において「男性性」というものがどのように意味づけされているのかということについて考えるヒントを与えてくれたことであろう。目的やユーザの民族的背景などにより違いはあるものの、若い女性が圧倒的多数をしめるオンラインコミュニティーは男性が多数を占めるオンラインコミュニティーと非常に異なるコミュニケーションのスタイルを持っている。今後は安易な本質主義に陥ることなく、何がこうしたコミュニティーの性格の差異を生み出しているのか、その文化的背景をさらに詳細かつ多角的に検討することがより適切で実りのあるデジタル文化とジェンダーへの理解につながるであろう。

▶注

[1] Kim Knight (@purplekimchi), "TAGS archive for the conference tweets. http://ow.ly/dJ43J 426 tweets - not bad for a day and a half! #digitalgirls2012," Twitter, September 15, 2012, 5:32 a.m., https://twitter.com/purplekimchi/status/246708059714490368, accessed September 26, 2012.

[2] Lisa Nakamura, "'It's a Nigger in Here! Kill the Nigger!': User-Generated Media Campaigns Against Racism, Sexism, and Homophobia in Digital Games," in *The International Encyclopedia of Media Studies*, Volume VI, *Media Studies Futures*, ed. Kelly Gates (Malden, MA: Blackwell, 2013), 1-15.

[3] Bebo, accessed September 26, 2012, http://www.bebo.com/, accessed April 28, 2021.

[4] Stardoll, accessed July 19, 2020, http://www.stardoll.com/, accessed April 28, 2021.

第一次世界大戦100周年をめぐるデジタルヒューマニティーズの最近の成果と今後の課題

2015-08-28

菊池信彦

ここ数年、第一次世界大戦に関するデジタルアーカイブの構築がヨーロッパで盛んに行われている。その理由はもちろん2014年から2018年までが第一次世界大戦100周年に当たるからであり、その歴史的記憶の再記憶化（コメモラシオン）と記録の掘り起こしの動きは、ヨーロッパで現在浸透しつつあるDHにとって、格好のテーマだからであろう。筆者は以前にブログで第一次世界大戦に関するDHプロジェクトやリソースをまとめたことがあったが**[注1]**、その後のいくつか動きがあったので、ここでまとめて紹介しておきたい。

■1. 各家庭に眠っていた史料の収集とテキスト化

7月29日に、Europeana 1914-1918**[注2]**の搭載コンテンツのクラウドソーシングによるテキスト化プラットフォームTranscribe e1914-1918**[注3]**の紹介記事が、Europeanaのブログに掲載された。Transcribe e1914-1918はまだプロトタイプ版のものだが、OCRが難しい当時の史料——例えば、ドイツ語のカレント（Kurrent）という筆記体ベースの字体を使用した印刷物や兵士らの手書きの文書史料など——のテキスト化を共同で行う環境を提供するものである。7月上旬には、ベルリンにあるプリモ・レーヴィギムナジウムで学生らを対象にしたワークショップが開催されており、そこでのテキスト化の成果もTranscribe e1914-1918では公開されている。2016年以降も各地で継続的なワークショップやテキスト化コンペ（トランスクライバソン／transcribathon）の開催を行う予定という。Europeana 1914-1918は、図書館などの所蔵資料のデジタル化資料ではなく、各家庭に眠っていた史料の収集を行った結果作成されたものであるため、今後のテキスト化の進展次第では、第一次世界大戦の社会史研究への大きな貢献が期待されるだろう。

■2．兵士の氏名や近親者、職業をテキスト化

クラウドソーシングを利用したプロジェクトには、ヨーロッパだけではなく、オセアニアでも実施が予定されている。ニュージーランドのワイカト大学では、第一次世界大戦期のオーストラリアおよびニュージーランドの合同軍（Australian and New Zealand Army Corps：ANZAC）の記録14万点を使い、それらのデジタルデータから、兵士の氏名や近親者、職業などのテキスト化を行うとしている。今年8月中には、一般市民の研究参加用プラットフォームZooniverseでプロジェクトサイトの公開が予定されているという［注4］。

■3．第一次世界大戦とドイツ11月革命に関する情報検索サイト

7月31日には、ドイツのバイエルン州立図書館が、第一次世界大戦とドイツ11月革命に関する情報検索サイト"Themenbibliothek Erster Weltkrieg und Novemberrevolution"［注5］のベータ版を公開した。同サイトでは同館の所蔵する第一次世界大戦史料のほか、第一次世界大戦に関する研究文献の書誌情報等が提供されており、その数は5万タイトル以上、うち1300件についてはデジタル化公開されている［注6］。また、書誌情報の提供だけでなく、史資料の入手も可能という。

■4．歴史教育用リソースポータルサイト

上で述べた研究関係のほかに、教育用のリソースとして、4月2日にヨーロッパの歴史教育者協会Euroclioが、自身の運営する歴史教育リソースポータルサイトHistorianaで、第一次世界大戦に関する四つの教育コンテンツを追加公開した［注7］。Historianaは、ヨーロッパの学生向けに、各国での歴史教科書の「副読本」となるようなコンテンツの提供を目的としたものである。とはいえ、Historianaは単一の「ヨーロッパの物語」を提供するようなものではなく、史実をさまざまな立場・角度で考察できるようにすべく設計されている。このほど公開された第一次世界大戦関係のコンテンツには、前線にあった兵士と銃後にあった家族がやり取りした絵はがきや、新聞などに掲載された風刺画を史料として取り上げている［注8］。

■5．共同展示"To My Peoples!"

また、教育用リソースとは別に、EuropeanaとGoogle Cultural Institute

との共同展示 “To My Peoples!” [注9] にも言及したい。公開は昨年8月と少し古いが、オーストリア国立図書館が2014年3月から11月に同館で開催した同名の展示をもとに、前述のEuropeana 1914-1918のプロジェクトの一環として作成したものである [注10]。

以上見てきたように、史料の収集と提供環境の開発、史資料の情報検索ツールの公開、史料を利用した教育現場での活用およびウェブ展示を通じた一般市民への発信が、いまなお継続的に行われている。ここで紹介した以外のさまざまなツールやリソースは、筆者のブログのほかにも、第一次世界大戦オンライン百科事典1914-1918onlineで地域別に [注11]、そしてドイツの歴史学ポータルhistoricum.netで研究テーマ別にまとめられている [注12]。

一方で、それらで紹介されているツールやデジタル化史資料はあまりにも多く、第一次世界大戦100周年をめぐるDHの一連の成果は「バブル」のようですらある。第一次世界大戦の記憶と記録に取り組んだDHの成果が、第一次世界大戦史研究にいかなる貢献を果たすのか、ヨーロッパ内外の歴史認識にどのような影響を与えるのか、それを問うことがDHの今後を占ううえでの試金石となるだろう。

第2部 時代から知る
古代
中世
近世
近現代

▶注

［1］「#WWIに関するDHプロジェクトまとめ / Roundup of DH projects on #WWI」歴史とデジタル , 最終閲覧日2020年7月19日 , https://historyanddigital.wordpress.com/wwi/.

［2］Europeana 1914-1918, accessed July 19, 2020, http://www.europeana1914-1918.eu/en/explore.

［3］Transcribe e1914-1918, accessed July 19, 2020, http://www.transcribathon.eu/.

［4］Chris Gardnerm, “Waikato University Professor Needs Help to Transcribe World War I Documents,” Stuff, August 11, 2015, accessed July 19, 2020, https://www.stuff.co.nz/national/last-post-first-light/70988391/waikato-university-professor-needs-help-to-transcribe-world-war-i-documents.

［5］Themenbibliothek Erster Weltkrieg und Novemberrevolution, accessed August 28, 2015, http://www.chronicon.de/erster-weltkrieg/.

［6］“The Bavarian State Library's New WWI Digital Research Tool Launched,” 1914-1918 online, August 7, 2015.

［7］“New Historiana Learning Activities Available!,” Euroclio, April 2, 2015, accessed August 28, 2015, https://www.euroclio.eu/new/innovating-history-education-for-all/4322-new-historiana-learning-activities-available.

［8］Historiana, accessed August 18, 2015, http://la.historiana.eu/la/.

［9］“To My Peoples!,” Google Cultural Institute, accessed July 19, 2020, https://www.google.com/culturalinstitute/u/0/exhibit/to-my-peoples/gQyspHgL.

［10］“Teaming up with Europeana to Bring Europe's Culture Online,” Google Europe Blog,

August 1, 2014, accessed July 19, 2020, http://googlepolicyeurope.blogspot.jp/2014/08/teaming-up-with-europeana-to-bring.html.
[11] “First World War Websites,” 1914-1918online, accessed August 28, 2015, http://www.1914-1918-online.net/06_first_world_war_websites/index.html.
[12] “Erster Weltkrieg im Internet,” historicum.net, accessed August 28, 2015, https://www.historicum.net/recherche/webguide-geschichte/erster-weltkrieg/.

フランス現代歴史学におけるDHの伝統

2016-05-31
長野壮一

■1．歴史家ル・ロワ・ラデュリの予言

「近い将来、歴史家はプログラマになるだろう、さもなくばもはや何者でもないであろう [注1]」。このセンセーショナルな一文がフランスの左派週刊誌『ル・ヌヴェル・オプセルヴァトゥール』に掲載されたのは、いまから半世紀前の1968年のことである。著者はアナール学派第3世代の「総帥」として名を馳せた歴史家のエマニュエル・ル・ロワ・ラデュリ。アナール学派といえば、わが国では感性や生活文化に着目したいわゆる「社会史」で知られているので、その代表的な研究者であるル・ロワ・ラデュリが情報技術の必要性を強調するのは意外な印象を受けるかもしれない。

実は、エマニュエル・ル・ロワ・ラデュリが上の発言を行った60年代後半は、フランス歴史学において数量的手法が隆盛をきわめた時期だった。フランス歴史学において、数量へのこだわりは戦前からフランソワ・シミアンやエルネスト・ラブルスら経済史家においてすでに見られたが、彼らは戦後フランス歴史学を牽引して多くの後進を育てた。近年、長期における富の分布の変動を分析した『21世紀の資本』を世に問うた経済学者トマ・ピケティも彼らの手法を参照していることは、本人自らの語る通りである [注2]。

■2．1960～1970年代：「系の歴史学」と情報技術

こうした数量的手法は、ル・ロワ・ラデュリをはじめとするラブルスの指導学生たちが高等研究実習院第6部門（現在の社会科学高等研究院）を拠点に展開した60年代以降の歴史学において、本格的な開花を見た。「歴史分析に当って、個別事例の恣意(しい)的な寄せ集めを排し、大量の、同質的なデータ（系をなすデータ）の統計的分析を通じて、地域類型や社会階層間の差異や時間による変化の跡を辿ろうとする [注3]」この手法は、ピエール・ショニュによって「系

の歴史学」（histoire serielle）と名付けられた。

「系の歴史学」が70年代に成果を上げた際に重要な役割を果たしたのが、情報技術の利用である。当時、大学等の研究機関に計算センターが設置されるようになり、計算機を用いたビッグデータの処理が可能になった。これにより、歴史学は大量の史料を分析する手段を得たのである［注4］。

当時の歴史学における情報技術の浸透を象徴するものとして、ローマ・フランス学院において行われた大規模なシンポジウム「情報学と中世史」がある［注5］。このシンポジウムは1975年5月20日から22日の三日間にかけて行われ、仏伊から多くの中世史家が参集した。歴史家はプログラマたらねばならないと喝破したル・ロワ・ラデュリの論説文が、論集『歴史家の領分』に再録されてガリマール社から刊行されたのが1973年であることからも、当時の歴史学を覆った情報学への熱量を読み取ることができる。

この時期に情報技術を用いて実現した数量的歴史研究の代表的な成果としては、1978年に刊行された『トスカナ人とその家族―― 1427年フィレンツェにおける土地台帳の研究』がある［注6］。これは、15世紀トスカナ地方における土地台帳（Catasto）を分析した研究である。その数およそ6万世帯、24万人分に及ぶ。この手作業では処理できない大量の史料を分析するため、ウィスコンシン大学マディソン校のパンチカードシステムが用いられたという。

■3．1980～2000年代：テクスト解析の発展

その後、1980年代後半になると情報端末の小型化・普及により、情報技術を個人で利用できる時代が訪れた。これは研究者にデータベース構築を促す結果を生んだ。他方、フランスで人文系テクストのマークアップが行われはじめたのもこの時代である。なお、現在主流となっているマークアップ言語XMLはまだ登場しておらず、当時はSGMLが用いられていた。

1990年代以降、情報技術の存在感の高まりと相まって、研究成果やそのデータを研究者間で共有しようという考えが普及する。歴史学においては図書館学・図書館情報学、学術出版、オンライン上のテクスト、データベースなどの領域での議論が盛んになった。そうした中、マラン・ダコスは1999年に電子ジャーナルのポータルサイトであるRevues.orgをローンチし［注7］、現在のOpenEditionにつながるオープンアクセスの端緒を築いた［注8］。

フランスにTEI（Text Encoding Initiative Guidelines, 人文学のためのテクスト資料

マークアップのガイドライン）が導入されたのは2000年代からである。かくして今日、TEIは研究者の間で広く受け入れられるに至った。教育面では、TEIの講義はパリの国立古文書学校やリヨン、ナンシー、トゥールなどで2000年代後半から行われている。

■4．今日の動向

今日のフランスでは、計量分析やテキストマイニング、デジタルアーカイブなどといった多様な分野のDHプロジェクトが行われている。デヴィッド・アーミテージとジョー・グルディによる「長期持続」とDHへの着目の提言が『アナール』誌の特集などで議論を呼んだことからも、現代フランス歴史学におけるDHへの注目度の高さが読み取れる［注9］。今日のフランスにおいてDH研究を統括する組織に、Huma-Numがある。Huma-Numの関与しているリサーチプロジェクトは « Consortiums » としてWebサイト上でまとめて紹介されているので、参照することで現代フランスにおけるDH研究の一端をうかがい知ることができるだろう［注10］。

こうした今日のDH研究の在り方は、必ずしもル・ロワ・ラデュリが半世紀前に想像した通りの姿ではないかもしれない。しかしながら、本節で確認した通り、現代フランス歴史学におけるDH研究は、伝統的な史学史の延長上に成立したものである。「近い将来、歴史家はプログラマになるだろう、さもなくばもはや何者でもないであろう」という予言は、いまなおアクチュアリティを失っていない。

▶注

［1］Emmanuel Le Roy Ladurie, « L'historien et l'ordinateur », dans Id., *La territoire de l'historien*, t. I, (Paris : Gallimard, 1973), 14.

［2］Thomas Piketty, « Vers une économie politique et historique. Réflexions sur le capital au XXIe siècle » *Annales. Histoire, Sciences Sociales*, 70 no. 1, (2015):127.

［3］二宮宏之「系の歴史学と読解の歴史学」福井憲彦・林田伸一・工藤光一編『二宮宏之著作集』第一巻、全体を見る眼と歴史学（東京：岩波書店，2011），159.

［4］以下の記述は、フランス国立科学研究センター研究員マルジョリ・ビュルガールの講義資料 « Histoire et informatique : Un bref historique » に多くを依拠している。

［5］Lucie Fossier, André Vauchez et Cinzio Violante (dir.), *Informatique et histoire médiévale. Actes du colloque de Rome (20-22 mai 1975)* (Rome: Ecole Française de Rome, 1977).

［6］David Herlihy, Christiane Klapisch-Zuber, *Les Toscans et leurs familles. Une étude du Catasto florentin de 1427* (Paris: Presses de la Fondation Nationale des Sciences Politiques/Editions de l'Ecole des Hautes Etudes en Sciences Sociales, 1978).

[7] Revues.org: portail de revues en sciences humaines et sociales, accessed May 31, 2016, http://www.revues.org/.

[8] OpenEdition: four platforms for electronic resources in the humanities and social sciences, accessed July 19, 2020, http://www.openedition.org/.

[9] Jo Guldi and David Armitage, *The History Manifesto* (Cambridge: Cambridge University Press, 2014); « La longue durée en débat » *Annales. Histoire, Sciences Sociales*, 70 no. 2, (2015).

[10] Consortiums | Huma-Num: l'infrastructure des humanités numériques, accessed July 19, 2020, http://www.huma-num.fr/consortiums/.

デジタル時代における ディケンズの文体研究

2017-11-30

舩田佐央子

■1．アナログ手法は長大な時間がかかる

私は19世紀イギリスの小説家チャールス・ディケンズの修辞法における言語的な特徴を探り出すことを主な研究テーマとしています。とりわけディケンズが頻繁に用いるメタファー（暗喩）、メトニミー（換喩）、シミリー（直喩）などの比喩表現に焦点を当て、著者が登場人物や事物の特徴、あるいは彼らを取り巻く様々な環境を、どのような表現によって詳細かつ鮮明に描き出しているのかを考察しています。

ディケンズの小説の中では膨大な数の比喩表現が使用されているため、一つの作品だけでも用例を探り、抽出するのには多大な時間と労力を要します。筆者が伝えようとする一つ一つの表現に含まれる意味合いを文脈に基づいて理解し、頭の中で処理・解釈をするのは大変な作業です。例えば、大学院生の時に、およそ850ページにも及ぶ「デイヴィッド・コパーフィールド」（1849-50）**[注1]** から比喩表現を探し、抜き出す作業だけで半年以上を要したことがあります。英語を母語としない私が英語で書かれたテキストを精読し、比喩表現一つ一つに下線を引き、そしてノート上にそれらを手書きで書き留める作業はとても骨の折れる仕事でした。こうした多大な時間と労力を要する作業を終えてから、ようやく内容の分析・解釈の段階に着手することができました。このように、ディケンズの他の作品との比較分析や、ディケンズ以外の作家が用いる比喩表現との関わりやその影響を明らかにしていくために、1ページ1ページを手でめくりながら用例を抽出していくアナログ的な手法で行うと、地道な作業であるがゆえに長大な時間が必要となってしまいます。

■2．オンライン上の言語データベースの利点

「デジタル・ヒューマニティーズ」という言葉を耳にすると、私のような機械音痴である人間は拒否反応を起こしてしまいがちです。しかし、「コーパス」や「電子テキスト」など、オンライン上の言語データベースは、上述のようなアナログな手作業を短時間の処理で可能としてくれます。そのため、これらデジタル・リソースは、今や不可欠の存在となっています。たとえ機械操作が苦手な人間でも、膨大なデータから特定の語彙や表現を瞬時に検索することは極めて容易です。

■3．"Dickens Novels Concordance"

ディケンズの作品を例に挙げると、英国バーミンガム大学の英語学・応用言語学研究チーム（CLiC Dickens Project Team）が開発した "Dickens Novels Concordance"［注2］を利用することによって、主要15作品の中から特定のメタファー表現すべてを瞬時に検索することが可能です。ディケンズの作品においては、主に登場人物を人間以外の動物や事物に喩えている表現が頻繁に見られます。「デイヴィッド・コパーフィールド」に関しては、性格の良い人物は、sheep, horse, dolphin などの哺乳類や bird に喩えられる傾向があります。一方、狡猾（こうかつ）で見た目が身持ちの悪い人物は、fish, frog, snake などの魚類・両生類・爬虫（はちゅう）類に、悪漢や囚人は、dog, beast, brute などの捕食動物に喩えられるといったように、一定のパターンが見られます。このように、人間を動物に喩えるようなメタファーについては、ディケンズの他の作品「大いなる遺産」（1860-61）［注3］においても "Dickens Novels Concordance" を通して同じように使用されていることがわかりました。例えば、fishy という語をキーワード検索にかけると、his fishy eyes という表現がヒットします。これは、登場人物のパンブルチュック（Mr. Pumblechook）の目つきがどんよりとしていて、それが魚の目のようであるという描写です。また、「デイヴィッド・コパーフィールド」においても、ユライア・ヒープという人物が魚に喩えられている描写があります。同コンコーダンスでは、his damp fishy fingers という表現もヒットしました。この表現から、読者は彼のじめじめした手の指が魚のようである様子をイメージとして頭に思い描くことができます。コンコーダンス検索によって、"unfriendly" な人物が濡れた魚に喩えられている二つの例を容易に見出すことができました。このように、芋

づる式に同様の比喩表現を検索することが可能になったことは、分析対象の表現や用例の設定・収集にとって極めて有用です。さらにまた、19 世紀の他の作家の作品においては、この fishy という表現はほとんど使用されていないことが判明するため、ディケンズ特有のメタファー表現であると捉えることができます。

■4．手作業は用例を見落とす可能性がある

従来行ってきた手法、すなわち、テキストにある一文一文を自分の目で追いながら用例を検索し、ノートやカードに書き留める作業は、長大な時間を要するだけでなく、重要な用例を見落とす可能性を有しています。従って、統計学的に頻度数を抽出するにあたっても誤差が生じるおそれを免れません。しかし、コンコーダンスを用いれば、検索したい語や文そのものを抽出するだけではなく、精確な頻度数を調べることもでき、またディケンズのどの作品において同類の表現が用いられているのかをも知ることができます。以上のように、デジタル・データの活用により、検索のバリエーションが広がり、様々な角度からの文体研究が可能になりました。

デジタル技術を文体研究に適用させることによって、膨大な数の言語データ処理が可能になった今日、言語学の分野においてコーパス言語学や自然言語処理といったようなコンピューターを使っての言語研究が主流になってきました。そのおかげで学生当時、手作業では到底叶わなかったディケンズの膨大な数の比喩表現をコーパス言語学の観点から探り出すことができ、それが小説の文体に対する自らのアプローチの仕方や研究のスピードに変化をもたらすきっかけになりました。

■5．とはいえ研究者は文脈に沿って判断しなければならない

しかし、テキストを手でめくりながら精読していく従来式の手法も完全に過去のものにはなっていないと個人的に考えています。それは、メタファー表現を探り出すためには、研究者各自が文脈に沿って「この表現はメタファーであるかどうか」を判断しなければならないからです。一方、コーパスを用いて検索した場合、一見それがメタファーに思えても、実際はメタファーではない表現も検索結果に含まれることもあり得ます。今後 AI 技術が飛躍的に進歩すれば、人工知能がその判断を精確に行う時代が来るかもしれません

が、現在のところ、その判断は研究者自身に委ねられています。また、メタファー表現を検索するためのどの語彙を選別・設定するかという研究の端緒も研究者の知見にかかっています。従って、コンピューターに100パーセント依存するのではなく、デジタルとアナログの双方を上手く組み合わせていくことの大切さも実感しています。ディケンズの修辞法のメカニズムを明確にするべく、いかにしてディケンズのテキストの「読み」を深めていくのかは自らに課された使命です。今後もデジタル技術を大いに活用しながら、テキストを丹念に精読するスタイルも大切にしていきたいと存じます。

▶注

[1] Charles Dickens, *David Copperfield*, The World's Classics, ed. Nina Burgis (Oxford: Oxford University Press, 1999).

[2] Dickens Novels Concordance, accessed July 19, 2020, http://clic.bham.ac.uk/.

[3] Charles Dickens, *Great Expectations*, The World's Classics, ed. Margaret Cardwell (Oxford: Oxford University Press, 1998).

デジタル史料批判を学ぶ教育・学習プラットフォームRanke.2について

2019-01-31

菊池信彦

■1.「デジタル史料批判」とは何か

デジタルアーカイブによる資料公開で、利用の仕方によっては所蔵機関や来歴の情報が失われ、再利用の際に困難が生じる、あるいは誤った利用をされてしまうかもしれないと懸念する声がある [注1]。それを防ぐための資料提供側の対応について議論がある一方で [注2]、デジタル資料の来歴や価値判断をユーザ側が行うにはどうすればよいのかという議論がある。本節では、特に歴史学の文脈でこの問題系を扱う「デジタル史料批判」という方法について、その定義と、そしてそれを学ぶために開発された教育・学習用プラットフォーム Ranke.2 を取り上げたい。なお、今号は KU-ORCAS の東アジア研究の文脈とは少々ずれるが、KU-ORCAS の掲げる「研究ノウハウのオープン化」に関わる話題ではある。

■2.歴史学による定義

「デジタル史料批判」とは何か。その議論を始める前に、そもそも歴史学における史料批判の定義について触れておくべきだろう。試みにジャパンナレッジから『日本大百科全書』を引いてみると、次のように説明されている。

「史料批判は、一般に文献史料について外的批判と内的批判とに分かれる。外的批判は、史料が (1) にせ物でないかどうかを調べる、(2) 誤記・脱落あるいは改竄(かいざん)・竄入(ざんにゅう)などがないかを調べる、(3) 史料の出所や由来・伝播の経路などを明らかにする、などの仕事をさす。この外的批判は、現代の情報技術の高度化によってまた新しい困難が増したといえる。内的批判は、書かれた史料について、その内容が信頼できるものであるかどうかを調べる仕事である。作者が虚偽を書いているとすれば、意識的か無意識的か、その心理状態・利害関係などを推理するといった歴史の観察眼が要求される。史料批判の具体的方法は、史料の多種多様なことに応じて多種多様である」

「現代の情報技術の高度化によってまた新しい困難が増した」というくだりはまさに本節の冒頭で挙げた懸念そのものである。だが、ひとまずここで確認したいのは、モノとしての史料を分析するのが「外的批判」であり、史料の内容そのものを検討するのが「内的批判」だということである。

■3．Ranke.2による説明

近代歴史学の父であるランケの名を冠したRanke.2では、デジタル史料批判を次のように説明している。

「デジタル史料批判とは、歴史研究者が常に行ってきた、史料の来歴や価値を批判的に評価することであり、現在ウェブで利用可能なデジタル化史料とボーンデジタル史料に対して、その同じ原則の適用が必要であるということを意味する［注3］」

そして、そのデジタル史料批判の中心的な問いを次のように列挙している。

「デジタル化やリポジトリへの登録という場面で史料の選択が行われるのはなぜか？
アナログからデジタルへという形態の変化は、史料のもつ情報の価値や人工物としての史料価値に影響を与えてきたのか？
なぜ、いつ、そしてどのように史料はウェブで発信され、だれがそのイニシアティブをとってきたのか？
サーチエンジンはこの種の史料をどのように検索してきたのか？　検索できていなかったが、関連する別の史料があったのではないか？［注4］」

これらの問いは前出の外的批判と内的批判の双方を含むものであり、従って、Ranke.2の意味するデジタル史料批判は、従来の史料批判をデジタル形態の史料にまで拡張させたものと言えるだろう。

■4. 日本におけるデジタル史料批判の提唱と実践

ところで、Ranke.2のアイデアや開発が始まった2014年ごろとほぼ同時期に、日本でも「ディジタル史料批判」の提唱と実践が行われている。これを行った西村陽子と北本朝展の定義によると、「ディジタル史料批判とは、史料批判という歴史学の基本的な技法にディジタル技術を導入することで、史料の『新しい読み方』の実現を目指すものである[注5]」という。さらに彼らは「ディジタル史料批判」の二つの特徴を挙げ、古地図や古写真等の「非文字史料という新しい種類の史料に対する史料批判に取り組むこと」、「史料批判の対象を史料単位から記述単位に細分化し、文脈にとらわれない新しい史料批判を実現すること」であるとしている[注6]。

先に挙げた史料批判の定義と比べると、西村と北本の「ディジタル史料批判」の興味深い特徴が浮かび上がってくる。まず一つ目の特徴に関しては、従来の歴史学が行ってきた史料批判は文字史料を対象としてきたが、「ディジタル時代に入って、非文字史料の共有や加工もはるかに簡単になったため[注7]」それらの史料を対象に行うのだという。デジタル(化された)文字史料を視野の外に置く姿勢から伺えるように、媒体変換がモノとしての史料に与える影響については(少なくとも明示的には)考慮されていない。また、後者の特徴に関しては、「歴史学における史料批判はこれまで、史料のテキスト全体の正確さや信頼性などを主な評価対象にしてきた。(…)しかし、このような史料単位の評価は本当に適切なのか、というのが我々の問題意識である[注8]」と述べている。これはすなわち、モノとしての史料を分析する外的批判からの脱却を意味することにほかならない。事実、西村と北本の議論は、地図史料を対象にその内容の解釈をデジタル技術で行うという「内的批判」へと議論が集中している。従って、二人の言う「ディジタル史料批判」は、Ranke.2のように従来の史料批判をデジタル媒体にまで拡張させたものではない。自らも述べているように、デジタル技術によってどのように「新しい読み方」ができるのか、言い換えれば、非文字史料の史料解釈の方法的刷新を目指すものと解釈できるだろう。そのため、西村と北本の「ディジタル史料批判」は、本節で扱いたい、ユーザがデジタル資料をどのように判断するのかというテーマとは文脈が異なるものである。

■5. Ranke.2 とはどのようなものか

さて、ようやく本題にたどり着くことができた。では、デジタル史料批判を学ぶための教育・学習用プラットフォームである Ranke.2 とはどのようなものなのか。

Ranke.2 は、ルクセンブルク大学現代史・デジタルヒストリー研究センター拠点である C2DH が、2018 年 10 月に正式公開したウェブサイトである [注9]。この Ranke.2 では、以下の 10 項目を学ぶことができるとされている。

1. デジタル化とウェブは歴史研究の本質をどのように変えたのか
2. デジタル史料（レトロな方法でのデジタル化史料、ボーンデジタル史料、媒体変換史料）はどのように作られたのか
3. アナログな史料がデジタル化されると、どのような変化があるか
4. 「オリジナル」という概念の問い方
5. デジタル史料やそのメタデータへ情報がどのように付加されるのか
6. どのようにデータがオンラインで公開され、そして検索可能となるのか
7. 史料の発見と選択におけるサーチエンジンの影響
8. 様々なデジタルツールのデータへの適用方法
9. 文書館とオンラインを使った場合の研究の進め方の違い
10. データの様々なタイプ（テキスト、イメージ、立体物、音声・動画）の特徴 [注10]

サイト上では、上記の項目に関連した学習コンテンツを、現在のところ四つ公開している。一つ目は、“From the archival to the digital turn”。これは、デジタル的転回（digital turn）によって史料批判という方法がどのような影響を受けたのか、このことが人文学の研究を進めるうえでどのような意味を持つのかをテーマとしたものとなっている。学習コンテンツ全体を貫く概論的な位置づけにあるといってよいだろう。そして、二つ目が “David Boder: from wire recordings to website”、三つ目が “David Boder online: comparing websites 2000-2009” である。両者のタイトルにある David Boder とは、1886 年ラトヴィアに生まれたユダヤ人で、ロシアでの内戦のあおりを受け、日本経由でメキシコへ亡命、その後、アメリカへ渡った心理学者である。彼

は、第二次世界大戦後の1946年に、ヨーロッパ各地でホロコースト生存者130名のインタビューを録音、記録している。この音声記録のデジタル化が2000年と2009年の2回行われているのだが、二つ目の学習コンテンツでは、このデジタル化によって音声記録の意味と価値は変化したのかどうかという点が問われている。そして三つ目の学習コンテンツでは、2000年と2009年のデジタル化を比較し、その間の技術の進歩を学ぶものとなっている。最後の四つ目のコンテンツ“Transformation: how the digital creates new realities”は、デジタル技術によってもたらされる「変化」(transformation)がどのような影響を生み出しているのか、この「変化」という概念を考察するものである。

各学習コンテンツには、Small、Medium、Large の三つのモジュールが用意されている **[注11]**。Smallは、6〜7分程度のアニメーション動画で概要を説明し、その内容理解の確認のためのクイズが出題されている。このSmallモジュールの利用対象者も研究者や学生だけでなく、広く一般ユーザを視野に入れているという。Mediumは、大学の講義で利用することを想定して作られていて、Smallモジュール内のアニメーションの内容からいくつかトピックを抜き出して深掘りするような課題が示されている。最後にLargeは1日かけたワークショップでの利用を想定したものであるという。しかし、現状では学習コンテンツのすべてに各モジュールが提供されてはおらず、特にLargeモジュールはまだどのコンテンツにもない。学習コンテンツの追加とともに、モジュールの開発もこれからという段階なのであろう。

本節で紹介したRanke.2とそのデジタル史料批判の内容は、デジタルアーカイブが歴史学へ与える影響に対して向けられる「懸念」が底流にあると言えるだろう。Ranke.2のコンテンツはまだ公開されたばかりで数も少ないが、デジタル史料批判の学習目標はいずれも重要なポイントである。歴史学にとっての史料デジタル化の意義は、史料調査やアクセス、あるいは中身の分析のスピードを飛躍的に向上させた、つまりは利便性の観点からこれまで論じられてきた。その一方で、それ以外の観点から、史料デジタル化が歴史学研究の営みに与えてきた影響はあまり論じられてこなかったようにも思う。その意味からRanke.2の今後の拡張を大いに期待したい。

▶注

[1] Serge Noiret, “Digital Public History,” in *A Companion to Public History*, ed. David Dean

(Hoboken, NJ: Wiley Blackwell, 2018), 114.

[2]「第 2 回東京大学学術資産アーカイブ化推進室主催セミナー　講演資料・パネルディスカッション記録」東京大学付属図書館 , 最終閲覧日 2020 年 7 月 19 日 , https://www.lib.u-tokyo.ac.jp/ja/library/contents/archives-top/seminar2.

[3] Ranke.2, accessed July 19, 2020, https://ranke2.uni.lu/define-dsc.

[4] Ranke.2, accessed July 19, 2020, https://ranke2.uni.lu/define-dsc.

[5] 西村陽子・北本朝展「ディジタル史料批判と歴史学における新発見」『人口知能学会誌』31, no. 6 (2016): 769.

[6] 西村陽子・北本朝展「ディジタル史料批判と歴史学における新発見」『人口知能学会誌』31, no. 6 (2016): 770.

[7] 西村陽子・北本朝展「ディジタル史料批判と歴史学における新発見」『人口知能学会誌』31, no. 6 (2016): 770.

[8] 西村陽子・北本朝展「ディジタル史料批判と歴史学における新発見」『人口知能学会誌』31, no. 6 (2016): 770.

[9] "Digital Hermeneutics in History: Theory and Practice," C2DH, accessed July 19, 2020, https://www.c2dh.uni.lu/events/digital-hermeneutics-history-theory-and-practice.

[10] "About the platform," Ranke.2, accessed July 19, 2020, https://ranke2.uni.lu/about-platform.

[11] "About the lessons," Ranke.2, accessed July 19, 2020, https://ranke2.uni.lu/about-lessons/.

アメリカ史研究における デジタル・マッピングと パブリック・ヒストリー

2019-06-29
山中美潮

■1．なぜマッピングが際立っているのか

ここでは筆者が専門とするアメリカ史分野における、デジタル技術活用の特徴を記す。本書1-15「カロライナ・デジタル・ヒューマニティーズ・イニシアティブ・大学院生フェローの経験を通じて」でも述べたが、筆者のデジタル・ヒューマニティーズとの出会いはノースカロライナ大学チャペルヒル校留学時代に出会ったデジタル・マッピングであった。当時、同校のデジタル・イノベーション・ラボ（以下DIL）は、DHプレスというオンライン・マッピングを目的としたワードプレス・プラグインを開発していた［注1］。こうした例にあるように、マッピングはアメリカ史研究のデジタル技術活用における大きな特徴である［注2］。

ではなぜアメリカ史研究ではマッピングが際立っているのだろうか。スティーブン・ロバートソンはまず、「デジタル・ヒストリー初期実践者の多くが社会史家やラディカル・ヒストリアン」であったこと、彼らが研究者同士の狭いサークルに閉じこもることなく「教室やより広範な社会に手を伸ばすためにウェブを活用」してきたことを要因に挙げている。彼はそうした研究者の志向に加え、「空間論的転回」そして「ウェブ・マッピング・プラットフォーム」が「様々な空間データの可視化」を可能にしたことが、分野に影響を及ぼしてきたと論じている［注3］。ロバートソンの指摘は、アメリカ史研究においてマッピングが歴史の公共性に関する議論と対になっていることを示す。

■2．デジタル・ヒストリーとパブリック・ヒストリー

実際、アメリカ史におけるデジタル・ヒストリーはパブリック・ヒストリーと親和性が高い。アメリカの文脈で言及されるパブリック・ヒストリーとは、

もともと20世紀初頭の国立公園局設立などを契機とした、政府機関に属する歴史家の仕事や史跡保存のための組織化のことを指した。だが、1970年代の不況を機に大学院で博物館などいわゆる大学外への就職を目指すプログラムが設置されると、この動きもパブリック・ヒストリーと呼ばれるようになった。パブリック・ヒストリーはまた、一般市民向けのプロジェクトの総称でもある。こうした複雑な背景により、用語の定義に関してはたびたび論争となるが、パブリック・ヒストリーが大学内外のさまざまな専門家や機関・企業・利用者・利害関係者と学際的共同作業を進めていく点については、個人研究の多い歴史学の中で一線を画する特徴と見なされる[注4]。デジタル・ヒストリーも多くの場合、共同作業が不可欠である。さらに、技術の発達に伴い成果をインターネット上に公開できるようになったことで、パブリック・ヒストリーはデジタル・ヒストリーと深く結びついた。こうした非専門家や一般市民を対象としたデジタル・プロジェクトは「デジタル・パブリック・ヒストリー」とも呼ばれる［注5］。

■3．新たな議論を生み出すマッピング

マッピングはデジタル・パブリック・ヒストリーにとって有用なツールの一つである。特に、史料が持つ地理情報を視覚化し、データを多様に表現することは、それ自体が利用者の関心を高め、新たな議論を生み出す強みを持つ。DILが開発を進めていたDHプレスも、非専門家でも扱える平易なシステム構築を目指した。そうした意味で、デジタル・パブリック・ヒストリーを強く意識していたと言える［注6］。こうしたマッピングの強みは双方向性である。非営利団体イコール・ジャスティス・イニシアティブ（以下EJI）がGoogle社と共に製作した「アメリカにおけるリンチ」プロジェクトでは、1877年から1950年の間に全米で起こった黒人リンチ事件をマッピングしている。事件数は国・州・郡規模で表示され、一部事件の詳細も学ぶことができる。このプロジェクトはEJIがアラバマ州モンゴメリーで運営するレガシー博物館の展示と連動しており、マッピングがアメリカ社会への問題提起の手段となっている［注7］。

■4．歴史的記憶研究の新しい方向性としてのマッピング

デジタル・パブリック・ヒストリーと共に成長したマッピングは、学術研

究の発表手段としても採用されつつある。メリーランド大学ボルティモアカウンティ校のアン・サラ・ルービンは南北戦争の記憶に関する著書出版に伴い、「シャーマンの進軍とアメリカ：記憶のマッピング」プロジェクトを立ち上げた。これは南北戦争時のウィリアム・T・シャーマンの海への進軍を、将軍本人・民間人・観光・兵士・フィクションの観点からマッピングしたものである。プロジェクトに関わる「史料、画像やエッセイのアーカイブを作るよりも」、「より解釈的なアプローチ、より実験的なアプローチをとる」ことを目的にマッピングを行ったという **[注8]**。こうした試みは、「コンセンサスから離れ、私たちが過去の複雑さを受け入れることを介助する、歴史的記憶研究の新しい方向性を訪問者へ広める」ものとして評価された **[注9]**。

こうしてアメリカ史研究ではデジタル・ヒストリーとパブリック・ヒストリーの相互作用の中、マッピングが一定の地位を占めることとなった。アメリカで発表されている数々のマッピング・プロジェクトは、デジタル・ヒューマニティーズ研究が、世界との学術競争手段だけではなく、地域の大学・研究者・一般市民の関係の中で知の在り方を模索する試みでもあることを示している。

▶注

[1] "DH Press," Digital Innovation Lab, accessed July 19, 2020, http://digitalinnovation.web.unc.edu/projects/dhpress/. 現在 DIL では DH プレスを発展解消する形で「プロスペクト」と呼ばれるツールを開発している。"Prospect," Digital Innovation Lab, accessed February 15, 2021, https://digitalinnovation.web.unc.edu/tools-2/propsect/.

[2] アメリカ歴史学協会（American Historical Association）は2009年よりデジタル・ヒストリーを対象としたロイ・ローゼンツヴァイク賞を設けているが、第一回受賞プロジェクトは「デジタル・ハーレム」で、次年度は「ゴーイング・トゥ・ザ・ショウ」というどちらもアメリカ史のマッピング・プロジェクトであった。こうした傾向からもマッピングの影響力の強さが浮かび上がってくる。 Digital Harlem: Everyday Life, 1915-1930, accessed July 19, 2020, http://www.digitalharlem.org/; "Going to the Show: Mapping Moviegoing in North Carolina," Documenting the American South, accessed July 19, 2020, http://gtts.oasis.unc.edu/.

[3] ロバートソンはマッピング隆盛の別事情として、初期にはテキスト分析ができるような「デジタル化された史料が乏しかった」ことも指摘している。Stephen Robertson, "The Differences between Digital Humanities and Digital History," in *Debates in the Digital Humanities 2016*, ed. Matthew K. Gold and Lauren F. Klein (Minneapolis: University of Minnesota Press, 2016), accessed July 19, 2020, http://dhdebates.gc.cuny.edu/debates/text/76. ロバートソン自身は「デジタル・ハーレム」主要メンバーの一人である。

[4] Denise D. Meringolo, *Museums, Monuments, and National Parks: Toward a New Genealogy of Public History* (Amherst, MA: University of Massachusetts Press, 2012), xiii-xvi, xxiv.

[5] Arguing with Digital History Working Group, "Digital History and Argument," white paper,

Roy Rosenzweig Center for History and New Media (November 13, 2017): 8, accessed July 19, 2020, https://rrchnm.org/argument-white-paper/.

[6] "DH Press," Digital Innovation Lab, accessed July 19, 2020, http://digitalinnovation.web.unc.edu/projects/dhpress/.

[7] "Lynching in America: Confronting the Legacy of Racial Terror," Equal Justice Initiative, accessed July 19, 2020, https://lynchinginamerica.eji.org/.

[8] Anne Sarah Rubin and Kelley Bell, "About," Sherman's March and America: Mapping Memory, accessed July 19, 2020, http://shermansmarch.org/about/. このプロジェクトの対となるルービンの著書は、Anne Sarah Rubin, *Through the Heart of Dixie: Sherman's March and American Memory* (Chapel Hill: University of North Carolina Press, 2014).

[9] Susannah J. Ural, "The Civil War on the Internet: Sherman's March and America: Mapping Memory," *Civil War Times* 54, no. 4 (August 2015): 16.

第3部
欧州・中東デジタル・ヒューマニティーズ動向

第3部では、宮川創氏による連載「欧州・中東デジタル・ヒューマニティーズ動向」のうち、第1回から第21回までを収録している。この連載は、文献学的なDHが盛んなドイツで活躍する宮川氏に、ご自身の研究活動を中心として欧州・中東のDHに関する動向を依頼し、ご快諾をいただいたことから始まった。

DHの本場で本格的なトレーニングを受けつつ業務としてDHに取り組むという立場からのご寄稿は、時として専門的過ぎて筆者にすら理解が難しいこともあったものの、日本にいるだけでは決して得られない、リアルタイムかつ貴重な情報に満ち満ちていた。それが毎月届けられていたという当時の贅沢な雰囲気をお伝えすべく、記事そのものはなるべくそのまま収録しているが、少しでも読みやすいものにすべく、用語解説を手厚く追記している。ぜひお楽しみいただきたい。（永崎研宣）

コプト語文献学・言語学のデジタル・ヒューマニティーズ

2018-04-30

初めまして、宮川創（みやがわそう）と申します。私は現在、ドイツのニーダーザクセン州のゲッティンゲン大学、ベルリンのエジプト博物館とパピルス・コレクション、および、イスラエルのエルサレム・ヘブライ大学でのコプト語文献学・言語学関連のデジタル・ヒューマニティーズのプロジェクトで働いております。

■1．古いコプト語の聖書翻訳から引用や引喩をコンピュータで発見・解析する

皆さんはコプト語をご存じですか。

コプト語とは、5000年ほどの文字記録の歴史を持つエジプト語の最終段階で、紀元3世紀ごろからよく書かれるようになり、グノーシス主義や修道院文献、古い聖書の翻訳など、宗教学的に重要なさまざまな文献を生み出しました。

しかし、エジプトがアラブの征服を経た後だんだんとアラビア語が主流の言語となっていったのですが、現在もコプト・キリスト教会で典礼言語として生き延びています。コプト語はほかの段階のエジプト語が用いたヒエログリフ、神官文字、民衆文字では書かれず、ギリシア文字の大文字にいくつかの民衆文字を補塡（ほてん）したコプト文字で書かれています。

私のメインのプロジェクトはそんなコプト語にまつわるものです。

ゲッティンゲン大学のプロジェクトで、古代末期に生きた修道院長シェヌーテおよびベーサのコプト語文献のデジタル・エディションを作り、さらに、それらの文献にある古いコプト語の聖書翻訳からの引用や引喩をコンピュータを用いて発見・解析するものです。

■2．批判校訂版と翻刻

このプロジェクトでは、最初に写本の写真を世界中からかき集めて、それを転写して、行やページ番号や特殊な文字や欠損部分などの情報を含めたTEI/XML形式のデータを作りました。この過程でさまざまなツールを使っています。まず、シェヌーテやベーサには、コプト学者によって出版された部分的な転写がいくつか存在します。西洋古典の文献学では、エディションには二つあり、クリティカル・エディションとディプロマティック・エディションが存在するようです。クリティカルの方はいくつかの異読を比較して本文批評を行う、いわば日本語で言う批判校訂版です。

それに対してディプロマティック・エディションでは、写本にある通りに忠実に転写するものです。シェヌーテやベーサは現行のエディションのほとんどが不完全ながらもディプロマティックで、これは、デジタル・エディションの作業の下敷きに使えます。ディプロマック・エディションは、日本語では翻刻版と呼ばれます。

■3．コプト文字用のOCRを開発

これらのエディションの文字データをデジタルにコンピュータに取り込むために、まず私は計算科学者のKirill Bulertとともに、コプト文字用のOCR［注1］を開発しました。OCRはtesseract［注2］とOCRopus［注3］を試しましたが、ニューラル・ネットワークを使ったOCRopusの方がコプト語のスープラリニア・ストロークなどのダイアクリティカル・マークをうまく認識できるようです。OCRopusをコプト文字で訓練させてよい画像なら98%前後の正答率でOCRができるようになりました。

ただし、tesseractも近年ニューラル・ネットワークを取り入れて進化しているそうで、新しいバージョンのtesseractも試してみる予定です。このコプト語OCRに関しては、DATeCH（Digital Access to Textual Cultural Heritage）International Conference 2017やモントリオールで開催されたDigital Humanities2017の学会［注4］で研究発表をさせていただき、Googleと大英図書館からコラボレーションのオファーをいただきました。

GoogleとはGoogle Booksのコプト語の文献のOCRで連携する予定であるほか、今年の2月、私は大英図書館に講師として招待され、大英図書館の学芸員および研究員向けにデジタル・ヒューマニティーズとコプト語文献学の講義をさせていただきました。

■4．コプト語テクストをUnicodeに変換するプログラムを開発

コプト文字は、コプト文字のUnicode［注5］ができる前は、エンコーディングはラテン文字でも表示されるときにコプト文字に見えるフォントでコプト語が入力されていました。私はゲッティンゲンに来る前から全米人文学基金（NEH）のCoptic SCRIPTORIUM（コプト語サイード方言のコーパス研究：学際的多層型研究手法のためのインターネット上のプラットフォーム）というプロジェクトでコプト語のコーパス開発に携わっていましたが、その過程でASCIIで書かれたコプト語テクスト［注6］をUnicodeに変換するPerl［注7］のプログラムの開発にも貢献しました。

このコンバーターを使ってコプト語の古いファイルから採取したデータとOCRを通して得られたデータを下敷きにした上で、シェヌーテやベーサの写本の写真の転写を行い、それらのデータの修正を行いながら、より正確でかつ文献学的な情報がマークアップ［注8］されたデジタル・エディションを作成していきました。

■5．写本の翻刻をウェブアプリで行う

写本の翻刻は、ミュンスター大学の新約聖書本文研究所でTroy GriffittsとUlrich Schmidらが開発したVirtual Manuscript Roomというウェブ・アプリケーションを用いました。このアプリでは、チーム作業でギリシア語やコプト語などの写本のデジタル・エディションを作成することができ、そのデータはTEI/XML［注9］で出力できますし、実際の写本に近い形で視覚化できます。

さまざまな聖書翻訳の底本の主流となっているネストレ＝アーラント版ギリシア語新約聖書やEditio Cristica Majorを編纂しているミュンスターの新約聖書本文研究所が開発したとあって、ギリシア語やコプト語の写本に忠実なデジタル・エディションを、ウェブ・エディタを通してWYSIWYG［注10］に作成できます。

■6．コプト語の形態素解析を行い、各形態のレンマや品詞を分析

このアプリを用いてTEI/XMLファイルを作成した後は、Coptic

SCRIPTORIUMが開発しているコプト語形態素解析の諸プログラムを用いて、コプト語の形態素解析を行い、各形態のレンマや品詞を分析します。コプト語はヘブライ語のように前置詞や冠詞が名詞とくっつけて書かれる言語ですが、さらにその傾向が顕著で、助動詞と代名詞が動詞とともにつなげて書かれたり、助動詞の前に転換詞と呼ばれるconverbのような品詞がつなげて書かれたり、動詞が名詞接続形の場合は、動詞と名詞（句）がつなげて書かれたりと、文法語が内容語にくっつけて書かれる言語です。

そのため、コプト語NLP［注11］では、自動で語を認識し語毎にスペースで区切る技術であるword segmentationが現在までの一番の課題でしたが、Coptic SCRIPTORIUMのリーダーであるジョージタウン大学のAmir Zeldesとパシフィック大学のCaroline Schroederらがかなり精度の高いトークナイザー［注12］を開発しており、私たちはいま、それを形態素解析の始めに用いています。

■7．文学作品や古典のデータから引用や引喩、慣用表現を探知するプログラム

これら、Coptic SCRIPTORIUMのツールを用いて形態素解析をされたシェヌーテ、ベーサおよびコプト語訳聖書のデータに、テクスト・リユースを探知するプログラムであるTRACERを走らせます。TRACERはゲッティンゲン大学計算科学研究所のマルコ・ビュヒラー（Marco Büchler）が率いるeTRAPチームが開発しているプログラムで、特に文学作品や古典のデータから引用や引喩、さらには慣用的な表現などのいわゆるテクスト・リユースを探知します。

現在、私は聖書の中でも特に詩篇からのシェヌーテとベーサによる引用のデータを分析していますが、TRACERからは目をみはるほど、多くの新たな発見が生まれています。このTRACERによる分析を通して、いままで学者によって発見されていなかった引用箇所が多数見つかりました。

■8．研究プロジェクトはどこが行っているか

最後になりましたが、私がこのコプト語修道院文献と聖書との間テクスト性［注13］、および、テクスト・リユースの研究のプロジェクトを行っているのは、ドイツ研究振興協会が出資している、ゲッティンゲン大学に設置さ

れた、共同研究センター 1136「教育と宗教」においてです。共同研究センターは公式の英語名称からの翻訳で、公式のドイツ語名称から翻訳した場合は、特別研究領域となります。

このセンターにはもっと長い正式名称があり、それは、共同研究センター 1136「古代から中世および古典イスラム期にかけての地中海圏とその周辺の文化における教育と宗教」です。私は現在この研究機関に 2015 年 10 月から 2019 年 6 月まで研究員として雇用されています。去年の 8 月まではほかの DH のプロジェクトをも掛け持ちしていて仕事が多かった分、より多くの給料をもらえていました。

2018 年 4 月の現時点で 2 年と数カ月ドイツに滞在していることになります。昨年の 12 月から今年の 1 月にかけてはイスラエルのエルサレム・ヘブライ大学でのコプト語動詞のデータベースのプロジェクトで客員研究員として渡航費や滞在費や研究費をいただいて働きました。ドイツやイスラエルの学術的な環境は日本のものとかなり異なり、実際に働いてみて、驚きの連続でした。次回はドイツをはじめとするヨーロッパの DH 関連のプロジェクトおよび学会の状況やプロジェクトにおける雇用体系などについてご説明させていただきたいと存じます。

次回からも何卒よろしくお願いいたします。今回は初回なので敬体で書きましたが、次回からは常体で書いていきます。

▶注

[1] Optical Character Recognition（光学文字認識）の略。イメージ・ファイルにある文字の画像を読み取り、Unicode などの符号化された文字情報を抽出する技術。手書きの文字の認識も Handwritten OCR などと呼ばれるが、近年、ヨーロッパでは後述の Transkribus のように、ライン認識なども含めて Handwritten Text Recognition（HTR）と別の用語で呼ぶことが多くなっている。

[2] 元は Hewlett Packard が開発していたが現在は Google が開発しているフリーの OCR プログラム。Unicode にあれば、どのような文字でも対応可能。

[3] ドイツのトーマス・ブロイエル（Thomas Breuel）が開発したフリーの OCR プログラム。当初から、ディープ・ラーニングの技術を用いたニューラル・ネットワークを用いていたことが特徴。Tesseract と同様、Unicode にあればどのような文字でも対応可能。

[4] Digital Humanities 大会は、ADHO（Alliance of Digital Humanities Organizations）によって毎年主に夏に開催されている、デジタル・ヒューマニティーズの最大の国際大会である。

[5] Unicode。符号化された文字集合の規格で、世界中の文字に符号を割り当て、普遍的にどのコンピュータでも表示できるようにする枠組み。

[6] コプト語の Unicode が制定される前は、コプト学者たちは、英数字（ASCII 文字）で記述

し、専用フォントを用いてコプト文字の形で表示していた。しかし、現在はUnicodeのコプト文字を用いることが通常となっているため、古いプロジェクトでASCIIフォントで作られたデータはUnicodeに変換されることが求められる。

[7] プログラミング言語の一つ。文字列の検索・置換のための正規表現の処理に優れている。

[8] ある文献やテクストに対して、機械が読めるようにするために、ある特定の方法で、情報を付与していくこと。TEI/XMLなどにあるように、タグをつけて情報付与していくことが多い。

[9] マークアップ言語の一つであるXML（Extensive Markup Language）をベースに、TEI（Text Encoding Initiative）協会が制定する、人文学のテクストのマークアップ方式の標準（スタンダード）である。西洋諸国では、デジタル・ヒューマニティーズのプロジェクトにおいてTEI/XML形式で文献データを作成するのが通常である。

[10]「What you see is what you get」の略で、その文献と同じような配置の編集画面で編集して、それに近い形で出力できる形式のことである。

[11] Natural Language Processingの略で、日本語では自然言語処理と呼ばれる。自然言語とは、日本語や英語などの人間が使う言語のことで、それをコンピュータでどう処理するかがNLPである。

[12] 電子テクストを語に近い単位であるトークンに分けることをトークナイズというが、それを自動化して行うプログラムをトークナイザーと呼ぶ。コプト語は、前置詞や冠詞や助動詞などの機能語が名詞や動詞の内容語とスペースなしに続けて綴られる。そこで、トークナイザーが重要になってくる。

[13] あるテクストが別のテクストの一部をそのまま、または一部改変して使用する引用、あるテクストが別のテクストの内容を指示する引喩など、あるテクストが別のテクストの一部や内容を使用すること。

ドイツのデジタル・ヒューマニティーズにおける雇用事情

2018-05-29

■1．ドイツのDHプロジェクト事情

現在ゲッティンゲン大学のゲッティンゲン・センター・フォー・デジタル・ヒューマニティーズ（Göttingen Center for Digital Humanities: GCDH）および計算科学研究所のeTRAP研究グループとともにコプト語のOCRを開発している。eTRAPのリーダーはマルコ・ビュヒラー（Marco Büchler）である。ゲッティンゲン大学ではGCDHのほかにもゲッティンゲン・ニーダーザクセン州立大学図書館（Niedersächsische Staats- und Universitätsbibliothek Göttingen: SUB）とDARIAH-DE［注1］というDHのセンターがある。SUBとDARIAH-DEは協力関係にあり、XMLを基盤にしたさまざまなデジタル・エディションなどのほか、DARIAH-DEを中心にTextGrid［注2］というDHに特化したXMLエディタの開発を行っている。

特にこのTextGridには毎年かなりの予算が割かれているようである。SUBはアメリカ合衆国の図書館を基盤にしたDHプロジェクトに倣って、ドイツ国内では先進的な試みとして図書館がDHプロジェクトを行っている。日本で言うと、東京大学附属図書館アジア研究図書館上廣（うえひろ）倫理財団寄付研究部門のような性格を持っている。

GCDHは一時は隆盛をきわめたが、当研究所で指揮を執っていたゲルハルト・ラウアー（Gerhard Lauer）教授のバーゼル大学Digital Humanities Labへの転出や予算の関係から、多くの人が転出している。私の同僚の一人も昨年より50%はGCDHで、50%はマインツ大学のDHセンター［注3］で働き、GCDHとの契約の終了に伴い、活動拠点をマインツ大学に移す予定であるそうだ。

■2．定かではないドイツの大学の正式名称

ちなみに、ドイツの大学名は正式名称が定かではない。ゲッティンゲン大学に場合は、ドイツ語における公式文書ではGeorg-August-Universität Göttingenが用いられるが、二十世紀まで西洋の学問における共通言語だったラテン語ではUniversitas Regia Georgia Augustaである。このラテン語の名称からたまにGeorgia Augustaが用いられることがある。英語では、University of Göttingen, University of Goettingen, Göttingen University, Goettingen University, Georg August University Göttingen, Georg August University, Georg August University Goettingen, George August University Goettingen、もしくはドイツ語をそのまま用いて、Universität Göttingen, Georg-August-Universität Göttingenなどと表記される。

ゲオルク・アウグスト（Georg August）はハノーファー選帝侯かつハノーヴァー朝のイギリス国王で、イギリス国王としてはジョージ2世として知られる人物である。

2017年の2月ごろに、総長から大学の構成員に向けて、学術データベースなどでの便宜を図るため、Universität GöttingenかUniversity of Goettingenのどちらかを論文などでの表記とするよう通達があったが、その後もさまざまな名称が用いられており、おそらくUniversity of Göttingenが一番よく用いられている表記である。ドイツ語では、ウムラウトが付いた母音はその母音＋eと互換性がある。もともと、ウムラウトはその母音字の上に小さいeが置かれたものであったようである。前述のようにGeorg-August-は人名であり、Georgの英語形はGeorgeであるため、George August Universityが用いられることがある。日本語では、ゲッティンゲン大学かゲオルク・アウグスト大学ゲッティンゲンの名称がよく用いられる。

ドイツでは、そのほかの大学も大学に貢献した人物やその町の著名な出身者から名前を取ることが多い。マインツ大学はヨハネス・グーテンベルクからJohannes Gutenberg-Universität Mainz、ミュンヘン大学はLudwig-Maximilians-Universität München、ハイデルベルク大学はRuprecht-Karls-Universität Heidelberg、フランクフルト大学はJohann Wolfgang Goethe-Universität Frankfurt am Mainがドイツ語における「正式名称」的な地位を占めている。ただし、「通称」のような形で「Universität 地名」が用いられることも多い。ここにおいて、「正式名称」や「通称」はそのような地位を

慣習的に占めている、といった意味である。

ドイツでだけでなく同じドイツ語圏の大学も通常ドイツの大学のような長い名称の大学があり、例えば、オーストリアのザルツブルク大学は Paris-Lodron-Universität Salzburg である。また、ドイツのベルリン大学の場合は、もともとプロイセン王の名前を冠したフリードリヒ・ヴィルヘルム大学（Friedrich-Wilhelms-Universität）であったが、ナチス政権の崩壊後、共産主義政権によってフンボルト大学ベルリン（Humboldt-Universität zu Berlin）と改名され、共産圏の東ベルリンにあるフンボルト大学ベルリンに対抗して、西ベルリンにベルリン自由大学（Freie Universität Berlin）が創設された。

このベルリン自由大学の Freie「自由な」のように、形容詞が用いられることもある。例えば、新約聖書本文研究所で有名なミュンスター大学は、Westfälische（ヴェストファリアの）が人名の前に用いられ、Westfälische Wilhelms-Universität（ヴェストファリア・ヴィルヘルム大学）である。このように複雑な名称をもつ大学があるのに対し、ライプチヒ大学は Universität Leipzig、ウィーン大学は Universität Wien と、大変単純である。このようにドイツ語圏の大学の名称は一筋縄ではいかない。

■3. プロジェクトを渡り歩く DH 学者たち

脱線したが、マインツ大学に移ろうとしている GCDH の同僚は、ゲッティンゲン大学以前はライプチヒ大学の DH センターで働いていた。このようにドイツの DH 学者は、プロジェクトを渡り歩いていることがよくある。ドイツの人文学では雇われている研究者は多いが、無期限雇用の研究者はかなり少ない。ゲッティンゲンのコプト学関連のプロジェクトでも、無期限雇用はエジプト学・コプト学講座の主任である正教授一人のみである。

そのほかは、大抵有期雇用である。教授資格を持っており、Professor を名乗っていても、正教授もしくは Universitätsprofessor か、無期限雇用の特別な○○ Professor でない限り、有期雇用のことが多い。

例えば、ライプチヒ大学のグレゴリー・クレイン（Gregory Crane）教授 **[注 4]** は Alexander von Humboldt Professor of Digital Humanities であり、名称はそれぞれのケースで異なる。ドイツでは、博士号を取った後、4 年ほどをかけて、Habilitation の試験に挑み、合格すると Privat-Dozent になる。PD と略されるが、ポスドクではないことに注意されたい。PD を取得すれば、大抵は大学に何らかの形で雇用されるものの、絶対に雇用されるとは限らないようである。

その後、教授資格試験に受かると Professor の称号を与えられるが、ここでも絶対に終身雇用をされるとは限らない。ここで正教授のポストにつけない場合は、有期雇用になることが多い。しかしながら、Professor にならないと正教授のポストにつくことはできない。近年は Juniorprofessur という新しい制度ができ、これは、旧来の Habilitation でなく、アメリカのテニュア・トラック・ポジションに近い制度で、限られた期間の間に成果をあげれば、Habilitation を得ることなく教授への道が開ける。

■4．プロジェクト被雇用者は終わると途端に職を失う

ドイツでは DH プロジェクトが数多くあるものの、そのプロジェクトの被雇用者はそのプロジェクトが終わった途端に職を失う。プロジェクトの被雇用者は Habilitation を目指すポスドク、PD、教授資格保有者だけでなく、博士課程学生や修士課程学生、プログラマや技術者、そして、秘書や事務員などである。博士課程学生は、このようなプロジェクトに雇われるか、奨学金を得るか、授業を持つか、あるいは研究とは関係ない大学内外の職に就くか、あるいは、親などの支援を得るなどして生計を立てている。大学での給与は TL-V スケールというものが使われる。

私は去年の 8 月までは TV-L13 の 95%の給与を得ており、毎月 3,700 ユーロ、日本円では 50 万程度であったが、税金が高く、手取りは 2,200 ユーロ程度であった。去年の 8 月に 30%のプロジェクトが終了したので、現在は 65%であり、手取りは毎月 1,600 ユーロほどである。税金は年金、失業保険、医療保険、さらには、住民登録の際に特定の宗教の信者として登録されているものは教会税が引かれる。

私は住民登録の際に宗教の欄にローマ・カトリック教会と書いたので、教会税が引かれ、その税金はドイツのローマ・カトリック教会に使われている。去年の 8 月までは教会税は毎月 50 ユーロほどであったが、現在は 30 ユーロほどである。医療保険を支払っているので、医療費は基本的に無料である。私のプロジェクトは 2019 年の 6 月に終了するため、現在はそれ以降の計画を思案している最中である。

私の博士課程はプロジェクト基盤の博士課程であるため、プロジェクトの

終了までには博士論文を提出することが望ましいとされる。ゲッティンゲン大学の博士論文（コプト学）をそれまでに提出し、まだ籍を残している京都大学言語学専修での博士論文をその後続けることを考えている。

現在もデジタル・ヒューマニティーズ・アドヴァイザーとして、短期アルバイトのように不定期に働いているベルリンのエジプト博物館およびパピルス・コレクションのエレファンティネ・プロジェクトで有期の研究員のポジションを2019年の7月から得ることができる、という約束を口頭でエレファンティネ・プロジェクトのプロジェクト・リーダーから取り付けた。

それが実現すれば、京都大学言語学専修への博論として、マニ教文献が数多く残っていることで知られるコプト・エジプト語のリュコポリス方言の文法を書きながら、ベルリンのエジプト博物館およびパピルス・コレクションで2020年の夏まで働くつもりである。

▶注

[1] DARIAH-DE（“Startseite,” DARIAH-DE, accessed April 17, 2020, https://de.dariah.eu/）は、ドイツ国内の人文学でのデジタル技術の利用の基盤の整備を促進させていくプロジェクトである。欧州連合が範囲にはいるDARIAH-EUのほか、ベルギーのDARIAH-BEのように欧州諸国にそれぞれDARIAHが存在する。

[2] ゲッティンゲンのニーダーザクセン州立・大学図書館の研究部門によって開発された、文献をTEI/XMLでマークアップするためのエディタおよびその開発プロジェクトである。（“Home,” TextGrid, accessed April 17, 2020, https://textgrid.de/）

[3] 西洋諸国では、大学や大学図書館にデジタル・ヒューマニティーズ・センターを設置するところが増えてきている。例えば、ゲッティンゲン大学では，Göttingen Center for Digital Humanities（“Welcome: GCDH,” Göttingen Center for Digital Humanities, accessed April 17, 2020, https://www.gcdh.de/en/welcome/）というDHセンターがある。

[4] TEI/XMLでマークアップされたデータを使用している、文学作品や哲学・宗教・歴史書を中心とする、古典ギリシア語とラテン語で書かれた西洋古典文献の最大のタグ付きコーパスであるPerseus Digital Library（Perseus Digital Library, accessed April 17, 2020, http:// www.perseus.tufts.edu/）のプロジェクトリーダーを務めている。タフツ大学ならびにライプチヒ大学教授である。

スウェーデンとアメリカで古代末期関連のDHプロジェクトの作業を行った

2018-06-30

■1．ルンド大学のデータベースMonastica

この1カ月間、私はスウェーデンのルンドとアメリカ合衆国のワシントンDCの2都市に滞在し、現地の研究者とともにDHプロジェクトのための作業を行った。スウェーデンのルンドは、デンマークのコペンハーゲンに近く、コペンハーゲンから電車で海峡トンネルを渡って来ることができる。ルンドは、スウェーデンでウプサラ大学に次いで2番目に古いルンド大学を擁し、小規模ながら、学生や研究者が多く暮らす学術都市である。この大学の神学部には、エジプトのキリスト教の初期の傑出した修道士であるアントニウスの手紙の研究で世界的に著名なサミュエル・ルーベンソン（Samuel Rubenson）教授がいるが、彼は現在、エジプトの初期の修道士たちの言行録である『師父たちの金言』（アポフテグマタ・パトルム）の大規模なデータベースであるMonastica［注1］の研究・開発を取り仕切っている。この『師父たちの金言』は4世紀ごろにギリシア語で編纂されたのち、キリスト教における修道制の広まりとともに、さまざまな言語に翻訳されていき、コプト語サイード方言（サヒド方言）、コプト語ボハイラ方言（ボハイル方言）、古典シリア語、ラテン語、古代教会スラヴ語、古典グルジア語、古典アルメニア語、ソグド語、アラビア語、ゲエズ語などに翻訳されていった。翻訳や写本作成の過程で言行録の順番の変更や加筆、さらには削除などが行われていき、それぞれの翻訳には数多くの異同がある。それら多数の版の文献学的な異同の研究のプラットフォームとしてのウェブ・データベースを作成しながらも、統計的な研究によって写本間の異同に基づく距離（distance）を数値化し、それらを視覚化（visualization）していくことがこのプロジェクトの目標である。このプロジェクトのPI（principal investigator）であるルーベンソン教授の招待でルンド大学に5月下旬、一週間滞在した。

このプロジェクトには、各言語の専門家が参加しているが、ウェブ開発はヨハン・オールフェルト（Johan Åhlfeldt）氏によって現在は行われている。彼は、西洋古典学やエジプト学などで用いられる都市・土地・場所に関する、ほかのデータベースにリンク付けられた多様なデータを活用させたデジタル・マップである Pelagios Commons［注2］の開発者として働いてきた。彼は現在、Monastica のウェブ・インターフェースの改良を行っている。その中で注目すべきは、彼が現在実装させつつある、ウェブ XML エディタである。これは、汎用（はんよう）のウェブ上コードエディタである CodeMirror［注3］がベースになっている。CodeMirror は JavaScript［注4］で書かれている大変軽量な、ウェブ上で動く汎用エディタであり、オールフェルト氏はこれを Monastica のユーザーがウェブ上で用いる一種の TEI/XML［注5］のエディタとしてカスタマイズしている。

私は、彼らに私が現在参加しているプロジェクトで用いられている一連のツールを紹介した。その中でも特に彼らの興味を引いたと思われるのが、私のコプト語文献の間テクスト性（intertextuality）のプロジェクトで用いられている、ライプチヒ大学のシュテファン・イェニケ（Stefan Jänicke）氏が開発した TRAViz である。このプログラムでは、二つのテクスト間に異同がある場合に、それを線やアライメントで表したり、色の濃淡や種類によって文同士の類似度を示す点でマッピングさせたり、テクストをパラレルに表示させたり、とさまざまな視覚化ができる。いくら文章で表現したとしても、スクリーンショットをお見せした方が効率的であるので、まずは、TRAViz の公式ページ［注6］の画像を見てほしい。ただし、このホームページはアライメントによる異同の表示だけしか画像が掲載されておらず、文献間のマッピングの視覚化などは載っていない。マッピングとパラレル・ヴューは、私とマルコ・ビュヒラー（Marco Büchler）氏による、2016 年のコプト学国際学会（カリフォルニア州クレアモント）で用いられたスライドを見ていただきたい［注7］。ビュヒラー氏は、先月号前編で紹介した eTRAP チーム［注8］の PI である。

■2．Coptic SCRIPTORIUM というプロジェクト

二つ目の出張は 6 月上旬の、アメリカ合衆国のワシントン DC における調査・研究である。私は 2014 年から Coptic SCRIPTORIUM［注9］というプロジェクトに Research Member として参加している。Coptic

SCRIPTORIUM の SCRIPTORIUM は、「(コプト語）サイード方言コーパス研究：学際的多層手法のためのインターネット・プラットフォーム」(Sahidic Corpus Research: Internet Platform for Interdisciplinary multilayer Methods) の略で、コプト語の中でも著作が最も多く書かれたサイード方言の言語学・文献学的なタグ付き多層ウェブコーパスを開発している。このプロジェクトのリーダーのうちの一人がジョージタウン大学言語学科の助教（Assistant Professor）であるアミール・ゼルデス（Amir Zeldes）氏であり、彼がプロジェクトの技術面を率いている。彼のポジションはテニュア・トラックであり、また、これまで計算言語学（Computational Linguistics）の博士課程の大学院生数人の指導教員を務めている。ゼルデス氏は、エルサレム出身のイスラエル人であり、学部はヘブライ大学で、大学院はポツダム大学とベルリン・フンボルト大学で学び、日本にも 3 カ月間語学学校に滞在し、母語のヘブライ語を始め、英語、ドイツ語、日本語、さらに、ポーランド語などを流暢に話すことができるポリグロットである。このプロジェクトのウェブコーパス自体は ANNIS **[注 10]** というフンボルト大学が開発した PostgreSQL **[注 11]** に基づいたプラットフォームである。ここでは、画像を添付することができないので、ANNIS のホームページでどのようにコーパスが表示されるのか見ていただきたい。専門のクエリ **[注 12]** 言語を用いて、さまざまな統語条件、または語彙条件で語や構文を検索することができる。入力するデータは SGML **[注 13]** であるが、TEI/XML などさまざまなフォーマットに出力することも可能である。Coptic SCRIPTORIUM のデータはすべて GitHub **[注 14]** で公開されている **[注 15]**。今回のワシントン滞在中、ゲッティンゲンで私と同僚が作成した 5 世紀の修道院長シェヌーテの『第六カノン』と呼ばれるコプト語サイード方言の文献の EpiDoc TEI/XML データを、SCRIPTORIUM で用いられる SGML のデータに変換して、公開する手前のところまでゼルデス氏と共同作業を進めた。Coptic SCRIPTORIUM はこれまで多数の自動化 NLP ツールを作成し、用いている。主なものとして、トークナイザー（tokenizer)、レンマタイザー（lemmatizer）**[注 16]**、POS タガー（POS-tagger)、そして、Universal Dependency **[注 17]** に基づいた統語樹パーサー（syntactic treebank parser）**[注 18]** が挙げられる。レンマタイザーと POS タガーは、ルートヴィヒ・マクシミリアン大学ミュンヘンのヘルムート・シュミット（Helmut Schmid）氏が開発した TreeTagger **[注 19]** を用いている。トークナイザーはゼルデス氏が独自に開発したものである。コプト語は前置詞、助動詞、冠詞などの文法語が内容語に接して書かれ、スペースは、日本語の文節のような、Bound Groupと呼ばれる音韻論的単位を元にしたある種の句ごとに挿入されることが多い。そのため、Bound Group内の語を分けてトークン化することがNLPの鍵となる。

これらの自動化ツールをまとめて、コプト語文を入力し、Processボタンをクリックするだけで解析されたSGMLデータが得られるCoptic NLP Serviceも、Coptic SCRIPTORIUMとKELLIAプロジェクト[注20]の一環として公開されている[注21]。これらのNLPツールには、ローマ・サピエンツァ大学のCorpus dei Manoscritti Copti Letterariプロジェクト[注22]やベルリン・ブランデンブルク学術アカデミーのThesaurus Linguae Aegyptiaeプロジェクト[注23]などほかのプロジェクトからの協力によって得た、広範なレンマデータが用いられている。

今回のワシントン出張では、ゼルデス氏との共同作業によって、『第六カノン』の数多くのデータ、シェヌーテの弟子のベーサのテクスト、そして、ゲッティンゲン学術アカデミーのコプト語旧約聖書デジタル・エディション化プロジェクトから得たコプト語サイード方言訳の旧約聖書のデータをCoptic SCRIPTORIUMの形式に変換する作業を行った。そのほかにも、ワシントンのアメリカ・カトリック大学に保管されている、世界各地のコプト語写本の100年前に撮られた写真のコレクションにおける調査・研究も行った。カトリック大学の教授であったアンリ・イヴェルナ（Henri Hyvernat）氏は100年前、世界各国の博物館や図書館にあるコプト語の写本を撮影し、それらの写真がこのカトリック大学のコレクションとなっている。元となった写本は現在はさまざまな国の博物館や図書館で保管されているが、劣化して読めなくなったものも多い。そのために、100年前に撮られたこのカトリック大学の写本の写真のコレクションはさまざまなコプト語写本を解読する際に大変重要なヒントとなる。

今夏は、ヨーロッパでは、例年のようにライプチヒ大学でDHのサマースクール[注24]が、オックスフォード大学でもDHのサマースクール[注25]があるほか、ハンブルク大学では、コプト文献学のサマースクール[注26]があり、私はコプト語コーパス言語学およびDHの講師として授業をする予定である[注27]。

次回は、ヨーロッパとイスラエルの大学におけるDH教育について述べたいと思う。

▶**注**

[1] "Monastica - Early Monasticism and Classical Paideia," Monastica - a dynamic library and research tool, accessed July 15, 2020, http://monastica.ht.lu.se/.

[2] "Welcome to Pelagios Network," Pelagios Network, accessed July 15, 2020, https://pelagios.org/.

[3] "CodeMirror," CodeMirror, accessed July 15, 2020, http://codemirror.net/.

[4] ウェブサイトやウェブアプリによく使われているプログラミング言語で、ユーザーのブラウザ上で動作することができるプログラムを作成することができる。

[5] TEI/XMLについては巻末「用語解説」参照。

[6] "TRAViz: Text Re-use Alighment Visualization," vizcovery.org, accessed July 15, 2020, http://www.traviz.vizcovery.org/index.html.

[7] Miyagawa, So and Marco Büchler, 352 "Computational Analysis on Text Re-use of Shenoute and Besa," eTRAP, accessed February 23, 2021, http://www.etrap.eu/wp-con-tent/uploads/2016/08/claremont27Aug2016.pdf.

[8] "eTRAP: Electronic Text Reuse Acquisition Project," eTRAP, accessed July 15, 2020, https://www.etrap.eu/.

[9] "Coptic SCRIPTORIUM: Digital Research in Coptic Language and Literature," Coptic SCRIPTORIUM, accessed July 20, 2020, http://copticscriptorium.org/.

[10] "ANNIS," corpus-tools.org, accessed July 15, 2020, http://corpus-tools.org/annis/.

[11] オープンソースのリレーショナル・データベースシステムであり、高機能なデータベースを作成することができる。

[12] 日本語では「問い合わせ」を意味する。

[13] Standard Generalized Markup Language（標準一般化マークアップ言語)。XMLの前段階であり、XMLでは許されないような構造も許される。

[14] プログラムのソースコードをポスティングできるウェブサービスであり、ヴァージョン管理システムにはGitが用いられている。プログラムのコードをクラウドソーシングできるほか、オープンソースとして公開することができる。近年数多くのDHプロジェクトがGitHubを用いている。2018年に、GitHubはマイクロソフトに買収された。。

[15] "Coptic SCRIPTORIUM," GitHub, accessed July 20, 2020, https://github.com/CopticScriptorium/.

[16] レンマとは、特に屈折や語形変化のある語の、すべての変化形をまとめるものであり、通常その語の基本形が用いられる。例えば、英語のwrite, writes, writing, wrote, writtenのレンマはwriteである。このようにテクストにある語のレンマを自動的に分析するプログラムをレンマタイザーと呼ぶ。

[17] UDと略される。依存文法を用いて、どんな言語でも同じ方法・タグで統語情報を記述、そしてそれに基づく統語樹のデータバンクであるツリーバンクの作成を目指したものである。詳細については、本書3-19「Universal Dependenciesの統語記述の特徴と自動統語解析」を参照。

[18] 統語パーサーとは、電子テクストの統語情報、すなわち、語同士がどのように文を形作っていくかを自動で分析するものである。統語記述のモデルは、大別して、句レベルを認める構成素文法、語と語の関係性のみを記述する依存文法がある。本書3-10「Universal

Dependencies の統語記述の特徴と自動統語解析」、および、本書 3-21「統語情報、語の情報をマークアップする Universal Dependencies —依存文法ツリーバンクの世界標準—」を参照。

[19] "TreeTagger - a part-of-speech tagger for many languages," Helmut Schmid, accessed July 15, 2020, http://www.cis.uni-muenchen.de/~schmid/tools/TreeTagger/.

[20] "KELLIA," KELLIA, accessed July 15, 2020, ttp://kellia.uni-goettingen.de/.

[21] "Coptic NLP Service," Coptic SCRIPTORIUM, accessed July 16, 2020, https://corpling.uis.georgetown.edu/coptic-nlp/.

[22] "CMCL Corpus dei Manoscritti Copti Letterari," CMCL, accessed July 16, 2020, http://www.cmcl.it/

[23] "Thesaurus Linguae Aegyptiae," Thesaurus Linguae Aegyptiae, accessed 19 July, 020, http://aaew.bbaw.de/tla/. エジプト語のすべてのテクストのコーパスおよびそのコーパスに基づいたコンコーダンスと辞書の開発を目的にした、ベルリン・ブランデンブルク学術アカデミーのプロジェクトである。

[24] "11th ESU 28.07. - 07.08.2020," "Culture & Technology" European Summer University in Digital Humanities, accessed July 19, 2020, https://esu.culintec.de/.

[25] "Digital Humanities at Oxford Summer School," the University of Oxford, accessed July 19, 2020, http://www.dhoxss.net/.

[26] "Summer School in Coptic Literature and Manuscript Tradition: Centre for the Study of Manuscript Cultures, Hamburg: 17 - 21 September 2018," Centre for the Studies of the Manuscript Cultures, Universität Hamburg, accessed July 19, 2020, https://www.manuscript-cultures.uni-hamburg.de/register_coptic2018.html.

[27] DH サマースクールは、ヨーロッパでは、このライプチヒ大学のサマースクールおよびオックスフォード大学のサマースクールが有名である。ライプチヒ大学のものは中上級者向けであるのに対して、オックスフォード大学のものはどちらかといえば初中級者向けである。北米大陸では、カナダのヴィクトリア大学で毎年開催されている Digital Humanities Summer Institute（https://dhsi.org/, accessed February 25, 2021）が有名である。

ゲッティンゲン大学でデジタル・ヒューマニティーズとコーパス言語学の授業を担当して

2018-07-31

■1．「コーパス言語学のツールを用いた、テクストおよび語の分析」という授業

7月20日、私はゲッティンゲン大学の「エジプト学・コプト学におけるデジタル・ヒューマニティーズの研究方法への入門」（Einführung in digitale Forschungsmethoden der Digital Humanities（DH）in der Ägyptologie und Koptologie）というさまざまな講師が講義を受け持つ科目にてドイツ語による1講義を担当した。私の講義のタイトルは「コーパス言語学のツールを用いた、テクストおよび語の分析」（Text- und Wortanalysen mit korpuslinguistischen Tools）である。

■2．初心者の学部生でも楽しめる授業

最初は、複数のテクスト間の引用や引喩を発見するテクスト・リユース探知プログラムのTRACER［注1］や多層コーパスのプラットフォームのANNIS［注2］の使い方を教えるつもりでいたが、リレー講義のオーガナイザーに、完全に初心者の学部生でも楽しめるものにするように言われた。そのため、まずはWordArt.com［注3］などでワードクラウドを作った後、Voyant Tools［注4］を試しみて、その後、ANNISを学ぶ、という順序を提案したら、快く受け入れてもらった。Voyant Toolsに関しては、多くの方がご存じであろうが、マギル大学のステファン・シンクレア（Stéfan Sinclair）とアルバータ大学のジョフリー・ロックウェル（Geoffrey Rockwell）が開発したオンライン上で動くコーパス分析ツールである。私は以前は、PythonのNLTK、Pandas、NumPy、SciPyなどを組み合わせてさまざまなコーパス分析、およびグラフの作成などを行っていたが、Voyant Toolsでは、テクストボックスにコーパスを貼り付けて、解析のボタンをクリックするだけで、10種類以上の多種多様な解析結果を得ることができる、大変ハンディー

なツールである。この Voyant Tools には、東京大学大学院人文社会系研究科の次世代人文学開発センター人文情報学拠点で提供する人文情報学概論の一環として大学院生たちによって作られた日本語インターフェースもある。なお、私が授業で使ったウェブ・スライドやレクチャーノートは http://somiyagawa.github.io/Unterrichten/ で公開している。ちなみに、Voyant Tools と ANNIS はダウンロードすれば、ネットにつながっていなくても、ローカル環境で使用可能である。

■3. ワードクラウドを作るサイト WordArt.com

WordArt.com というのは、ワードクラウドを作るサイトで、コプト文字の Unicode フォントや、私も参加している SINUHE プロジェクトで開発している、縦方向や文字の中に文字があるなど特殊な配置が可能なヒエログリフ（聖刻文字）の Unicode フォント［注 5］や、楔形（くさびがた）文字のユニコードフォントにも変更できるため、エジプト学コプト学のデジタル・ヒューマニティーズ入門、という授業タイトルにもってこいである。また、クラウドの中の語単位で微調整ができたり、クラウドの色や形を変えることができる優れものである。 授業でワードクラウドの形をハート型に変えたりして遊ぶ予定である。おそらく読者の方はほとんどがワードクラウドについて存じ上げていると思うが、ワードクラウドは、テクスト・コーパス内から使われている語（タイプとトークンの区分では、タイプ）を抽出し、頻度が高い語を大きく、低い語を小さく、雲状に配置したものである。

■4. Voyant-Tools を使う

イスラエルのハイファ大学の DH プログラムで働いているシナイ・ルシネック（Sinai Rusinek）や、ライプチヒ大学の The Humboldt Chair of Digital Humanities で助教として働いているモニカ・ベルティ（Monica Berti）などから話を聞くと、大抵入門の授業では Voyant-Tools の用い方をレクチャーするようである。 私も Voyant-Tools を授業で使った。

最初に表示されるのは五つのパネルであり、それぞれのパネルには五つの解析結果が表示されており、パネルのタブを切り替えることでほかの 2-3 の解析結果にそれぞれのパネルで切り替えることができるほか、一番右下のパネルの Windows のロゴにそっくりなボタンを押すと、ほかのマイナーな解析結果もすべて表示することができる。

Voyant Tools も左上のパネルでワードクラウドが作成されるが、こちらはWordArt.com などとは異なり、ドイツ語などよく使われている言語の場合、代名詞、前置詞、冠詞、接続詞などの機能語は通常頻度が多いと考えられているため、ストップワードとして除去される。WordArt.com で生成した『ヴェニスに死す』のワードクラウドでは、定冠詞や前置詞、代名詞など機能語の多さが目についたが、ストップワードが除去される Voyant Tools では、作品のキーワードが多く表示される。この授業では、まずは、トーマス・マンの『ヴェニスに死す』をサンプル・データとして用いた。この作品の場合、最も頻度が高い語は、主人公の姓である Aschenbach であった。また、Stadt「街」、Meer「海」、Venedig「ヴェニス／ヴェネツィア」も頻度が高くワードクラウドに載っており、これらからどのような場所が舞台になっているか、想像がつく。また、Aschenbach が恋をする Tadzio という主要人物の少年の名もこのワードクラウドの中に入っている。しかしながら、ging、sah など一般的な動詞もある。確かに、この小説では Aschenbach が Tadzio の後を付け回すので、このような単語が頻度が高いと言われれば、うなずける。また、Aschenbach とのコロケーション分析で、共起するものとして多かったのが、彼のファースト・ネームの Gustav、また、彼が執心していた Tadzio、そして、augen、gut、ging などであった。

そのほかの機能、例えば、コロケーションの分析 **[注 6]** や、作品を均等に切ったセグメントごとの頻度なども大変便利である。最も目を引くのが、そのヴィジュアリゼーション（見える化）の多様さである。授業では、特に TermsBerry、Mandala、Knots などが好評であった。これらのヴィジュアリゼーションは次のヘルプのページで概観することができる **[注 7]**。

■5. ANNIS というウェブ・コーパスのプラットフォーム

WordArt.com と Voyant Tools を学生に試してもらった後は、ANNIS について説明した。ANNIS はフンボルト大学ベルリンに設置されていた、ドイツ研究振興協会（DFG: Deutsche Forschungsgemeinschaft）**[注 8]** が出資する共同研究センター（Collaborative Research Centre）／特別研究領域（Sonderforschungsbereich）632 “Information Structure: The Linguistic Means for Structuring Utterances, Sentences and Texts” で開発された、ウェブ・コー

パスのプラットフォームである。私のCoptic SCRIPTORIUMコプト語コーパス開発プロジェクトのボスの一人である、ジョージタウン大学の助教のアミール・ゼルデス（Amir Zeldes）がこのANNISの主要な開発メンバーの一人である。ちなみに私の雇用主は直接的には共同研究センター（Collaborative Research Centre）／特別研究領域（Sonderforschungsbereich）1136であるが、これは英語の正式名称とドイツ語の正式名称が異なることが特徴である。ドイツ研究振興協会が出資する最長12年存続される研究所である。

Coptic SCRIPTORIUMでは、データはすべてXML、もしくはSGMLベースで作られているが、バックグラウンドではPostgreSQLが動いている。XMLを用いた多層構造のアノテーションが可能である。例えば、私が働いているCoptic SCRIPTORIUMのコプト語のコーパスでは、ダイアクリティカルマークや句読点を除いた（normalizedされた）表示の層、これらの記号ありの写本の通りの表示の層、コプト語は機能語が内容語にくっつけて書かれるので、語ごとの表示の層、Coptic Dictionary Onlineにリンクされており、クリックするとこの辞書における意味が表示されるレンマの層、品詞の層、一部のコーパスでは、Universal Dependencyに基づいた統語樹の層（ツリーバンク）、また、ページ、カラム、行などのそれぞれの文献学的情報の層、写本のIDの層など、多層構造になっている。現代語のコーパスであれば、動画や音声の層も含めることも可能である。また、コプト語にはギリシア語などからの外来語が多いが、language of originの層もある。新たな層を作るときは、XMLにて新たなタグを付けて、層の内容をタグ内のattributeと結びつけられているvalueに書けばよいだけである。Coptic SCRIPTORIUMは、EpiDoc **[注9]** という（西洋）古典文献学用（元はその中でも碑文学用）のTEI/XMLの標準形式を用いているが、TEI/XMLに準拠していれば、SaltNPepperというコンバーターを使って、ANNIS専用の形式に変換して、ANNISにインポートできる。このようにANNISは大変柔軟なプラットフォームである。

ANNISは、検索面でも、ANNISクエリ言語 **[注10]** を用いて、語、レンマ、句、品詞、構文、統語関係、借用語、列、行などかなり複雑な関係を指定して、検索することも可能である。例えば、pos="N" .1,3 pos="V" _=_ lang="Greek" ならば、名詞の後ろに3語以内にギリシア語から借用された動詞が来るという構造であり、この式を検索ボックスに入力して検索することで、コプト語の諸コーパス（コーポラ）におけるこの特定の構造を検索することができる。

現在は、Universal Dependency に基づいた統語樹を書くための Arborator **[注 11]**、情報構造を書くための WebAnno **[注 12]** など、また現代語ならば、フィールド言語学の言語記述で、音声や動画を書き出し、グロスなどアノテーションを施すのによく用いられる ELAN **[注 13]** など、ほかのアプリと提携している。

■6．ドイツ語話者にレクチャーノートを添削してもらう

授業には 10 人ほどの学生が来てくれた。これまでは、いくつか英語で授業を行ったことはあるものの、ドイツ語で授業を行うのは大学では初めてで多少緊張したが、ドイツ語話者にレクチャーノートを添削してもらったりなどして準備に多くの時間をかけた甲斐もあって、よく理解してもらったようであり、こちらからの指示や練習問題も全員がうまくこなせた。 また、いくつか的を射た質問を生徒からもらい、学部生が多かったが、大変優秀な生徒たちであると感心させられた。2 時間という短い時間ながら三つのツールを使えるようにするという密な講義であったが、これらのツールが使えるようになってよかったとうれしいフィードバックを生徒たちからもらった。

▶注

[1] "TRACER," eTRAP: Electronic Text Reuse Acquisition Project, accessed July 19, 2020, https://www.etrap.eu/research/tracer/.

[2] "ANNIS A web browser-based search and visualization architecture for complex multilayer linguistic corpora with diverse types of annotation," corpus-tools.org, accessed July 19, 2020, http://corpus-tools.org/annis/.

[3] "Word Cloud Art," WordArt.com, accessed July 19, 2020, https://wordart.com/.

[4] "Voyant: see through your text," Voyant Tools, accessed 19 July, 2020, https://voyant-tools.org/. Voyant Tools のウェブサイトのテクストボックスに分析したいテクストをペーストし、分析ボタンを押すだけで、コーパス言語学で必要なさまざまな分析、例えば、コンコーダンス分析、type 頻度、コロケーション分析など、そして、さまざまな視覚化が行える大変容易で優れたウェブ・ツールである。日本語版もある。

[5] "SINUHE THE HIEROTYPER: Sublime INput of Unicode for Hieroglyphic Egyptian," Sinuhe the Hierotyper, accessed July 19, 2020, http://somiyagawa.github.io/SINUHE-the-Hierotyper/.

[6] ある語とある別の語の共起のしやすさに関してそれらの共起の頻度に基づいて分析することである。

[7] "Voyant Tools Help," Voyant Tools, accessed July 19, 2020, https://voyant-tools.org/docs/.

[8] ドイツにおける、公的な研究振興機関で、、文系理系にかかわらず学術研究分野全般の研究者やプロジェクトに対して研究助成金を通じて支援している。日本の学術振興会のような機関である。

[9]EpiDoc とは、古典ギリシア語やラテン語の碑文を構造的に記述することを目指してはじまったプロジェクトであり、現在は TEI/XML に準拠している。対応する資料としてはパピルス文献、オストラコン（陶片）文献、羊皮紙文献、紙文献へと広がり、西洋古典語以外の言語への応用も進んでいる。コプト語の文献をマークアップする際は、EpiDoc を用いるのが一般的である。

[10] 本書 3-3「スウェーデンおよびアメリカ合衆国における古代末期関連のデジタル・ヒューマニティーズの一断面」注 12 でも説明したが、日本語では、「問い合わせ」を意味する。

[11] “Arborator,” Arborator, accessed 19 July, 2020, https://arborator.ilpga.fr/.

[12] “WebAnno - Welcome,” WebAnno, accessed July 19, 2020, https://webanno.github.io/webanno/. WebAnno はインターネット・ベースの、テクストの言語学的マークアップ・ツールである。ドイツにおける DH プロジェクトにウェブ・サーバーなどの基盤を提供している CLARIN-D を通して、サービスが運営されている。

[13] “ELAN,” The Language Archive, accessed July 19, 2020, https://tla.mpi.nl/tools/tla-tools/elan/.

聖書学とデジタル・ヒューマニティーズ
―聖書研究ソフトウエアの現状―

2018-08-31

■1．聖書文学学会国際大会と欧州聖書学会の共同大会に参加

先日、2018年7月31日から8月3日にかけて、著者はヘルシンキ大学で行われた聖書文学学会国際大会（Society of Biblical Literature, International Meeting）［注1］と欧州聖書学会（European Association of Biblical Studies）［注2］の共同大会に参加し、8月2日にデジタル・ヒューマニティーズのセッションで研究発表を行った。セッションの名称は「聖書学、初期ユダヤ教、および、初期キリスト教学におけるデジタル・ヒューマニティーズ」（Digital Humanities in Biblical Studies, Early Jewish and Christian Studies）であり、私の発表はゲッティンゲン大学コンピュータ科学研究所のマルコ・ビュヒラー（Marco Büchler）との共同発表だった。発表内容は、コプト語文学で最も多作であった、紀元後4世紀から5世紀に活躍した修道院長シェヌーテのコプト語文献の中にある古いコプト語訳聖書からの引用と引喩のコンピュータを用いた自動探知による新発見、および、その結果の文献学的な分析である。聖書文学学会はアメリカを中心とする聖書学や聖書に関係する文学の学会であり、欧州聖書学会はヨーロッパで最も大きい聖書学の学会である。両者ともに伝統ある学会であるともに、多くの研究発表が聖書研究の長い伝統にのっとったものである。しかしながら、近年では、デジタル・ヒューマニティーズのセッションの拡充および、デジタル技術を駆使した革新的な研究が目立つようになってきた。

■2．宗教文献がデジタル・ヒューマニティーズの発展を牽引する

デジタル・ヒューマニティーズの父と呼ばれ、ADHO（The Alliance of Digital Humanities Organizations）のRoberto Busa Prizeに名を残している人物といえば、イタリアのイエズス会士、ロベルト・ブサ（Roberto Busa）［注3］である。

DHの泰斗となった彼の最も有名なプロジェクトは、Index Thomisticusという、中世哲学およびカトリック神学の大学者である聖トマス・アクィナスの著作の索引のデジタル化のプロジェクトであった。これが開始されたのは、1946年という、初期のコンピュータができてまもなくの時代であった。学問が宗教から独立すべきであることは、客観性・中立性を保つ上で大変重要であるが、人文学は、人間の文化といった精神面を主に追求する以上、宗教も重要なトピックの一つとなってくる。ヨーロッパの大学は、中世では神学を中心に発展し、ルネサンスになると、既存の宗教的枠組みの再構築が推し進められた。このような背景があり、宗教に肯定的か、否定的か、それとも中立的か、といった各人のスタンスは脇に置いておいて（もちろん中立的なのが最も望ましいが）、ことに宗教的な文献は、神学はもちろんのこと、人文学の分野でよく研究されてきた。

デジタル・ヒューマニティーズは、日本では大蔵経など仏教経典が興隆の中心の一つとなったが、宗教文献がその発展を牽引するものとなったのは、このように、ヨーロッパでも同じである。キリスト教で最も重要な書物である聖書は、早くからデジタル・ヒューマニティーズの分野で研究された。そして1980年代からさまざまな機能を備えた聖書研究用のソフトウエアが現れた。冒頭で述べたヘルシンキの学会では、Logos［注4］とAccordance［注5］という2018年時点での二大聖書研究ソフトウエアのブースが商用スペースにあり、また、Accordanceのワークショップが大会のセッションの一つとして開催された。ここでは、これらの聖書研究用のソフトウエアについて述べる。

■3．開発が終了したBibleWorks

聖書研究ソフトウエアとして、学者によってよく用いられるものに、BibleWorks、Logos、そしてAccordanceがある。著者はこの三つとも所有しており、よく比較している。このうちBibleWorks［注6］は、数多くのユーザを残しながら、2018年6月15日にそのサービスを終え、今後アップデートがなされる目処（めど）は立っていない。いまでも、プロダクトキーの購入者は、サイトからこのソフトウエアをダウンロードし、インストールすることができるが、もはや公式なサポートはなされない。このBibleWorksは、聖書の本文研究に特化している。BibleWorksのユーザー・インターフェース内には、左のサーチ・ウィンドウ、中央のブラウズ・ウィンドウ、右のアナリシス・ウィンドウがある。中央のブラウズ・ウィンドウでギリシア語、もしくは、ヘブライ語の聖書本文で語の上にカーソルを置くと、その語の品詞・活用／曲用・意味情報が表示されるほか、右のアナリシス・ウィンドウでは、Louw and Nidaの辞書［注7］など、学者によってよく用いられる辞書でその単語の意味を引くことができる。また、日本語の新改訳聖書を含むさまざまな言語の聖書とパラレルに表示することも可能である。さらに、新約聖書の主要な写本の写真のほか、最新版であるBibleWorks 10では、旧約聖書のレニングラード写本の写真も見ることもでき、これらの写真には、節単位で、ブラウズ・ウィンドウの聖書の本文とのリンクが付されてある。そして、聖書の諸写本の異読の情報もアナリシス・ウィンドウのタブを切り替えることでパラレルに表示し容易に比較することができる。

■4．LogosとAccordanceを比較する

著者は、三つのソフトを所有しながらも、このBibleWorksのシンプルさに惹かれ、これを長年愛用していたが、サポートの終了に伴い、ほかの二つのソフトLogosとAccordanceのどちらかをメインに使うことに決めた。聖書本文の研究では、LogosとAccordanceのどちらも大差はないように思えるが、起動やレスポンスはAccordanceの方が速い。また、単語の下に語釈やグロスなどを表示するインターリニア・ビューでは、Logosの方が美しく表示されるものの、Accordanceの方がより柔軟にカスタマイズできる。ただし、Accordanceは、文字の大きさの加減でレイアウトが崩れることもあるのに対し、Logosのレイアウトは磐石である。単語の統計などの視覚化はLogosの方が美しい。このように、ヴィジュアル面ではLogosの方が優れている。このように、実用面で優れているAccordance、視覚面で優れているLogos、とコントラストをつけることができる。

BibleWorksが主に聖書本文の閲覧・研究に特化していたのに対し、LogosとAccordanceは聖書本文だけでなく、巨大な専門書・学術書のeブック・ライブラリを有し、eブック・リーダーとしても大変優れたソフトウエアである。両方ともよく研究に用いられる優れた書籍を多数有している。さらに、Logosには新約聖書や七十人訳旧約聖書の独自の翻訳などがあるが、日本語の聖書はAccordanceの方が豊富であり、新改訳や新共同訳を追加すること

もできる[注8]。BibleWorksも文法書などを見られることは見られるのだが、数は限られている。これに対し、LogosとAccordanceはeブックのライブラリは巨大であり、その表示も大変滑らかでスタイリッシュである。ライブラリの充実度では、Logosに軍配が上がる。

Logosでは、購入する際にパッケージを選ぶことができるが、それぞれの教派に特化した使用にすることもできる。例えば、カトリックのパッケージであるVerbumを選ぶと、カトリックの神学者たちの重要な著作や、中世のカトリック教会の著名な神学者や哲学者の著作、そしてローマ教皇の回勅などのeブックが付いてくる。正教会ヴァージョンは金口イオアン（ヨハンネス・クリュソストモス）などの重要なギリシア教父、改革派版はカルヴァンの著作など、それぞれの教派の重要な著作が充実している。選択肢には、正教会、カトリック（Verbum）、聖公会、メソジストとウェスレヤン、バプテスト派、ペンテコステ派とカリスマ派、ルター派、改革派、セブンスデー・アドベンチスト、そして教派に偏らないStandardがある。ライブラリのサイズは、Basic、Starter、Bronze、Silver、Gold、Platinum、Diamond、Portfolio、Collector's Editionという段階で選ぶことができ、これらの段階が上がるごとに値段も相応に上がっていく。ちなみに、最小のBasicは無料であるのに対し、一番豊富なライブラリであるCollector's Editionは10,799,99ドルである（2018年8月14日現在はセールで8,099,99ドルになっている）。このCollector's Editionは5,132のeブック、聖書写本の写真、地図、聖書本文朗読の音声などを有している。追加で個別のコンテンツを購入することも可能である。

これに対して、Accordanceは、目的ごとに異なるシリーズがある。英語の聖書翻訳の研究にはEnglish、ギリシア語聖書の研究にはGreek、ヘブライ語聖書の研究にはHebrewシリーズといったラインナップがあり、ライブラリの多さに基づいて、それぞれLite、Basic Starter、Starter、Learner、Discoverer、Pro、Expert、Master、All-in-Allというレベルが用意されていて、レベルが高くなるにつれて値段も高くなる。最大のAll-in-Allは、1283のコンテンツを持ち、2018年8月14日現在37,999米ドルである。また、Add-On Collectionsなどで特定の分野に特化した複数のコンテンツを一気に追加できるほか、Logosと同じように個別のコンテンツを追加購入することも可能である。

■5. 商用・非商用とDH

今回紹介した聖書研究ソフトウエアはすべて有料であり、オープン・アクセス、オープン・データ、および、オープン・ソースを推進させているデジタル・ヒューマニティーズの一スタンスには商業主義的に映るかもしれない。ただ、これらのソフトウエアを開発しているのは、民間企業であって、学術機関ではない。また、これらのソフトウエアに搭載されているコンテンツ自体、出版社から出版された書籍をデジタル化したものがほとんどであり、このようなコンテンツを有する限り、有料化は免れえないし、パッケージで購入すれば、すべてのコンテンツを書籍で買うよりも安くなる。加えて、LogosとAccordanceに収録されているコンテンツには、次回で説明するが、DHのプロジェクトで作成されたオープン・データがうまく活用されているものがある。そして、聖書研究ソフトウエアの開発元とタイアップしている研究機関もある。例えば、教皇庁立聖書研究所はLogosのカトリック版であるVerbumと協定を結び、研究所の教授陣はVerbumのコンテンツの選定に大きく関わると同時に、研究所の学生は少額を研究所に支払うことで、8,000ユーロ程度する、高額のVerbum最上位パッケージを使用することができる**[注9]**。このように、研究のための商用ソフトウエアの開発元とうまく相互連携していくのもDHの一つの道であろう。

次回は、研究機関が開発を進めている、使用料が無料である聖書研究ソフトウエア、および、ウェブアプリを紹介するほか、DHの観点から聖書学を研究するヨーロッパとイスラエルの諸研究機関の取り組みを紹介する。

▶注

[1] "2018 International Meeting: Helsinki, Finland," Society of Biblical Literature, accessed July 20, 2020, https://www.sbl-site.org/meetings/Congresses_ProgramBook.aspx?MeetingId=32.

[2] "Home," EABS: European Association of Biblical Studies, accessed July 20, 2020, https://www.eabs.net/.

[3] Busaの日本語表記の仕方は、ブーザ、ブーサ、ブザ、ブサの4通りが考えられる。イタリア語の母音間のsは、casaのように有声音でも無声音でも読むことが可能である。

[4] "Logos," Logos Bible Software, accessed July 20, 2020, https://www.logos.com/.

[5] "Accordance Bible Software," Accordance - Bible Software for Windows, Mac, Android & iOS, accessed July 20, 2020, https://www.accordancebible.com/.

[6] "BibleWorks - Bible software with Greek, Hebrew, LXX, and more! Software for Bible study and exegesis," BibleWorks, accessed 20 July, 2020, https://www.bibleworks.com/.

[7] Johannes P. Louw, Eugene A. Nida, Rondal B. Smith, and Karen A. Munson, eds., *Greek-English Lexicon of the New Testament, Based on Semantic Domains*. 2 vols. (United Bible

Societies, 1988).

[8] Logosでは、一定数のPre-Orderが集まったものが電子化され、追加可能になる、というシステムを取っている。現在、日本語訳では、新改訳のPre-Orderが募集されている("Shinkaiyaku Japanese Bible," Logos Bible Software, accessed August 17, 2018, https://www.logos.com/product/36473/shinkaiyaku-japanese-bible)。

[9] ". . . the Institute has made a deal with Verbum (the Catholic 'section' of the Logos platform). As based on this agreement, the student can receive a 'package' containing critical editions of the biblical texts, indispensable dictionaries, the main extrabiblical texts (targumim, Qumran, . . .) and about 200 commentaries chosen by the PBI professors. The value for the hardcopy/paper versions of these resources would total around 8000 Euros." ("Rome, Academic Fees, 2018-19," Pontifical Biblical Institute, accessed August 18, 2018, https://www.biblico.it/fees.html)。

デジタル聖書写本学の新潮流
―Virtual Manuscript Room―

2018-09-30

前回は、欧米の DH の歴史の中で、長年多数のプロジェクトを生み出してきた聖書の DH 的研究とそのツールに焦点をあて、有料の商用である聖書研究ソフトウエアを紹介した。今回は、現在、聖書写本学の共同研究のためのプラットフォームとして、新約聖書学研究で著名なミュンスター大学も取り入れている、Virtual Manuscript Room（略称 VMR）、および、その母体となった CrossWire Bible Society について紹介する。

■ 1. CrossWire Bible Society が提供する聖書ソフトウエア

CrossWire Bible Society［注 1］は、GNU General Public License［注 2］が付与されている、無料で、かつ改変・再配布ができる聖書ソフトウエアを The SWORD Project の名の下で多数提供している。例えば、Windows、Linux、Mac、Android、iOS といった OS ごとに異なるソフトウエアがあるし、機能も多少は異なってくる。これらのプログラムにおいては、著作権など権利関係上許可されている、聖書本文、翻訳そして関連書籍を中心としたコンテンツをそろえている。 ソフトウエアの機能には、語の上でカーソルを合わせれば、ギリシア語やヘブライ語の意味が表示される機能や、パラレルで本文と翻訳を表示させる機能など、有料の聖書研究ソフトウエアに搭載されているものが採用されている。そして、聖書ソフトウエア用の規格である OSIS 形式［注 3］で保存された聖書データであれば、インポートして The SWORD Project の諸プログラム上で閲覧可能である。SWORD Project には、前述したように、パソコン向けのものと携帯電話向けのソフトウエアがあるが、携帯電話においても、タップすれば、単語の意味、そして活用形などの情報を見ることができる高機能のものもある。

これらのソフトにインストールできる聖書データの中には、CrossWire

Bible Society と提携している研究者が独自に編纂・開発した聖書もある。例えば、ミュンスター大学新約聖書本文研究所 [注4] にて研究していたクリスチャン・アスケランド(Christian Askeland)とマティアス・シュルツ(Matthias Schulz)は、CrossWire Bible Society の Troy A. Griffitts と協働して、既存のデジタル・エディションや、独自にデジタル化した紙媒体の諸エディションを用いて、コプト語サイード方言訳聖書のデジタル版を編纂した [注5]。この版は、CrossWire Bible Society 関連のポータルから検索・閲覧可能である。コプト語の聖書翻訳には、ラテン語のヴルガータ(Vulgata)訳やシリア語のペシッタ(Peshitta)訳のように聖書一つでまとまった翻訳がなく、聖書に収録されているそれぞれの書の翻訳がバラバラに存在するだけである。Askeland & Schulz 版は、St. Shenouda the Archimandrite Coptic Society [注6] がコプト語サイード方言新約聖書の紙媒体の各書のエディションをデジタル化して編纂したデジタル・エディション [注7] に、新たにサイード方言の旧約聖書の各書のエディションをデジタル化して追加したものである。ただし、旧約聖書のいくつかの書は欠いている。このヴァージョンは、デジタル化された旧約聖書の多くを持っていることから、コプト語訳聖書の研究上、大変利便性が高く、革新的である。このデジタル・ヴァージョンは、研究協力関係にある、ミュンスター大学新約聖書本文研究所や、ゲッティンゲン学術アカデミーの Digital Edition and Translation of the Coptic-Sahidic Old Testament プロジェクト [注8] で、聖書の写本のデジタル・エディションを作る際のベース・テクストとして用いられているほか、コプト語サイード方言のウェブコーパスである Coptic SCRIPTORIUM [注9] では、旧約聖書の部分が形態素解析を施された上で公開されている [注10]。

■2. VMR というウェブアプリ

CrossWire Bible Society の主な開発者であるトロイ・A・グリフィッツ(Troy A. Griffitts)は、このプロジェクトの技術を駆使して、ミュンスター大学の新約聖書本文研究所(Institute for New Testament Textual Research)とバーミンガム大学の本文研究・電子エディション研究所(Institute for Textual Scholarship and Electronic Editing)において、マルキオン研究で初期キリスト教学者として著名なウルリッヒ・シュミット(Ulrich Schmid)と協働して、VMR というウェブアプリを開発した。このアプリを用いれば、写本の写真の管理、テクスト・

データおよびメタデータ作成の共同作業、そしてウェブでの公開が容易にできる。このオンライン・アプリのプラットフォームの基盤には、Liferay［注11］が用いられている。VMRでは、オンライン上で、画像の色合いやコントラストを調整できる写本の写真を見ながら、写真の隣のエディタ上で写本の写真上の文字を入力していくというエディタ上の作業が主になる。このエディタ部分はTinyMCEを基盤に、トリーア大学のKompetenzzentrumのWorkspace for Collaborative Editingプロジェクトが写本学向けにカスタマイズしたものが用いられている。このエディタを用いれば、列・カラム、ページ、帖、欠損部、再建部分、コメントなどの写本学的な各情報をWYSIWYG（What You See Is What You Get）［注12］にマークアップできる。データはEpiDocという碑文やパピルス文書、古代の写本に適したTEI基準のXML形式で出力できるほか、写本に比較的近いレイアウトでのHTML［注13］文書でも出力できる。このアプリでは、写本を転写する上で参考となる、別の写本のテクスト、もしくは校訂版のテクストと書名・章・節の情報を「ベース・テクスト」として登録しておけば、新しい写本の転写をする際にそれの「ベース・テクスト」をロードでき、その「ベース・テクスト」を新しい写本と比較して、異なる部分を修正することができる。こうすれば、写本を最初から入力し写すことなく、異なる点を修正・マークアップしていけば、最小の労力で、短時間でデータが仕上がる。

VMRはGit［注14］を用いており、ログインしたユーザーによる変更をすべて残す形でバージョンコントロールが行われている。さらに、特定のユーザーにタスクを割り当てたり、進行状況を確認できたりとチームワークに最適である。仕上がったデータは、デジタル・エディション、ウェブ・カタログ、ウェブデータベースとして公開できるほか、写本間の異同も、CollateX［注15］という視覚化プログラムを用いたヴィジュアリゼーションによって、一目で確認できる。

現在、VMRは、ミュンスター大学の新約聖書本文研究所におけるNew Testament Virtual Manuscript Room、ゲッティンゲン学術アカデミーのDigital Edition and Translation of the Coptic-Sahidic Old Testamentで用いられているほか、聖書写本以外、例えば、ゾロアスター教の聖典であるアヴェスターの写本（アヴェスター語）のプロジェクトでも用いられる予定である。アヴェスターは、右から左へ書かれるアヴェスター文字で書かれている。このように、VMRは右から左に書く文字（R-to-L）にも対応している。また、VMRには配布版としてVirtual Manuscript Room Collaborative Research Environment（略称VMR CRE）があり、そのホームページ[注16]からダウンロードすることが可能である。

VMRとCoptic SCRIPTORIUMで出力できるXMLはEpiDocに準拠して作られているが、データベースやコーパスの性質の違いのために、細かなところで記法は異なる。例えば、VMRは写本学的なデータの作成を目指したアプリであるが、Coptic SCRIPTORIUMは文献学的な情報のみでなく言語学的な情報のマークアップも目指したものである。VMRが、碑文学およびパピルス学的な用途を想定して作られたEpiDocの記法を遵守しているのに対し、Coptic SCRIPTORIUMには、品詞や統語樹を書くための情報など、EpiDocにはない言語学的なマークアップがある。また、語のタグに関しても、VMRはスペースで語を分けているが、Coptic SCRIPTORIUMは、スペースなしでつなげて書かれるコプト語の接語も語としてのタグを付し、より言語学的なマークアップを行っている。そこで、コプト学の諸DHプロジェクト間の協同作業の促進が目的の一つであるKELLIAプロジェクトでは、私を含む3人の研究員が協働してVMRの標準的なEpiDocにのっとったXMLファイルからCoptic SCRIPTORIUMで用いられている多少変化のあるEpiDoc準拠のXMLへ変換するXSLTファイルを作成し、KELLIAプロジェクトのGitHubリポジトリにて公開している[注17]。

今回は、ミュンスター大学、ゲッティンゲン大学、トリーア大学、バーミンガム大学が携わっている、写本共同研究のプラットフォームであるVMRを紹介した。現在は、聖書写本学でのみ用いられているが、アヴェスタの例を紹介した通り、そのスコープは聖書以外の写本学を含みつつある。次回は、現在ドイツやフランスで研究が活発な テクスト・リユース（text reuse）についての情報を、2018年9月17日から9月21日までハンブルク大学にて行われる夏期講座[注18]において筆者が行うコーパス言語学・計算言語学の講義の結果と合わせてお届けする。

▶注

[1] “CrossWire Bible Society,” The CrossWire Bible Society: Bringing the Gospel to a new generation, accessed July 20, 2020, https://www.crosswire.org/.

[2] プログラム等のオープンソース化を容易にするための二次利用などの使用条件のスタン

ダードの一つである。日本語ではGNU 一般公衆利用許諾書と呼ばれる。

[3] Open Scriptural Information Standardの略で、さまざまな言語での聖書のテクストデータの相互利用を促進するための、標準形式である。

[4] "Willkommen auf der Website des Instituts für Neutestamentliche Textforschung (INTF)," Institut für Neutestamentliche Textforschung, Evangelisch-Theologische Fakultät, WWU Münster, accessed July 20, 2020, http://egora.uni-muenster.de/intf/.

[5] "Sahidic Bible - Askeland / Schulz," The Bible Tool, accessed July 20, 2020, http://www.crosswire.org/study/fulllibrary.jsp?show=SahidicBible

[6] "St. Shenouda The Archimandrite Coptic Society," St. Shenoute The Archimandrite Coptic Society, accessed July 20, 2020, http://www.stshenouda.org/.

[7] Hany Takla (ed.) "Coptic New Testament CD, (NKCSC-CD1C) V.1" (Los Angeles: The Saint Shenouda the Archimandrite Coptic Society, 2006).

[8] "Project Description," Digital Edition of the Coptic Old Testament, accessed July 20, 2020, http://coptot.manuscriptroom.com/.

[9] "Coptic SCRIPTORIUM: Digital Research in Coptic Language and Literature," Coptic SCRIPTORIUM, accessed July 20, 2020, http://copticscriptorium.org/.

[10] Coptic SCRIPTORIUMでは、コプト語サイード方言訳旧約聖書はAskeland & Schulz版を用いているが、新約聖書は、Askeland & Schulz版のものを用いず、Akeland & Schulz版よりも先にCoptic SCRIPTORIUMが取り入れた、J. Warren Wellsによって編纂されたSahidicaというデジタル版を用いている。

[11] オープンソースの企業向けのポータルであり、チームのコラボレーションのプラットフォームとして自由にカスタマイズできる。(Liferay: Digital Experience Software, accessed July 15, 2020, https://www.liferay.com/)

[12] 本書3-1「コプト語文献学・言語学のデジタル・ヒューマニティーズ」注10を参照。

[13] Hyper Text Markup Languageの略で、ウェブページを作るためのマークアップ言語である。

[14] バージョン管理システムとして最もよく使われているものであり、これを使えば、複数人で一つのファイル上で共同作業する際の問題に対処できる。

[15] 写本の異同を可視化できる、サーバーサイドで働くプログラムである。例えば、新約聖書は写本間でかなりの違いがある。例えば、綴りの違い、語の有無、語順の違いなどである。このプログラムを使うと、入力された新約聖書の諸写本のテクストデータをもとに、その差異を可視化できる。

[16] "The VMR CRE: tools to facilitate your team as they collaboratively research, edit, and publish a digital critical edition," VMR CRE - Virtual Manuscript Room Collaborative Research Environment, accessed July 20, 2020, http://vmrcre.org/.

[17] "KELLIA/vmr_converter: small conversion script to convert data from the vmr to CopticScriptorium / NLP Format," GitHub, accessed July 20, 2020, https://github.com/KELLIA/vmr_converter.

[18] Summer School in Coptic Literature and Manuscript Traditionという名のコプト語文学と写本学のサマースクールである（"Summer School in Coptic Literature and Manuscript Tradition: Centre for the Study of Manuscript Cultures, Hamburg: 17 - 21 September 2018," Centre for the Studies of the Manuscript Cultures, Universität Hamburg, accessed July 19, 2020,
https://www.manuscript-cultures.uni-hamburg.de/register_coptic2018.html.)。共同研究センター / 特別研究領域（Collaborative Research Centre / Sonderforschungsbereich）950「アジア、アフリカ、ヨーロッパにおける写本伝統（Manuscript Cultures in Asia, Africa

and Europe / Manuskriptkulturen in Asien, Afrika und Europa)」(https://www.manuscript-cultures.uni-hamburg.de/)によって主催されている。なお、Collaborative Research Centre / Sonderforschungsbereich は、ドイツ研究振興協会(Deutsche Forschungsgemeinschaft)が設立する最長 12 年存続する研究所である。筆者もその一つである共同研究センター / 特別研究領域 1136「古代から中世及び古典イスラム期にかけての地中海圏とその周辺の文化における教育と宗教(Education and Religion in Cultures of the Mediterranean and Its Environment from Ancient to Medieval Times and to the Classical Islam / Bildung und Religion in Kulturen des Mittelmeerraums und seiner Umwelt von der Antike bis zum Mittelalter und zum Klassischen Islam)」によって雇用されている。ちなみに、Collaborative Research Centre / Sonderforschungsbereich は、ドイツ語の公式名称はドイツ語名が Sonderforschungsbereich「特別研究領域」であるのに対して、英語の公式名称は Collaborative Research Centre「共同研究センター」であり、著しく異なる。

デジタル・ヒューマニティーズにおける テクスト・リユースと間テクスト性の研究

2018-10-31

■1．テクスト・リユースとは何か

東京での JADH［注 1］、TEI2018［注 2］に参加した後、筆者はドイツに戻り、ハンブルク大学写本文化研究センター（Centre for the Studiesof Manuscript Cultures）にて 9 月 17 日から 21 日にかけて開催された「コプト語文学と写本伝統」（Summer School in Coptic Literature and Manuscript Tradition）の夏期講座［注 3］で授業を担当した。その授業はコーパス言語学とデジタル・ヒューマニティーズ、特に TEI/XML を用いたウェブ･コーパスの作成とテクスト・リユース分析の授業であった。テクスト・リユース（text reuse/text re-use）とは、コンピュータ言語学のテクスト・マイニングの一分野であるが、二つ以上のテクスト間の統語的・意味的に類似した部分を取り出す技術である。従来は、統語的な類似性、例えば引用や剽窃などを抽出するのみであったが、近年の技術の進歩とともに、WordNet［注 4］などの語彙の意味ネットワークのデータベースと組み合わせることによって、引喩やパラフレーズなど意味的に類似するテクスト・リユースも探知できるようになっている。近年では、もともと間テクスト性（intertextuality）の研究が盛んであった人文学にも、このテクスト･リユース分析の技術が用いられるようになり、デジタル・ヒューマニティーズにおける重要な一分野となっている。筆者は、このテクスト・リユースを抽出する最新のソフトウエアである TRACER を開発している eTRAP プロジェクト［注 5］で、SFB/CRC1136［注 6］からの Research Affiliate として TRACER のコプト語［注 7］への適用、そして、コプト語の修道院文学と聖書のテクスト・リユースの研究を行っている。TRACER によって、文献学者たちが発見し得なかったコプト語修道院文学における聖書からの引用が多数発見されてきている。

■2．eTRAP プロジェクト

eTRAP プロジェクトは、ライプチヒ大学で eAQUA プロジェクト、そしてその後継の eTRACE プロジェクトなどでテクスト・リユース研究をしていたマルコ・ビュヒラー（Marco Büchler）を中心にゲッティンゲン大学のゲッティンゲン・センター・フォー・デジタル・ヒューマニティーズ（Göttingen Center for Digital Humanities: GCDH）で結成され、その後、ゲッティンゲン大学のコンピュータ科学研究所にも所属を置いたプロジェクトであり、ドイツ・連邦研究教育省（BMBF）の 4 年間の 160 万ユーロのグラントで運営されている。このプロジェクトには、三つのサブ・プロジェクトがあるが、そのうちの最もメインとなるものが TRACER の開発である。TRACER は、マルコ・ビュヒラーのライプチヒ大学におけるコンピュータ科学の博士課程の研究にさかのぼり、それが発展した結果、eAQUA プロジェクトなどで古代ギリシア語の最大のコーパスである Thesaurus Linguae Graecae でのテクスト・リユースを調べるためのソフトウエアとして開発され、さらに eTRAP プロジェクトで、多言語に対応するように改良が重ねられている。現在は、ラテン語、古代ギリシア語、チベット語、ヘブライ語、ドイツ語、英語において優れた成果を挙げており、著者は現在コプト語への適用を行っている。2016 年までの成果は、TRACER には 700 以上のアルゴリズムがあり、それらのパラメータを調整することで、テクスト・リユースの精度を高めることができる。これらのアルゴリズムの調整は、config.xml という xml ファイルを修正することで行える。

■3．TRACER というテクスト・リユースを探知するためのソフトウエア

TRACER は、オープンソースのソフトウエアであり、eTRAP の GitLab **[注 8]** からすべてダウンロードすることが可能である。TRACER の工程には六つのレベルがある。一つ目のレベル 1: Preprocessing では、ダイアクリティカル・マークを取ったり、古代のラテン語、ギリシア語、コプト語文献、そして、中国語や日本語のように分かち書きをしない scriptura continua の文献の単語を分かち書きさせたり、と準備段階である。また、この時点で、WordNet や BabelNet のファイルを読み込んで、synonym（同義語）と co-hyponym（以下で説明する）の情報とリンクさせ、意味的テクスト・リユースの探知に用いる準備をすることができる。co-hyponym とは、hypernym（上

位語）を共有する語彙であり、例えば、「犬」と「猫」は、hypernym である「動物」の下で co-hyponym となっている。現在、私は、データベース科学が専門のオスロ大学准教授ローラ・スローター（Laura Slaughter）、日本語 WordNet の開発で著名なフランシス・ボンド（Francis Bond）教授の博士課程学生であるシンガポールの南洋理工大学のルイス・モルガード・ラ・コスタ（Luís Morgado da Costa）とともにコプト語 WordNet を開発している。これが使えるようになった場合、synonym と co-hyponym のデータを TRACER に読み込んで引喩やパラフレーズなどの意味的テクスト・リユースの探知が飛躍的に向上すると思われる。レベル 2: Featuring/Training は、TRACER が二つ以上のテクストを比較する際に用いる単位に関する工程である。単語レベルで比較する方法、バイグラム単位で比較する方法、トリグラム単位で比較する方法などがある。バイグラムでは、例えば、I like a cat. という文があった場合、[I like] で一単位、[like a] で一単位、[a cat] で一単位となるような単位の設定方法である。トリグラムの場合は、三つで 1 組、すなわち、[I like a]、[like a cat] が単位となる。次のレベル 3: Selection では、データをさまざまなフィルターにかけて、冠詞や代名詞など頻度が多いがテクスト・リユースの探知には役立たない文法語（ストップ・ワードなどと呼ばれる）を筆頭に探知のノイズとなるデータをより分けて隔離し、分析に影響を及ぼさないようにする。レベル 4: Linking では、テクスト間の類似性がある箇所のリンク付けが行われる。ここでは、類似性のあるテクストの 2 部分の抽出および、いくつの単位がオーバーラップしているかの計算がなされる。もし、結果が少なすぎる場合は、MovingWindow という措置をとる必要がある。Moving Window はコーパスをオーバーラッピングのある 10 から 15 グラムの単位で分割した上で分析をかける、といった手法である。こうすることにより、より少ない単位での小さなテクスト・リユースも見つけることができる。レベル 5: Scoring では、テクストの類似性を数値で判定する。判定の方法は二つあり、absolute overlap と weightedoverlap である。前者は 13 以上の要素が共有されたテクスト・リユースを出し、weighted overlap は、テクスト・リユースにおける要素の共有の度合いをパーセンテージで出す。こうして、数値でテクスト・リユース分析の結果が算出される。レベル 6 は、Post-Processing であり、ヴィジュアリゼーション（視覚化・見える化）に関わる。ヴィジュアリゼーションのエンジンはライプチヒ大学のシュテファン・イェ

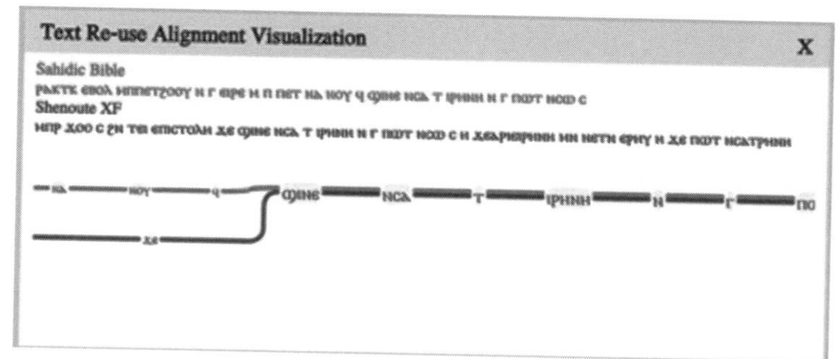

図1　コレーション・ビューのミニ・ウインドウ

ニケ（Stefan Jänicke）が開発したTRAViz【注9】である。この過程でドット・プロット・ビューやコレーション・ビューを含むデータのウェブページが生成され、オンライン・サーバーにそれを置けば、そのままデータをインタラクティブなウェブページの形式で公開することができる。ドット・プロット・ビューは、グラフ上の点の分布によってテクスト・リユースの位置を表示し、点の色によって類似度を表示する方法である。このグラフ上の点をクリックすると、テクスト・リユースの詳細が一目でわかるコレーション・ビューのミニ・ウィンドウを開くことができる【図1】。コレーション・ビューでは、二つの類似するテクストを平行線上に置き、各語はノードで示され、要素がオーバーラップしている場合は、ノードが統合され、異なる場合は、そのまま平行線に置かれるように表示される。画像で見た方が早く理解されうると思われるので、TRAVizのホームページ【注10】を訪れていただきたい。ここで述べたことの詳細な説明は、TRACERのユーザーズ・ガイド【注11】をご覧いただきたい。

次回は、このTRACERによる具体的な成果と、古典におけるテクスト・リユース、および、人文学的テクスト・リユース研究に大きな影響を与えた間テクスト性研究について述べる。

▶注

[1] Japanese Association for Digital Humanitiesの略。ADHO（p.19「序—本書が目指すもの」参照）のメンバーである、日本のデジタル・ヒューマニティーズを牽引する学会である。学会発表の言語は英語であり、英文論文誌と日本語論文誌を刊行している。

[2] Text Encoding Initiative 協会によって毎年秋頃に9月に開催されている学会である。2018年には、東京の一橋講堂で開催された。文献学、言語学、書簡など、SIG（Special Interest Group）のセッションも大変盛んである。

[3] この夏期講座のウェブサイトは“Summer School in Coptic Literature and Manuscript Tradition: Centre for the Study of Manuscript Cultures, Hamburg 17 - 21 September 2018,” Universität Hamburg, accessed August 15, 2020, https://www.manuscript-cultures.uni-hamburg.de/register_coptic2018.html。この主催者は、TheCentre for the Study of Manuscript Cultures（正式には、SFB/CRC 950 “Manuscript Cultures in Asia, Africa and Europe”）である。SFB/CRC については次の注で説明する。共催は、私が勤める共同研究センター 1136（SFB/CRC 1136 “Education and Religion in Cultures of the Mediterranean and Its Environment fromAncient to Medieval Times and to Classical Islam”）とゲッティンゲン学術アカデミーの「コプト語訳旧約聖書デジタル・エディション」プロジェクト（“Digital Edition of the Coptic Old Testament”）、ローマ・サピエンツァ大学にある欧州研究カウンシル（ERC）の PATHs プロジェクト **[注 3-1]**、そしてコプト学におけるデジタル・ヒューマニティーズの泰斗であり、80 年代から存在するローマ・サピエンツァ大学の「コプト語文語写本コーパス」プロジェクト（Corpusdei Manoscritti Copti Letterari）である。PATHs プロジェクトは、2016 年に始まったプロジェクトで、その目標はコプト語文献の写本学的なデジタル地図をウェブ上に作成し公開することにある。このプロジェクトについては、後の連載で詳述したい。ハンブルク大学の写本文化研究グループは、先月末に発表された DFG のプレスリリースで、新たにエクスツェレンツクラスター（Exzellenzcluster）を取得することが発表された。これは SFB よりも巨額の資金が支給される、5 年間の研究所運営制度である。このため、さらなる発展および研究員・学生の雇用の創出が見込まれる。ハンブルク大学の写本文化研究センターは、ハンブルクの中央駅から一駅の Dammtor という駅の近くにある。周囲には人工的な湖である内アルスター湖があり、大変美しい場所である。この研究センターには、日本のデジタル・ヒューマニティーズにおいて研究者が多い、日本・中国・インドの写本学のサブ・プロジェクトがある。エクスツェレンツクラスターにおいても、これらのサブ・プロジェクトは継続され、研究員や学生のための新たなポジションの募集が現在から来年にかけて何らかの形でなされるものであると思われる。

[3-1] PAThs - Tracking Papyrus and Parchment Paths: An Archaeological Atlas of Coptic Literature, accessed July 15, 2020, http://paths.uniroma1.it/.

[4] 概念辞書と呼ばれる、語彙の同義性・上位・下位関係などの意味ネットワークの辞書あるいはデータベースである。WordNet では、各語は同義語のグループを基にする synset というグループに分類される。プリンストン大学の英語の WordNet が端緒だが、現在はさまざまな言語のものが存在する（Global WordNet Association, accessed July 15, 2020, http://globalwordnet.org/）。BabelNet は WordNet よりも簡便でより多言語化させたようなデータベースであり、現在ローマ・サピエンツァ大学を中心に開発が進められている（BabelNet, accessed July 15, 2020, https://babelnet.org/）。

[5] “eTRAP: Electronic Text Reuse Acquisition Project,” eTRAP, accessed July 15, 2020, https://www.etrap.eu/.

[6] SFB/CRC 1136 “Education and Religion in Cultures of the Mediterranean and Its Environment from Ancient to Medieval Times and to Classical Islam”、日本語訳をすれば、特別研究領域／共同研究センター 1136「古代から中世及び古典イスラーム期にかけての地中海圏とその周辺の文化における教育と宗教」となる。CRC は Collaborative Research Centre「共同研究センター」で英語版での正式名称、SFB はドイツ語版正式名称の Sonderforschungsbereich「特別研究領域」の略であり、同一の組織を指している。この組織は、DFG Deutsche Forschungsgemeinschaft「ドイツ研究振興協会」が設立した、期間限定の研究所である。4 年ごとに期間が更新され、最大で 12 年間継続することができる。これはいくつかの研究領域に分けられ、さらに研究領域はサブ・プロジェクトに分けられる。

私が所属するのは、このSFB/CRC1136の研究領域B「解釈」（Interpretation）のサブ・プロジェクトB05「コプト語を用いた古代末期エジプトのキリスト教における聖書解釈と教育伝統」（“Biblical Interpretation and Educational Tradition in the Coptic-speaking Egyptian Christianity of Late Antiquity”: Shenoute, Canon 6）である。2019年の6月に1期目が終了する。もし、2期目の更新が成功すれば、筆者は2023年まで同じ研究員のポジションでゲッティンゲンで働くことができる。そのためには、2019年2月にある外部評価会で研究所全体のよい判定を得、更新審査に合格する必要がある。

[7] コプト語は、より言語学的にはコプト・エジプト語とも呼ばれる、古代エジプト語の最終段階である。数多くの貴重な初期キリスト教文献を残し、現在でもコプト・キリスト教の典礼において用いられている。

[8] GitHubと似たサービスであるが、こちらは、プラットフォーム自体をサーバーにインストールし、おのおのがおのおののGitLabプラットフォームを持つことができる。“Sign in・GitLab,” GitLab Community Edition: A complete DevOps platform, accessed July 20, 2020, https://vcs.etrap.eu/users/sign_in.

[9] TRACER以外にも応用可能である。詳しくは、TRAVizのホームページ（“TRAViz: Text Re-use Alignment Visualization,” vizcovery.org, accessed July 20, 2020, http://www.traviz.vizcovery.org/）を参照。

[10] “TRAViz: Text Re-use Alignment Visualization,” vizcovery.org, accessed July 20, 2020, http://www.traviz.vizcovery.org/.

[11] “Introduction,” TRACER, accessed July 20, 2020 https://gfranzini.gitbooks.io/tracer/content/.

ボドマー・コレクションが写本のオンライン・データベースを公開／ハンブルク大学が写本学のエクスツェレンツクラスター（ドイツ研究振興協会）を開設へ

2018-11-30

今月（2018年11月）は、表題の二つの大きなニュースが入ってきたため、ヨーロッパを中心に発展しているテクスト・リユース研究の後半を延期し、この二つのビッグ・ニュースについて解説する。

■1．Bodmer Lab について

マルティン・ボドマー財団（フランス語読みでマルタン・ボドメール財団とも呼ばれる）は、コプト語［注1］文献やギリシア語聖書写本の最古層のものが多数含まれているボドマー・パピルス・コレクションなど、多数の貴重な資料を有することで知られている。この財団は現在、スイス・ジュネーヴ近郊のコロニー Cologny という街にある。この度、このボドマー財団がジュネーヴ大学と協力して開発したオンライン・データベースである Bodmer Lab［注2］が公開された。このウェブサイトでは、IIIF［注3］の枠組みで、クリエイティブ・コモンズ CC BY-NC 4.0 ライセンス［注4］が付与された研究者向けの写本の高精細写真が Mirador によって自由に閲覧できる。マルティン・ボドマー Martin Bodmer（1899-1971; フランス語読みで名前をマルタン・ボドメールと表記することもある）は、スイス・チューリッヒ生まれの銀行家であり、多数の貴重な古写本を購入し、所有したことで知られている。

現在、Bodmer Lab はベータ版であるが、ボドマー・パピルスの数多くが掲載されている［注5］。ボドマー・パピルス・コレクションには、コプト語のうち、P方言（Dialect P）、または、原サイード方言（Proto-Sahidic）、あるいは、原テーベ方言（Proto-Theban）と呼ばれる古い方言で書かれている聖書の『箴言（しんげん）』の翻訳のパピルス写本がある（P. Bodmer VI もしくは P. Bodmer 6 と一般的には表記されるが、Bodmer Lab では PB6 と表記されている）。この方言では、一般的なコプト文字にはない文字がいくつか用いられているが、これらは民衆文字

から取られた文字である。これらの文字のうちには、声門閉鎖音を表すと思われる文字や有声咽頭摩擦音を表すと思われる文字も含まれているため、この P. Bodmer VI は、コプト語歴史音韻論・音声学において、大変重要である。この P. Bodmer VI のパピルス資料のリンクは https://bodmerlab.unige.ch/fr/constellations/papyri/barcode/1072205347 である。ライセンスはクリエイティブ・コモンズ CC BY-NC 4.0 であり、非商用でクレジットをつけた上で自由に再利用ができる。IIIF の枠組みを用いており、Mirador で見ることもできる[注6]。ジュネーヴ大学による IIIF のマニフェストは JSON ファイルで書かれている [注7]。

インターフェースの言語はフランス語のみであるが、写本のメタデータや説明は英語が用いられる。今後インターフェースを英語に切り替えられるようになることが予想される。Mirador も実装され、ズームインを用いてより詳細な写本の研究をすることが可能である。この場合、写真はかなり高精細であり、細かい文字も拡大することによってよく見える。現在ベータ版で公開されている資料はボドマー・コレクションのうちの一部であるが、これからはより多くの貴重な資料が順次公開されていくことが期待される。

■2. ハンブルク大学・写本学エクスツェレンツクラスターについて

前回にも脚注で少し触れたが [注8]、9 月末にドイツ研究振興協会（Deutsche Forschungsgemeinschaft）が、新エクスツェレンツクラスター（Exzellenzcluster）を発表した。エクスツェレンツクラスターは、大学重点政策の一環で、ドイツのそれぞれの大学にあるテーマのエクスツェレンツクラスターの研究所を設立させ、そこに巨額な補助金を注ぎ込むことで、多数の研究者を雇用し、研究の重点化を図ろうとする制度である。

人文学の分野では、ベルリン自由大学とベルリン・フンボルト大学に共同で設立された、エクスツェレンツクラスター TOPOI: The Formation and Transformation of Space and Knowledge in Ancient Civilizations [注9] が、古代文明における「空間と知識」に関する学問と言うことで、エジプト学者や西洋古典学者、アッシリア学者、考古学者、歴史学者などに、それぞれの専門の地域や時代や社会、または言語における「空間と知識」に関する研究させたことが記憶に新しい。TOPOI は 2007 年 11 月～ 2017 年 10 月の間存続した。今回の選考では、TOPOI の後継プロジェクトも申請していたも

の の、落選してしまった。

今回の選考では、いままで通り、自然科学系が数多くエクスツェレンツクラスターを取得した。私の所属するゲッティンゲン大学でも、四つ申請していたエクスツェレンツクラスターのうち、生物学を中心に据えたものが選ばれた。ゲッティンゲン大学の人文学系からは、Making and Unmaking of the Religious という宗教学や文化人類学、歴史学のエクスツェレンツクラスターの申請を行っていたが、落選した。

今回、人文学を含むものは数える程だが、そのうち欧州のデジタル・ヒューマニティーズに大きな影響を与えるであろうエクスツェレンツクラスターとしてはハンブルク大学の Understanding Written Artefacts が挙げられる。これは9月に、私が夏期講座で講義を受け持った会場である Centre for the Study of Manuscript Cultures を受け継ぐものである。Centre for the Study of Manuscript Cultures は、正式な名称は、ドイツ研究振興協会の特別研究領域（Sonderforschungsbereich）／共同研究センター（Collaborative Research Centre）950 “Manuscript Cultures in Asia, Africa and Europe” である。共同研究センター／特別研究領域というのは、4年ごとに更新の判断が下され、最長12年間存続することのできるドイツ研究振興協会の研究所である。この共同研究センターは、それ自体が、DFG-Research Group 963 “Manuscript Cultures in Asia and Africa”（2008-2011）の後継である。

この新エクスツェレンスクラスターの前身となる共同研究センターは、Hiob Ludolf Centre for Ethiopian Studies に設けられた Comparative Oriental Manuscript Studies（COMSt）研究所など、いくつかの著名な研究機関とも提携している。COMSt といえば、2015年に676ページの大部の書籍である *Comparative Oriental Manuscript Studies: An Introduction* を出版したことが記憶に新しい。この書籍は公式に無料でダウンロードすることが可能である **[注10]**。この書籍は、中近東、コーカサス、ギリシア、そして東欧を中心にした写本学についての知見を網羅した大作である。これにはアラビア語、ギリシア語、コプト語、シリア語、アラム語、ヘブライ語、ゲエズ語、スラヴ語などの写本学が含まれている。

去る10月、このハンブルク大学の新エクスツェレンツクラスターが、55人の研究者の公募を発表した。そのうち5人が上級ポスドクであり、15人がポスドク、35人が給料付き博士課程の研究員である。上級ポスドクはTV-L 15 100%のスケールで、ポスドクはTV-L 13 100%、給料付き博士課程の研究員はTV-L 13 75%のスケールで毎月の給料を得る。TV-LはドイツのTV-L研究機関の給料体系であり、TV-L 15 100%の給料は、個人や地域的な条件などで多少は異なるものの、2018年11月17日の時点で、初年は月額566,788.80円（4398.75ユーロ。レートは2018年10月の時点）、手取り約322,723.33円（2504.60ユーロ、ただし、個人や自治体の条件で変わる）である。TV-L 13 100%の場合、こちらも個人や自治体で多少変化はするが、月額約473,148.01円（3672.02ユーロ）、手取り約280,336.09円（2175.64ユーロ）である。12月には、通常、日本のボーナスに当たるクリスマス手当が上乗せして支給される。ドイツには給料の計算のためのウェブサイトがいくつか存在し、今回はGehaltsrechner Öffentlicher Dienst **[注11]** で計算した。

この新エクスツェレンツクラスターの研究領域は、共同研究センターなどほかのドイツ研究振興協会の研究所と同じく、アルファベットで分けられており、さらにそれぞれの研究領域には下部プロジェクトがあって、下部プロジェクトごとに数字が割り振られている。以下は、予定されているプロジェクトの一覧である。

- 研究領域A: Artefact Profiling. A1: Technical and methodological developments towards non-invasive and in-field profiling.A2: Understanding artefacts on a material level: Origin — Change.
- 研究領域B: Inscribing Spaces.B1 Signs of Power.B2 Everyday Life. B3 Epigraphy of Death. 研究領域C: Creating Originals.C1: The written artefact as material object. C2: Originators: Producers and production of the written artefact.C3: Use of the written artefact.
- 研究領域D: Formatting Contents. D1: Multilingual written artefacts. D2: Multigraphic written artefacts. D3: Multilayered written artefacts.
- 研究領域E: Archiving Artefacts. E1: Material and spatial dimensions of archiving. E2: Epistemic dimensions of archiving. E3: Cultural, social, and political contexts of archiving.
- そのほかに、データ・リンキング研究ユニット（Research Unit Data Linking）がある **[注12]**。

これら研究員の公募は11月16日が締め切りであり、残念ながら、本連載配信時には間に合わないが、筆者はFacebookなどで情報を拡散したほか、個人的に興味がありそうな友人や知人、同僚に通知した。必要とする研究者に情報が行き渡っていることを望む。これらのポジションは2019年1月1日に始動し、契約期間は3年である。以降もほかに募集があるものとみられるため、関心のある研究者には、定期的にこのエクスツェレンツクラスターのウェブサイトをチェックすることを推奨したい。

以上、欧州のデジタル・ヒューマニティーズにおける10月下旬〜11月中旬の二大ビッグ・ニュースをお伝えした。以降、このようなニュースがあれば、逐一お伝えしたい。次回は、前回お伝えした欧州のデジタル・ヒューマニティーズにおいて発展してきているテクスト・リユース研究の後半を執筆する予定である。

▶注

[1] コプト語（Coptic）は、エジプト語の最終段階である。エジプト語はピラミッドや王家の墓などで有名な古代エジプト文明を担った古代エジプト人の言語であり、エジプトに根づいた古来からキリスト教文化を今日に伝えるコプトの人々の典礼で現在も受け継がれ、世界最長の文字記録をもつ。コプト語以前のエジプト語はヒエログリフ（聖刻文字）、ヒエラティック（神官文字）、デモティック（民衆文字）で記されたが、コプト語は、ギリシア文字をベースにいくつかのデモティック由来の文字を加えたコプト文字で記される。コプト語はコプト文字で書かれたエジプト語であり、紀元後3世紀ごろからその文字使用が定着し、現在も、エジプトのキリスト教の伝統を古来より受け継ぐコプト・キリスト教会（代表的なものとしてコプト正教会）によって典礼言語として用いられている。コプト・キリスト教の文献に限らず、初期キリスト教の諸派、グノーシス主義、マニ教などの貴重な宗教文献がこの言語で残っている。言語学的なエジプト語の歴史性を考慮して、コプト・エジプト語（Coptic Egyptian）という呼称もなされる。

[2] “Une bibliothèque numérique de la littérature mondiale,” Bodmer Lab, accessed July 20, 2020, https://bodmerlab.unige.ch/fr.

[3] 人文学オープンデータ共同利用センターは「IIIF（International Image Interoperability Framework）とは、画像へのアクセスを標準化し相互運用性を確保するための国際的なコミュニティ活動である」と定義している（「IIIFを用いた高品質／高精細の画像公開と利用事例」人文学オープンデータ共同利用センター, 最終閲覧日2020年7月15日, http://codh.rois.ac.jp/iiif/）。

[4] Creative Commons. ソフトウエアやウェブサイト、アプリなどを中心とした電子著作物の二次利用のライセンス（利用条件）にかんするスタンダードである。利用条件を整理して誰もが簡便に提示できるようにしており、たとえばCC BY-NC 4.0などと記すだけで、作者の表示必須・商用利用不可、という二次利用の条件を示すことができる。なお、CC BY-NC 4.0は、「クリエイティブ・コモンズ非営利4.0国際（Attribution-Non Commercial 4.0

International）ライセンス」の意である。クリエイティブ・コモンズライセンスについては、シンガポールの南洋理工大学のフランシス・ボンド（Francis Bond）教授の授業資料（Francis Bond “The Great Game: Sherlock in Popular CultureSherlock Holmes and Herlock Sholmès” Lecture 9, accessed July 15, 2020, http://compling.hss.ntu.edu.sg/courses/hg8011/pdf/hg8011-09-game.pdf）のスライド 22 とその前後のスライドがわかりやすい。

[5] “Bodmer Papyri,” Bodmer Lab, accessed July 20, 2020, https://bodmerlab.unige.ch/fr/constellations/papyri.

[6] “107220534 Mirador :: bodmerlab,” Bodmer Lab, accessed July 20, 2020, https://bodmerlab.unige.ch/fr/constellations/papyri/mirador/1072205347.

[7] “1072205347”, Bodmer Lab, accessed July 20, 2020, https://iiif.unige.ch/manifest/IIIFManifest_1072205347.json.

[8] 宮川創「デジタル・ヒューマニティーズにおけるテクスト・リユースと間テクスト性の研究」『人文情報学月報』87 前編（2018 年 10 月）、脚注 1 を参照。

[9] “Topoi | The Formation and Transformation of Space and Knowledge in Ancient Civilizations,” Excellence Cluster Topoi, accessed July 10, 2020, https://www.topoi.org/.

[10] Alessandro Bausi, Pier Giorgio Borbone, Françoise Briquel-Chatonnet, Paola Buzi, Jost Gippert, Caroline Macé, Marilena Maniaci, Zisis Melissakis, Laura E. Parodi, and Witold Witakowski eds. *Comparative Oriental Manuscript Studies: An Introduction* (Hamburg: COMSt, 2015), accessed July 20, 2020, https://www.aai.uni-hamburg.de/en/comst/publications/handbook.html において、“You can download the entire book or single chapters here” と書かれた箇所をクリックするとこの書籍の PDF ファイルをダウンロードできるリンクが現れる。

[11] “Gehaltsrechner TV-L 2018,” Gehaltsrechner Öffentlicher Dienst, accessed July 20, 2020, http://oeffentlicher-dienst.info/c/t/rechner/tv-l/west?id=tv-l-2018.

[12] 詳しくは次を参照。“Understanding Written Artefacts (UWA),” Universität Hamburg, accessed July 20, 2020, https://www.written-artefacts.uni-hamburg.de.

テクスト・リユースと間テクスト性研究の歴史と発展

2018-12-30

デジタル・ヒューマニティーズにおけるテクスト・リユース研究は現在ヨーロッパにおいて発展している。テクスト・リユース（text reuse、あるいは、text re-use）とは、引用、引喩、パラフレーズ、剽窃、諺、イディオム、言い回しなど、あるテクストを元に統語的、または意味的に同一な、または、類似性のあるテクストを用いる人間の創作活動においてよく起こる現象のことである。ここでは、イディオムや諺、言い回しも、リユースであると認識される。テクスト・リユースはコンピュータ言語学の分野で発達した概念だが、それは、ヨーロッパにおける哲学・文学理論で発達した「間テクスト性」と扱う対象が似ている。そのため、現在、デジタル・ヒューマニティーズの分野で両者の統合が盛んに行われている。この研究では、起源となったテクストをソース・テクスト、簡略化して「ソース」、ソースの要素が用いられた（「再利用」された）テクストをターゲット・テクスト、または「ターゲット」と呼ぶ。

■1．テクスト・リユース――引用

まず、最も代表的なテクスト・リユースとして、引用が挙げられる。引用は、ソースとターゲットの違いの度合いに応じて、そのままの引用（verbatim quotation）、多少の変化はあるがそのままに近い引用（near-verbatim quotation）などがある。変化の度が大きすぎるとパラフレーズになる。引用する際に、近代以前の著者は、しばしば引用した文章の語句を、ターゲットの文脈に合わせて、比較的に自由に変化させることが多い。また、引用元を明示しないことも多々ある。現代ならば、パロディやオマージュといったジャンルでない限り、引用は忠実な引用でなければならず、引用元も明示しなければ、「剽窃」として非難されるが、近代以前は必ずしもそうではなかった。一方、引喩（allusion）は、ソース・テクストの内容やイベントをターゲット・テクストで言及し、読者にソースの内容を想起させてターゲット・テクストを解釈させる手法である。日本古典文学では、(諸説あるが) 和歌の本歌取りが有名である。引喩に関しては、ほかの定義もあり、研究者間で多少の違いはあるものの、引用が (無論意味も含むが) 統語的テクスト・リユース (syntactic text reuse) の代表格であるのに対して、引喩は意味的テクスト・リユース (semantic text reuse) の代表格である。

■2. 剽窃探知のプログラムを中心に発展

テクスト・リユースはコンピュータ言語学の用語として発達してきたが、それは、主に、テクスト・リユース探知の分野においてである。テクスト・リユース探知 (text re-use detection) とは、簡単にいえば、一つ以上のテクストをコンピュータに与え、コンピュータにそ (れら) のテクストの中からテクスト・リユースを見つけさせる技術である。多くの場合は，比較されるテクストは一つ以上であり、言語は同一のものだが、一つのテクストの中で類似するフレーズを探すのもテクスト・リユース探知に入るほか、最近では複数言語間のテクスト・リユース探知も研究されている。テクスト・リユース探知は、コンピュータ言語学の分野において、データ・マイニング (data mining) をテクストに応用したテクスト・マイニング (text mining) の発展の中で開発されてきた剽窃探知のプログラムを中心に発展し、近年、この技術が、剽窃という社会的悪を発見するという実用的なものでなく、近代以前の、引用元や引喩元を明示しない文化におけるテクスト・リユースを研究する、という純学問的・人文学的な目的で用いられるようになったものである。

■3.「間テクスト性」という概念

哲学や文学理論の分野では、コンピュータ言語学から発展してきたテクスト・リユースとは別に、「間テクスト性」(intertextuality/intertextualité) という概念が発達してきた。ブルガリアで生まれ、フランスで活躍している哲学者ジュリア・クリステヴァ (Julia Kristeva)、1969 年に発表された著書において、ロシアのミハイル・バフチン (Mikhail Bakhtin) のカーニヴァル論やオーストリアのジークムント・フロイト (Siegmund Freud) の精神分析学、そしてスイスのフェルディナン・ド・ソシュール (Ferdinand de Saussure) のアナグラム論に影響を受けた「間テクスト性」という概念を発表した。間テクスト性とは、テクストにおいて、ほかのテクストから取られたさまざまなテクストの断片が互いに交差しているという性質のことである[注1]。この「間テクスト性」の研究は、ジェラール・ジュネット（Gérard Genette）らによって、洗練され、ハイパーテクストなどさまざまな種類の間テクスト性の関連概念が編み出された[注2]。私の研究する初期キリスト教文学の分野でも、この間テクスト性の研究が盛んになってきている。例えば、この分野を含む学会で最も大きなものとして聖書文学会（Society of Biblical Literature）があるが、オンライン上で公開されている当学会のアメリカでの年次大会のアブストラクト・ブックを調べると、intertextualityのタイプ頻度は年々増えている傾向にある。

■4．間テクスト性とテクスト・リユースの統合

間テクスト性を生み出したフランス、そしてその隣国のドイツでは、哲学から出た間テクスト性の研究とコンピュータ言語学から生じたテクスト・リユース研究を統合させる動きが、デジタル・ヒューマニティーズの世界で起こっている。初期のものとしては、Biblia Patristica［注3］のデジタル化が挙げられる。Biblia Patristicaはキリスト教のいわゆる教父文学［注4］における聖書からの引用や引喩のリストであるが、最初は、紙媒体で出版されたのみであった。しかし、フランス国立科学研究センター（Centre National de la Recherche Scientifique、略してCNRS）のBiblIndex［注5］というプロジェクトによってすべてオンラインでクエリによる検索が可能なデータベースとなって公開されている。これは、テクスト・リユースのデータのデジタル化・データベース化のプロジェクトとしては非常に優れたものであるが、テクスト・リユースは自動で探知されたものではない。

西洋古典学における初期の自動テクスト・リユース探知（automatic text reuse detection）のプログラムとして、Tesserae［注6］が挙げられる。これはアメリカのニューヨーク州立大学バッファロー校のNeil Coffeeのチームが開発しているもので、彼らの論文によれば、ウェルギリウス（Vergilius）の『アエネイス』（Aeneis）とルカヌス（Lucanus）の『ファルサリア（内乱）』（Pharsalia/The Civil War）において、それまでの西洋古典学の学者たちが見つけることができなかったテクスト・リユースをTesseraeは46も発見した。

近年では、タフツ大学のPerseus Digital Library［注7］のリーダーであるGregory Craneが率いるライプチヒ大学のフンボルト・デジタル・ヒューマ

ニティーズ講座はこの分野の研究で突出してきている。このライプチヒ大学において Marco Büchler は、古典文学におけるテクスト・リユース探知で博士論文を書き、その後、古代ギリシア語最大のコーパスである Thesaurus Linguae Graecae で自動でテクスト・リユースを探知する eAQUA [注8]、そして、eTRACES プロジェクト [注9] で TRACER という汎用テクスト・リユース探知ソフトウエアを開発し 2015 年から、ドイツ連邦教育・研究省の 4 年間 1.6 万ユーロの助成金を獲得し、ゲッティンゲン大学のゲッティンゲン・センター・フォー・デジタル・ヒューマニティーズおよびコンピュータ科学研究所の eTRAP リサーチ・グループ [注10] で開発が引き継がれた。現在は、英語、ドイツ語、古代ギリシア語、ラテン語、チベット語、コプト語、ヘブライ語、アラビア語でこのソフトウエアの成功例がある。私は、このプロジェクトのコプト語のパートにコプト学者として参加し、西暦 4 ～ 5 世紀に生きた上エジプトの修道院長であるアトリペのシェヌーテの著作にある古いコプト語訳聖書からの引用・引喩を探すのに用いている。見つかった聖書からの引用は、コプト語訳聖書で見つかっていない箇所のものもあり、聖書のうち紀元後 2 ～ 4 世紀になされた非常に古い訳から取られたはずなので、コプト語訳聖書のみならず、ギリシア語新約聖書や 70 人訳旧約聖書の本文批評学 [注11] にとって重要なものも数多い。

■5. 旧約聖書から発見された未発見の引用

現在、例えば、シェヌーテの『第六カノン』というテクストで、19 世紀末から、すでに引用が過去の研究者によって研究された部分だけでも、旧約聖書の詩篇だけで 14 の未発見の引用が見つかっている。『第六カノン』は、未発表の断片も全体の 5 分の 1 ほどあり、私たちはそのデジタル・エディションを作成しているが、その部分でも多数のテクスト・リユースが発見されている。いったんカール・ハインツ・クーン（Karl Heinz Kuhn）によって引用と引喩が隅々まで研究された [注12]、シェヌーテの弟子のベーサの手紙・説教集と旧約聖書の詩篇からは 18 の未発見の引用が TRACER によって発見された。現在、よりレンマ化などを洗練させたコーパスで再度分析を行っている。これらの結果は私の博士論文で詳述される。

■6．テクスト・リユース研究の三つのカテゴリー

TRACERはWordNetのデータを与えると、意味論的テクスト・リユースをより多く発見できるようになる。そのため、現在は、コプト語のWordNetをオスロ大学のローラ・スローター（Laura Slaughter）と南洋理工大学のルイス・モルガード・ダ・コスタ（Luís Morgado da Costa）とともに開発している。また、テクスト・リユースの結果を用いて、さまざまな視覚化がなされたWebページが、ライプチヒ大学のStefan Jänickeが開発したTRAVizによってJavaScriptを用いたHTMLとして生成される【図1】。

ライプチヒ大学のモニカ・ベルティ（Monica Berti）が主に執筆しているブログであるFragmentary Texts: Quotations and Text Re-uses of Lost Authors and Works［注13］では、TEIなどテクスト・リユースに関わる事項がよく解説されているほか、アテナエウス（Athenaeus）などの古代ギリシア語による著作におけるテクスト・リユースのTEI/XMLによるマーク・アップの例、そしてXテクノロジーを駆使したテクスト・リユースの視覚化のデモを見ることができる。モニカ・ベルティやグレゴリー・クレイン（Gregory Crane）をはじめとするこのfragmentarytexts.orgのプロジェクトの成果は、論文として発表されている［注14］。また、XMLを用いた、アテナエウスの著作のデジタル・エディションの諸相はDigital Athanaeus［注15］で公開されている。

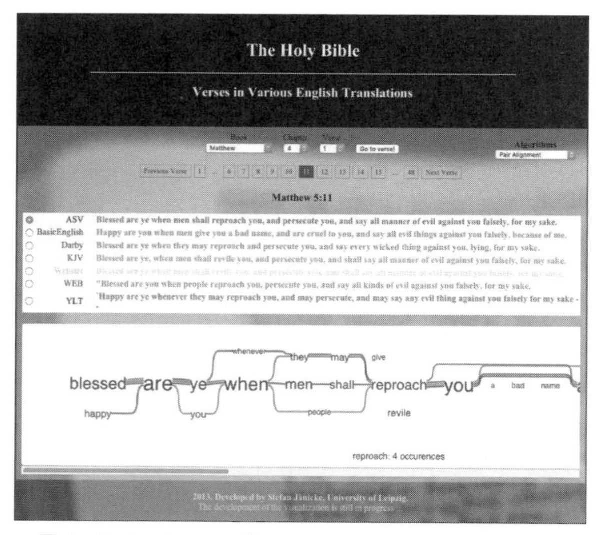

図1　Stefan Jänicke, “The Holy Bible: Verses in Various English Translations” (2013), accessed November 17, 2018, http://www.informatik.uni-leipzig.de:8080/BibleViz/#. TRAVizによるTRACERの結果の視覚化の一例。

最近では、Wikipediaのデータを活用したPicapica［注16］という新しいテクスト・リユース・ツールが登場したが、これはいくつかの現代語にしかまだ対応していない。

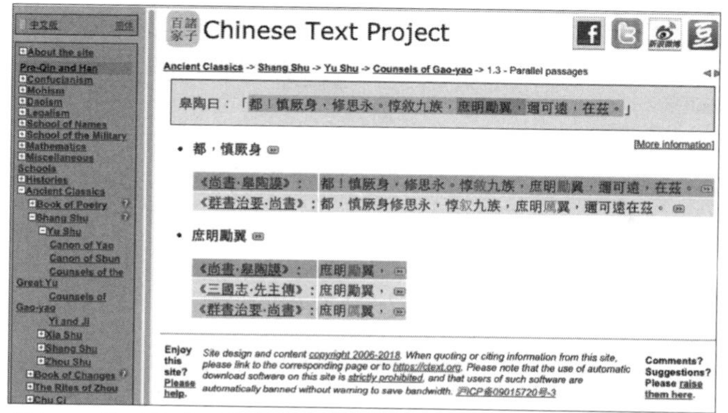

図 2　Chinese Text Project における『尚書』の一節のスクリーンショット［注 23］

以上、まとめると、DH におけるテクスト・リユース研究には次の三つのカテゴリーが設けられる。

1. 自動テクスト・リユース探知（Tesserae、TRACER、Picapica など）
2. テクスト・リユースのマーク・アップ（TEI、fragmentarytext.org など）
3. 古いテクスト・リユースの情報源のデジタル・データベース化（BiblIndex など）

この分野はグレゴリー・クレイン（Gregory Crane）率いるライプチヒ大学の Global Philology プロジェクト［注 17］などで学術交流が促進され、私もそこで Historical Text Reuse Data Workshop［注 18］など、2016 年から 2017 年にかけてライプチヒおよびゲッティンゲンで開催された多数の会議およびワークショップに参加した。ハーヴァード大学のドナルド・スタージョン（Donald Sturgeon）が Chinese Text Project プロジェクト［注 19］に関して Global Philology が主催した Global Philology Open Conference［注 20］と Global Philology: Big Textual Data［注 21］で行った二つの発表のように、ヨーロッパ・中東の文献以外の DH における優れたテクスト・リユース研究も知ることができ、大変有意義であった。下の【図 2】は Chinese Text Project におけるテクスト・リユースの一例を表示している画面である。Global Philology のリーダーである、ライプチヒ大学フンボルト・デジタル・ヒューマニティーズ講座教授のグレゴリー・クレインは、DH におけるオープンデータ、オープンソースを推進しており、彼の関係したプロジェクトは、その多くがコードやソースがオープンで入手可能である。ライプチヒ大学におけるマルコ・ビュヒラー（Marco Büchler）の博士論文での研究が元になった TRACER も GitLab でコードを手に入れることができる **[注 22]**。

▶注

[1] Julia Kristeva, *Σημειωτικὴ : recherches pour une sémanalyse*（Paris: Seuil, 1969）の、p. 85 の定義、«. . . tout texte se construit comme mosaïque de citations, tout texte est absorption et transformation d'un autre texte.»「すべてのテクストは、引用のモザイクのように構築され、すべてのテクストは、ほかのテクストの吸収と変形である。」は特に間テクスト性を端的に表したものとして有名である。

[2] Gérard Genette, *Palimpsestes: La littérature au second degré* (Paris: Seuil,1982).

[3] Jean Allenbach et al., *Biblia patristica: Index des citations et allusions bibliques dans la littérature patristique*, 6 vols. (Paris: Éditions du Centre National de la Recherche Scientifique, 1975-1995). André Pautler, et al., *Biblia patristica*, vol. 7, Didyme d'Alexandrie (Paris: Éditions du Centre National de la Recherche Scientifique, 2000).

[4] 教父（Church Fathers）は、2 世紀から 8 世紀ごろまでに生きた、キリスト教会にとって「正統信仰」をもつとされる著述家たちのことを指す。彼らの文献・思想・歴史を研究する学問は教父学（Patristics）と呼ばれる。

[5] “BiblIndex » Index of Biblical Quotations in Early Christian Literature,” BiblIndex, accessed July 20, 2020, http://www.biblindex.mom.fr.

[6] Cf. Neil Coffee et al., “Intertextuality in the Digital Age,” *Transactions of the American Philological Association*, 142, no. 2 (2012): 383-422. また、Tesserae のホームページの URL は http://tesserae.caset.buffalo.edu/。

[7] “Welcome to Perseus 4.0, also known as the Perseus Hopper,” Perseus Digital Library, accessed July 20, 2020, http://www.perseus.tufts.edu/.

[8] “eAQUA: Portal und Methoden-Dissemination,” eAQUA, accessed July 20, 2020, http://www.eaqua.net/.

[9] “eTRACES,” digital humanities im deutschsprachigen raum, accessed July 20, 2020, https://dig-hum.de/forschung/projekt/etraces.

[10] “eTRAP: Electronic Text Reuse Acquisition Project,” eTRAP, accessed July 15, 2020, https://www.etrap.eu/.

[11] 諸写本のテクストの異同を比較して、原初のテクストの復元を目指す分野である。

[12] Karl Heinz Kuhn, ed., *Letters and Sermons of Besa*, Corpus Scriptorum Christianorum Orientalium, Vol. 157, Scriptores Coptici, tomus 21 (Louvain: Imprimerie Orientaliste L.Durbecq, 1956)

[13] “Fragmentary Texts: Quotations and Text Re-uses of Lost Authors and Works,” Fragmentary Texts, accessed 20 July, 2020, http://www.fragmentarytexts.org/.

[14] Berti, Monica, Bridget Almas, David Dubin, Greta Franzini, Simona Stoyanova, and Gregory R. Crane, “The Linked Fragment: TEI and the Encoding of Text Reuses of Lost Authors,” *Journal of the Text Encoding Initiative* [Online] 8, Selected Papers from the 2013 TEI Conference: TEI in Relation to Other Semantic and Modeling Formalisms (2014-2015),

accessed November 17, 2018, https://journals.openedition.org/jtei/1218.

[15] "Digital Athenaeus: A digital edition of the Deipnosophists of Athenaeus of Naucratis," Digital Athenaeus, accessed July 20, 2020, http://www.digitalathenaeus.org/.

[16] "Picapica bietet Werkzeuge zum Textvergleich," Picapica, accessed July 20, 2020, https://www.picapica.org/.

[17] "Global Philology Project: The Global Philology Project Planning - (GPhil-o)," Digital Humanities: Universität Leipzig, accessed 20 July, 2020, http://www.dh.uni-leipzig.de/wo/projects/global-philology-project/.

[18] "Historical Text Reuse Data Workshop," Digital Humanities: Universität Leipzig, accessed 20 July, 2020, http://www.dh.uni-leipzig.de/wo/historical-text-reuse-data-workshop/.

[19] "Welcome," Chinese Text Project, accessed July 20, 2020, https://ctext.org/.

[20] "Global Philology Open Conference," Digital Humanities: Universität Leipzig, accessed July 20, 2020, http://www.dh.uni-leipzig.de/wo/events/global-philology-open-conference/.

[21] "Global Philology: Big Textual Data," Digital Humanities: Universität Leipzig, accessed July 20, 2020, http://www.dh.uni-leipzig.de/wo/events/global-philology-big-textual-data/.

[22] "Sign in・GitLab," GitLab Community Edition: A complete DevOps platform, accessed July 20, 2020, https://vcs.etrap.eu/tracer-framework/tracer.

[23] "Ancient Classics -> Shang Shu -> Yu Shu -> Counsels of Gao-yao -> 1.3 - Parallel passages," Chinese Text Project, accessed July 20, 2020, https://ctext.org/text.pl?node=21088&if=en&show=parallel.

ドイツ語圏のパピルス文献で著名なデジタル・アーカイブ

2019-01-31

第8回では、スイスのボドマー・コレクション（ボドメール・コレクション）のデジタル・アーカイブであるBodmer Lab［注1］を紹介した。今回は、そのほかのヨーロッパのデジタル・アーカイブで、Bodmer Labのようにパピルス文献で著名なデジタル・アーカイブを紹介したい。ただし、ヨーロッパ全体のパピルス学デジタル・アーカイブを紹介するには一回では足りないので、今回はドイツ語圏のもののみにする。

■1．パピルス文献とその研究

パピルス文献とは、主にナイル川で生息するカヤツリグサの一種であるパピルス草の茎から作られる紙状のパピルスと呼ばれる記録媒体に炭などから作ったインクで文字を書き記したものである。パピルスは古代エジプト文明で記録媒体として広く用いられ、ギリシアやローマによる支配においても主な記録媒体として活躍し、ビザンツ帝国期には羊皮紙に押されながらも記録媒体としては使われ続け、イスラーム征服後も初期のころはよく用いられ、紙が支配的になるまで用いられた。

歴史的にパピルスに書かれた言語は数多く、エジプト語（古エジプト語、中エジプト語、新エジプト語、民衆文字エジプト語、コプト語の総称）、ギリシア語、ラテン語、シリア語、メロエ語、古ヌビア語、アラム語、パフラヴィー語、アラビア語などが記された。文字としては、ヒエログリフ（聖刻文字）、ヒエラティック（神官文字）、デモティック（民衆文字）、ギリシア文字、コプト文字（ギリシア文字＋デモティックより数文字）、メロエ文字、ヌビア文字（コプト文字＋メロエ文字より数文字）、アラム文字、ラテン文字、シリア文字、パフラヴィー文字、アラビア文字などがパピルスに書かれた。

主にパピルスを研究対象とし、オストラコン（陶片）なども扱う文献学を特別に、パピルス学（Papyrology）という。オストラコンもエジプトやギリシアでよく用いられた記録媒体であるが、オストラコン学（Ostracology）という名称はほぼ使用されず、パピルスではないにもかかわらず、大抵はパピルス学という名の下で研究される。さらに、パピルス学の学会では、パピルス文献やオストラコン文献に関する発表のほかにも、羊皮紙文献についての発表を聞くこともある。パピルス学者（papyrologist）は、あまり名称にとらわれず、広い視野を持っているようである。

古代エジプト、ヘレニズム期エジプト、ローマ期エジプト、ビザンツ期エジプト、イスラーム期エジプトの社会、言語、文化、経済、政治、音楽などさまざまな側面を知ることができる資料としてパピルス文献は非常によく研究されている。ただし、オークションサイトで高値がつくように、歴史的なパピルス文献は非常に貴重なものであり、また、紙や羊皮紙に比べ脆いため、パピルス資料は非常に厳重な注意を持って保管される。日本でも東海大学のいわゆる「鈴木コレクション」**[注2]** が民衆文字エジプト語などの、また京都大学総合博物館のいわゆる「ピートリー・コレクション」がギリシア語やコプト語のパピルス文献を所持している。これらのパピルス文献は、大抵、ガラスなどに挟まれて、大変厳重に保管されている。この貴重性と脆弱性から、パピルス資料のアクセスはほかのものよりも難しくなる傾向がある。これでは研究者にとって不都合なので、ヨーロッパや北米ではパピルス文献をデジタル・アーカイブ化し、研究者が容易に利用できるような環境を整える努力がなされてきた。今回は、それらの中でも、ドイツ語圏のデジタル・アーカイブで特に研究者たちによく利用されるウェブサービスを紹介する。

■2. エジプト博物館とパピルス・コレクション（ベルリン）

ベルリンには博物館島を中心に多数の名だたる博物館があるが、そのうちの一つの新博物館（Neues Musem）は、ネフェルティティの胸像やウェストカー・パピルスなどで有名な古代エジプトのコレクションを展示している。しかし、この新博物館はいわば容れ物であり、この古代エジプト・コレクションおよびパピルス・コレクションの保管・展示を行っているのは、「エジプト博物館とパピルス・コレクション」（Ägyptisches Museum und Papyrussammlung）という機関である。この機関は、ウェストカー・パピルスや『マリアによる福音書』で有名なベルリン・コーデックスなど、世界で

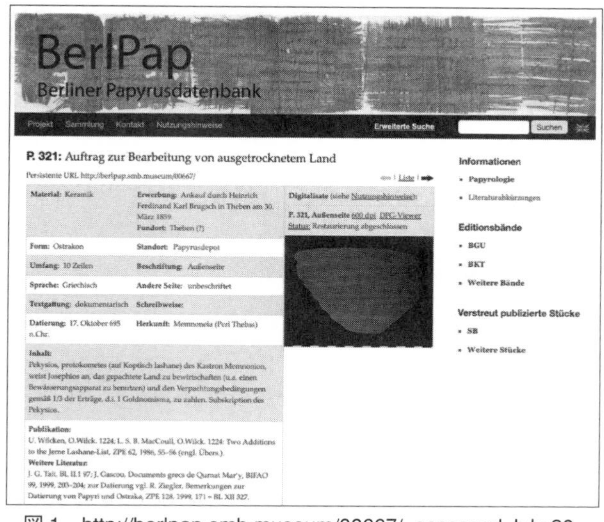

図1　http://berlpap.smb.museum/00667/, accessed July 20, 2020

も有数の貴重なパピルス文献を保管している。この機関のポータルであるBerlPap【注3】では、パピルス文献の高精細写真、そして翻刻をみることが可能である。パピルス文献の高精細写真はDFG Viewerでさらに容易にズームイン・ズームアウトができ、ダウンロードボタンを押すことで、高精細写真自体をダウンロードすることが可能である。翻刻はパピルス文献の翻刻のウェブ・データベースであるPapyri.info【注4】に置かれたThe Duke Databank of Documentary Papyriのアノテーション付きTEI/XMLデータを表示している。このデータはTEI準拠のXMLの中でも、碑文学、パピルス学に適したEpiDocを用いている。この翻刻のライセンスはCC BYである。また、文献のメタデータは、西洋古典およびエジプト学の文献のデジタル・カタログであるTrismegistos【注5】から取られている【図1】。

■3．ハイデルベルク大学図書館パピルス・コレクション

ループレヒト・カール大学ハイデルベルク（Ruprecht-Karls-Universität Heidelberg）、通称ハイデルベルク大学は、ドイツ最古の大学として有名であり、その歴史は14世紀に始まる。この大学の図書館は、ギリシア語、コプト語のパピルスのコレクションでも有名であり、そのコプト語コレクションの高精細写真を数多く公開している【注6】。画像は高精細であり、PDFとJPEGで保存できる。ライセンスはAttribution-ShareAlike 3.0 Unported（CC BY-SA 3.0）であり、適切な方法で典拠を示せば印刷物や論文など、さまざまな分野において利用することが可能である。また、Papyri.infoおよび

Trismegistos とリンクされており、リンクをクリックすることで、翻刻やメタデータを見ることができる。

■4. オーストリア国立図書館パピルス・コレクション

オーストリア国立図書館（Österreichische Nationalbibliothek）**[注7]** は、そのパピルス・コレクションでも有名で、パピルス学部門がある。そのウェブサイトでもパピルスを検索し、高精細画像を手に入れることができるが、検索に際しては一般図書も入っているデータベースから検索することになり、非常に検索しづらい。所蔵番号をあらかじめ用意しておき、それを検索するのが最も早く目当てのパピルス文献にたどり着ける方法かもしれない。特定のパピルスの所蔵番号を検索すると、次のようなページにたどり着く**【図2】**。

ここでは、Ansehen（閲覧）の項目にある Digitales Objekt をクリックすると高精細画像が手に入る。パピルスの書かれた時代と出土地の情報はあるが、このサイトでは「エジプト博物館とパピルス・コレクション」（ベルリン）やハイデルベルク大学のパピルス・コレクションのサイトのような翻刻や詳しいメタデータは提供されていない。P.Vindob. で検索すると、多くのパピルスがヒットするようである。写真のライセンスなどの情報は、アイテムのページには書かれていないようである。

次回は、今回取り上げたパピルス文献や、オストラコン（陶片）文献、あ

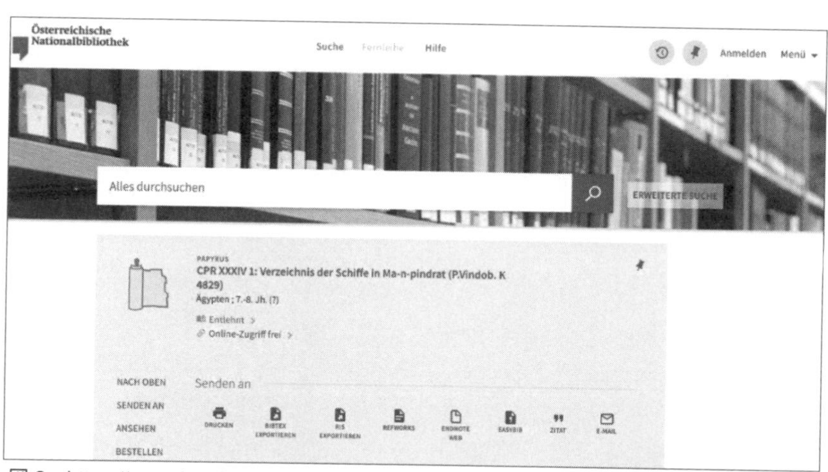

図2　https://search.onb.ac.at/primo-explore/fulldisplay?docid=ONB_alma21394466990003338&context=L&vid=ONB&lang=de_DE, accessed July 20, 2020

るいは、羊皮紙文献や碑文を中心とした、古代ギリシア語、ラテン語、コプト語を含むエジプト語などの文献のメタデータの膨大なカタログであるTrismegistosについて説明する。

▶注

[1] "Une bibliothèque numérique de la littérature mondiale," Bodmer Lab, accessed July 20, 2020, https://bodmerlab.unige.ch/fr.

[2]「東海大学古代エジプト及び中近東コレクションに関するプロジェクト」東海大学古代エジプト及び中近東コレクションに関するプロジェクト，最終閲覧日 2020 年 7 月 20 日，http://papyrus.pr.tokai.ac.jp/.

[3] "BerlPap: Berliner Papyrusdatenbank," Berliner Papyrusdatenbank | Ägyptisches Museum und Papyrussammlung, accessed July 20, 2020, http://berlpap.smb.museum/.

[4] "Papyri.info," Papyri.info, accessed July 20, 2020, http://papyri.info/.

[5] "Trismegistos Home," Trismegistos, accessed July 20, 2020, https://www.trismegistos.org/.

[6] "Heidelberger Papyrussammlung - digital," Universitäts-Bibliothek Heidelberg, accessed July 20, 2020, https://www.ub.uni-heidelberg.de/helios/digi/hd_papyrus.html.

[7] "Startseite - Österreichische Nationalbibliothek," Österreichische Nationalbibliothek, accessed July 20, 2020, https://www.onb.ac.at/.

3-11

Trismegistosという紀元前８世紀から紀元後８世紀までのエジプト語・ギリシア語・ラテン語・シリア語などの文献のメタデータや関連する人名・地名などのウェブ・データベース群、および、Linked Open Dataのサービス

2019-02-28

■１．はじめに

近年、ドイツでは、前回紹介した、ベルリンの「エジプト博物館とパピルス・コレクション」のBerlPap［注1］やハイデルベルク大学図書館パピルス・コレクションのウェブ・アーカイブ［注2］など、先進的なパピルス文献のデジタル・アーカイブが開発されてきているが、それらのデジタル・アーカイブの個々の文献とリンクされているデータベースとしてTrismegistosとPapyri.info［注3］がある。今回は、Trismegistosを紹介する。今回のタイトルは長くてぎこちないが、それは、このTrismegistosの対象とする文献の言語と時代がさまざまであること、そしてTrismegistosは現時点で八つの異なるデータベースを有することを意味する。ここでは、エジプト語はヒエログリフ（聖刻文字）、ヒエラティック（神官文字）［注4］、デモティック（民衆文字）、コプト文字（この文字で書かれたエジプト語はコプト語と呼ばれる）で書かれたエジプト語を意味する。また、対象を紀元前８世紀から紀元後８世紀にエジプトで写された、もしくは、製作されたと推定される文献を中心とするため、文献の言語は、エジプト語とギリシア語が多く、次にアラビア語、ラテン語、シリア語、アルメニア語、ジョージア語（グルジア語）、さらには、古期ヌビア語、メロエ語、パフラヴィー語、コーカサス・アルバニア語［注5］、古代南アラビア語、フェニキア語、カリア語、ゲエズ語、ケルト諸語、エトルリア語、トラキア語など［注6］と、大変幅広い。そのデータの種類の膨大さから、単純に数語でこのTrismegistosを説明することは容易ではない。

■２．Trismegistos［注7］

Trismegistosは紀元前８世紀から紀元後８世紀の主にエジプトを中心とする古代から、古代末期を通して、中世にかけての地中海世界の文献のメタデー

タ、そしてその文献に出てくる人名や地名などのオンライン・データベース群である。ベルギーのルーヴェン・カトリック大学の民衆文字エジプト語の文献学者マーク・デパウ（Mark Depauw）を中心に開発が進められてきた。Trismegistos の名前の由来は、ギリシア神話のヘルメス神がヘレニズム期エジプトにおいて古代エジプトの知恵の神トト神と習合し、さらに錬金術師ヘルメスと同一視され、ヘルメス文書を著したと考えられたヘルメス・トリスメギストス（3 倍偉大なヘルメス）から来ている。一度、最初のページを開くと、Texts、Collections、Archives、People、Networks、Places、Authors、Editors と書かれた八つのタイルが出現する。これらのタイルをクリックするとそれぞれ別々のデータベースに到達できる。ここでは、それぞれのデータベースについて紹介する。

■3. Texts [注 8]

Texts は Trismegistos のメインとなるデータベースである。紀元前 8 世紀から紀元後 8 世紀までが範囲であり、エジプトで出土した文献、例えば、コプト語を含むエジプト語、ギリシア語、ラテン語などの文献の所蔵場所、所蔵番号、言語、研究資料、年代、製作場所、出土場所、ジャンル、校訂など現代のエディションなどの情報が書かれている。いわば文献のウェブ・カタログ、メタデータ・カタログであるが、重要なのは、このデータベースは当該の文献をすべて網羅することを目標としており、一つ一つの文献に TM Number という ID を割り振っている。この ID が、ほかの DH プロジェクトで、文献を特定し、相互利用を促進するための識別子として昨今広く利用されてきている。例えば、前回紹介した BerlPap はこの TM Number を利用しているほか、のちに紹介する Papyri.info、そして、私が働いているコプト語コーパス言語学のプロジェクトである Coptic SCRIPTORIUM でも TM Number を用いている。現在、この Texts データベースには、778,820 の文献のエントリーがある [注 9]。このデータベースが始まったのは 2005 年であり、初めは、ギリシア・ローマ時代のエジプトのパピルス文献を対象としていたが、のちに紀元前 8 世紀から紀元後 8 世紀のパピルス、羊皮紙、紙、碑文、グラフィティなどすべての文献へと対象が広げられた。

■ 4. Collections [注10]

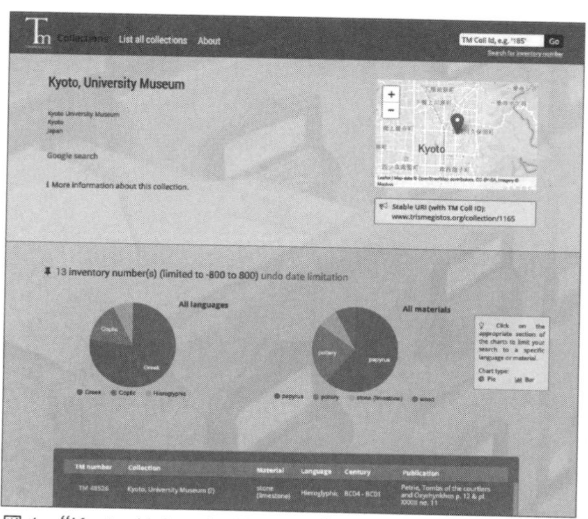

図1 “Kyoto, University Museum,” Collections, Trismegistos, accessed February 13, 2019, https://www.trismegistos.org/collection/1165 より。

Collections は、Texts が対象としている文献を所蔵している博物館や図書館、大学などのコレクションのデータベースである。Leuven Homepage of Papyrus Collections を拡張したものである。3,935 のコレクションと、それらのコレクションの 238,806 の所蔵品が所蔵番号とともに登録されている。エジプト出土の文献なので、植民地時代に多数を取得した欧米やエジプト本国が多いが、日本の博物館も登録されている。下の写真は京都大学総合博物館のものである【図1】。京都大学総合博物館は、ロンドン大学ユニヴァーシティー・カレッジ（UCL）のエジプト学および考古学の教授であったフリンダース・ピートリー卿（Sir Flinders Petrie）が、彼の UCL での教え子であり、京都大学の考古学の教授となり、のちに京大総長に就いた濱田耕作に贈ったピートリー・コレクションを有する［注11］。Trismegistos Collections では、京都大学総合博物館に 13 の所蔵物が登録されており、その内訳は、Trismegistos Collections によれば、ギリシア語の文献は 10、コプト語の文献は二つ、ヒエログリフで書かれたエジプト語の文献は一つである［注12］。

■ 5. Archives [注13]

Archives は、現代のアーカイブではなく、古代の蔵書や手紙、メモなどのアーカイブである。例えば、キリスト教の修道僧フランゲ（Frange）のアーカイブ［注14］は多数のコプト語の手紙を含んでおり、コプト語パピルス学者の間で大変有名である。そのような蔵書は、現代では世界の図書館や博物館に散らばって所蔵されていることが多い。このデータベースでは、そういった古代のアーカイブの情報が調べられる。現時点（2019年2月13日）では、主にエジプトの529アーカイブ、そしてそれらのアーカイブに含まれる18,860のテクストがある。

■6．People［注15］

People は、紀元前8世紀から紀元後8世紀までのあらゆる言語のエジプト出土文献に出てくる人物および名前のデータベースであり、Prosopographia Ptolemaica をもとにしたものである。現在、王のものではない名前が501,454集められている。一つの名前の、ヒエログリフ・ヒエラティックの対応形、デモティックの対応系、コプト語の対応形、ギリシア語の対応形、ラテン語の対応形が一覧でき、大変便利である。

■7．Networks［注16］

Networks は、Trismegistos のほかのデータベースのデータ、例えば People の人名のデータベースのデータを基に描かれたネットワーク分析のデータベースであり、ほかのデータベースと趣が異なっている。下の画像は、Trismegistos People の人名のネットワーク分析で、Shenoute を検索し、Horos を中心に据えたときのスクリーンショットである【図2】。

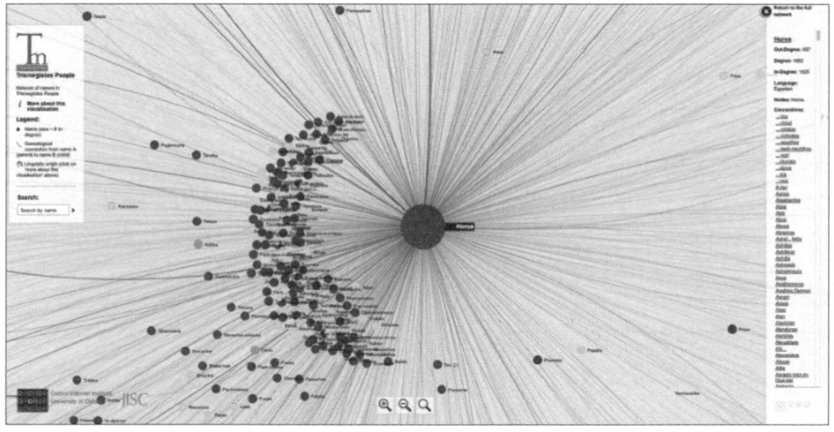

図2　“OII Network Visualisation Example,” Trismegistos People, Trismegistos, accessed February 13, 2019, Trishttps://www.trismegistos.org/network/6_2015_03_13/?search=Shenoute#Horos.

■ 8. Places [注 17]

紀元前 8 世紀から紀元後 8 世紀までのあらゆる言語の資料に出てくるエジプトおよびその周辺の地名のデータベースである。現在、220,234 の地名がエントリーされている。これらの地名は、諸言語・諸文字における文献に出てきた語形の一覧を見ることができ、また、西洋古典学やエジプト学・コプト学などの地理データベースである Pleiades とリンクされており Pleiades 上で地図上で位置を確認できる。地名を調べるときに大変便利である。

■ 9. Authors [注 18]

紀元前 8 世紀から紀元後 8 世紀にエジプトで写された文献の著者のデータベースである。いくつか例を挙げれば、古代ギリシアのアリストファネスや、キリスト教のギリシア教父オリゲネス、コプト語で著述した修道院長シェヌーテ、マニ教文献、アラブ人によるエジプト征服の後のアラビア語による著述家などさまざまである。About のページ [注 19] によれば、6,191 の著者が現在登録されているとあるが、現在（2019 年 2 月 17 日時点）で ID は 1 の Aba Antonius から 7,268 の Anonymus of the Didascalia CCCXVIII patrum Nicaenorum までである。おのおののエントリーを開くと、その著者の作品がワードクラウドのように表示され、その著者の著作の言語、パピルス、羊皮紙や紙などの文献の物質、そして、文献が作られた地域の割合などが円グラフとして表示される。また、Authors のメインページでは、このデータベース全体で著述家の性別や言語の割合の円グラフ（棒グラフに変更可能）や、写本が製作された年ごとのエントリーの量の折れ線グラフなどが表示される。

■ 10. Editors [注 20]

Texts で記録されている諸文献の現代のエディション（校訂本や文献の翻刻本など）のエディターのデータベースである。現在は 20,894 人のエディターがエントリーされている [注 21]。あるエディターを選択すると、そのエディターが編集した文献の言語、媒体、地域などが円グラフで表示できるほか、棒グラフに変更することも可能である。また、どの都市にいくつエディションを出版したかを棒グラフによって見ることができるほか、編集した文献の年代の折れ線グラフが表示される。下にスクロール・ダウンすると、そのエディターに関連するネットワーク分析が三つほど表示される。

■ 11. Trismegistos Data Services [注22]

これは、欧州のデジタル・インフラストラクチャーのプロジェクトDARIAHのベルギー版であるDARIAH-BE [注23] のLinked Open Data Frameworkに準拠したデータサービスであり、Trismegistosのデータが Linked Open Dataの概念の基、よりほかのプロジェクトで使われることを推進する先進的な取り組みである。このデータは、CC BY-SA 4.0 licenseで提供される。

以上が、Trismegistosの概観である。このデータベース群は非常に膨大であるため、すべての機能を連載中の一回で紹介することは到底できない。ぜひ興味がある方は、ご自分でこのデータベース群を試していただきたい。

▶注

[1] “BerlPap: Berliner Papyrusdatenbank,” Berliner Papyrusdatenbank | Ägyptisches Museum und Papyrussammlung, accessed July 20, 2020, http://berlpap.smb.museum/.

[2] “Heidelberger Papyrussammlung - digital,” Universitäts-Bibliothek Heidelberg, accessed July 20, 2020, https://www.ub.uni-heidelberg.de/helios/digi/hd_papyrus.html.

[3] Papyri.info、および、そこで使用されているLeiden+については、小川潤「西洋古典・古代史史料のデジタル校訂とLeiden+：デジタル校訂実践の裾野拡大の可能性」『人文情報学月報』103（2020）、あるいは、宮川創「ハイデルベルク大学デジタル・パピルス学ウェビナーとLeiden+」『人文情報学月報』106（2020）を参照。

[4] Trismegistosでは変体神官文字（Abnormal Hieratic）の項目も設けられている。

[5] バルカン半島のアルバニアで話されるアルバニア語とは全く異なる言語で、コーカサス地方、特に現在のアゼルバイジャンを中心とした地域に存在した、同名のアルバニア王国で用いられた言語である。言語系統は、レズギ語などと同じく北東コーカサス語族に属する。現在もアゼルバイジャンなどで話されているウディ語はその後継の言語だと言われている。シナイ半島の聖カタリナ修道院からこの言語の文献が、パリンセプストなどの形で見つかった。

[6] 一覧は次のページにある（“Languages and scripts of the Ancient World (under construction),” Trismegistos, accessed February 13, 2019, https://www.trismegistos.org/about_languages.php)。

[7] “Trismegistos Home,” Trismegistos, accessed July 20, 2020, https://www.trismegistos.org/.

[8] “Texts,” Trismegistos, accessed February 13, 2019, https://www.trismegistos.org/tm/index.php.

[9] 以下、数値は、特に断り書きがない場合、“About,” Trismegistos, accessed February 13, 2019, https://www.trismegistos.org/about.php による。なお、特に断りのない場合、最終閲覧日は2019年2月17日である。

[10] “Collections,” Trismegistos, accessed February 13, 2019, https://www.trismegistos.org/coll/index.php.

[11] 京都大学総合博物館のピートリー・コレクションの経緯については、近藤二郎『最新エジプト学：蘇る「王家の谷」』（東京：新日本出版社, 2007）, 128や、より詳細な、Yoko Nishimura and So Miyagawa, “An early history of Egyptology in Japan with a focus on philological studies,” in *Global Egyptology: negotiations in the production of knowledges on ancient Egypt in global contexts*, ed. Langer, Christian (London: Golden House Publications, 2017),

147-59 の pp. 149-150（https://www.academia.edu/37112391/2017_Yoko_Nishimura_and_So_Miyagawa_An_Early_History_of_Egyptology_in_Japan_with_a_Focus_on_Philological_Studies_ から閲覧可能）や、さらに詳しい、Alice Stevenson, *Scattered finds: archaeology, Egyptology and museums* (London: UCL Press, 2019) の pp. 134-137（2021 年 2 月 23 日時点では、https://www.ucl.ac.uk/ucl-press/browse-books/scattered-finds から閲覧可能）などを参照。

[12] もちろん、Trismegistos Collections は最終版ではなく、随時更新されているため、この数値が正確ではない場合もある。今回も筆者はこの原稿をドイツのゲッティンゲン大学で執筆しており、現在の職場である共同研究センターや大学図書館に、かつて京都大学で閲覧した、京都大学大学院文学研究科考古学専修 , 京都大学総合博物館（編）『京都大学総合博物館考古学資料目録　エジプト出土資料』（京都：京都大学総合博物館 , 2016）がないので、この所蔵品の数値が正しいか確認できなかった。万が一、この数値が誤りである場合、Trismegistos チームが推奨しているように、メールでそれを報告し、修正を待たなければならない。エラーを見つけたときに関しては “How to cite Trismegistos and refer to its use (& our way of dealing with errors),” Trismegistos, accessed February 13, 2019, https://www.trismegistos.org/about_how_to_cite.php のページの ‘How we deal with errors’ を参照。

[13] “Archives,” Trismegistos, accessed February 13, 2019, https://www.trismegistos.org/arch/index.php.

[14] “Frange,” Trismegistos, accessed July 15, 2020, https://www.trismegistos.org/archive/321.

[15] “People,” Trismegistos, accessed February 13, 2019, https://www.trismegistos.org/ref/index.php.

[16] “Networks,” Trismegistos, accessed February 13, 2019, https://www.trismegistos.org/network/index.php.

[17] “Places,” Trismegistos, accessed February 13, 2020, https://www.trismegistos.org/geo/index.php.

[18] “Authors,” Trismegistos, accessed February 13, 2020, https://www.trismegistos.org/authors/index.php.

[19] “Authors,” Trismegistos, accessed July 15, 2020, https://www.trismegistos.org/authors/about.php.

[20] “Editors,” Trismegistos, accessed February 13, 2020, https://www.trismegistos.org/edit/index.php.

[21] “Short Introduction,” Trismegistos Editors, accessed July 15, 2020, https://www.trismegistos.org/edit/about.php.

[22] “Trismegistos Data Services,” Trismegistos, accessed February 13, 2019, https://www.trismegistos.org/dataservices/.

[23] Dariah-BE, accessed July 15, 2020, http://be.dariah.eu/.

IIIFに対応したコプト語文献のデジタルアーカイブ（1）
―バチカン図書館―

2019-03-30

■1．IIIF（トリプル・アイ・エフ）とは

2019年6月24日から28日にかけて、私が勤務しているゲッティンゲン大学でIIIFの国際会議が開催される［注1］（なお、URLの最終閲覧日は、以下すべて、2019年3月17日である）。IIIF（トリプル・アイ・エフ）とは、読者の中にはよくご存じの方も多いと思うが、International Image Interoperability Framework、つまり、「国際的画像相互運用枠組」の略で、APIを駆使して、デジタルアーカイブにある画像の国際的な相互運用を推進させていくための枠組みである。API（特に、Webで使われるWeb API）とは、Application Programming Interfaceの頭文字であり、あるウェブサービスなどのデータや機能などの二次利用を容易にするために供給側が用意するものである。APIに所定の手続きでアクセスするとコンピュータにとって読み込みやすい形式のデータが返し戻され、そのデータやアプリが別のソフトウエアやアプリ、ウェブサイトなどで二次利用しやすくなる。このように、APIを実装されたウェブサービスやウェブアプリなら、そのAPIを利用して、ユーザーや別のウェブサービスがデータやアプリの機能を容易に二次利用できる。例えば、現在、FacebookやGoogleのアカウントを使って、ほかのウェブサービスやアプリにログインすることが多くなってきたが、これもFacebookならFacebookの、GoogleならGoogleのAPIを用いたものである。IIIFは、画像をはじめとするさまざまなウェブコンテンツのための標準化されたAPIの枠組みで、デジタルアーカイブ間、もしくはユーザーによるデジタルアーカイブの画像の相互利用を容易にして、促進させていこうとするコミュニティーベースの試みである。IIIFには、いくつかのAPIがあり、現在、IIIF Image API［注2］、IIIF Presentation API［注3］、IIIF Authentication API［注4］、IIIF Content Search API［注5］の四つの

API がある。IIIF のマニフェストと呼ばれる JSON ファイルの URI を IIIF 対応ビューワーで読み込めば、その画像を閲覧することができる。IIIF によって実現できることは多く、すべてを紹介しきれないが、例えば、SAT 大正新脩大蔵経テキストデータベースと人文情報学研究所が開発した IIIF Manifests for Buddhist Studies [注 6] のように、さまざまな博物館や図書館の IIIF 対応ウェブアーカイブの画像のうち、特定のジャンルの文献の画像（ここでは仏典の画像）を集めて、一つのウェブサイトで表示したりすることができる。また、画像の一部、例えば、絵画に描かれている人物や、文献の一部分にアノテーションをつけることも可能である。IIIF に対応したビューワーには Mirador や Universal Viewer などがある。コプト語パピルス文献や最古層のギリシア語新約聖書文献で有名なスイスのボドマー・コレクションのデジタル・ウェブ・アーカイブである Bodmer Lab [注 7] は Mirador を採用し [注 8]、そして大英図書館は Universal Viewer の導入を推し進めている [注 9]。また、日本の人文学オープンデータ共同利用センターは、IIIF Curation Viewer を開発している [注 10]。

私が専門としているコプト語写本では、バチカン図書館、フランス国立図書館、大英図書館、ボードリアン図書館、そして、以前紹介したボドマー・コレクション（Bodmer Lab）などが IIIF 画像を公開している。本節は、そのすべてを紹介することはできないが、今回は、バチカン図書館、そして、次回は、フランス国立図書館、および、IIIF を利用したウェブサイトである、Biblissima の IIIF Collections - Manuscripts & Rare Books を紹介する。

■ 2. バチカン図書館と DigiVatLib [注 11]

バチカン（使徒）図書館（Biblioteca Apostolica Vaticana）[注 12] は、ローマ・カトリック教会の「総本山」であり、サン・ピエトロ大聖堂、バチカン宮殿、バチカン美術館などを擁し、ローマ教皇を国家元首とする独立国家であるバチカン市国にある図書館である。ヨーロッパの貴重な写本や資料はもちろん、コプト語やシリア語、アラビア語などで書かれた中近東のキリスト教の古写本、さらには、日本のキリシタン資料、そのほか、宗教やジャンルを問わず、アジア、アフリカ、中南米の文献など世界中の重要な資料を多数保管している。バチカン図書館は、日本の NTT Data とともに、文献のデジタル化・公開を行っている [注 13]。DigiVatLib というバチカン図書館が運営するデジタルアーカイブのウェブサイトで写本の IIIF 画像を閲覧することができる。次のスクリーンショットは DigiVatLib で閲覧したコプト語写本の IIIF 画像の一例である**【図 1】**。

ビューワーの左上にある Read More 横の i マークをクリックし、出てきたサイドバーの真ん中より下側にある “IIIF manifest URI” をクリックすると、IIIF マニフェストを取得することができる。 この IIIF manifest URI を用いれば、Universal Viewer や Mirador など IIIF 対応ビューワーで IIIF 画

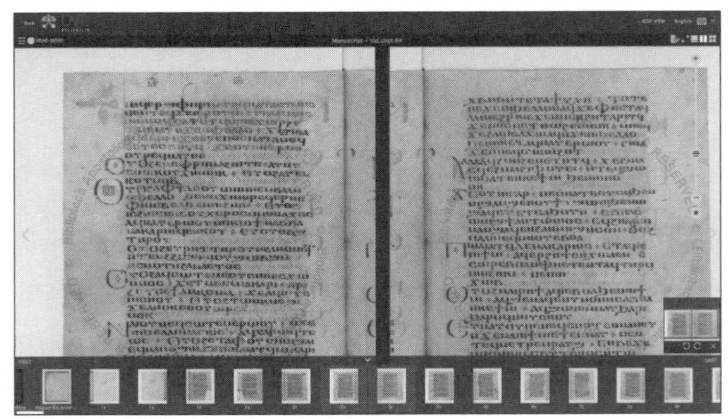

図 1　コプト語写本の例（Vat.copt.64）**[注 14]**

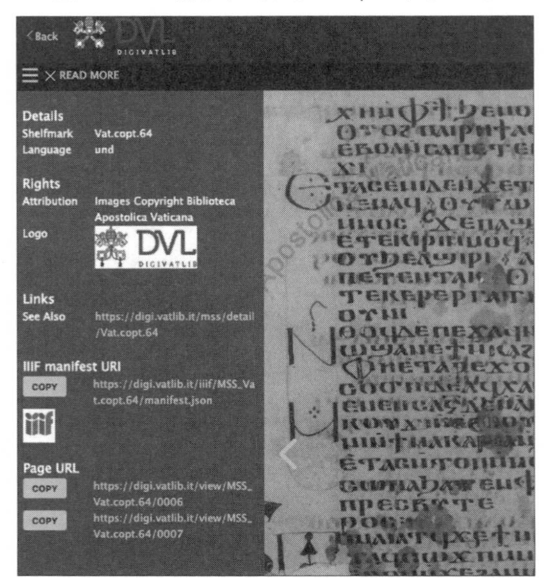

図 2　Read More 横の i マークをクリックして開いた画面。
IIIF manifest URI はサイドバーの真ん中からやや下あたりにある。

像を閲覧することができる【図2】。

今回は、コプト語文献を有するIIIF対応のデジタルアーカイブとしてバチカン図書館の例を紹介した。次回は、フランス国立図書館、そして、IIIFを利用したウェブサイトの例として、Biblissimaについて述べる。

▶注

[1] “2019 IIIF Conference - Göttingen, Germany,” IIIF, accessed July 19, 2020, https://iiif.io/event/2019/goettingen/.

[2] “IIIF Image API 2.1.1,” IIIF | International Image Interoperability Framework, accessed July 20, 2020, https://iiif.io/api/image/2.1/ を参照。

[3] “IIIF Presentation API 2.1.1,” IIIF | International Image Interoperability Framework, accessed July 20, 2020, https://iiif.io/api/presentation/2.1/ を参照。

[4] “IIIF Authentication API 1.0,” IIIF | International Image Interoperability Framework, accessed July 20, 2020, https://iiif.io/api/auth/1.0/ を参照。

[5] “IIIF Content Search API 1.0,” IIIF | International Image Interoperability Framework, accessed July 20, 2020, https://iiif.io/api/search/1.0/ を参照。

[6] “IIIF Manifests for Buddhist Studies,” IIIF Manifests for Buddhist Studies, accessed July 20, 2020, http://bauddha.dhii.jp/SAT/iiifmani/show.php. 永﨑研宣・下田正弘「オープン化が拓くデジタルアーカイブの高度利活用：IIIF Manifests for Buddhist Studiesの運用を通じて」『じんもんこん2018論文集』(2018): 389-94を参照。また、Kiyonori Nagasaki and Masahiro Shimoda, “Utility of IIIF for Humanities through Use Cases of Buddhist Studies,” Paper 24, 2018 Washington conference submission, IIIF | International Image Interoperability Framework, accessed July 20, 2020, https://iiif.io/event/2018/washington/program/paper-24/ は、このプロジェクトに関する、永﨑研宣氏と下田正弘氏のワシントンDCでのIIIF国際会議2018の研究発表の要旨である。

[7] “Une bibliothèque numérique de la littérature mondiale,” Bodmer Lab, accessed July 20, 2020, https://bodmerlab.unige.ch/fr.

[8] 例：P. Bodmer 6、コプト語「原サイード方言」(Proto-Sahidic）の箴言（しんげん）の写本のMiradorでの閲覧（“1072205347,” Mirador :: bodmerlab, Bodmer Lab, accessed July 20, 2020, https://bodmerlab.unige.ch/fr/constellations/papyri/mirador/1072205347?page=002)。

[9] “There's a new viewer for digitised items in the British Library's collections,” Digital scholarship blog (2016-12-07), accessed April 17, 2019, https://blogs.bl.uk/digital-scholarship/2016/12/new-viewer-digitised-collections-british-library.html.

[10] “IIIF Curation Viewer,” ROIS-DS 人文学オープンデータ共同利用センター , accessed July 20, 2020, http://codh.rois.ac.jp/software/iiif-curation-viewer/.

[11] “DVL: DigiVatLib,” DigiVatLib, accessed July 20, 2020, https://digi.vatlib.it/.

[12] 直訳すれば、バチカン使徒図書館だが、日本語では一般的にバチカン図書館と言われているため、今回はこの通称を用いた。なお、NTT Dataはバチカン教皇庁図書館と呼んでいる。

[13]「data for: the future バチカン教皇庁図書館デジタルアーカイビング事業」NTT Data，最終閲覧日2019年4月17日 , http://www.nttdata.com/jp/ja/services/sp/dataforthefuture/ を参照。

[14] “Vat.copt.64,” DigiVatLib, accessed July 20, 2020, https://digi.vatlib.it/view/MSS_Vat.copt.64.

IIIFに対応したコプト語文献のデジタルアーカイブ（2）

―フランス国立図書館と Biblissima―

2019-04-30

■1．IIIF の日本語解説記事

前回は、コプト語文献を有するデジタルアーカイブとしてバチカン図書館の例を紹介した。日本でも多くのデジタルアーカイブが IIIF を導入している。東京大学デジタルアーカイブズ構築事業によれば、2018 年 5 月時点の情報として、日本国内で 18 カ所の図書館、博物館、プロジェクトなどのデジタルアーカイブが IIIF 対応で画像を公開している［注 1］。例えば、国立国会図書館デジタルコレクション［注 2］、京都大学貴重資料デジタルアーカイブ［注 3］、東京大学附属図書館アジア研究図書館上廣（うえひろ）倫理財団寄付研究部門 U-PARL 漢籍・碑帖拓本資料［注 4］、国立歴史民俗博物館 総合資料学情報基盤システム khirin［注 5］、国文学研究資料館 新日本古典籍総合データベース［注 6］、国立国語研究所 日本語史研究資料［注 7］、国立情報学研究所ディジタル・シルクロード・プロジェクト『東洋文庫所蔵』貴重書デジタルアーカイブ［注 8］、大蔵経テキストデータベース研究会 SAT DB 2018（SAT2018）東京大学総合図書館所蔵 万暦版大蔵経（嘉興蔵）デジタル版［注 9］などである。

Unicode の開発を統括し推進させていくのが Unicode Consortium であるように、IIIF にも IIIF Consortium［注 10］がある。この IIIF に関しては、日本語で多数の解説記事が公開されている。人文学オープンデータセンターの解説「IIIF を用いた高品質／高精細の画像公開と利用事例」［注 11］や永崎研宣氏による artscape の記事「つながる世界のコンテンツ―― IIIF が描くアート・アーカイブの未来」［注 12］やブログ記事「今、まさに広まりつつある国際的なデジタルアーカイブの規格、IIIF のご紹介」［注 13］がわかりやすい。IIIF の導入の仕方は、永崎氏のブログ記事「今まさに広まりつつあるデジタルアーカイブの国際規格 IIIF の導入の仕方」［注 14］を参照いただきたい。また、IIIF 対応で画像を公開することの意義については、永崎氏の「IIIF 対

応で画像を公開することの意義を改めて：各図書館等の事例より」[注15] がわかりやすい。

■2．フランス国立図書館とGallica [注16]

フランス国立図書館（Bibliothèque nationale de France, 略称：BnF）は、1367年にシャルル5世によって設立されたルーブル宮殿の王室図書館を起源とし、フランス革命の際に国立図書館と改称したが、帝政期に帝国図書館（Bibliothèque Impériale）となった。しかし、その後、1994年にフランス国立図書館に名称が戻されている。フランス国立図書館は、その蔵書の多さと多様さで知られており、コプト語の貴重な写本や手書き文献も多数保管している。私の博士論文で取り上げている、4～5世紀の上エジプトの修道院長・アトリペのシェヌーテの『第六カノン』は、写本のページがさまざまな博物館や図書館に分散されて保管されているが、それらのページの半数以上がこのフランス国立図書館にある。私は職場のプロジェクト（ドイツ研究振興協会特別研究領域／共同研究センター1136「古代から中世または古典イスラーム期にかけての地中海圏とその周辺の諸文化における宗教と教育」）で同僚とPIとともにこの『第六カノン』のデジタル・エディションを作成している。このテクストの写本の一部は、Gallicaというフランス国立図書館が運営するデジタルアーカイブで公開されている【図1】。

Gallicaも画像のIIIF Manifestを公開しており、それを利用して、より簡

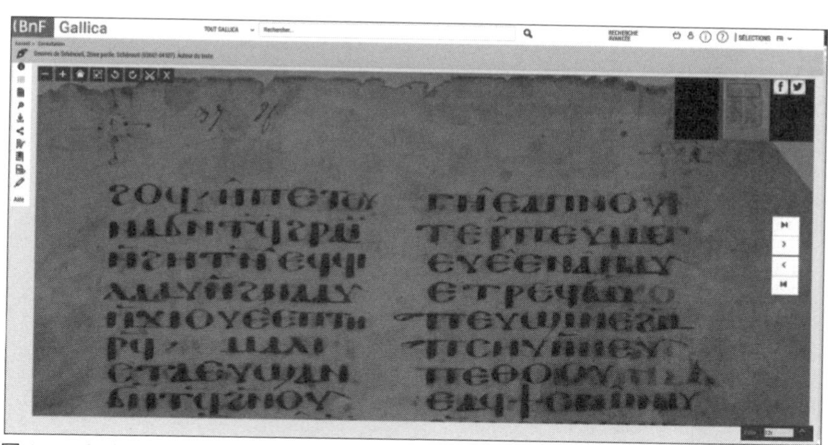

図1　アトリペのシェヌーテによるコプト語サイード方言の『第六カノン』のMONB.XV写本の第61ページ（所蔵番号：Copte 130 (2) f.12 recto）[注17]

便に画像の閲覧・検索を行えるウェブサイトを作ろうとする動きがある。その一つとしてBiblissimaを紹介する。

■3. Biblissima【注18】

バーチャルライブラリーを標榜するウェブポータルのBiblissimaの一企画であるIIIF Collections -Manuscripts & Rare Books【注19】は、Gallica、大英図書館、ボドリアン図書館、Europeana Regia、フランス国立科学研究センター（CNRS）のテクスト学・テクスト史研究所（Institut de recherche et d'histoire des textes）のBVMM【注20】、スイスのe-codices【注21】などのIIIF画像を公開しているデジタルアーカイブのIIIF Manifestを利用して、それらのIIIF画像をより検索・閲覧しやすくしたウェブサイトである【図2】。IIIF対応のビューワーで画像を閲覧することができる。管見では、コプト語の写本は、Gallicaの12件しかないが、今後増えていくものと思われる。

以上、IIIF対応のコプト語文献の画像を公開しているデジタルアーカイブの例とIIIFを二次利用したウェブサイトの例を見た。

▶注

[1] 東京大学附属図書館「IIIF対応ビューワの使い方」最終閲覧日2019年5月17日,https://www.lib.u-tokyo.ac.jp/ja/library/contents/archives-top/iiif_manualの「IIIF対応の主な画像公開サイト（国内）」のセクションを参照。

[2]「国立国会図書館デジタルコレクション」国立国会図書館デジタルコレクション, 最終閲覧

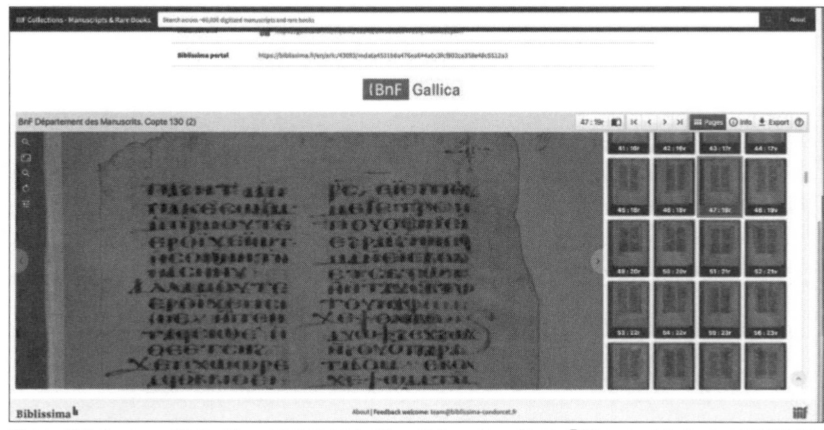

図2 Bilblissima で Gallica にあるアトリペのシェヌーテの『第六カノン』の MONB.XV 写本の第61ページ（所蔵番号：Copte 130 (2) f.12 recto）を開いたときの画面【注22】

日 2020 年 7 月 20 日 , http://dl.ndl.go.jp/.
[3]「トップページ」京都大学貴重資料デジタルアーカイブ , 最終閲覧日 2020 年 7 月 20 日 , https://rmda.kulib.kyoto-u.ac.jp/.
[4]「東京大学アジア研究図書館デジタルコレクション・HOME・東京大学学術遺産等アーカイブズ共用サーバ」東京大学アジア研究図書館デジタルコレクション , 最終閲覧日 2020 年 7 月 20 日 , https://iiif.dl.itc.u-tokyo.ac.jp/repo/s/uparl/page/home.
[5]「トップ」khirin, 最終閲覧日 2020 年 7 月 20 日 , https://khirin-ld.rekihaku.ac.jp/.
[6]「新日本古典籍総合データベース」新日本古典籍総合データベース , 最終閲覧日 2020 年 7 月 20 日 , https://kotenseki.nijl.ac.jp/.
[7]「日本語史研究資料 [国立国語研究所蔵]」国立国語研究所 , 最終閲覧日 2020 年 7 月 20 日 , https://dglb01.ninjal.ac.jp/ninjaldl/.
[8] "Toyo Bunko Archive," National Institute of Informatics - Digital Silk Road Project Digital Archive of Toyo Bunko Rare Books, accessed July 20, 2020, http://dsr.nii.ac.jp/toyobunko/.
[9]「万暦版大蔵経（嘉興蔵 / 径山蔵）デジタル版」東京大学総合図書館万暦版大蔵経（嘉興蔵）デジタル版 , 最終閲覧日 2020 年 7 月 20 日 , https://dzkimgs.l.u-tokyo.ac.jp/kkz/
[10] "IIIF Consortium," IIIF | International Image Interoperability Framework, accessed July 20, 2020, https://iiif.io/community/consortium/.
[11]「IIIF を用いた高品質／高精細の画像公開と利用事例」人文学オープンデータ共同利用センター , 最終閲覧日 2020 年 7 月 20 日 , http://codh.rois.ac.jp/iiif/.
[12] 永崎研宣「つながる世界のコンテンツ―― IIIF が描くアート・アーカイブの未来」artscape（2017 年 10 月 15 日）, 最終閲覧日 2020 年 7 月 20 日 , http://artscape.jp/study/digital-achive/10139893_1958.html.
[13] 永崎研宣「今、まさに広まりつつある国際的なデジタルアーカイブの規格、IIIF のご紹介」digitalnagasaki のブログ（2016 年 4 月 28 日）, 最終閲覧日 2020 年 7 月 20 日 , http://digitalnagasaki.hatenablog.com/entry/2016/04/28/192349.
[14] 永崎研宣「今まさに広まりつつあるデジタルアーカイブの国際規格 IIIF の導入の仕方」digitalnagasaki のブログ（2016 年 5 月 16 日）, 最終閲覧日 2020 年 7 月 20 日 , http://digitalnagasaki.hatenablog.com/entry/2016/05/16/030851.
[15] 永崎研宣「IIIF 対応で画像を公開することの意義を改めて：各図書館等の事例より」digitalnagasaki のブログ（2018 年 4 月 9 日）, 最終閲覧日 2020 年 7 月 20 日 , http://digitalnagasaki.hatenablog.com/entry/2018/04/09/053545.
[16] "Gallica," Gallica, accessed July 20, 2020, https://gallica.bnf.fr/.
[17] "Oeuvres de Schénouti, 2ème partie," Gallica, accessed July 20, 2020, https://gallica.bnf.fr/ark:/12148/btv1b52504721n/f33.item.r=Copte.zoom.
[18] "Accueil," Biblissima, accessed July 20, 2020, http://beta.biblissima.fr/.
[19] "IIIF Collections of Manuscripts and Rare Books," Biblissima, accessed July 20, 2020, https://iiif.biblissima.fr/collections/.
[20] "BVMM: Bibliothèque virtuelle des manuscrits médiévaux," BVMM, accessed July 20, 2020, https://bvmm.irht.cnrs.fr/.
[21] "e-codices - Virtuelle Handschriftenbibliothek der Schweiz," e-codices, accessed July 20, 2020, https://www.e-codices.unifr.ch/de.
[22] "IIIF Collections of Manuscripts and Rare Books," Biblissima, accessed March 17, 2019, https://iiif.biblissima.fr/collections/manifest/96c943c8de890df4692cf8113ca2c23a647e09ee?tify={%22pages%22:[33],%22panX%22:0.489,%22panY%22:0.209,%22view%22:%22thumbnails%22,%22zoom%22:1.285}.

複雑性が人々をインスパイアし、共同作業を促進させ、DHを発展させる
―Digital Humanities 2019 ユトレヒト大会―

2019-07-31

■1．大会標語はComplexities「複雑性（複数）」

DH2019がオランダのユトレヒトで開催された。1,066人の参加者、52カ国を擁する大学会であった。会議の主体となる研究発表は7月10日（水）～12日（金）に行われた。7月8日（月）～7月9日（火）は、火曜日にキーノート・スピーチとオープニング・レセプションがあった以外は、主に全日もしくは半日のワークショップであった。ワークショップの数は30、一つにつき五つの発表があるショートペーパーの研究発表のセッションの数は28、一つにつき三つの発表があるロング・ペーパーのセッションの数は41、一つにつき複数の発表があるパネルの数は29、と途方もない数の発表が行われた。この数の研究発表の数のため、7月10日（水）～12日（金）の本会議では、およそ10のセッションが並行して行われた。

大会の標語はComplexities「複雑性（複数）」であった。大会のホームページには複雑性がどれだけ人々をインスパイアし、共同作業を促進させ、未来に向けてDHを発展させるかが書かれている **[注1]**。

会議のオープニングのキーノート・スピーチは“ICTs as Juju: African Inspiration for Understanding the Compositeness of Being Human through Digital Technologies”（ジュジュとしてのICT：デジタル技術を通して人間であることの複合性を理解するためのアフリカ人のインスピレーション）と題され、南アフリカ共和国のケープタウン大学のフランシス・B・ニャムンジョー（Francis B. Nyamnjoh）氏が行った。ニャムンジョー氏は西および中央アフリカにおける、時に魔法などにも用いられる、人間に超人的な力を与えるテクノロジーをさすjujuという言葉をデジタル・テクノロジーに当てはめ、デジタル・テクノロジーが、人々がその力への恐れを克服し、真に普遍的なヒューマニズムの創造的な多様性をもつ包括的で自己進化を続ける分野を創出するよう

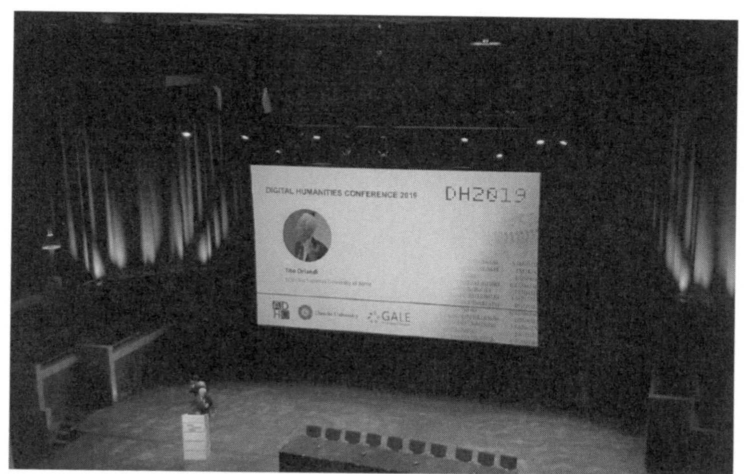

図 1　Tito Orlandi 氏のブサ賞キーノート講演
"Reflections on the Development of Digital Humanities"

になるポテンシャルをもつことを語った。

デジタル・ヒューマニティーズで最も栄誉あるロベルト・ブサ賞は、コプト学者で、ローマ・サピエンツァ大学名誉教授ティト・オルランディ（Tito Orlandi）氏が選ばれた。オルランディ氏は、1970年代とDHの初期からコプト語写本のデジタル・カタログであるCorpus dei Manoscritti Copti Letterariプロジェクト［注2］を始め、コプト学DHの父と呼ばれている。アラン・チューリング（Alan Turing）のチューリング・マシーンから、シャノンの情報理論、サイバネティックスなど、氏が行ったコンピュータを用いたコプト語文献研究の初期の基盤となった1940年代～1980年代の情報理論を語った【図1】。

大会の会場はTivoli Vredenburgというユトレヒト中央駅近くの現代的な建物で、現代演劇の大小の劇場を多数、一つの建物に集めたような場所であった。多数の会場があり、常に10ほどの研究発表が並行して行われていた。会場は複数階にあり、会場間の移動が大変であった。

■2. 得られた新しい情報

私は、主に自然言語処理コーパス言語学、デジタル・エディション、TEI、HTR、西洋古典学の教育へのデジタル技術の応用などのセッションやパネルに行った。そのすべてに関してここで詳述することは到底できないが、全般的に言えば、さまざまな新しい情報や見地を得ることができた。

西洋古典学では、Perseus [注3] などに代表されるようなタグ付きコーパス、ツリーバンク、辞書データなど研究ツールは一通りそろい、すでにかなり発展しているが、いまはそれらをどう教育に応用するかに焦点が当てられ、すでに Scaif Viewer [注4] など西洋古典の学習に最適なアプリが開発されていることは目をみはるものがある。今回はライプチヒ大学・タフツ大学のグレゴリー・クレイン（Gregory Crane）氏が率いるパネルでこれらについての発表・議論が行われた [注5]。

また、ボン大学のカルロス・パラン・ガヨル（Carlos Pallán Gayol）氏とカリフォルニア大学バークレー校のデボラ・アンダーソン（Deborah Anderson）氏が司会をした READ のパネルにも参加したが、READ のように、古典マヤ語のマヤ文字など、まだ Unicode スタンダードに登録されていない文字 [注6] も使うことが可能な、デジタル・テクスト・エディションのウェブ・プラットフォームの開発も印象的であった [注7]。これは、パレオグラフィーの一覧などもタグ付けし表示することが可能な先進的なウェブアプリである。READ プロジェクトの発表では、アンドリュー・グラス（Andrew Glass）氏の開発中の Unicode の制御文字を用いたエジプトのヒエログリフのマイクロソフト Word へのタイピングの実演が行われた。エジプト・ヒエログリフ [注8] では、文字を水平方向だけでなく、垂直方向に並べることも多く、また、時に、文字の中に文字を書いたり、文字同士を重ね合わせたりするが、それらのパターンにすべて対応できる Glass 氏が開発中の技術は会場にいたエジプト学者数人を魅了し、発表の後にはエジプト学者が Glass 氏を囲んで小一時間ほど議論がされるほどであった。

HTR では、Transkribus を用いたものも多かったが、Transkribus の代替以上となるような独自の技術を用いているプロジェクトが目立った。コーパス言語学では、私もよく使っていた SIL の FieldWorks Language Explorer の応用に関する発表などが大変関心をひいた。

学会期間中、日本、台湾、中国など東アジアの国々の研究者も多数お見かけし、東アジアに関する発表も多数行われた。東アジア関連の発表のレビューについてはその専門家に譲りたい。

参加者の内訳は、DH2019 Newsletter, Issue 6 によると、以下の通りであった。

■3．多様性と共同作業

アフリカ 10 カ国から 38 人（3.56%）

アジア 9 カ国から 72 人（6.75%）

ヨーロッパ 26 カ国から 735 人（68.95%）

北アメリカ 2 カ国から 203 人（19.04%）

オセアニア 2 カ国から 11 人（1.03%）

南アメリカ 3 カ国から 7 人（0.66%）

今回はヨーロッパで開催とあって、ヨーロッパの参加者が過半数を占め、ヨーロッパの文化・歴史をターゲットとした発表が多かったのは致し方ないが、中東、東アジア、アフリカなどの文化・歴史の発表も多く、多様性が確保できている感があった。特にポスター発表での多様さが目立った。また、アフリカの DH も、特設ページ **[注 9]** や専門のセッションが設けられたように、フォーカスされていた。ニャムンジョー氏がオープニング・キーノート・スピーチで述べたように、デジタル・ヒューマニティーズが多様性を維持し、さまざまな主観性をもつ人々の共同作業を通じて大いに発展していくものであることを確信させられる大会であった。

大会の最後は、ジョハンナ・ドラッカー（Johanna Drucker）氏の DH のサスティナビリティと複雑性に関するクロージング・キーノート・スピーチで締めくくられた。大会を通して、昼食や、コーヒー、軽食も提供され、ケータリングも大変充実していた。バンケットでは、美しいカトリック教会でコンサートが催されたほか、教会に隣接する博物館の庭での食事、そして、博物館の中のレンブラントの絵を見るツアーなど、多数のイベントが用意されていた。私自身のことを言えば、このようなイベントで、いままで知らなかったプロジェクトや研究を知り、そして、多数の研究者と知り合い、意見を交換し新たな知見を得、共同研究・作業の約束などもし、大変充実した大会であった。

2020 年のオタワ、そして 2021 年の東京での DH カンファレンスが、ますますの多様性と共同作業を通じて、DH の発展に寄与するものになることを、祈念したい。

▶注

[1] "Conference Theme," DH2019, accessed July 18, 2019, https://dh2019.adho.org/about/conference-theme/.

[2] "CMCL - Studies in Coptic Civilization," CMCL: Corpus dei Manoscritti Copti Letterari, accessed July 18, 2019, http://www.cmcl.it/. Tito Orlandi, "The Corpus dei Manoscritti Copti Letterari," *Computers and the Humanities*, 24 (1990): 397-405 も参照。

[3] "Perseus Digital Library," Perseus Digital Library, accessed July 18, 2019, http://www.perseus.tufts.edu/hopper/.

[4] "Scaife Viewer | Home," Perseus Digital Library Scaife Viewer, accessed July 18, 2019, https://scaife.perseus.org/.

[5] Crane, Gregory, Jovanovic, Neven, Sklaviadis, Sophia, De Luca, Margherita, Šoštarić, Petra, Foradi, Maryam, Cottrell, Kate, Tauber, James, Shamsian, Farnoosh, and Palladino, Chiara, "Confronting Complexity of Babel in a Global and Digital Age," Digital Humanities 2019: Utrecht University 8-12 July, accessed July 18, 2019, https://dev.clariah.nl/files/dh2019/boa/0611.html.

[6] Erica Machulak, "Texting in Ancient Mayan Hieroglyphs: What Unicode Will Make Possible," *Humanities*, 39, no. 1 (Winter 2018), accessed July 18, 2019, https://www.neh.gov/humanities/2018/winter/feature/texting-in-ancient-mayan-hieroglyphs.

[7] アブストラクトは、https://dev.clariah.nl/files/dh2019/boa/0553.html（最終閲覧日 2019 年 7 月 18 日）。

[8] エジプトのヒエログリフに関しては、筆者、および東京医科歯科大学助教の吉野宏志氏、および『人文情報学月報』の巻頭言なども書いたことがある東京大学 U-PARL 特任准教授の永井正勝氏の共著による入門編の連載がひつじ書房のウェブマガジン未草で好評連載中である（宮川創・吉野宏志・永井正勝「古代エジプト語のヒエログリフ入門：ロゼッタストーン読解｜第 1 回 ヒエログリフとエジプト語」『未草：ひつじ書房ウェブマガジン』(2018), 最終閲覧日 2019 年 7 月 18 日 , http://www.hituzi.co.jp/hituzigusa/2018/08/31/hieroglyph-1/）。

[9] "Digital Humanities —— the perspective of Africa," Network for Digital Humanities in Africa, accessed July 18, 2019, https://dhafrica.blog/outcomes/.

コプト語テクストの光学文字認識（OCR）の開発

2019-08-31

■1．歴史的文献のOCR

ヨーロッパやイスラエルでは、現在さまざまなプロジェクトが、コプト文字のように市販のOCRソフトウエアでは対応できないような文字、もしくは、古い時代の歴史的書体を機械に認識させ、デジタルに自動的に書き起こすOCRの開発に携わっている。

OCRとはOptical Character Recognition（光学文字認識）の略であり、文献の文字を読み取り、コンピュータ上で書き起こす技術である。これに対して、近年ヨーロッパではTranskribusを中心にHTRの開発が盛んである。HTRとはHandwritten Text Recognition（手書きテクスト認識）の略である。OCRも後述するように手書き文字認識にも対応できるものの、HTRはレイアウトやリガチャーの認識など、OCRよりも手書きテクストに特化したものとなっている。今回はOCRを中心に、次回はHTRを中心に述べる。

■2．ニューラル・ネットワーク・モデルを用いたOCRopy

私が参加しているプロジェクトの一つであるKELLIAプロジェクトでは、18～20世紀に植字され印刷されたコプト語のテクストのOCRを開発している。最初に開発したのはニューラル・ネットワーク・モデルを用いたOCRopy（オクロパイ）**[注1]**を用いたもので、これは、最新の研究では、スキャンの精度がよければ、ほぼ90～100%の認識正答率を記録している。OCRopyはトーマス・ブロイエル（Thomas Breuel）が開発したOCRopus（オクロパス）のPython版である。コプト語にOCRopyを適用したのは、筆者、マックス・プランク生物物理化学研究所に勤めていたコンピュータ科学者であるキリル・ブラート（Kirill Bulert）、そして、ゲッティンゲン大学コンピュータ科学研究所eTRAPプロジェクトのリーダーであるマルコ・ビュヒラー

（Marco Büchler）である。この成果はデジタル・ヒューマニティーズの代表的な論文誌である Digital Scholarship in the Humanities に掲載された。書誌情報は以下である。

So Miyagawa, Kirill Bulert, Marco Büchler, and Heike Behlmer, “Optical Character Recognition of Typeset Coptic Text with Neural Networks,” *Digital Scholarship in the Humanities*, 34 (Supplement 1) (2019): i135-141.

ただし、この論文が提出されたのは 2017 年で編集者の諸事情もあり出版が 2 年越しになった。そのため、本論文は 2015 年からの研究の初期段階の成果であり、ニューラル・ネットワークを導入して正答率が格段に上がった Tesseract 4.0 以降や OCRopus に TensorFlow を導入した Calamari など、新しい動きには触れられていない。

■ 3．OCRopy のトレーニング

OCRopy を特定の言語の文字や書体に適応させるには、トレーニングが必要であり、そのトレーニングには、機械学習する OCR の「教科書」となるべきグラウンド・トゥルス（Ground Truth）が必要である。グラウンド・トゥルスとは、対象となる書籍の特定の数のページの画像とデジタル翻刻である。ユーザーはまず、このグラウンド・トゥルスを用意しなければならない。

まず、コプト語のテクストをスキャンした画像は ScanTailor というフリーのソフトウエアで調整した。OCRopy では、画像を 1 行ごとに切り出し行ごとに入力できる HTML ファイルを生成できる。トレーニングでは、OCRopy がグラウンド・トゥルスの画像とテクストを見比べて、パターンマッチで、どの文字が画像のどの部分に対応

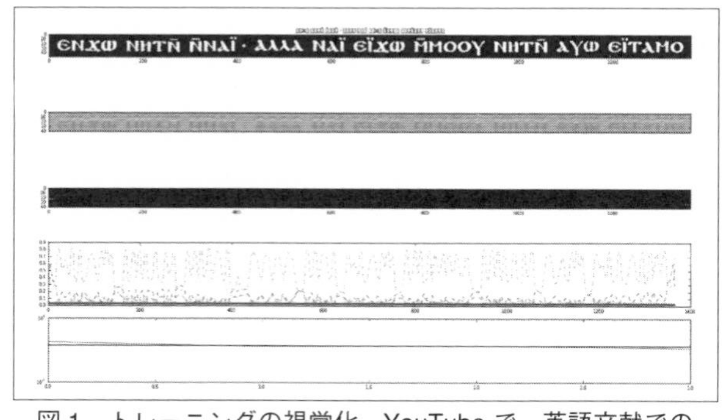

図 1　トレーニングの視覚化。YouTube で、英語文献でのトレーニングを視覚化した映像も見ることができる［注 3］。

するかを機械が自動で学習する。筆者らは、OCRopy をゲッティンゲン大学コンピュータ科学研究所のハイパフォーマンス・コンピュータである ROEDEL において、すべてのプロセスを行った。トレーニングの回数は 30,000 回以上行った。【図 1】はトレーニングを視覚化した画面である。

output/0001/010001.bin.png
ⲁⲟⲩⲥⲙⲏ ϣⲱⲡⲓ ϣⲁⲣⲱⲟⲩ ⲉⲃⲟⲗ ϩⲉⲛⲧⲫⲉ' ⲉⲥϫⲱ ⲙⲙⲟⲥ
ⲁⲟⲩⲥⲙⲏ ϣⲱⲧⲡⲓ ϣⲁⲣⲱⲟⲩ ⲉⲃⲟⲗ ϩⲉⲛⲧⲫⲉ ⲉⲥϫⲱ ⲙⲙⲟⲥ

output/0001/010002.bin.png
ϫⲉⲁⲩⲑⲁϣϣⲉⲛⲟⲩϯ ⲛⲁⲣⲭⲏⲙⲁⲛⲇⲣⲓⲧⲏⲥ ⲉⲡⲓⲕⲟⲥⲙⲟⲥ ⲧⲏⲣϥ
ϫⲉⲁⲩⲑⲁϣϣⲉⲛⲟⲩϯ ⲛⲁⲣⲭⲏⲙⲁⲛⲇⲣⲓⲧⲏⲥ ⲉⲡⲓⲕⲟⲥⲙⲟⲥ ⲧⲏⲣϥ

output/0001/010003.bin.png
ⲙⲫⲟⲟⲩ. ⲡⲉϫⲉⲁⲡⲁ ⲡϫⲱⲗ ⲛⲁⲡⲁ ⲡϣⲟⲓ ϫⲉⲡⲁⲥⲟⲛ ⲡϣⲟⲓ
ⲙⲫⲟⲟⲩ ⲡⲉϫⲉⲁⲡⲁ ⲡϫⲱⲗ ⲛⲁⲡⲁ ⲡϣⲟⲓ ϫⲉⲡⲁⲥⲟⲛ ⲡϣⲟⲓ

図 2　OCRopy がグラウンド・トゥルスではないテクストを認識した結果黒文字が元の本のページを行ごとに切り抜いた画像で、ボックス内の文字が OCR が認識した文字である。ここでは誤認識は 1 文字だけである。

あるコプト語文献のエディション［注 2］画像とテクストでトレーニングをして、同じ本でグラウンド・トゥルスにはないページで OCRopy の文字認識をかけた結果、毎回ほぼ 90％以上の正答率で推移した。ページによっては 98％を超えることもあった。結果は、紛らわしいが、グラウンド・トゥルスと同じ表示方法で表示する方法が最も見やすい。以下は、グラウンド・トゥルスには用いていない『シェヌーテ伝』というコプト語聖人伝のエディション［注 4］の p.12 を OCRopy で文字認識した一部であるが、誤りは 1 カ所のみである【図 2】。

■ 4．プロジェクトの経緯

このプロジェクトは、eTRAP チームのマルコ・ビュヒラーが、インキュナブラ［注 5］などラテン語歴史文書の OCR の専門家であるウーヴェ・シュプリングマン（Uwe Springmann）のルートヴィヒ・マクシミリアン大学ミュンヘン（通称ミュンヘン大学）での OCR ワークショップを受け、この企画を思いついたことに始まる［注 6］。マルコ・ビュヒラーは私とキリル・ブラートに声をかけ 3 人で 2016 年の 1 月にミュンヘン大学のウーヴェ・シュプリングマンを訪れ、1 日かけてコプト語 OCR のプロトタイプを完成させた。その後、歴史文書の OCR および HTR を中心とする文献のデジタル化に関する学会である DATeCH、および、モントリオールで開催された DH2017

での発表に向けてコプト語 OCR を一定の水準で完成させた。この間、ゲッティンゲン学術アカデミーのコプト語旧約聖書デジタル・エディション・プロジェクトとコプト語の言語学的コーパスを作っている全米人文学基金のCoptic SCRIPTORIUM に、開発した OCR を用いてコプト語文献のテクストを抽出し提供した。

ベルリン・フンボルト大学のエリーゼ＝ゾフィア・リンケ（Eliese-Sophia Lincke）もこのワークショップを受け独自にコプト語 OCR を開発していたが、2018 年、半年間ゲッティンゲンに滞在し、チームに加わった。現在リンケ氏は OCRopy に TensorFlow を導入した Calamari をコプト語に試している。また、Tesseract もニューラル・ネットワークを導入し、正答率が格段に上がった。キリル・ブラートはまた、Tesseract の最新版（ヴァージョン 4 以降）を使って実験をしている。8 世紀のコプト語手書き写本でも OCRopy を用いてトレーニングを行ったが、タイプセットのものよりは精度が落ちるものの、手書きにも対応できた。

以下は本節に関連する OCR プログラムが入手できるページへのリンクである。

- OCRopy: https://github.com/tmbdev/ocropy
- Ocrocis［注 7］: http://cistern.cis.lmu.de/ocrocis/
- Calamari: https://github.com/Calamari-OCR/calamari
- Tesseract: https://github.com/tesseract-ocr/

次回は Transkribus を中心とした HTR について OCR と比較しながら述べる。

▶注

[1] OCRopy, Ocropy, ocropy などの表記があり、正式な表記が決まっていないようである。DSH の筆者らの論文では Ocropy を用いたが、本節では、最近人気のある OCRopy という表記を用いる。

[2] Karl Heinz Kuhn, ed., *Letters and Sermons of Besa*, Corpus Scriptorum Christianorum Orientalium, vol. 157, Scriptores Coptici, tomus 21 (Louvain: Imprimerie Orientaliste L.Durbecq, 1956). 図 1 はこの本の p. 115 の一行である。

[3] “New OCRopus Line Recognizer,” Thomas M. Breuel (channel), YouTube, accessed July 20, 2020, https://www.youtube.com/watch?v=czG5Jk9iC7c.

[4] Johannes Leipoldt and Walter Ewing Crum, eds., *Sinuthii archimandritae vita et opera omnia, I. Sinuthii vita bohairice*, Corpus Scriptorum Christianorum Orientalium, vol. 41. Scriptores Coptici, tomus 1 (Paris: E Typographeo Reipublicae, 1906).

[5] グーテンベルク聖書以来、活版印刷で印刷された15世紀の西欧の初期の活字印刷物。

[6] このワークショップのスライドは “Workshop: OCR und Nachkorrektur alter Drucke für die Geisteswissenschaften / OCR and postcorrection of early printings for digital humanities,” CLARIN-D Kurationsprojekt, accessed July 20, 2020, https://www.cis.uni-muenchen.de/ocrworkshop/program.html で見ることができる。

[7] OCRopyのプロセスを簡略化したもの。こちらは、Ocrocisという正式な表記がある。

歴史文書の手書き
テクスト認識（HTR）に関して

2019-09-30

■1．活版印刷までの文献文化とHTR、OCR

近年、ヨーロッパでは、HTR、すなわちHandwritten Text Recognition（手書きテクスト認識）の研究・開発が盛んである。

コプト語文献など古代末期の伝統を受け継ぐ文献文化では、15世紀にドイツのグーテンベルクによる活版印刷が開発され、その技術が広まりその言語に適用されるまで、手書きで写本のテクストを書くことが主流であった。東アジアで盛んであったような木版印刷は通常あまり行われなかった。また、古代末期にはほとんど使用が廃れていたヒエログリフや楔形文字など、古代に使用された表語文字、表音文字、限定符の混合体を除けば、古代末期の地中海世界で用いられていた文字は、コプト文字、ギリシア文字、アラム文字、ヘブライ文字、アルメニア文字、ジョージア文字、シリア文字、ナバテア文字、ラテン文字、アラビア文字などであり、表音文字がほとんどであるため、文字数は、東アジアの漢字よりもはるかに少ない。

コプト文字は、あまり使われない文字を除くと、24のギリシア文字に6～8の民衆文字由来の文字を加えたものであり、文字は30～32個程度である。コプト語では、パピルスやオストラコン（陶片）などに書かれた手紙などは筆記体でリガチャーがあり、HTRが大変難しいものの、聖書や典礼書など､特に典礼で用いられるキリスト教文献は､大変はっきりしたアンシャル体で書かれており、これらの文献に関しては、HTRは比較的容易であると推測される。大文字・小文字も、基本的に区別はなく、パラグラフの冒頭で時に用いられる、通常の文字とはサイズ以外は形は変わらない大きなサイズの文字を大文字（専門用語でエクテシスと呼ばれる）と呼称しているにすぎない。ちなみに、当時のギリシア文字も現代におけるような大文字・小文字の区別はなかった。アンシャル体は、基本は現代のギリシア文字の大文字に近いが、シグマがCのように書かれるなど、微妙に異なる。現代のギリシア語に見られるような小文字が生じたのは、9世紀以降のことと言われている。

アラビア語などのようなリガチャーが筆記体以外ではないコプト文字の唯一の問題は、文字の上につくダイアクリティカル・マークの種類と使用が多いことであるが、それでも、ヒエログリフ、神官文字、民衆文字、楔形文字、漢字などの文字の種類が多い文字に比べると、コプト文字では、HTRやOCRは容易であると言わざるを得ない。

本節ではこのような歴史的な手書きの文字資料のデジタル翻刻を自動的に抽出する方法に関して論ずる。先月号で紹介したOCRでも手書き文字を認識することは可能である。私とマックス・プランク生物物理化学研究所のコンピュータ科学者であったキリル・ブラート（Kirill Bulert）は、OCRopyを使って、コプト語手書き写本の認識を試みた。プリ・プロセッシングとして、DVCTVS【注1】からダウンロードしたコプト語文献の高精細画像を自動的に処理できるフリーソフトウエアScanTailor【注2】を用いて、白黒にバイナリ化、カラム（列）の分割、傾きの補正、余白の調節、ダストの除去などを行った【図1・2】。

その後、グラウンド・トゥルス、つまりOCRの機械学習の学習材料を作成し、植字されたテクストと同様、OCRopyでトレーニングをした後、いくつか画像を与え、認識の精度を確かめた。グラウンド・トゥルスで用いた画像であれば、精度は90%以上を達成したものの、グラウンド・トゥルスで用いた画像以外では70%程度が多く、実用化には向いていないことが判明した。植字された文献ではグラウンド・トゥルスはコプト語では5～10ページで十分であったが、手書き写本の場合は、より多くのグラウンド・トゥルスが必要と思われる。このようにOCRソフトウエアで手書き写本の文字を読み取ることは可能ではあるが、困難がある。

■2. Transkribus

このように、OCRだけでは手書きのテクストの認識に困難が伴うため、近年、手書きのテクストを認識することに特化したHTRの開発が盛んであり、その代表例がTranskribusである。Transkribusは、READ（Recognition and Enrichment of Archival Documents）プロジェクト【注4】のもと、オーストリアのインスブルック大学を中心に開発され、スペインのバレンシア工科大学、ドイツのグライフスバルト大学、フィンランドのフィンランド国立公文書館など12の研究機関との共同で作られたものである [注5]。

私はセミナーでTranskribusの使い方を学び、現在Kirill Bulertとともにコプト語での実用化を模索している。博士論文を終えた後、本格的に、Traskribusを使用する予定である。

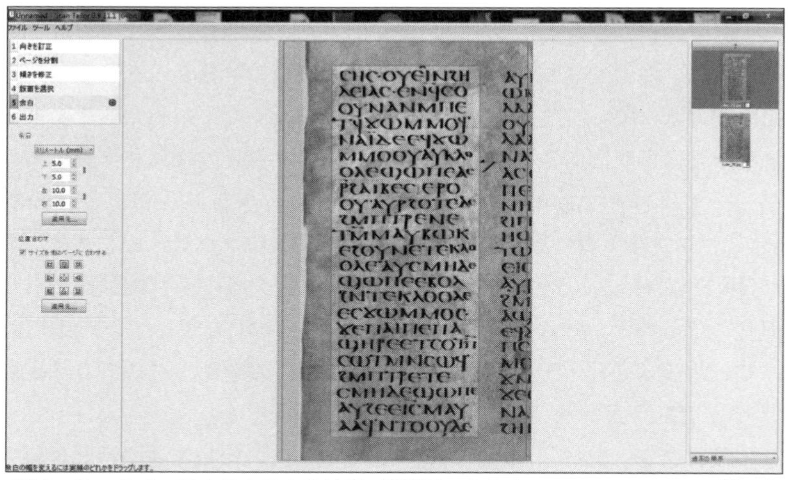

図1　ScanTailorによるカラムの抽出。画像は、P.PalauRib. inv. 181, p.75, [注3]から取られた。内容は、コプト語サイード方言訳『ルカによる福音書』第9章第3336節（第一カラム）、第36～39節（第二カラム）。

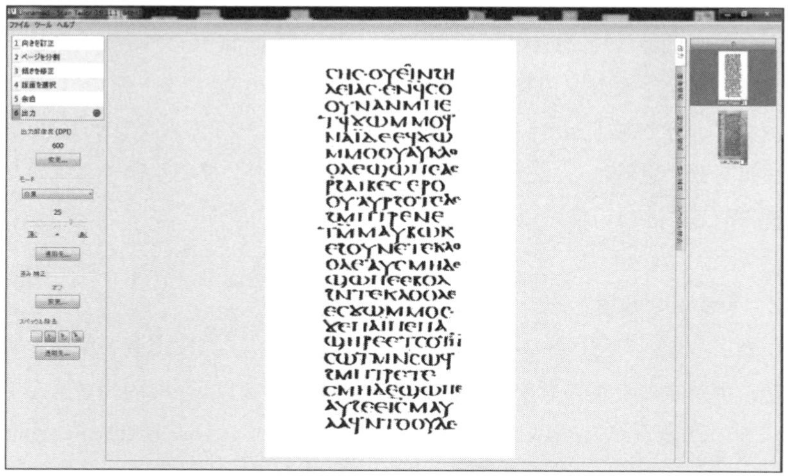

図2　ScanTailorによる、カラムの抽出、傾きの補正のあとのバイナリ（白黒）化（元の画像は図1と同様）

Transkribus は GUI（Graphical User Interface: グラフィカル・ユーザー・インター フェース）を備えており、GUI なしの OCRopy や Ocrocis と比べ、コンピュータに詳しくない者でも GUI を通して容易に用いることができる。Transkribus には Windows 版、Mac 版、Linux 版がある。これは、基本的に Linux でしか動かない OCRopy や、基本は Linux 上で動くが、Docker を介すれば Mac でも動く Ocrocis と比べて、より広いローカル環境で用いることができることを意味する。また、これら OCRopy などの OCR ソフトウエアとは異なり、Transkribus はバイナリ化（白黒化）や画像の補正などを ScanTailor などの別のソフトウエアで行う必要はない。Transkribus では、すべての画像やドキュメントは Transkribus のサーバーにアップロードされるため、ローカルで動かすことが基本の OCRopy などと比べてセキュリティの面で多少の課題がある。アップロードされたドキュメントは公開か非公開かを選べる。

Transkribus で画像を読み込んだ後は、まず、画像のうちテクストがある場所のセグメンテーションをする必要がある。セグメンテーションでは、ベースラインとリージョンの認識が自動で行われる。ベースラインとは、赤の線と点で表される、行を区切るためのラインであり、リージョンとは、緑のエリアで表される、複数行のカラムや文章のかたまりである。左から右の横書き、右から左の横書きの行の認識に対応している。その後、文字があるかど

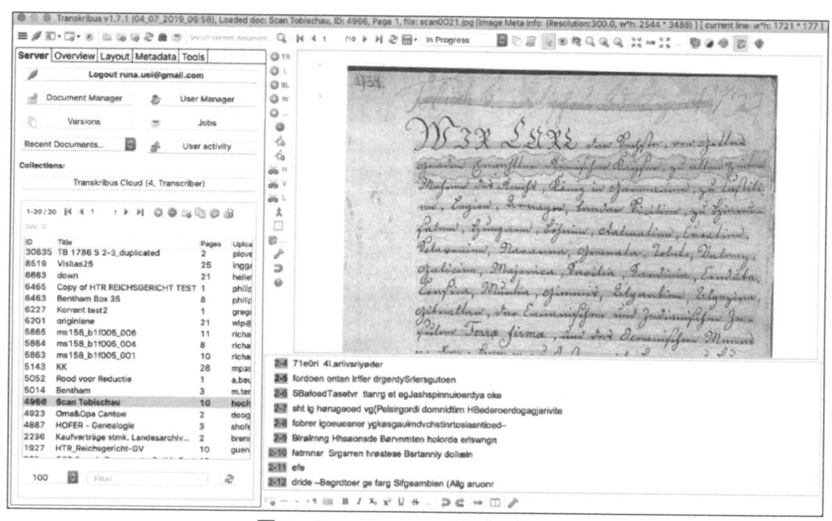

図 3　Transkribus の翻刻編集画面

うかの認識が行われ、文字だと認識されたエリアは青でマーキングされる【図3】。

右下のプレーンに、青で表示されているその行に書かれている文字の翻刻を入力することが可能である。もちろん、このように手動で入力することもできるが、Transkribus には、自動で文字を認識する機能も備わっている。ただし、その場合は、複数のページを手動で入力することが必要である。Transkribus Wiki では 100 ページをまず手動で翻刻することが推奨されている［注 6］。ただし、50 ～ 75 ページ程度でも、精度はおそらく落ちるものの、可能であるようである。この手動で入力されたデータをグラウンド・トゥルス、すなわち、HTR の機械学習の学習材料として用いて、モデルのトレーニングが行われる。ただし、モデルをトレーニングするフィーチャーはダウンロードしたデフォルトのヴァージョンには含まれておらず、Transkribus チームに連絡してフィーチャーを使用可能にする必要がある。コプト文字のように、Transkribus のライブラリにモデルがない文字の場合、一からトレーニングする必要がある。

このように Transkribus を新たな文字で用いるにはグラウンド・トゥルスを非常に多く用意しなければならず、それも書記、もしくは手書きのスタイルごとに用意しないとならない。私が研究しているコプト語の文献は、欠損部分が非常に多く、インクの劣化や裏写り等による不明瞭な部分も多く、また、書記による書体の差も大きいため、100 ページ分のグラウンド・トゥルスを一から作成して HTR を動かすのは、効率的ではないように思われる。ただし、ある書き手が数多くのコーデックスの文字を書き、それらのコーデックスが欠損部分や不明瞭な部分も少ない完全に近いものであるとき、Transkribus は、大量の翻刻を自動で作成するための非常に有効なツールとなる。というのは、推奨される 100 ページ分のグラウンド・トゥルスの作成という、骨の折れる作業はあるものの、いったんトレーニングすると、同一書記の複数のコーデックスの翻刻を自動で生成できるからである。

作成した翻刻は、TEI/XML や PDF で出力することができる。特に TEI/XML による出力は、TEI が DH の標準の形式を制定し、数多くの DH プロジェクトが TEI/XML で文献データを記録しているいま、大変重要であると思われる。また、Transkribus は、Keyword Spotting という、大変パワフルな検索ツールを備えている。

Transkribus に関しては、DH2017 や DATeCH 2017 などで数多くのセミナーが行われており、また、ウェビナーも多い。YouTube でも使い方が解説されている動画が複数公開されており、初学者にとっても大変学びやすいツールであると言えよう。ヘブライ語への適用に関しても、DiJeSt（ユダヤ学デジタル化プロジェクト **[注 7]**）を率いるシナイ・ルシネック（Sinai Rusinek）が YouTube にて動画を公開しており、右から左に書く文字への適用の参考になる **[注 8]**。

私が博士論文で研究しているコプト語文献は欠損部や不明瞭部分が多く、もうすでに Virtual Manuscript Room **[注 9]** を用いて翻刻を作成しているため、セミナーなどで試してきてはいるものの、まだ研究に Transkribus を十分役立てられていない。今後、博士課程後の研究において、欠損部分や不明瞭な部分が少ない複数のコプト語コーデックスで Transkribus を用い、デジタル・エディションおよびデジタル・テクスト・コーパスの作成に役立てたい。

▶注

[1] “DVCTVS: National Papyrological Funds,” DVCTVS, accessed July 20, 2020, http://dvctvs.upf.edu/.

[2] “About,” ScanTailor, accessed July 20, 2020, https://scantailor.org/.

[3] “Luke_75.jpg,” DVCTVS, accessed July 20, 2020, http://dvctvs.upf.edu/foto/365/Luke_75.jpg.

[4] “READ COOP SCE - Revolutionizing access to handwritten documents,” READ COOP, accessed July 20, 2020, https://read.transkribus.eu.

[5] “Network,” READ COOP, accessed July 20, 2020, https://read.transkribus.eu/network/.

[6] “[W]e recommend starting with around 20,000 words (100 pages) of training data.” (“Handwritten Text Recognition Workflow,” Transkribus Wiki, accessed September 17, 2019, https://transkribus.eu/wiki/index.php/Handwritten_Text_Recognition_Workflow)

[7] “DiJeSt: Digitizing Jewish studies,” dijest/DiJeSt, GitHub, accessed July 20, 2020, https://github.com/dijest/DiJeSt.

[8] “Sinai Rusinek” (channel), YouTube, accessed September 18, 2019, https://www.youtube.com/channel/UCyubTYBMtogjNvoPrw_y4zg.

[9] “The VMR CRE: tools to facilitate your team as they collaboratively research, edit, and publish a digital critical edition,” VMR CRE - Virtual Manuscript Room Collaborative Research Environment, accessed July 20, 2020, http://vmrcre.org/.

PROIELというインド・ヨーロッパ語族における古層の諸言語のインターリニア・グロス付きテクスト・コーパスとツリーバンク

2019-10-31

■ 1．印欧歴史比較言語学に資するために開発

PROIEL（Pragmatic Resources in Old Indo-European Languages）とは、ノルウェーのオスロ大学のダグ・ハウグ（Dag Haug）が中心となって開発している、インド・ヨーロッパ語族の諸言語のうち古層の諸言語を中心としたテクストのコーパスおよびツリーバンク（統語樹のデータバンク）である。

インド・ヨーロッパ語族（印欧語族）とは、中国西北部でかつて話されていたトカラ語、インド［注 1］およびイランとその周辺の多くの言語、アナトリア半島で話されていたアナトリア諸語、そして、現在ヨーロッパで話されている数多くの言語［注 2］が属する語族である。その語族の諸言語は、元は一つの言語から分岐していってできたと考えられており、その祖先となる始源の言語をインド・ヨーロッパ祖語（印欧祖語）と呼ぶ。印欧歴史比較言語学は、主に音韻論、次に形態論的な観点から、印欧祖語の姿の復元（再建）を試みるが、統語論の観点から復元を試みる学者もいる。PROIEL は、この印欧歴史比較言語学に資するために、ノルウェー研究委員会の助成金を2008 ～ 2012 年の間取得し、開発された。PROIEL Web App（［注 3］［注 4］［注 5］）と The PROIEL Treebank［注 6］が公開されている。ウェブ・アプリでは、テクストが電子化されているだけでなく、形態素解析がなされ、インターリニアの語釈・文法情報が言語学的な方法でグロス付けされているほか、依存文法を用いた統語情報がツリーで表示され、さらには、代名詞の照応や既出・新出の情報などの情報構造までもが表示される。

はじめは印欧語族の古層言語の聖書の翻訳が主だったが、それ以外の文献も多数追加されていった。2019 年 10 月 15 日時点、トカラ語派、アナトリア語派、ケルト語派、バルト語派、アルバニア語派の言語は含まれていない。ヨーロッパの言語がほとんどで、ヨーロッパ外では、唯一、インド・イラン

語派のサンスクリットのコーパスがある。この PROIEL に収録されている言語は、1453 年までの古代・中世ギリシア語、教会スラブ語、古典アルメニア語、ゴート語、ラテン語、古英語、古フランス語、古ノルド語、古ロシア語、ポルトガル語、サンスクリット（現時点で『リグ・ヴェーダ』しかないため、より正しくはヴェーダ語）、スペイン語である。俗ラテン語から派生したスペイン語やポルトガル語、そして古フランス語は、属するロマンス語派の古層の代表言語であるラテン語よりも成立の年代が新しいため、印欧祖語の印欧歴史比較言語学ではあまり参考にされないと思われるが、それらの言語のテクストのコーパスも PROIEL は有している。

聖書以外にも、もろもろのサーガやエッダ（古ノルド語）や『ラウソス修道者史』（古代ギリシア語）、プラウトゥスの諸作品（ラテン語）、『メスロプ・マシュトツ伝』（古典アルメニア語）、『リグ・ヴェーダ』（ヴェーダ語）など多数のテクストがある。

■ 2. 使用方法

ウェブ・アプリの使用はサインアップ&ログインが必要である。まずテクスト、そして章、さらに節や文をクリックしていくと、最終的に注釈なしのテクストとともに、同じテクストが以下の三つのセクションで別々の方法・注釈で表示される。

1.Morphology（形態素解析されたインターリニア・グロス付きテクスト）
2.Syntax（統語樹）
3.Information structure（情報構造）

インターリニア・グロス付きテクストは、【図 1】のように、最初の段にテクスト、次の段に語ごとの品詞情報、3 段目には、その語が名詞なら性・数・

Morphology

Kai	*ἐξελθῶν*	*ὁ*	*ἅγιος*	*Αντώνιος*	*ἐρωτᾷ*	*αὔτον*
conj.	verb	art.	adj.	proper noun	verb	pers. pron.
non-infl.	part., aor., act., nom., sg., m.	nom., sg., m.	pos., nom., sg., m.	nom., sg., m.	ind., pres., act., 3rd p., sg.	acc., 3rd p., sg., m.
καί	*ἐξέρχομαι*	*ὁ*	*ἅγιος*	*Ἀντώνιος*	*ἐρωτάω*	*αὐτός*
'and'	'go out'	'the'			'ask '	'him, her, it'

図 1　インターリニア・グロス（『ラウソス修道者史』より［注 7］）

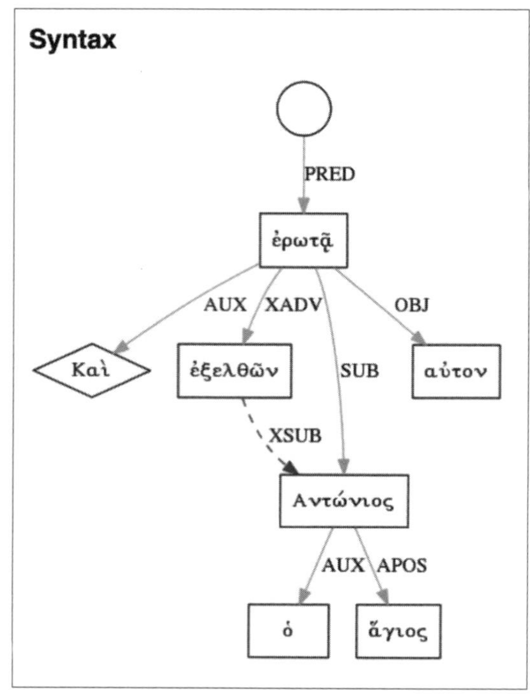

図2　統語樹（図1と同じページより）

格、動詞なら時制・相・法・態などの文法情報、4段目にレンマ、そして最後の5段目の段にはレンマに対応する意味が書かれている。

中には、【図1】の ἅγιος「聖なる（形容詞・原級・主格・単数・男性）」、Αντώνιος「アントーニオス（固有名詞・主格・単数・男性）」のように、5段目には意味が書かれていないものもある。インターリニア・グロスは、多くの数学者、物理学者、情報学者や言語学者が論文を作成する際に用いる LaTeX 形式でエクスポートできる。

統語樹のセクションでは、同じテクストの統語構造が、【図2】のように依存文法（dependency grammar）を用いたツリー形式で表示される。

依存文法とは2語間の主要部—従属部関係を中心に統語関係を記述するものである。これは、語の上位範疇として句を設定し句の中に語だけでなく句も入り得る構造をもつ構成文法、特にその代表例である句構造文法とは異なり、語よりも上位の構造を設定しない。依存文法は、特に、ラテン語や古代ギリシア語、チェコ語など、語の順序が比較的自由な言語でも、シンプルな記述を行うことが可能である。【図2】の例では、まず ἐρωτᾷ「尋ねる（動詞・直説法・現在時制・能動態・三人称・単数）」に文の主要部である PRED（述語）が付与され、この動詞が、その AUX（補助語）として接続詞 Καὶ「and」、XADV（開かれた副詞的補語）として ἐξελθῶν「出てきた（分詞・アオリスト・能動態・主格・単数・男性）」、SUB（主語）として Αντώνιος「アントーニオスが」、OBJ（目的語）として αὐτον「彼を」を支配しているということがわかる。Αντώνιος は同時に

ἐξελθῶν の主語でもあるため、XSUB（開かれた主語的補語）の関係が結ばれている。そして Ἀντώνιος は定冠詞 ὁ を補助語として、形容詞 ἅγιος を APOS（接置語）として従える。また、菱形は、主に等位接続詞（ここでは接続詞 Καὶ）に付されているようである。全体としての訳は、「そして、聖アントーニオスは出てきて彼に尋ねる」となる。

近年、Universal Dependency（UD）が依存文法を用いたツリーバンクのスタンダードとして著名でありコプト語を含めさまざまな言語で開発されている **[注 8]** が、PROIEL は、このUDに変換したヴァージョンも公開している **[注 9]**。

情報構造では、代名詞が何を指しているか、既出か新出かなどがさまざまな色のハイライトや枠などで示される。

形態論、統語論、情報構造のタグ付けの進捗具合は、テクストを選択した後に表示されるそのテクストの目次の項目に付されるチェックマークの色で表示される。チェックマークの色が緑であればタグ付けが十分なされており、赤色であればタグ付けが少なく、黄色であればその中間であることが読み取れる。

検索では、レンマ情報、形態素情報、統語情報、情報構造の情報などを指定して、細かな条件で検索することができる。検索後には、ヒットした語のコーパス内の用例がコンコーダンス形式で表示される。

■ 3. 言語学者の細かな要望に対応

このように PROIEL はユーザー・フレンドリーなインターフェースを持ちながら、言語学者が要求するような細かな文法事項や語彙事項を条件に指定して検索できる、画期的なコーパスであり、特にツリーバンクとしても公開されているその統語情報のタグに関しては、印欧歴史比較言語学の統語論の分野において、大変有効に研究に使えるものであると考えられる。

▶注

[1] インドとその周辺では、主に南部に位置するドラヴィダ語族の諸言語と、主に東部のオーストロアジア語族のムンダ諸語、東北部のシナ・チベット語族の諸言語、アンダマン・ニコバル諸島の諸言語、系統不明のニハリ語、系統不明のクスンダ語（ネパール）、系統不明のブルシャスキー語（パキスタン）など、多くの非印欧語族の言語がある。

[2] ヨーロッパでは、非印欧語族の諸言語ももちろん話されている。例えば、フィンランド語、

エストニア語、サーミ語などのウラル語族の諸言語や、系統関係不明のバスク語、東欧やバルカン半島やコーカサス山脈周辺のトルコ語やカライム語やタタール語やアゼルバイジャン語などのチュルク語族の諸言語、ヨーロッパ・ロシアのカルムイク共和国を中心に話されモンゴル語族に属するカルムイク語、マルタ共和国で話されるアフロ・アジア語族セム語派のマルタ語、コーカサス山脈周辺の北東、北西、南コーカサスの諸語族の諸言語などがヨーロッパの非印欧語族の言語にあたる。また、移民や旅行者の言語をも考慮すると、よりさまざまな非印欧語族の言語がヨーロッパで話されていることになる。

[3] "PROIEL," The PROIEL Web Application, accessed July 20, 2020, http://foni.uio.no:3000/.

[4] 以下、URL の最終確認日は 2019 年 10 月 18 日である。

[5] このウェブ・アプリは、Ruby on Rails で作られており、GitHub でコードが公開されている（"PROIEL Annotator," mlj / proiel-webapp, GitHub, accessed July 20, 2020, https://github.com/mlj/proiel-webapp）。

[6] "The PROIEL Treebank: A treebank of Latin, Ancient Greek and ancient Indo-European Languages," The PROIEL Treebank, accessed July 20, 2020, https://proiel.github.io/)

[7] "Historia Lausiaca » Paul the Simple » Sentence 11," The PROIEL Web Application, accessed July 20, 2020, http://foni.uio.no:3000/sentences/58537.

[8] 筆者はアミール・ゼルデス（Amir Zeldes）が主導しているコプト語の UD のツリーバンクの開発に参加している（"UD for Coptic." Universal Dependencies, accessed July 20, 2020, https://universaldependencies.org/cop/)。

[9] "UniversalDependencies/UD_Ancient_Greek-PROIEL: Ancient Greek data from the PROIEL project," GitHub, accessed July 20, 2020, https://github.com/UniversalDependencies/UD_Ancient_Greek-PROIEL など。

概念辞書「コプト語 WordNet」の開発

2019-11-30

■1．語義曖昧性解消によく用いられる

WordNetとは、同義語のまとまりであるsynsetをベースに下位語、上位語、全体語、部分語などさまざまな語彙素同士の関係性を記述した概念辞書と呼ばれるデータベースであり、元祖は、プリンストン大学認知科学研究所が開発した英語のPrinceton WordNetである。近年では、Global WordNet Association［注1］を中心に、英語以外の言語で開発が進み、昨今は特に少数言語や古典語でもその数が増えてきている。このWordNetを使えば、例えば、類義語や同義語などの検索ができるほか、さまざまな用途で応用されている［注2］。このWordNetが最もよく用いられているであろう分野は語義曖昧性解消（Word Sense Disambiguation）である。

ノルウェーのオスロ大学の情報学部の准教授であるローラ・スローター（Laura Slaughter）、シンガポールの南洋理工大学の博士課程学生であるルイス・モルガード・ダ・コスタ（Luis Morgado da Costa）、そして筆者は、古代末期に多数の重要な文献が書かれた、エジプトの古典語であるコプト語（コプト・エジプト語）のWordNetを開発している。なお、モルガード・ダ・コスタの指導教官は、日本語WordNet［注3］の開発で有名で、現在Global WordNet Associationを牽引している南洋理工大学准教授フランシス・ボンド（Francis Bond）である。

このコプト語WordNetの成果は、ローラ・スローター、ルイス・モルガード・ダ・コスタ、宮川創、マルコ・ビュヒラー（Marco Büchler）、アミール・ゼルデス（Amir Zeldes）、ヒューゴ・ルンドハウグ（Hugo Lundhaug）、ハイケ・ベールマー（Heike Behlmer）によって、ポーランドのヴロツワフで開催されたGlobal WordNet Conference 2019［注4］で発表された。その論文は、当学会のプロシィーディングスに掲載され、出版された［注5］。

■2. コプト語辞書データの開発

コプト語 DH を促進させる KELLIA プロジェクト【注6】の枠組みで、Coptic SCRIPTORIUM【注7】と Thesaurus Linguae Aegyptiae【注8】の両プロジェクトによって、ウォルター・E・クラム（Walter E. Crum）のコプト語辞書【注9】をベースとしたコプト語の辞書データが開発された。この辞書データは、DH Awards 2019 で Best DH tool or suite of tools として選ばれた Coptic Dictionary Online【注10】として、正規表現を使って検索可能な形のウェブアプリとして公開されている。各語彙は、コプト語コーパスプロジェクトの Coptic SCRIPTORIUM とリンクされ、そのコーパス内での頻度やコンコーダンスを1クリックで見ることができる【図1】。

一方、Marcion【注11】という Java と MySQL をベースとしたソフトウエアでもコプト語辞書データ【注12】がある。このプログラムでは、コプト語、ギリシア語の辞書が使えるほか、コプト語のテクストにインターリニア・グロスをつけることができる機能もある。

KELLIA プロジェクトのコプト語辞書データでは、英語、フランス語、ドイツ語が、そして Marcion のコプト語辞書データでは、英語とチェコ語の訳がすべてのコプト語語彙素に付されてある。KELLIA プロジェクトの辞書データは TEI/XML【注13】、Marcion の方は MySQL でデータが書かれてい

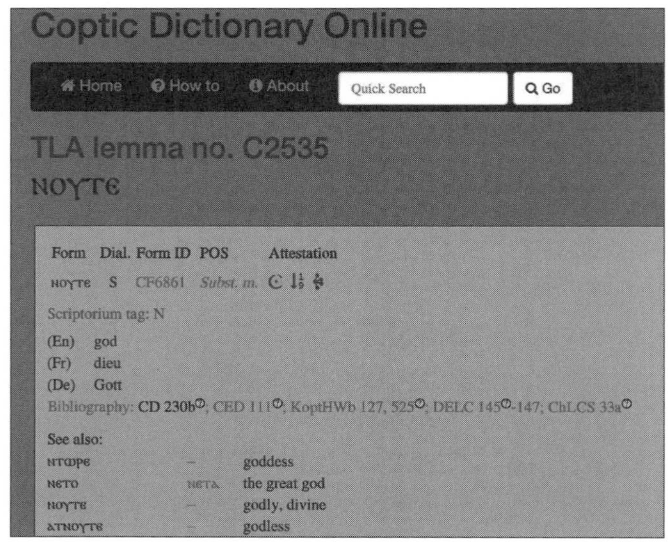

図1　Coptic Dictionary Online でコプト語の単語を調べている画面

る［注14］。

■3．辞書データとWordNetをリンクさせる

WordNetの専門家であるモルガード・ダ・コスタは、これら二つの辞書データの意味データと既存の大言語のWordNetをリンクさせて、コプト語WordNetの原型を作ることを提案した。この方法では、ひな型の大言語のWordNetの語彙素情報の影響を強く受けざるをえないものの、早く効率的にWordNetのプロトタイプを作ることが可能となる。

これらの二つの辞書データのほかに、コプト語におけるギリシア語からの借用語の辞書データがDDGLCプロジェクト［注15］から提供された。いまでは、このデータもCoptic Dictionary Onlineに組み込まれているものの、コプト語WordNetを作成した当時は、まだ組み込まれていなかった。これらのコプト語の意味データを既存の英語、フランス語、ドイツ語、チェコ語のWordNetのsynsetにリンクさせ、既存のsynsetがコプト語のそれぞれの語彙素に対応する蓋然（がいぜん）性を数値で出した。そのうち、数値が高いものを抜き出し、コプト語の専門家4名がサンプルのチェックを行い、自動的に作成されたWordNetの精度が実用に足りるものであることが確認された［注16］。現在は筆者を含むコプト語学者が自動生成の結果を修正している。

■4．TRACERに活用

最初のコプト語WordNetの活用先は筆者の博士論文のトピックであるテクスト・リユースのソフトウエアであるTRACERである。TRACERは、ゲッティンゲンDHセンターおよびゲッティンゲン大学コンピュータ科学研究所のeTRAPプロジェクト［注17］で開発された、テクスト・リユースの探知ソフトウエアである。TRACERは、現代の剽窃などではなく、特に過去の文献における引用や引喩などの文学的なテクスト・リユースを探知することを目的としている。彼らはすでに古典ギリシア語、ラテン語、ドイツ語、英語、チベット語などの古典的な文学でテクスト・リユースを探知するプロジェクトでTRACERを用いて成功している。現在は筆者が働いているプロジェクト（SFB1136）と提携して、コプト語でもTRACERを用いて、まだ発見されていないテクスト・リユースを探知している。テクスト・リユース、そのうちでも特に引用では、近代以前では、著者が引用元の文章を一

部変更することがよくある。筆者がTRACERを用いてその聖書からのテクスト・リユースを調べているシェヌーテ（紀元後4～5世紀の上エジプトの修道院長）もそのような一部語彙を変更した引用を頻繁に用いた。その語彙変更は、同位語（co-hyponym）間で行われることが多い。同位語というのは、同族語とも呼ばれるが、上位語を共有する下位語同士のことである。例えば、appleとorangeは上位語fruitを共有する同位語の関係である。共-上位語間で変更された引用というのは、例えば、"Boys, be ambitious!"を"Girls, be ambitious!"と語彙を変えて引用するようなものである。同位語のほかには、同義語間でも一部変更がなされることが多い。このような同位語および同義語間での変更を考慮しながらテクスト・リユースを探知するために、コプト語WordNetがそれらのデータを提供する。

■5．辞書アプリにWordNetを追加

その次のコプト語WordNetの活用先は、Coptic Dictionary Onlineである。この辞書アプリにコプト語WordNetのデータを追加し、単語を検索すれば、類義語や同義語、上位語、下位語などもその単語の意味とともに表示され、ユーザーが一つの語彙、および、その派生語あるいは複合語だけでなく［注18］、意味的な関連のある諸語彙をも同時に学習できるようにする予定である。

▶注

［1］Global WordNet Association, accessed July 15, 2020, http://globalwordnet.org/

［2］例えば、@pocket_kyoto「日本語WordNetを使って、類義語を検索できるツールをpythonで作ってみた」Qiita (2018-09-30), 最終閲覧日2019年11月18日, https://qiita.com/pocket_kyoto/items/1e5d464b693a8b44eda5。応用すれば、チャットボットなどにも活用できる（岡田孟典「チャットボット開発にかかせない！　類義語検索に便利な大規模辞書「WordNet」の紹介」bitA TechBlog (2018-07-20), 最終閲覧日2019年11月8日，https://tech.bita.jp/article/24）。

［3］「日本語WordNet」日本語WordNet, 最終閲覧日2020年7月20日, http://compling.hss.ntu.edu.sg/wnja/. 本プロジェクトの貢献者はFrancis Bond、Takayuki Kuribayashi、Hitoshi Isahara、Kyoko Kanzaki、Kiyotaka Uchimoto、Masao Utiyama、Darren Cook、Asuka Sumida、Kow Kuroda、Kentaro Torisawaである。組織としては国立研究開発法人情報通信研究機構（NICT）によって開発された。

［4］"GWC 2019: The 10th Global WordNet Conference 23-27 July, 2019: Wroclaw University of Science and Technology, Poland," GWC POLAND: The 10th Global WordNet Conference, accessed July 20, 2020, https://gwc2019.clarin-pl.eu/.

[5] Laura Slaughter, Luis Morgado da Costa, So Miyagawa, Marco Büchler, Amir Zeldes, Hugo Lundhaug, and Heike Behlmer, "The Making of Coptic Wordnet," in *The 10th Global WordNet Conference (GWC 2018), Held in Wroclaw, Poland, July 2019*, eds. P. Vossen, F. Bond, and C. Fellbaum (Wrocław: Oficyna Wydawnicza Politechniki Wrocławskiej, 2019), 166 - 175.

[6] "KELLIA," KELLIA, accessed July 15, 2020, ttp://kellia.uni-goettingen.de/.

[7] "Coptic SCRIPTORIUM: Digital Research in Coptic Language and Literature," Coptic SCRIPTORIUM, accessed July 20, 2020, https://copticscriptorium.org.

[8] "Thesaurus Linguae Aegyptiae," Thesaurus Linguae Aegyptiae, accessed 19 July, 2020, http://aaew.bbaw.de/tla/.

[9] Walter Ewing Crum, *A Coptic Dictionary* (Oxford: Clarendon Press, 1939).

[10] "Coptic Dictionary Online," Coptic Dictionary Online, accessed 20 July, 2020, https://coptic-dictionary.org/.

[11] "Marcion - Revelator of True Gnosis: software exploring original Gnostic scriptures," Marcion - software to study the Gnostic scriptures, accessed July 20, 2020, http://marcion.sourceforge.net/.

[12] こちらも Crum (1939) をベースとしている。

[13] GitHub の KELLIA プロジェクトのリポジトリでデータが公開されている（"KELLIA / dictionary / xml," GitHub, accessed July 20, 2020, https://github.com/KELLIA/dictionary/tree/master/xml)。

[14] SourceForge でデータが公開されている（"Marcion," SourceForge, accessed July 20, 2020, https://sourceforge.net/projects/marcion/files/1.8/extras/cop-dict-data/)。

[15] Database and Dictionary of Greek Loanwords in Coptic, accessed July 15, 2020, https://www.geschkult.fu-berlin.de/en/e/ddglc/index.html.

[16] 詳細は注 5 の Slaughter et al. (2019) を参照。

[17] "eTRAP: Electronic Text Reuse Acquisition Project," eTRAP, accessed July 15, 2020, https://www.etrap.eu/.

[18] 現在は、図 1 にあるように派生語や複合語も表示されるようになっている。

統語情報、語の情報をマークアップする Universal Dependencies
―依存文法ツリーバンクの世界標準―

2019-12-31

■１．諸言語の統語構造の比較が容易になる

Universal Dependencies（UD と略記［注 1］）は、すべての言語のテクストの統語情報、語の情報をマークアップするために設定された枠組みである。統語論では、語同士の支配・依存関係を記述する依存文法（dependency grammar）と、語の集まりである句を設定し、語よりも上位の構造を考える構成文法（constituency grammar）の 2 種類の文法理論がメジャーである。特に後者の構成文法では、ノーム・チョムスキー（Noam Chomsky, 1928-）が始め、かつその発展を導いている、現在の理論言語学で最も重要な理論の一つである生成文法の研究が大変盛んである。それに対して、前者の依存文法は、ルシアン・テニエール（Lucien Tesnière, 1893-1954）によって隆盛したが、その後は、ワード・グラマーやリンク・グラマーなど、比較的著名になった文法理論が出たものの、現在は構成文法より研究が少ない。依存文法は、語同士の依存関係を記述していく文法であり、似た名称だが全く違った内容である文脈依存文法とは異なる。理論言語学の分野では、依存文法の研究は、生成文法などの構成文法の研究と比べて下火であると言わざるをえないが、いま、コンピュータ言語学およびデジタル・ヒューマニティーズの世界では、依存文法を用いた Universal Dependencies という今回紹介する枠組みを用いたさまざまな言語のテクストのアノテーションが活発である。この UD の枠組みでは、UPOS という普遍的な品詞タグ、そして語同士の依存関係の普遍的なタグ付けによって、どの言語でも統語構造が記述されるため、諸言語の統語構造の比較が容易になる。UD はもともとは、（Universal）Stanford Dependencies、Google Universal Part-of-Speech Tags、および、Interset の形態統語論タグセットの三つの枠組みを基に発展させたものである。世界各地で研究会などが開催されているが、日本でも国立国語研究所が 2018 年に

UDの研究会、2019年にUDの国際シンポジウムを開催している［注2］。

■2．ツリーバンクと依存文法

依存文法や構成文法で統語情報を記述すれば統語樹と呼ばれるツリー状の構造が得られるが、統語樹を集めたデータはツリーバンクと呼ばれる。構成文法で記述されたツリーバンクでは、Penn Treebankなどが有名であり、これらのツリーバンクでは、クエリ言語を使って、語レベルだけでなく句レベルなど構成文法に特徴的な単位でも特定の統語構造を検索することができる。構成文法でのマークアップは、2語間の依存関係を記述していく依存文法よりも、句以上の単位で構造を記述し、どんどん上位構造を記述していかなければならず、作成に大変時間がかかる。それに対し、依存文法では、句以上の構造をマークアップする必要がないため、構成文法で書くよりもかなり短い時間でマークアップすることができる。

英語や中国語など、語順が比較的固定されている言語では、句構造のパターンが少ないが、チェコ語など語順が比較的自由な言語では、句構造の種類が莫大(ばくだい)になるか、語の移動などを考慮しなければならなくなり、さらに記述の時間がかかる。その点、依存文法では、2語間の依存関係を記述してくのみであるから、語順が自由な言語でも、複雑な句構造を設定することなく、語順が固定された言語と同じくらいの労力で記述することが可能である。西洋古典の言語である古代ギリシア語とラテン語は語順が比較的自由である。これらの言語のテクストの統語情報を記述したツリーバンクは、Perseus［注3］やPROIEL［注4］のものが有名であるが、どちらもUniversal Dependenciesを用いて記述されている。

■3．英語のUDツリーバンクの例

さて、Universal Dependenciesの一例を見てみよう。【図1】は、英語のUDのツリーバンクEnglish（UDx2.0）をSETS［注5］で表示し、動詞が名詞

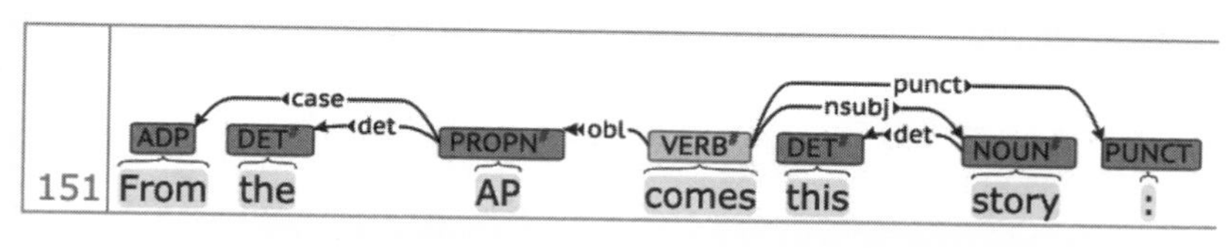

図1　English（UDx2.0）のSETSによる視覚化

を支配している場合を検索したときの一例である。

動詞は comes で、後置された主語の名詞 story を支配しているが、その間の矢印には依存関係 nsubj が記されている。これは、動詞が主語名詞を支配していることを表している。このような支配・依存関係、そして依存の方向(右か左か)を加味して検索することも可能で、例えば、VERB >nsubj@R _ と検索すれば、右側に主語名詞を従えている動詞を含む文すべてが表示される。

このように UD ツリーバンクを視覚化し、クエリ言語で検索できるようにするアプリとしては、フィンランドのトゥルク大学の SETS [注 6] のほかにも、チェコのプラハ・カレル大学の PML Tree Query [注 7]、Kontext [注 8]、フランス・ナンシーのフランス国立情報学自動制御研究所(Inria)の Grew-match [注 9]、ノルウェーのベルゲン大学の INESS [注 10] などがある。

■ 4．現時点での諸言語の UD のツリーバンク

現在、UD のデータベースには、2019 年 11 月 15 日の時点で、90 の言語の 157 のツリーバンクが公開されており、16 の言語の UD が公開前である。ドイツ語が約 375 万語と、最も大きなコーパスであり、日本語も約 168 万語と大きい。これに対して、英語は約 62 万語と少ない。コミ語、グアラニー語、モクシャ語、サーミ語、ワルピリ語、ブリヤート語、ブルトン語などの少数言語、古代ギリシア語、ラテン語、ゴート語、コプト語など古典語も入っている。また、手話言語であるスウェーデン手話もある。

私の研究分野の言語は、コプト語、古代ギリシア語、ラテン語だが、古代ギリシア語には、PROIEL と Perseus の二つの UD ツリーバンクがある。総語数は、約 41 万語で、PROIEL のツリーバンクは約 21 万語、Perseus のツリーバンクは約 20 万語である。ラテン語 UD は総語数が約 58 万語で、内訳は、PROIEL の約 20 万語、ITTB [注 11] の約 35 万語、Perseus の約 2 万語である。

私が最も専門としているコプト語は約 4 万語である。これは私も research member として参加している、全米人文学基金(National Endowment for the Humanities)のコプト語電子コーパス・プロジェクトである Coptic SCRIPTORIUM [注 12] のものである。ここでは、プロジェクト・リーダーの一人である Amir Zeldes の指揮のもと、現在、私も UD によるコプト語ツリーバンクの開発に携わっている。次回は UD のより詳細な構造とコプト語コーパスへの応用について論じる。

▶注

[1] “Universal Dependencies,” Universal Dependencies, accessed July 20, 2020, https://universaldependencies.org/.

[2] 2018年6月16日に京都で国立国語研究所による「第1回 Universal Dependencies 公開研究会」が開催され（「第1回　Universal Dependencies 公開研究会」国立国語研究所コーパス開発センター，最終閲覧日 2020年7月20日，https://pj.ninjal.ac.jp/corpus_center/20180616.html）、また、2019年9月4日には、立川の国立国語研究所で国際シンポジウム「Symposium for Universal Dependencies Japanese」が開催された（「Universal Dependencies シンポジウム Symposium for Universal Dependencies Japanese」国立国語研究所コーパス開発センター，最終閲覧日 2020年7月20日，https://pj.ninjal.ac.jp/corpus_center/lrw2019-symposium.html）。

[3] Perseus Digital Library は、Gregory Crane（現・ライプチヒ大学教授）の指揮のもと、アメリカのタフツ大学で開発された古代ギリシア語、ラテン語を中心とするコーパスとその関連のデータおよびツールを提供している（“Welcome to Perseus 4.0, also known as the Perseus Hopper,” Perseus Digital Library, accessed July 20, 2020, http://www.perseus.tufts.edu/）。

[4] PROIEL はオスロ大学の Dag Haug のもと開発された、インド・ヨーロッパ諸語の古層の諸言語、形態論・統語論・情報構造の解析がなされたコーパスである。宮川創「PROIEL: インド・ヨーロッパ語族における古層の諸言語のインターリニア・グロス付きテクスト・コーパスとツリーバンク」『人文情報学月報』99（2019）［本書3-17「PROIEL: インド・ヨーロッパ語族における古層の諸言語のインターリニア・グロス付きテクスト・コーパスとツリーバンク」収録］。

[5] “TurkuNLP dep_search,” Turku NLP Group, accessed July 20, 2020, http://bionlp-www.utu.fi/dep_search/.

[6] “TurkuNLP dep_search,” Turku NLP Group, accessed July 20, 2020, http://bionlp-www.utu.fi/dep_search.

[7] “PML Tree Query: Tool for searching and browsing treebanks online,” LINDAT, accessed July 20, 2020, http://lindat.mff.cuni.cz/services/pmltq/.

[8] “KonText - Available corpora,” LINDAT, accessed July 20, 2020, http://lindat.mff.cuni.cz/services/kontext/corpora/corplist.

[9] “UD,” Grew-match, accessed July 20, 2020, http://match.grew.fr/.

[10] “Welcome to INESS,” INESS, accessed July 20, 2020, http://clarino.uib.no/iness.

[11] Roberto Busa 神父（1913-2011）の Index Tomisticus に基づいたツリーバンク（“UniversalDependencies/UD_Latin-ITTB: Latin data from the Index Thomisticus Treebank,” GitHub, accessed July 20, 2020, https://github.com/UniversalDependencies/UD_Latin-ITTB）。

[12] Coptic SCRIPTORIUM: Digital Research in Coptic Language and Literature,” Coptic SCRIPTORIUM, accessed July 20, 2020, http://copticscriptorium.org/.

Universal Dependenciesの統語記述の特徴と自動統語解析

2020-01-31

■1．CoNLL-U形式のUDデータ

現在、Universal Dependencies（UD）を使ってコプト語のコーパスの統語情報のアノテーションを行っている。私は言語学のバックグラウンドを持っており、言語学の観点から、UDの特徴とUDを用いた自動統語解析ツールについてここで述べたい。UDのデータはCoNLL-U形式で書くのが基本となっている。それぞれのUDのプロジェクトで作成されたデータは、UDのGitHubのリポジトリにアップロードされていて、誰でもアクセス・ダウンロードすることができる［注1］。CoNLL-Uは次のような構造となっている【図1】。

まず、最初の行には文のIDが書かれ、2番目の行には文のテクストが書かれる。2番目の行からはその文に出てくる単語の分析情報である。これらの行の最初の列は単語の番号、2列目はその単語の文に出てくる形、3列目はレンマ、4列目はどの言語にも普遍的に付される品詞タグであるUPOS、5列目は言語ごとに異なる品詞タグであるXPOS、6列目は性・数・格、あるいは、人称・時制・相・態・法などの文法情報、7列目はその単語が文中のどの単語に依存しているか、そして8列目はその依存関係が書かれている。例えば、3行目に書かれている最初の単語のIは、4行目に書かれている2番目の単語haveに依存しており、その関係はnsubj（nominal subject; 名詞類である主語）である。

```
# sent_id = 2
# text = I have no clue.
1   I      I      PRON   PRP  Case=Nom|Number=Sing|Person=1     2  nsubj  _  _
2   have   have   VERB   VBP  Number=Sing|Person=1|Tense=Pres   0  root   _  _
3   no     no     DET    DT   PronType=Neg                      4  det    _  _
4   clue   clue   NOUN   NN   Number=Sing                       2  obj    _  SpaceAfter=No
5   .      .      PUNCT  .    _                                 2  punct  _  _
```

図1　CoNLL-Uファイルの一例［注2］

UDでは、基本的に動詞、その次に名詞が主要部となる。現在の生成文法などでは、冠詞と名詞がある場合、限定詞である冠詞が主要部となり(「DP仮説」)、前置詞と名詞があった場合、前置詞が主要部となる。これとは異なり、UDでは、冠詞は名詞の、前置詞は名詞の従属部となる。生成文法などでは関係詞や補文標識は、関係節そして補文節の主要部となるが、UDの場合はそうではなく、関係詞やその関係節の、補文標識はその補文節の動詞の従属部となる。また、コピュラ文ではコピュラは主語となる名詞類の従属部となる。

生成文法的な句構造文法に慣れている者にとっては、UDはこのように大変違和感が大きい記述の仕方をする。これは、UDが類型論上あり得るすべての統語構造をそこに見えている語だけで記述しようとするためである。例えば、日本語には冠詞はないが、名詞を主要部とすれば、わざわざ形態がゼロの限定詞主要部を仮定する必要がなくなる。フィンランド語には、多数の格があり、基本的なものならば、前置詞や後置詞などの側置詞を使わなくても、さまざまな意味役割を表現できるが、名詞を主要部としたら、ゼロ形態の側置詞主要部を仮定せずに済む。日本語において関係代名詞はないが、この場合も関係節の動詞が先行詞の名詞に依存しているとUDは考える。また、コピュラ文では、アラビア語やヘブライ語、ロシア語など、コピュラが一定の条件でゼロになる言語があるが、その場合も主語の名詞を文の主要部とすれば、ゼロコピュラを仮定せずに済む。このように、統語構造を記述するのにゼロ形態を仮定しなくても済むのがUDである。

■2. UDPipeによる解析

チェコのプラハ・カレル大学の形式・応用言語学研究所によって作成されたUDPipe **[注3]** では、英語、日本語、古典中国語、ギリシア語、ラテン語、コプト語などさまざまな言語で既存のUDモデルを使って自動で統語解析することが可能である。例えば、**【図2】**は、英語の単純な文を解析した結果である。 モデルはUD2.4のenglish-gum-ud-2.4-190531を指定した。このUDPipeでは、CoNNL-U形式のほか、表形式とツリー形式で表示することが可能である。

ここでは、不定冠詞aと前置詞atが名詞restaurantに依存していること、そして、関係節内の動詞likeが関係代名詞であるwhichと関係節の主語で

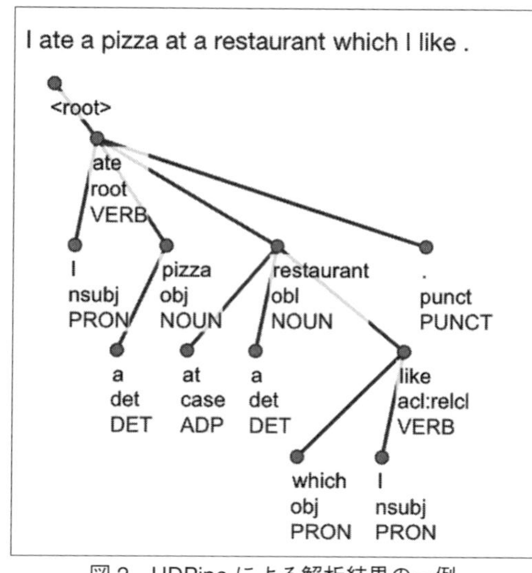

図2　UDPipe による解析結果の一例

ある I を支配し、主節内の先行詞である restaurant に依存していることに注目していただきたい。

■3．Arborator による解析

現在筆者は、参加している Coptic SCRIPTORIUM［注4］と KELLIA プロジェクト［注5］が共同開発した Coptic NLP Service［注6］でコプト語テクストの自動統語解析を行い、Arborator［注7］を用いてエラーの修正を行っている。このタスクで完成したデータはさらに精度の高い統語解析のためのトレーニングデータとして用いられる。このサイクルでどんどん統語解析の精度が上がっていくことが期待される。その成果は随時、Coptic NLP pipeline の自動統語解析に反映される。また、このデータは UDPipe で二次利用され、ユーザーが入力したコプト語テクストを自動で解析し、CoNLL-U 形式で出力できるほか、【図2】のようなツリーも出力できる。

筆者がエラーの修正で用いている Arborator では、主要部の語から従属部の語へ矢印をドラッグして語と語をつなぎ合わせ、品詞をドロップダウンメニューから選ぶだけで、依存関係を結ぶことができる。

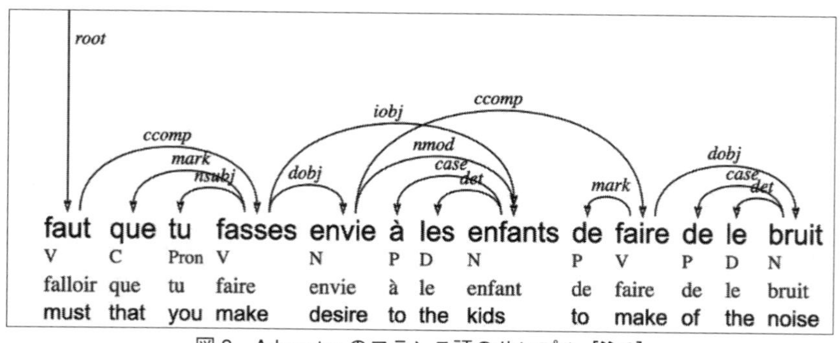

図3　Arborator のフランス語のサンプル［注8］

【図3】は Arborator がサンプルファイルとして提供しているフランス語の例である。ここで話されていないが、品詞別に色をつける設定をすることもできる。フランス語では通常 à les は aux に、de le は du に縮約されるが、UD では通常、縮約されない形に標準化される。à les enfants（通常は aux enfants と書かれる）の下を見ると、P、D、N とあるが、P は Preposition（前置詞）、D は Determiner（限定詞）、N は Noun（名詞）であり、UD が設定している普遍的な品詞タグ UPOS ではなく、それぞれの言語に特有の XPOS が表示されている。

■4．UD に対応しているツール

UD は、どのような言語でも極力少ないマークアップで統語情報を記述し、ツリーを作ることができるため、Coptic SCRIPTORIUM のようなデジタル・テクスト・コーパス・プロジェクトで採用されることが多くなりつつあり、それに伴い今回紹介した UDPipe や Arborator、前回紹介したいくつかのビューワーなど、さまざまなツールが開発されてきている。現在 UD に対応しているツールの一覧は Universal Dependencies のホームページの "Universal Dependencies tools" のページ［注9］で見ることができる。これらのツールを使って、まだ UD のデータを持たない言語や方言でも UD プロジェクトが作られ、言語類型論的な統語研究への UD の応用がますます加速していくことを願っている。

▶注

[1] "Universal Dependencies," GitHub, accessed July 20, 2020, https://github.com/UniversalDependencies.
[2] "CoNLL-U Format," Universal Dependencies, accessed July 20, 2020, https://universaldependencies.org/format.html.
[3] "UDPipe," LINDAT, accessed 19, July, 2020, http://lindat.mff.cuni.cz/services/udpipe/.
[4] "Coptic SCRIPTORIUM: Digital Research in Coptic Language and Literature," Coptic SCRIPTORIUM, accessed July 20, 2020, https://copticscriptorium.org.
[5] "KELLIA," KELLIA, accessed July 15, 2020, ttp://kellia.uni-goettingen.de/.
[6] "Coptic NLP Service," Coptic SCRIPTORIUM, accessed July 20, 2020, https://corpling.uis.georgetown.edu/coptic-nlp/.
[7] "Arborator," Arborator, accessed July 20, 2020, https://arborator.ilpga.fr/.
[8] "Arborator - Quickedit," Arborator, accessed July 20, 2020, https://arborator.ilpga.fr/q.cgi.
[9] "Universal Dependencies tools," Universal Dependencies, accessed July 20, 2020, https://universaldependencies.org/tools.html.

テクスト・コーパスのための言語学的なインターリニア・グロス付け

2020-02-29

■1．インターリニア・グロスとは

語学の論文では、通常、その言語を知らない言語学者でも、各形態素の意味がわかるように、例文にグロスが書かれる。ここでいうグロスは、通常は**【図1】**のように、分綴（ぶんてつ）されたそれぞれの語の下に形態素ごとに意味や文法情報が書かれるインターリニア・グロスである。

言語学者は通常はLaTeX、もしくは、マイクロソフトWordなどを用いて論文を書く。Wordの場合は、表を使う方法、もしくは、シンプルにタブを多用する方法などがあるが、煩雑になる場合が多い。それに比べ、LaTeXではより少ない操作でより容易により美しいインターリニア・グロスを作成することができる。LaTeXは、数学者であるドナルド・E・クヌース（Donald E. Knuth）が作成したTeXにさらにマクロパッケージを組み込んで、レスリー・B・ランポート（Leslie B.Lamport）が作成した電子組版ソフトウエアで、容易に非常に美しい文書を作成することが可能であり、多くの言語学者やコンピュータ科学者、数学者や物理学者が用いている。作成する方法としては、TeXをコンピュータにインストールして環境を整えた上でエディタで作成するのがこれまでによく用いられてきた方法であったが、Overleaf **[注1]** **[注2]** のように、無料かつリアルタイムの共同作業も可能なオンライン上のプ

(1) Sahidic Coptic (Mt. 5:43)

a-teten-sôtm *če-a-u-čoo-s* *če-e-k-e-mere-p-et-hi-touô-k*

PST-2PL-hear COMP-PST-3PL-say-3SG.F COMP-OPT-2SG.M-OPT-love-DEF.SG.M-REL-AD-bosom-2SG.M

n-g-meste-pe-k-čače

CONJ-2SG.M-hate-POSS.SG.M-2SG.M-enemy.SG.M

"You heard that they said: 'Love your neighbour and hate your enemy.' "

図１　LaTeX上でのexpexによるコプト語サイード方言（サヒド方言）の例文のインターリニア・グロス

ラットフォームで作成することが現在流行している。日本語で文書を作成する場合は、Unicodeの日本語フォントが使用可能なXeLaTeXやLuaLaTeXをOverleaf上で用いて文書を作成することが可能である。しかし、それよりも、大学院生やポスドクを支援する日本の企業である株式会社アカリクが運営しているCloudLaTeX［注3］というオンライン・プラットフォーム上で日本語専用のpLaTeXまたはupLaTeX、あるいはXeLaTeXを用いて作成する方が、より容易により美しい日本語文書を作成することができる。

LaTeXで言語学的なグロスを作成するパッケージとしては、gb4e、lingmacros、covington、linguex、expex［注4］などがある。筆者は通常は大変高機能なexpexを用いている。前出の【図1】は、CloudLaTeX上でpLaTeX、そしてexpexパッケージを用いて、コプト語サイード方言の文にグロスを付した一例である。

LaTeXで作成した文書はPDFで出力できる。これは、言語学の論文を作成するためにはよいものの、ウェブで公開する際はPDFかソースコードでしか公開できず、デジタル・ヒューマニティーズのプロジェクトとして公開する場合は、それでは物足りない。また、LaTeX単体ではすべて手作業でグロスを振らないといけない。例文のデータが多数あり、一つ一つ最初からすべて手作業でグロス付けを行う場合、LaTeXを使えば、Wordに比べて時間は短縮されるものの、それでも多大な時間と労力を使うことになる。

■2. 自動グロス付けができるソフトウエア

そのようなときに役に立つのが、自動グロス付けができるソフトウエアである。言語学者に最もよく使われているものとしては、Field Linguist's Toolbox［注5］とFieldWorks Language Explorer（FLEx;［注6］）［注7］が知られている。これらは、世界のさまざまな言語を話す民族へのキリスト教の宣教のために1934年に設立されたSummer Institute of Linguistics（夏期言語講座）を母体とするSIL Internationalが作成したものである。前者のToolboxはより古く、サイズも小さく、ファイルの記法も大変シンプルなソフトウエアであり、ソフトウエアごとすべてクラウド・ドライブに入れることができ、大変便利である。基本はWindows専用だが、Wineなどのエミュレータを用いれば、MacでもLinuxでも動く。後者のFLExはより新しく、より高機能である反面、ファイル・サイズが重く、フリーズすることも多かったが、開発が進み新しいバージョンが次々と生まれ、改善されてきているようである。FLEx も Windows 専用だが、Mac では、エミュレータを使っても、重すぎてうまく動かないことが多いため、Parallels などの仮想マシン上で起動させた Windows 上で使用するのがよいようである。

Toolbox でも FLEx でも、辞書データのモジュールで、形態素を意味や変化形や変異形と共に登録しておき、テクストを入力してインターリニア化ボタンを押せば、テクストの単語が自動的に形態素分解されて、グロスが各形態素の下に表示される。品詞情報を登録しておけば、品詞情報もグロスの下に表示させることもできる。解析結果が複数ある場合は、その旨が表示され、ユーザーはそのうちの一つから選ぶことができる【図 2】。

■ 3. グロスの標準である Leipzig Glossing Rules

言語学では、過去には学者によってそれぞれ異なる方法でグロスが作られてきたが、バーナード・コムリー（Bernard Comrie）が率いたライプチヒのマックス・プランク進化人類学研究所の言語学部門によって、通言語的なグロスの標準である Leipzig Glossing Rules（LGR; [注 8]）[注 9] が制定された。近年では、記述言語学や言語類型論の諸部門で LGR が用いられることが標準と

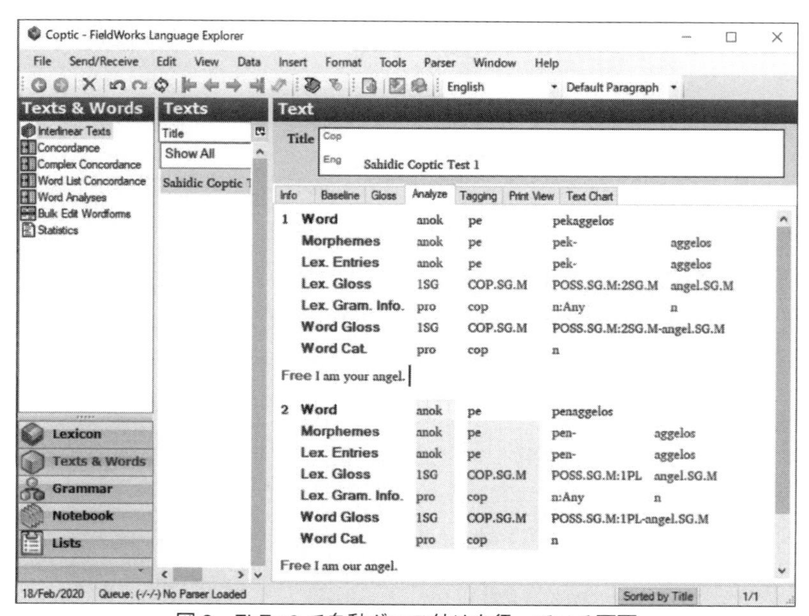

図 2　FLEx 9 で自動グロス付けを行っている画面

なっている。

しかしながら、LGR は Universal Dependencies の UPOS のようにすべての言語で同じ記法をするのではなく、ある程度、言語記述者に選択肢を提示しながら、よく使われる事項は標準になるよう求める。例えば、基本的には形態素境界にハイフン、一形態素が複数の文法事項を表すときは、文法事項の間にドット、接語境界にはイコールマークが用いられるが、より精確に表記したい場合は、~ で重複、<> で囲んで接中辞、\ で形態音韻論的な変化による文法情報のマーキングなどと、より細かく書き分けることもできる。LGR の作成を容易にするパッケージもいくつか開発されている。例えば、ウェブページ用には JavaScript の leipzig.js（**[注 10]**）が、LaTeX 用には、leipzig パッケージ（**[注 11]**）がある。

以上、効率的に言語学的なグロスを作成する手順としては、LGR の記法を使って、FLEx または Toolbox で形態素解析し、グロスを自動生成した後、手動で手直しし、最もシンプルな Toolbox の方式でエクスポートし、簡単なスクリプトや正規表現で leipzig.js や LaTeX の expex などの形式に変換して、ウェブページもしくは LaTeX 文書にグロスを載せる手順が考えられる。または、FLEx でインターリニア・データを HTML 形式でエクスポートしてウェブページに載せることもできる。しかしながら、これらだけならレンマや文法事項だけに絞って検索したり、簡易な統計分析をすることはできない。

▶注

[1] “Overleaf, Online LaTeX Editor,” Overleaf, accessed July 20, 2020, https://www.overleaf.com/.
[2] 本節で記載されている URL はすべて 2020 年 2 月 18 日時点のものである。
[3] “Cloud LaTeX | Build your own LaTeX environment, in seconds,” Cloud LaTeX, accessed July 20, 2020, https://cloudlatex.io/.
[4] これらのパッケージの概要については早稲田大学法学学術院教授・言語情報研究所所長の乙黒亮氏による解説がある（「例文」Ryo Otoguro, 最終閲覧日 2020 年 7 月 20 日 , http://otoguro.net/home/latex/examples/)。　lingmacros および covington の使い方としては筆者も参加・協力した LaTeX 勉強会（京大言語）のホームページ上の「例文のグロス」のページ（「例文のグロス」LaTeX 勉強会（京大言語）, 最終閲覧日 2020 年 7 月 20 日 , https://sites.google.com/site/latexkyodaigengo/home/interlinear_gloss）で例付きで多少解説されている。
[5] “Field Linguist’s Toolbox,” SIL International, accessed July 20, 2020, https://software.sil.org/toolbox/.
[6] “Fieldworks,” SIL International, accessed July 20, 2020, https://software.sil.org/fieldworks/.

[7] FLExの簡単な使い方は以下の資料を参照。宮川創「FieldWorks Language Explorerを用いた文法研究」(2014), 最終閲覧日2020年1月18日, https://www.academia.edu/6667555/FieldWorks_Language_Explorer%E3%82%92%E7%94%A8%E3%81%84%E3%81%9F%E6%96%87%E6%B3%95%E7%A0%94%E7%A9%B6_Grammatical_Analysis_through_FieldWorks_Language_Explorer_.

[8] "The Leipzig Glossing Rules: Conventions for interlinear morpheme-by-morpheme glosses," Max Planck Institute for Evolutionary Anthropology, accessed July 20, 2020, https://www.eva.mpg.de/lingua/pdf/Glossing-Rules.pdf.

[9] 日本語でLGRを解説しているものとしては東京外国語大学教授の望月圭子氏によるものだと思われる以下のものがある。望月圭子「グロス (interlinear gloss) の付け方 (Leipzig Glossing Rulesより要約)」最終閲覧日2020年1月18日 ,http://www.tufs.ac.jp/ts/personal/mkeiko/wordpress/wp-content/uploads/2015/02/7fface52105cd2bbace09bdea5ea8d78.pdf. また、九州大学准教授の下地理則氏によるホームページ「下地理則の研究室」に掲載されている以下の記事には、LGRに基づいた言語学的グロス付けの概要と多数の例があり、大変参考になる。下地理則「グロスづけの支援」下地理則の研究室, 最終閲覧日2020年1月18日, https://www.mshimoji.com/blank-12.

[10] "Leipzig.js: Interlinear glossing for the browser," Ben Chauvette: Full stack developer at XL, accessed July 19, 2020, https://bdchauvette.net/leipzig.js/#.

[11] "leipzig - Typeset and index linguistic gloss abbreviations," CTAN: Comprehensive TeX Archive Network, accessed July 20, 2020, https://www.ctan.org/pkg/leipzig.

あとがき

永﨑研宣（一般財団法人人文情報学研究所主席研究員）

2010年代には世界を席巻することになるデジタル・ヒューマニティーズ（以下、DH）を議論する空間が名実ともに現われたのは、2006年、パリ・ソルボンヌ大学で開催された国際DHカンファレンスであった。その後、北米・欧州で国際会議を交替で実施するなかで、徐々に欧米の外にも広がっていき、2015年にはシドニー、2018年にはメキシコシティで開催され、それとともにDH学会やそれを支えるコミュニティも拡大していった。現在は、欧州・米国・カナダ・オーストラリア圏・日本・メキシコ・フランス・台湾・南アフリカの9地域のDH学会がADHO（国際DH学会連合）を構成し、国際的な学術コミュニティの運営に尽力している。

そのような状況を踏まえ、2016～2020年の5年間のADHO主催DH年次学術大会の状況を見てみよう。この期間については、2017年を除き、TEI/XML形式ですべての発表論文のデータが公開されており、その構造を活かしてさまざまな分析が可能である。そこで、まずは、この期間の発表者の動向を見てみよう。所属組織の国別ドメインで延べ発表者数をカウントしたところ［グラフ1］のようになっており、全体としては北米や欧州の発表者が多い。欧米圏外では5年間で160名となった日本が最も多く、台湾とメキシコがそれに続くがいずれも100名以下であり、グラフには記載しなかった［グラフ1］。

もう少し詳しく見てみると、全体としても欧州の発表者数が多いだけでなく、ポーランドとオランダ開催時の発表者が非常に多く、欧州におけるDHの定着ぶりを示す例とみることもできるだろう。

一方、同じ5年間のDH学会における国際的な協働のつながりをみることもできる。［図1］は、各発表における共著者の国際的なつながりを可視化したものである。円の大きさは他国に所属する研究者との共同発表の件数を示し、線は国同士のつながりを表している。こうしてみると、欧米では円は大きく線は密であるものの、それ以外の地域にも着実にそのネットワークが広がりつつあることがわかる。なお、日本は、発表者は多いものの国際的な

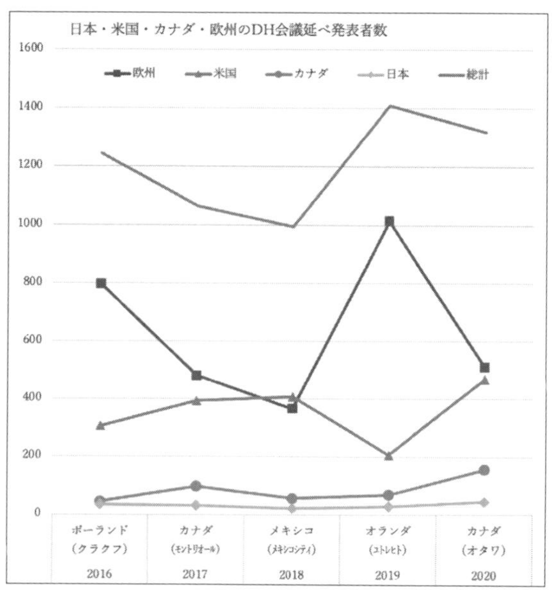

グラフ１　2016 ～ 2020 年の DH 会議における主要地域の延べ発表者数

協働発表が少ないため、この図においては存在感がやや小さい。2022 年には DH 会議が東京で開催されるため、それを受けてこのネットワークが広がっていくことを期待したい。

このように、本書のテーマである欧米圏の DH は、国際的な牽引役（けんいん）であり、さらに成長を続けている。本書に散りばめられたさまざまな取り組みは、その流れのどこかに何らかの形で当てはめることができるだろう。DH の研究活動は、その成果のみならず、関わった研究者のプロフィールからそれを支えた助成金の名目と金額まで、Web を丁寧に検索すれば一通り確認できるようになっていることが多い。興味が湧いたテーマについてはぜひ深めていただければ幸いである。

本書の基礎となったメールマガジン『人文情報学月報』が 2011 年に始まったことは序にも述べたとおりだが、それにあたっては、アカデミック・リソース・ガイド株式会社によるノウハウの提供と実働に支えていただいた。同社代表取締役の岡本真氏が『人文情報学月報』という名を提案してくださったことも含め、感謝とともに記しておく。

その後、第 83 号より一般財団法人人文情報学研究所単独での刊行となり、さらに、多言語や画像等に対応するために、UTF-8 の HTML メールとすべく、第 92 号からはメールマガジン配信会社を変更した。この間、当研究所の研究員であった宮崎展昌氏、青野道彦氏が編集を担当し、校正は現在筑波大学の助教をつとめる近藤隼人氏が担当してきた。三氏の献身なくしては『人文情報学月報』が現在の形を成すことはなく、本書の刊行につながることもなかっただろう。三氏の貢献に心から感謝したい。

図１　2016～2020年のDH会議における国際的な共著者のネットワーク

編集側の献身の一方、メールマガジンとしては執筆者なくしては始まらない。これまで非常に多くの国内外のDH関係の方々が玉稿を提供してくださったおかげで、『人文情報学月報』は成り立ってきたのであり、奇しくも本書刊行の月にちょうど10周年を迎えることになる。若手・中堅の方々に、本人にとってはとても興味深く、しかし必ずしも世間では知られていない研究テーマについて広く発信できる場を提供するという方針の下、原稿依頼は主に筆者が行ってきており、国内外のさまざまな場所で知り合った方々に、時としてやや無理な依頼をしてしまったこともあったかもしれない。それにもかかわらず、大切な時間を割いて寄稿してくださった執筆者のみなさまにはひたすら感謝するほかない。

このような取り組みが、書籍という装いで改めてみなさまの元に届けられることになったのは、ひとえに文学通信の岡田圭介氏のご厚意の賜物である。本書に収録されることになった記事群の事情にあわせてさまざまなアイデアを出してくださったことは、DHの情報を日本で広く共有していく上でも大きな助けとなることだろう。そして、それを具体的かつ読みやすい本の形に落とし込むことができたのは、西内友美氏の丁寧な編集作業のおかげである。

書籍化にあたっては、編集を担当してくださった若手の方々に尽力していただいた。核になったのは、東京大学大学院人文社会系研究科で下田正弘氏と大向一輝氏、筆者が共同担当する「人文情報学概論」の授業**[注1]**を受講し、その後もそれぞれにDHの研鑽（けんさん）を続けた小風尚樹氏、小川潤氏、纓田宗紀氏、長野壮一氏であり、そこに、米国でデジタルヒストリーを学びながら博士号を取得した山中美潮氏が加わった。さらに、ドイツでDHに取り組みながら博士課程を過ごした宮川創氏が自らの連載記事をもって参画してくださったことで、多様性のある豊かな内容が形を成すこととなった。技術的な事柄については大向一輝氏の支援があり、これもありがたいことであった。また、ここに至る一連の活動のさまざまな局面において下田正弘氏による貴重な助言があったことは、深謝とともに記しておきたい。

最後に、本書の出版と当研究所の関係を簡潔に記して、この少し長い後書きを終えることとしたい。当研究所は、SAT大蔵経テキストデータベース研究会（代表・下田正弘東京大学教授）の活動を技術面から支えるために設立された一般財団法人であり、故髙崎直道東京大学名誉教授、故奈良康明駒澤大学名誉教授をはじめとする仏教学の泰斗たる方々の期待の下にスタートした。その期待とは、大規模な仏典の叢書である大蔵経のテキストデータベースの研究開発を通じ「人文情報学的知見を開発して人文知の宝庫である仏教の研究を推進」するのみならず、「これをとおして人文学全体を振興するとともに、広く人類精神文化の発展に寄与する」ことであった。仏教学界のそのような想いが、『人文情報学月報』の発行から本書の出版に至る一連の活動を産み出したのである。このような活動を可能とした貴重な場を創りだし、支えてくださった当研究所の関係者のみなさまに深謝したい。

▶注

［1］ 東京大学大学院人文社会系研究科附属次世代人文学開発センター人文情報学部門 https://dh.l.u-tokyo.ac.jp/

初出一覧

初出の記事は下記のサイトで公開しています。
https://www.dhii.jp/DHM/

第１部　テーマから知る

▶１　基調講演和訳「デジタル人文学の将来」
Neil Fraistat：メリーランド大学教授・Alliance of Digital Humanities Organizations 会長【当時】／日本語訳＝長野壮一：東京大学大学院人文社会系研究科博士課程【当時】
DHM 033【特別編】（2014-04-29）

▶２　西洋史 DH の動向とレビュー：DH 研究者による人文学アドヴォカシープロジェクト 4Humanities
菊池信彦：国立国会図書館関西館【当時】
DHM 047【前編】連載（2015-06-30）

▶３「海外 DH 特集――デジタル時代における人文学者の社会的責任」前編
横山説子：メリーランド大学英文学科博士課程【当時】
DHM 054【前編】特集（2016-01-31）

▶４「海外 DH 特集――デジタル時代における人文学者の社会的責任」後編
横山説子：メリーランド大学英文学科博士課程【当時】
DHM 054【後編】特集（2016-01-31）

▶５　MLA 2014 覚え書き
Alex Gil：コロンビア大学【当時】／日本語訳＝北村紗衣：東京大学および慶應義塾大学非常勤講師【当時】
DHM 032【後編】イベントレポート（2014-03-27）

▶６　第 132 回アメリカ歴史学協会年次国際大会
小風尚樹：東京大学大学院人文社会系研究科欧米系文化研究専攻西洋史学専門分野博士課程２年【当時】
DHM 079【後編】イベントレポート（2018-02-28）

▶７　OMNIA：膨大な芸術作品を探索するためのオープンなメタデータの活用
Niall O'Leary：独立系開発者【当時】／日本語訳＝永崎研宣：人文情報学研究所
DHM 057【前編】特別寄稿（2016-04-29）

▶８　書簡資料のデータ構造化と共有に関する国際的な研究動向：TEI2018 書簡資料 WS を通じて
小風尚樹：キングスカレッジロンドン／東京大学大学院人文社会系研究科【当時】
DHM 088【後編】特別寄稿（2018-11-30）

▶９　西洋史 DH の動向とレビュー：デジタル博士論文のガイドライン ジョージ・メイソン大学歴史学・美術史学研究科が発表
菊池信彦：国立国会図書館関西館【当時】
DHM 053【前編】連載（2015-12-28）

▶10　Europeana の変革
西川開：筑波大学大学院図書館情報メディア研究科博士後期課程１年【当時】
DHM 073【後編】特別寄稿（2017-08-30）

▶11「デジタルアーカイブ」の価値を測る：Europeana における「インパクト評価」の現状
西川開：筑波大学大学院図書館情報メディア研究科博士後期課程１年【当時】
DHM 075【後編】特別寄稿（2017-10-31）

▶12　TEI Members' Meeting 2012
James Cummings：オックスフォード大学【当時】／日本語訳＝永崎研宣：人文情報学研究所
DHM 016　イベントレポート（2012-11-28）

▶13　フランスの DH：スタンダール大学を中心として　第１回・第２回
長野壮一：フランス社会科学高等研究院・博士課程
DHM 052【後編】（2015-11-28）・053【後編】（2015-12-28）特集

▶14　Digital Humanities 2018 "PUENTES/BRIDGES"
鈴木親彦：情報・システム研究機構データサイエンス共同利用基盤施設人文学オープンデータ共同利用センター特任研究員
DHM 085【後編】イベントレポート（2018-08-31）

▶15　Carolina Digital Humanities Initiative Fellow の経験を通じて〈前半〉・〈後半〉
山中美潮
DHM 089【後編】（2018-12-30）・090【後編】（2019-01-31）特別寄稿

第２部　時代から知る

古代

▶１　Digital Classicists / ICS Work-in-progress seminar
髙橋亮介：ロンドン大学キングス・カレッジ visiting research fellow【当時】
DHM 012　イベントレポート（2012-07-28）

▶２「デジタル学術資料の現況から」ペルセウス・デジタル・ライブラリーのご紹介（1）～（3）
吉川斉：東京大学大学院人文社会系研究科博士課程【当時】
DHM 032【前編】（2014-03-27）・033【前編】（2014-04-29）・034【前編】（2014-05-28）特集

▶３「デジタル学術資料の現況から」The digital Loeb Classical Library のご紹介（1）～（3）
吉川斉：東京大学大学院人文社会系研究科博士課程【当時】
DHM 039【前編】（2014-10-28）・040【後編】（2014-11-27）・041【後編】（2014-12-27）特集

▶４　Gregory Crane 氏インタビュー全訳（第１回）～（第４回）
小川潤：東京大学大学院人文社会系研究科修士課程【当時】
DHM 090【中編】（2019-01-31）・091【中編】（2019-2-28）・093【後編】（2019-4-30）・094（2019-05-31）特別寄稿

▶５　西洋古典・古代史史料のデジタル校訂と Leiden+：デジタル校訂実践の裾野拡大の可能性
小川潤：東京大学大学院人文社会系研究科博士課程

DHM 103　特別寄稿（2020-02-29）

▶ 6　Arethusa による古典語の言語学的アノテーション：構文構造の可視化と広範なデータ利活用の実現

小川潤：東京大学大学院人文社会系研究科博士課程

DHM 104　特別寄稿（2020-03-31）

▶ 7　PapyGreek による歴史言語研究のためのギリシア語コーパス構築の試み：文書パピルスの言語学的アノテーション

小川潤：東京大学大学院人文社会系研究科博士課程

DHM 105　特別寄稿（2020-04-30）

中世

▶ 8　Digital Resource and Database for Palaeography, Manuscript Studies and Diplomatic, "One Day Symposium" 参加報告

永井正勝：筑波大学人文社会科学研究科文芸・言語専攻準研究員【当時】

DHM 002　イベントレポート（2011-09-29）

▶ 9　「デジタル学術資料の現況から」第５回 Enigma 中世写本のラテン語の難読箇所を解決する

赤江雄一：慶應義塾大学

DHM 036【前編】特集（2014-07-26）

▶ 10　リヨン高等師範学校講義「中世手稿のデジタル編集」参加記

長野壮一：フランス社会科学高等研究院博士課程

DHM 057【後編】イベントレポート（2016-04-29）

▶ 11　海外 DH 特集「フランスの DH ――リヨン CIHAM を中心として」

長野壮一：フランス社会科学高等研究院博士課程

DHM 059【前編】特集（2016-06-29）

▶ 12　ヨーロッパの初期印刷本とデジタル技術のこれから

安形麻理：慶應義塾大学

DHM 060【前編】巻頭言（2016-07-30）

▶ 13　インキュナブラ研究と copy-specific information

徳永聡子：慶應義塾大学

DHM 063【前編】巻頭言（2016-10-30）

▶ 14　「Tokyo Digital History」第３回 Regesta Imperii Online の活用

纓田宗紀：東京大学大学院人文社会系研究科西洋史学専門分野博士課程【当時】

DHM 084【後編】連載（2018-07-31）

近世

▶ 15　「デジタル学術資料の現況から」第４回　デジタルなシェイクスピアリアンの１日

北村紗衣：武蔵大学人文学部

DHM 035【前編】特集（2014-06-27）

▶ 16　第 53 回シェイクスピア学会セミナー「Digital Humanities and the Future of Renaissance Studies」

北村紗衣：武蔵大学人文学部

DHM 040【後編】イベントレポート（2014-11-27）

▶ 17　「『御一統の温かいことばあってこそわが帆ははらむ。さなくばわが試みは挫折あるのみ』――ボドリアン・ファースト・フォリオの来歴について

Pip Willcox：Curator of Digital Special Collections at the Bodleian Libraries, University of Oxford ／日本語訳＝長野壮一：フランス社会科学高等研究院博士課程、永崎研宣：人文情報学研究所

DHM 050【後編】JADH2015 特別レポート（2015-09-28）

▶ 18　西洋史 DH の動向とレビュー――三大デジタルアーカイブのデータセット比較と近世全出版物調査プロジェクト

菊池信彦：国立国会図書館関西館【当時】

DHM 051【前編】連載（2015-10-29）

▶ 19　"Shakespeare and the Digital World: Redefining Scholarship and Practice" (Christie Carson and Peter Kirwan, ed., Cambridge University Press, 2014)

北村紗衣：武蔵大学人文学部

DHM 068【後編】関連図書レビュー（2017-03-31）

▶ 20　「Tokyo DigitalHistory」第７回「『1641 Depositions』データベースとデータ可視化」

槙野翔：東京大学大学院人文社会系研究科／日本学術振興会

DHM 088【中編】連載（2018-11-30）

▶ 21　18 世紀研究における DH の広がり：第 15 回国際十八世紀学会（ISECS 2019）に参加して 第１回：個別発表にみるデータ可視化

小風綾乃：お茶の水女子大学大学院人間文化創成科学研究科

DHM 097　イベントレポート（2019-08-31）

▶ 22　18 世紀研究における DH の広がり：第 15 回国際十八世紀学会（ISECS 2019）に参加して 第２回：各種ウェブコンテンツの紹介（1）

小風綾乃：お茶の水女子大学大学院人間文化創成科学研究科

DHM 098　イベントレポート（2019-09-30）

▶ 23　18 世紀研究における DH の広がり：第 15 回国際十八世紀学会（ISECS 2019）に参加して 第３回：各種ウェブコンテンツの紹介（2）

小風綾乃：お茶の水女子大学大学院人間文化創成科学研究科

DHM 099【後編】イベントレポート（2019-10-31）

▶ 24　18 世紀研究における DH の広がり：第 15 回国際十八世紀学会（ISECS 2019）に参加して 第４回：大学での教育実践と新たな DH プロジェクトの支援

小風綾乃：お茶の水女子大学大学院人間文化創成科学研究科

DHM 100　イベントレポート（2019-11-30）

近現代

▶ 25　ロシアにおける電子図書館と著作権

松下聖：筑波大学大学院人文社会科学研究科【当時】
DHM 005　特別レポート（2011-12-30）

▶ 26　ロシアにおける大規模コーパスと電子テキストの可能性
松下聖：筑波大学大学院人文社会科学研究科【当時】
DHM 006　特別レポート（2012-01-27）

▶ 27　Girls and Digital Culture: Transnational Reflections on Girlhood 2012
北村紗衣：ロンドン大学英文学科博士過程【当時】
DHM 014　イベントレポート（2012-09-26）

▶ 28　西洋史 DH の動向とレビュー――第一次世界大戦 100 周年をめぐるデジタルヒューマニティーズの最近の成果と今後の課題
菊池信彦：国立国会図書館関西館【当時】
DHM 049【前編】連載（2015-08-28）

▶ 29　海外 DH 特集――フランス歴史学における DH の伝統
長野壮一：フランス社会科学高等研究員博士課程
DHM 058【後編】特集（2016-05-31）

▶ 30　デジタル時代におけるディケンズの文体研究
舩田佐央子：福岡大学人文学部講師
DHM 076【前編】巻頭言（2017-11-30）

▶ 31　「東アジア研究と DH を学ぶ」第 10 回　デジタル史料批判を学ぶ教育・学習プラットフォーム Ranke.2 について
菊池信彦：関西大学アジア・オープン・リサーチセンター准教授【当時】
DHM 090【中編】連載（2019-01-31）

▶ 32　アメリカ史学におけるデジタル・マッピングとパブリック・ヒストリー
山中美潮：同志社大学アメリカ研究所専任研究員（助教）
DHM 095　巻頭言（2019-06-29）

第 3 部　欧州・中東デジタル・ヒューマニティーズ動向

以下執筆＝宮川創：ゲッティンゲン大学【当時】

▶ 1　「欧州・中東デジタル・ヒューマニティーズ動向」第 1 回
DHM 081【後編】連載（2018-04-30）

▶ 2　ドイツ、デジタル・ヒューマニティーズにおける雇用事情
DHM 082【前編】連載（2018-05-29）

▶ 3　スウェーデンおよびアメリカ合衆国における古代末期関連のデジタル・ヒューマニティーズの一断面
DHM 083【前編】連載（2018-6-30）

▶ 4　ゲッティンゲン大学でのデジタル・ヒューマニティーズとコーパス言語学の授業を担当して
DHM 084【前編】連載（2018-7-31）

▶ 5　聖書学とデジタル・ヒューマニティーズ聖書研究ソフトウェアの現状
DHM 085【前編】連載（2018-8-31）

▶ 6　デジタル聖書写本学の新潮流―― Virtual Manuscript Room ――
DHM 086【前編】連載（2018-9-30）

▶ 7　デジタル・ヒューマニティーズにおけるテクスト・リユースと間テクスト性の研究
DHM 087【前編】連載（2018-10-31）

▶ 8　ボドマー・コレクションが写本のオンライン・データベースを公開／ハンブルク大学が写本学のエクスツェレンツクラスター（ドイツ研究振興協会）を開設へ
DHM 088【前編】連載（2018-11-30）

▶ 9　テクスト・リユースと間テクスト性研究の歴史と発展
DHM 089【前編】連載（2018-12-30）

▶ 10　ドイツ語圏のパピルス文献デジタル・アーカイブ
DHM 090【前編】連載（2019-1-31）

▶ 11　Trismegistos：紀元前 8 世紀から紀元後 8 世紀までのエジプト語・ギリシア語・ラテン語・シリア語などの文献のメタデータや関連する人名・地名などのウェブ・データベース群、および、Linked Open Data のサービス
DHM 091【前編】連載（2019-2-28）

▶ 12　IIIF に対応したコプト語文献のデジタルアーカイブ（1）：バチカン図書館
DHM 092【前編】連載（2019-3-30）

▶ 13　IIIF に対応したコプト語文献のデジタルアーカイブ（2）：フランス国立図書館と Biblissima
DHM 093【前編】連載（2019-4-30）

▶ 14　Digital Humanities 2019 ユトレヒト大会
DHM 096　連載（2019-7-31）

▶ 15　コプト語テクストの光学文字認識の開発
DHM 097　連載（2019-8-31）

▶ 16　歴史文書の手書きテクスト認識（HTR）に関して
DHM 098　連載（2019-9-30）

▶ 17　PROIEL: インド・ヨーロッパ語族における古層の諸言語のインターリニア・グロス付きテクスト・コーパスとツリーバンク
DHM 099【前編】連載（2019-10-31）

▶ 18　概念辞書・「コプト語 WordNet」の開発
DHM100　連載（2019-11-30）

▶ 19　Universal Dependencies: 依存文法ツリーバンクの世界標準
DHM101　連載（2019-12-31）

▶ 20　Universal Dependencies の統語記述の特徴と自動統語解析
DHM 102　連載（2020-1-31）

▶ 21　テクスト・コーパスのための言語学的なインターリニア・グロス付け
DHM103　連載（2020-2-29）

編者プロフィール

小風尚樹（こかぜ・なおき）
1989年生まれ。千葉大学助教。東京大学人文社会系研究科西洋史学専門分野博士課程在籍、キングス・カレッジ・ロンドンデジタル・ヒューマニティーズ修士課程首席修了。修士（東京大学・文学）、Master of Arts（King's College London, Digital Humanities）。国立歴史民俗博物館RA、東京大学史料編纂所特任研究員等を経て現職。学会関連活動として、日本デジタル・ヒューマニティーズ学会「人文学のための情報リテラシー」研究会主査、東アジアブリテン史学会委員、Tokyo Digital History代表等がある。論文に、「イギリス海軍における節約と旧式艦の処分：クリミア戦争からワシントン海軍軍縮条約を中心に」（『国際武器移転史』第8号、2019年）、「アトリエに吹く風：デジタル・ヒストリーと史料」（共著、『西洋史学』第268号、2019年）、'Toward a Model for Marking up Non-SI Units and Measurement'（筆頭著者、*Journal of Text Encoding Initiative*, Issue 12, 2019）など。

小川　潤（おがわ・じゅん）
1994年生まれ。東京大学大学院人文社会系研究科博士後期課程。修士（東京大学・文学）。論文に、「帝政初期ローマ皇帝によるガリア統治政策とドルイド弾圧再考：皇帝属州ガリアにおけるローマ化の一側面」（『クリオ』第32号、2018年）、「歴史研究における社会ネットワーク分析の活用と可能性：古代史研究における人的ネットワーク分析を事例に」（『西洋史学』第269号、2020年）など。

纓田宗紀（おだ・そうき）
1989年生まれ。アーヘン工科大学博士候補生、ゲルダ・ヘンケル財団奨学生。東京大学大学院人文社会系研究科博士課程単位取得退学。修士（東京大学・文学）。論文に、「1059年の教皇選挙令と枢機卿団の形成」（『クリオ』第28号、2014年）、「アトリエに吹く風：デジタル・ヒストリーと史料」（共著、『西洋史学』第268号、2019年）など。

長野壮一（ながの・そういち）
1988年生まれ。社会科学高等研究院（EHESS）博士課程、千葉大学特任研究員。東京大学大学院人文社会系研究科博士課程中途退学。修士（東京大学・文学）。論文に「デジタル歴史学の最新動向：フランス語圏におけるアーカイブ構築およびコミュニティ形成の事例紹介」（『現代史研究』第61号、2015年）、「団結と結社：フランス刑法典第414～416条改正の概念史的考察（1862～1864年）」（『史学雑誌』第126編第12号、2017年）、共著に『歴史を射つ』（御茶の水書房、2015年）など。

山中美潮（やまなか・みしお）
1986年生まれ。同志社大学アメリカ研究所助教（有期）・専任研究員。ノースカロライナ大学チャペルヒル校博士課程修了。Ph.D.（history）。南山大学非常勤講師等を経て現職。主要論文に「アメリカ史研究とデジタル・ヒストリー」（『立教アメリカン・スタディーズ』第40号、2018年）、"African American Women and Desegregated Streetcars: Gender and Race Relations in Postbellum New Orleans"（*Nanzan Review of American Studies* 第40号、2018年）、「2019年の歴史学会――回顧と展望　アメリカ（北アメリカ）」（分担執筆、『史学雑誌』第129編、第5号、2020年）など。

宮川　創（みやがわ・そう）
1989年生まれ。京都大学大学院文学研究科附属文化遺産学・人文知連携センター助教・情報ネットワーク管理室助教兼任。京都大学大学院文学研究科言語学専修博士後期課程研究指導認定退学。ゲッティンゲン大学エジプト学コプト学専修博士課程。修士（京都大学・文学）。ドイツ研究振興協会特別研究領域研究員、関西大学アジア・オープン・リサーチセンターPDを経て現職。論文に、「コプト教父・アトリペのシェヌーテによる古代のコプト語訳聖書からの引用」（『東方キリスト教世界研究』第5号、2021年）、「ローマ・ビザンツ期エジプトのデジタルヒストリー：コプト語著述家・アトリペのシェヌーテを中心に」（『西洋史学』第270号、2020年）、'Optical Character Recognition of Typeset Coptic Text with Neural Networks'（筆頭著者、*Digital Scholarship in the Humanities* 34, Suppl. 1、2019年）など。

大向一輝（おおむかい・いっき）
1977年生まれ。東京大学大学院人文社会系研究科准教授。著書に『ウェブがわかる本』（岩波書店、2007年）、『ウェブらしさを考える本』（丸善出版、2012年、共著）、論文に「オープンサイエンスと研究データ共有」（『心理学評論』61-1、2018年）など。

永崎研宣（ながさき・きよのり）
1971年生まれ。一般財団法人人文情報学研究所主席研究員。筑波大学大学院博士課程哲学・思想研究科単位取得退学。博士（関西大学・文化交渉学）。東京外国語大学アジア・アフリカ言語文化研究所COE研究員、山口県立大学国際文化学部助教授等を経て一般財団法人人文情報学研究所の設立に参画。これまで各地の大学研究機関で文化資料のデジタル化と応用についての研究支援活動を行ってきた。学会関連活動としては、情報処理学会論文誌編集委員、日本印度学仏教学会常務委員情報担当、日本デジタル・ヒューマニティーズ学会議長、TEI Consortium理事等がある。著書に『文科系のための情報発信リテラシー』（東京電機大学出版局、2004年）、『日本の文化をデジタル世界に伝える』（樹村房、2019年）、『デジタル学術空間の作り方　仏教学から提起する次世代人文学のモデル』（共編、文学通信、2019年）など。

執筆者プロフィール

赤江雄一（あかえ・ゆういち）
慶應義塾大学教授（歴史学（西洋中世史））。著書に *A Mendicant Sermon Collection from Composition to Reception*, Brepols, 2015、『知のミクロコスモス―中世・ルネサンスのインテレクチュアル・ヒストリー』（共著、中央公論新社、2014年）など。

安形麻理（あがた・まり）
慶應義塾大学教授（書誌学）。著書に『デジタル書物学事始め：グーテンベルク聖書とその周辺』（勉誠出版、2010年）、訳書に『西洋活字の歴史：グーテンベルクからウィリアム・モリスへ』（スタン・ナイト著、安形麻理訳、髙宮利行監修、慶應義塾大学出版会、2014年）、論文にAgata, Mari; Agata, Teru. Statistical Analysis of the Gutenberg 42-line Bible Types: Special Focus on Letters with a Suspension Stroke. *The Papers of the Bibliographical Society of America*. 2021, vol. 115, no. 2, p. 167-183. https://doi.org/10.1086/713981など。

菊池信彦（きくち・のぶひこ）
関西大学特別任用准教授（スペイン近現代史）。論文に「「東アジアDHポータル」の構築と課題：デジタルヒューマニティーズの研究ノウハウのオープンな知識基盤を目指して」（菊池信彦、宮川創、二ノ宮聡『じんもんこん2020論文集』2020年12月）、「コロナ禍におけるデジタルパブリックヒストリー―「コロナアーカイブ@関西大学」の現状と歴史学上の可能性、あるいは課題について―」（菊池信彦、内田慶市、岡田忠克、林武文、藤田高夫、二ノ宮聡、宮川創『歴史学研究』（1006）、2021年3月）、「新型コロナで世の中がエライことになったので関西大学がいろいろ考えた。」（関西大学編〈担当：共著、範囲：コロナ禍の歴史を作るための「コロナアーカイブ@関西大学」〉浪速社、2021年4月）など。

北村紗衣（きたむら・さえ）
武蔵大学准教授（シェイクスピア）、著書に『シェイクスピア劇を楽しんだ女性たち―近世の観劇と読書』（白水社、2018年）、『お砂糖とスパイスと爆発的な何か―不真面目な批評家によるフェミニスト批評入門』（書誌侃侃房、2019年）、論文に“How Should You Perform and Watch Othello and Hairspray in a Country Where You Could Never Hire Black Actors? Shakespeare and Casting in Japan”, *Multicultural Shakespeare* 22 (2020): 87-101. など。

小風綾乃（こかぜ・あやの）
お茶の水女子大学博士後期課程（近世フランス史）。論文に「摂政期のフランス王権とパリ王立科学アカデミー―1716年の会員制度改定を中心に―」（『人間文化創成科学論叢』第21巻、2019年）、小風綾乃・大向一輝・永崎研宣「18世紀パリ王立科学アカデミー集会の出席会員分析に向けたデータ構築と可視化」（『第123回人文科学とコンピュータ研究会発表会（予稿）』2020年）など。

鈴木親彦（すずき・ちかひこ）
ROIS-DS 人文学オープンデータ共同利用センター特任助教／国立情報学研究所兼務（文化資源学・人文情報学）。論文に「顔コレデータセット：美術史研究分野における機械学習データセットの構築・公開の諸問題」（鈴木親彦、北本朝展、Yingtao Tian『デジタルアーカイブ学会誌』4（2）、2020 年 4 月）、"Creating Structured and Reusable Data for Tourism and Commerce Images of Edo: Using IIIF Curation Platform to Extract Information from Historical Materials." Suzuki, Chikahiko, and Kitamoto, Asanobu. Digital Humanities 2020, 2020 年 7 月、「日本中世絵巻における性差の描き分け― IIIF Curation Platform を活用した GM 法による『遊行上人縁起絵巻』の様式分析」（鈴木親彦、髙岸輝、本間淳、Alexis Mermet、北本朝展『じんもんこん 2020 論文集』2020 年 12 月）など。

髙橋亮介（たかはし・りょうすけ）
東京都立大学准教授（西洋古代史）。著書に『ラテン語碑文で楽しむ古代ローマ』（共著、研究社、2011 年）、『ローマ帝国と地中海文明を歩く』（共著、講談社、2013 年）など。

徳永聡子（とくなが・さとこ）
慶應義塾大学教授（中世英文学、書物史）。著書に『出版文化史の東西―原本を読む楽しみ』（編著、慶應義塾大学出版会、2015 年）、*Caxton's Golden Legend*: Vol. I: Temporale, ed. by Mayumi Taguchi, John Scahill and Satoko Tokunaga, Early English Text Society, OS 355 (Oxford: Oxford University Press, 2020) など。

永井正勝（ながい・まさかつ）
東京大学附属図書館特任准教授（古代エジプト語言語学）。論文に「中エジプト語の進行相の否定文について―「否定辞 *nn* ＋主語＋前置詞 *ḥr* ＋不定詞」構文の再検討―」（日本オリエント学会『オリエント』第 53 巻第 2 号、2011 年 3 月）、永井正勝・和氣愛仁「古代エジプト神官文字写本を対象とした言語情報表示システムの試作」（情報処理学会『人文科学とコンピュータシンポジウム論文集』Vol.2012-No.9、2012 年 11 月）など。

西川　開（にしかわ・かい）
筑波大学大学院図書館情報メディア研究科博士後期課程（図書館情報学）。論文に「知識コモンズ研究の系統化に関する理論的考察」（『情報知識学会誌』29（3）、2019 年、https://doi.org/10.2964/jsik_2019_037）、Kai, Nishikawa. (2020). How are research data governed at Japanese repositories? A knowledge commons perspective. *Aslib Journal of Information Management*, 72(5), 837-852. https://doi.org/10.1108/AJIM-03-2020-0072 など。

舩田佐央子（ふなだ・さおこ）
福岡大学講師（文体論）。論文に Funada, Saoko. (2016) 'Similes in *David Copperfield*: with Special Reference to Dehumanisation'. *Language and Style in English Literature*. Edited by Imahayashi, O, Jimura, A. and Ken Nakagawa. Hiroshima: Keisuisha, 189-206., Funada, Saoko. (2018) 'Charles Dickens's Personification and Style: With a Special Focus on the First-Person Narrative Perspectives'. *The Pleasure of English Language and Literature: A Festschrift for Akiyuki Jimura*. Edited by Hideshi Ohno, Kazuho Mizuno, and Osamu Imahayashi. Hiroshima: Keisuisha, 27-46., Funada, Saoko. (2019) A Stylistic Analysis of Dickens's Dehumanisation Using Metaphors in *Our Mutual Friend*. 福岡大学研究部論集 A: 人文科学編 19/2, 39-52. など。

槇野　翔（まきの・しょう）
東京大学人文社会系研究科・ダブリン大学トリニティカレッジ歴史学部博士課程（17 世紀アイルランド宗教政治史）。

松下　聖（まつした・せい）
近畿大学特任講師（言語学、地域研究（中央ユーラシア））。論文に「『バイリンガル作家』としてのチンギス・アイトマートフ」（『スラヴィアーナ』2011 年）、著書に『実践キルギス語入門』（筑波大学グローバルエデュケーションセンター、2017 年）など。

横山説子（よこやま・せつこ）

セントルイス・ワシントン大学 ACLS 博士研究員（文学歴史資料デジタル編集方法論、デジタル技術文化批評）。論文に "Digital Technologies for Exploring Prosody: A Brief Historical Overview." Arcade, Stanford University Department of English, 2018; "The Sound of Public Humanities: Some Editorial Precautions for an Online Audio Edition of Robert Frost," *The Robert Frost Review*, vol. 29, 2019, pp. 74-89; "The Open Access Spectrum: Designing Electronic Editions of Literary Works," *Access, Control, and Dissemination in Digital Humanities*. *Routledge*, 2021, pp. 205-221. など。

吉川　斉（よしかわ・ひとし）

東京大学助教（西洋古典学）。著書に『「イソップ寓話」の形成と展開：古代ギリシアから近代日本へ』（知泉書館、2020 年）、論文に「「イソップ」の渡来と帰化」（葛西康徳、ヴァネッサ・カッツァート編『古典の挑戦：古代ギリシア・ローマ研究ナビ』知泉書館、2021 年）など。

Alex Gil

コロンビア大学図書館（歴史学、DH）。Césaire, Aimé. ... And the Dogs Were Silent: A translation of the lost typescript of Et les chiens se taisaient. Alex Gil, ed., trans., intro. Durham: Duke University Press (Forthcoming 2022), "Global Outlooks in Digital Humanities: Multilingual Practices and Minimal Computing." Élika Ortega, co-author. *Doing Digital Humanities*. Richard Lane, Raymond Siemens, and Constance Crompton, eds. London/NY: Routledge, 2016, "Only Connect: The Globalization of the Digital Humanities." Daniel O'Donnell, Katherine L. Walter, and Neil Fraistat, co-authors. *A New Companion to Digital Humanities*. Raymond George Siemens, and John Unsworth, eds. Chichester, West Sussex, UK: John Wiley & Sons Inc, 2016.

James Cummings

ニューカッスル大学（英国）（英文学、DH）。Cummings J. The Text Encoding Initiative and the Study of Literature. In: Siemens, R; Schreibman, S, ed. *A Companion to Digital Literary Studies*. Oxford: Blackwell, 2008, pp.451-476., Cummings J. Building DH Training Events. In: Lane, RJ; Siemens, R; Crompton, C, ed. *Doing More Digital Humanities: Open Approaches to Creation, Growth, and Development*. Routledge, 2019, pp.264-277.Cummings J. A world of difference: Myths and misconceptions about the TEI. *Digital Scholarship in the Humanities* 2019, 34(Supplement 1), i58-i79.

Neil Fraistat

メリーランド大学名誉教授（英文学、DH）。N. Fraistat, *The Poem and the Book: Interpreting Collections of Romantic Poetry*. Chapel Hill: Univ of North Carolina Pr, 1985., N. Fraistat, *Poems in Their Place: Intertextuality and Order of Poetic Collections*. The University of North Carolina Press, 2014., Co-General Editor, *The Complete Poetry of Percy Bysshe Shelley* (2000, 2005, 2012, 2021).

Niall O'Leary (Niall O'Leary Services)

DH コンサルタント。St Patrick's Confessio Hyperstack - http://www.confessio.ie, DHO: Discovery - http://discovery.dho.ie, Doegen Records Web Archive - http://www.dho.ie/doegen

Pip Willcox

英国国立公文書館（英文学、DH）。Terhi Nurmikko-Fuller, Kevin R Page, Pip Willcox, Jacob Jett, Chris Maden, Timothy Cole, Colleen Fallaw, Megan Senseney and J Stephen Downie (2015). 'Building complex research collections in digital libraries: A survey of ontology implications'. *Proceedings of the 15th ACM/IEEE-CS Joint Conference on Digital Libraries*., ACM10pp.David De Roure and Pip Willcox (2017). 'Experimental Humanities: an adventure with Lovelace and Babbage'. *2017 IEEE 13th International Conference on eScience* 978-1-5386-2686-3/17 © 2017 IEEE. DOI 10.1109/eScience.2017.32, pp. 194-201., Giles Bergel, Pip Willcox et al. 2020. Sustaining the Digital Humanities in the UK. Software Sustainability Institute. DOI: https://doi.org/10.5281/zenodo.4046266.

■ DH Map

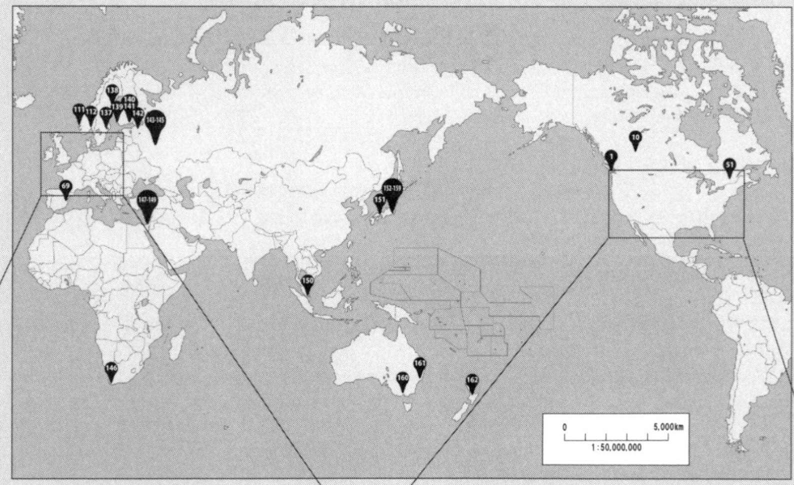

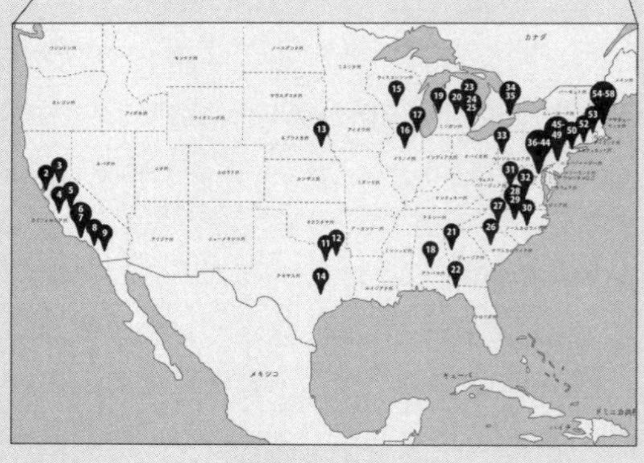

1 **ヴィクトリア大学**：1-5, 1-8, 2-15
2 **インターネット・アーカイブ**：2-2, 2-3, 2-18
3 **カリフォルニア大学バークリー校**：3-14
4 **スタンフォード大学**：1-8, 2-22, 2-23
5 **パロアルト研究所**：2-4
6 **カリフォルニア大学サンタ・バーバラ校**：1-1, 1-2, 1-4, 1-5
7 **カリフォルニア州立大学ノースリッジ校**：1-2
8 **カリフォルニア大学ロサンゼルス校**：1-1, 2-27
9 **ハンティントン図書館**：1-1, 2-19
10 **アルバータ大学**：1-2, 3-4
11 **SIL International**：3-14, 3-21
12 **テキサス大学ダラス校**：2-27
13 **ネブラスカ大学リンカーン校**：1-1
14 **テキサス A&M 大学**：2-23
15 **ウィスコンシン大学マディソン校**：2-29
16 **イリノイ大学アーバナ・シャンペーン校**：1-1
17 **シカゴ大学**：2-22, 2-23
18 **イコール・ジャスティス・イニシアティブ**：2-32
19 **ホープ大学**：1-1, 1-5
20 **ミシガン州立大学**：1-1
21 **ジョージア工科大学**：2-24
22 **フロリダ州立大学**：2-8
23 **ミシガン大学**：1-3, 2-16
24 **ハティトラスト**：2-18
25 **ウェイン州立大学**：1-5
26 **サウス・カロライナ大学**：1-8
27 **デビッドソン・カレッジ**：1-1
28 **ノースカロライナ大学チャペルヒル校**：1-15, 2-32
29 **デューク大学**：1-5, 1-15, 2-7, 3-10
30 **ノースカロライナ州立大学**：1-15, 2-16
31 **ヴァージニア大学**：1-1, 1-3, 1-4, 1-5, 1-6
32 **ヴァージニア・コモンウェルス大学**：1-1
33 **ピッツバーグ大学**：1-10
34 **ブロック大学**：1-5
35 **ニューヨーク州立大学バッファロー校**：3-9
36 **ジョージ・メイソン大学**：1-9
37 **ジョージタウン大学**：3-1, 3-3, 3-4
38 **図書館情報資源会議（CLIR）**：1-3, 1-4
39 **フォルジャー・シェイクスピア図書館**：1-1, 2-15

40 アメリカ国立公文書館 : 2-23
41 メリーランド大学 : 1-1, 1-3, 1-4
42 メリーランド大学ボルティモアカウンティ校 : 2-32
43 メリーマウント大学 : 2-24
44 米国議会図書館 : 1-1, 1-8
45 ペンシルヴェニア大学 : 2-15, 3-19
46 プリンストン大学 : 2-12, 3-18
47 ニューヨーク公共図書館 : 1-1
48 ピアポント・モーガン図書館 : 2-13
49 コロンビア大学 : 1-5
50 ニューヨーク市立大学工科カレッジ : 1-5
51 マギル大学 : 1-2, 3-4
52 ブラウン大学 : 1-12
53 ウィートン・カレッジ : 1-6
54 タフツ大学 : 2-2, 3-9, 3-14
55 ハーバード大学 : 1-1, 1-3, 2-2, 2-3, 2-4, 3-9
56 ボストン大学 : 2-4
57 MIT : 1-7, 2-15, 2-16
58 DPLA : 1-7
59 メイヌース大学 : 1-8
60 トリニティ・カレッジ・ダブリン : 2-20
61 ユニヴァーシティ・カレッジ・ダブリン : 2-18
62 グラスゴー大学 : 2-13
63 エディンバラ大学 : 2-21, 2-22, 2-23, 2-24
64 セント・アンドルーズ大学 : 2-18
65 バーミンガム大学 : 2-30, 3-6
66 ウォリック大学 : 2-27
67 オックスフォード大学 : 1-8, 1-12, 2-10, 2-13, 2-17, 2-23, 3-3
68 デ・モントフォート大学 : 2-15
69 バレンシア工科大学 : 3-16
70 ユニバーシティ・カレッジ・ロンドン : 1-1, 1-5, 2-1, 3-11
71 ロンドン大学古典学研究所 : 2-1
72 英国図書館 : 1-1, 1-10, 2-13, 2-15, 2-22, 3-1, 3-12, 3-13
73 キングス・カレッジ・ロンドン : 1-10, 1-11, 2-1, 2-8, 2-27
74 ダリッジ・カレッジ : 2-15
75 ロンドン大学クイーン・メアリー : 2-10
76 ケンブリッジ大学 : 2-13
77 フランス国立科学研究センター : 2-9, 2-10, 2-11, 3-9, 3-13
78 フランス社会科学高等研究院 : 2-10, 2-11, 2-29
79 フランス科学アカデミー : 2-22
80 フランス国立古文書学校 : 2-29
81 フランス高等師範学校 : 2-23
82 パリ第 3 大学ソルボンヌ・ヌーヴェル校 : 1-13
83 フランス国立図書館 : 1-8, 1-10, 1-13, 2-22, 3-12, 3-13
84 フランス国立情報学自動制御研究所 : 3-19
85 モンペリエ第三大学 : 2-15
86 ヨーロピアーナ : 1-7, 1-10, 1-11, 2-28
87 ライデン大学 : 2-8
88 ルーヴェン・カトリック大学 : 3-11
89 アヴィニョン大学 : 2-11
90 リヨン高等師範学校 : 2-10, 2-11, 2-22
91 リヨン人間科学館 : 2-11
92 リヨン第二大学 : 2-9, 2-11
93 アムステルダム国立美術館 : 1-11
94 ユトレヒト大学 : 3-14
95 グルノーブル第 3 大学 : 1-13, 2-10
96 グルノーブル市立図書館 : 1-13
97 ナイメーヘン・ラドバウド大学 : 2-22
98 ルクセンブルク大学 : 2-31
99 トリーア大学 : 3-6
100 マルティン・ボドマー財団 : 3-8
101 ジュネーブ大学 : 3-8
102 バーゼル大学 : 3-2
103 ボン大学 : 3-14
104 ミュンスター大学 : 3-1, 3-6
105 ドイツ国立図書館 : 1-8
106 マインツ大学 : 3-2
107 ハイデルベルク大学 : 3-10
108 チュビンゲン大学 : 2-26
109 ゲッティンゲン大学 : 2-12, 3-1, 3-2, 3-4, 3-5, 3-7, 3-8, 3-9, 3-15, 3-18
110 ハンブルク大学 : 3-3, 3-7, 3-8
111 ベルゲン大学 : 3-19
112 オスロ大学 : 3-7, 3-9, 3-17, 3-18
113 エアランゲン = ニュルンベルク大学 : 2-14
114 エアフルト大学 : 2-23
115 インスブルック大学 : 3-16
116 ミュンヘン大学 : 3-3, 3-15
117 バイエルン州立図書館 : 2-28
118 イェーナ大学 : 2-23
119 ライプチヒ大学 : 2-6, 3-2, 3-3, 3-4, 3-7, 3-9, 3-14
120 バチカン図書館 : 3-12
121 ローマ・サピエンツァ大学 : 1-13, 3-3, 3-14
122 パドヴァ大学 : 1-13
123 ボローニャ大学 : 1-13
124 シエナ大学 : 2-10
125 ルンド大学 : 3-3
126 グライフスバルト大学 : 3-16
127 フンボルト大学ベルリン : 3-3, 3-4, 3-8, 3-15
128 新博物館（ベルリン）: 3-10
129 ベルリン自由大学 : 3-8
130 プラハ・カレル大学 : 2-10, 3-19, 3-20
131 グラーツ大学 : 1-6
132 ウィーン大学 : 2-23
133 クロスターノイブルク修道院図書館 : 2-10
134 オーストリア国立図書館 : 2-28, 3-10
135 オーストリア科学アカデミー : 2-14, 2-22
136 セゲド大学 : 2-24
137 ウプサラ大学 : 2-26
138 ウメア大学 : 1-1
139 トゥルク大学 : 3-19
140 ヘルシンキ大学 : 2-7, 2-24, 3-5
141 フィンランド国立公文書館 : 3-16
142 エリツィン記念大統領図書館 : 2-25, 2-26
143 モスクワ大学 : 2-26
144 ロシア科学アカデミー : 2-26
145 ロシア国立図書館 : 2-25
146 ケープタウン大学 : 3-14
147 ヘブライ大学 : 3-1
148 ハイファ大学 : 3-4
149 ベイルート・アメリカン大学 : 1-5
150 南洋理工大学 : 3-7, 3-9, 3-18
151 京都大学 : 1-14, 3-10, 3-11, 3-13
152 国立国語研究所 : 2-26, 3-13, 3-19
153 東京女子大学 : 2-16
154 青山学院大学 : 2-16
155 上智大学 : 2-16
156 慶應義塾大学 : 2-12, 2-16
157 人文情報学研究所 : 2-4, 3-12
158 東京大学 : 1-14, 2-4, 2-14, 2-20, 3-4, 3-13
159 国立国会図書館 : 1-8, 3-13
160 ラ・トローブ大学 : 2-27
161 ウェスタン・シドニー大学 : 2-23
162 ワイカト大学 : 2-28

プリント用 DH Map、地図の kml ファイルを下記 URL でダウンロードできます。
https://bungaku-report.com/western-digital-humanities.html

付録

■ 用語解説

API	Application Programming Interface の略。ウェブサービスやソフトウエアが持つデータや機能の一部を、外部のプログラムから呼び出して二次利用するために提供側が用意する仕組み。
ArcGIS	ESRI 社が開発・提供している地理情報システム（GIS）ソフトウエア。情報の取得・分析・共有・利用に地理的な視点を導入できるプラットフォームとして広く普及している。
ASCII 文字	American Standard Code for Information Interchange の略。大文字・小文字のアルファベットや数字、約物などを含む文字コード。米国標準化協会によって 1963 年に制定された。
CSS	Cascading Style Sheets の略。文書の内容的な構造とスタイルの記述を分離するという考え方に基づき、ウェブページのスタイルを指定するための技術仕様。
GitHub	プログラムのソースコードを複数人で共同作成・公開するためのウェブサービス。近年はテキストデータやガイドラインなどの作成・共有にも用いられている。2018 年にマイクロソフト社に買収された。
GUI	Graphical User Interface（グラフィカル・ユーザ・インターフェース）の略。
HTML	Hyper Text Markup Language の略。ウェブページを記述するためのマークアップ言語である。
IIIF	International Image Interoperability Framework の略。デジタルアーカイブ上の画像・動画・音声などに対するアクセス手段を統一する API を策定し、コンテンツの相互運用性の向上を図る国際的な枠組みである。
JavaScript	プログラム言語の一つ。ユーザのブラウザ上で動作するプログラムを作成することができる。主に GUI の開発や情報の可視化に用いられる。
JSON フォーマット	JavaScript Object Notation の略。JavaScript においてデータをテキスト形式で交換する際に利用されるフォーマット。ウェブ上のデータ交換手段として XML と並んで広く利用される。
Linked Open Data	構造化されたデータをウェブ上で公開し、URI を介して相互にリンクすることで大規模なデータのネットワークを構築するための方法論。クリエイティブ・コモンズなどのオープンライセンスに基づき自由に利用することができる。
MOOC	Massive Open Online Course の略。インターネット上で誰もが無償で視聴できる講義を提供するサービス。
Omeka	ジョージ・メイソン大学ロイ・ローゼンツヴァイク歴史とニューメディア研究センターが開発・提供する、図書館・博物館・美術館などのデジタルアーカイブを作成するためのオープンソースのコンテンツマネジメントシステム（CMS）。

Perl	プログラミング言語の一つ。文字列の検索・置換などのテキスト処理機能に優れているため、初期のウェブプログラミングにおいて広く用いられた。
PHP	プログラミング言語の一つ。ウェブプログラミングのために設計され、MediaWiki・Drupal・Omeka など、さまざまな CMS において採用されている。
Python	プログラミング言語の一つ。自然言語処理や人工知能技術のライブラリが充実しており、テキストの分析に広く用いられる。
SGML	Standard Generalized Markup Language（標準一般化マークアップ言語）の略。XML の前身であり、複雑なデータ構造の表現が可能である。
TEI/XML	TEI 協会（Text Encoding Initiative）が策定する、人文学を中心とするテキスト構造化のためのデータ形式である。現在は XML（Extensible Markup Language）技術に基づき実装されている。西洋諸国のデジタル・ヒューマニティーズのプロジェクトにおいては事実上の標準として TEI/XML 形式での文献データの作成・共有が広く行われている。
UI	User Interface（ユーザ・インターフェース）の略。
Unicode	符号化された文字集合の国際規格。世界中の文字に符号を割り当て、普遍的にどのコンピュータで表示できるようにする枠組み。
W3C	World Wide Web Consortium の略。ウェブにおける各種技術仕様の標準化を実施する団体。
XSLT	W3C によって標準化された XML 文書のための変換用言語。XPath を用いて XML の要素を指定し任意の形式に変換する。
テキストエンコーディング	テキストデータへのタグ付け（マークアップ）により付随的な情報（メタデータ）を記述すること。西洋諸国では TEI ガイドラインに準拠することがデファクト標準である。
セマンティック Web 技術	ウェブ上の情報の意味（セマンティクス）をコンピュータに理解可能な表現手段によって記述し、意味内容に基づく自動処理を実現するための技術の総称。
データセット	プログラムで処理されるデータの集合。分野・用途によって集合の共通項はさまざまに定められる。
ヒートマップ	大規模な多次元データにおいて数値の大小やその関係を色の違いで視覚化する手法。
ファセット	複数のデータに共通し得る属性。絞り込み検索の際に用いられる。
マークアップ	文献やテキストに対して、コンピュータやプログラムが処理できるようにするために、ある特定の方法で情報を付与していくこと。
メタデータ	データについてのデータ。書籍に対する書誌情報など、あるデータに対して説明となる付帯情報を指す。

監修

一般財団法人 人文情報学研究所

2010年、SAT大蔵経テキストデータベースの運用を支援しつつ、これを基礎とする仏教学のためのデジタル研究環境構築を目指し、人文情報学的知見を開発して人文知の宝庫である仏教の研究を推進し、さらに、これをとおして人文学全体を振興するとともに、広く人類精神文化の発展に寄与する目的をもって設立された研究所。仏教経典研究部門、仏教写本研究部門、人文情報学研究部門の三部門を擁する。これらの各部門における研究活動に加えて、2011年より月刊の無料メールマガジン『人文情報学月報』を発行し、日本デジタル・ヒューマニティーズ学会の事務局を引き受ける等、人文情報学に関わる情報共有と連携を重点事項の一つと位置づけて取り組みを続けている。ハンブルク大学、国文学研究資料館等と連携協定を結んでいる。

https://www.dhii.jp/　東京都文京区本郷5-26-4-11F　TEL:03-6801-8411　FAX:03-6801-8412

編者

小風尚樹
小川　潤
纓田宗紀
長野壮一
山中美潮
宮川　創
大向一輝
永崎研宣

※プロフィールは488ページ参照

欧米圏デジタル・ヒューマニティーズの基礎知識

2021（令和3）年7月20日　第1版第1刷発行

ISBN978-4-909658-58-6　C0020

発行所　株式会社 **文学通信**

〒114-0001　東京都北区東十条1-18-1 東十条ビル1-101
電話 03-5939-9027　Fax 03-5939-9094
メール info@bungaku-report.com　ウェブ http://bungaku-report.com

発行人　岡田圭介
印刷・製本　モリモト印刷

ご意見・ご感想はこちらからも送れます。上記のQRコードを読み取ってください。